我的画是否是完美的艺术，
我不知道，
但是我正努力
使它达到完美的程度。

——拉斐尔

目　录

出版说明

Scripta Maneant 出版社一向致力于意大利艺术史中最高端作品的传播。每一本画册的得以问世，都是我们出版人心血的结晶。拉斐尔——这部画册的主角——他对于美的理解与表达独一无二，这位天才的意大利人向后人展示的，是一颗为艺术而生的灵魂如何萃取并提炼出最精致的美。

这部画册以其宏大的规制，尽微尽致地传递出这位“画圣”细腻的情感。其中收录了拉斐尔的所有代表作，包括画作、草稿，还有雕塑、建筑以及其他形式的艺术作品。

本书还收录了部分拉斐尔作品的评论，通过对这位天才意大利画家作品现代性的发掘，彰显其作品对现代先锋艺术以及当代艺术的启示，使我们得以窥见这位全能艺术家才华的方方面面。

Scripta Maneant 出版社想借此机会，感谢所有促成本书面世的朋友。这部画册凝聚了多方的努力，我们共同的付出，旨在使最高端的艺术品位在美的体验中不断得到升华。

费德里科 · 法拉利（Federico Ferrari）

Scripta Maneant 出版社

原版序言

亚历山德罗·委佐齐（Alessandro Vezzozi）

这部画册的名字本身便是对其出版缘起的一个很好的注脚。[①]"全知全能"，这位生命如流星般的艺术家获得了世代和后人给予的闻名遐迩的美誉，他不仅是无所不能的画家，更是"人类的诗人"。艺术评论家约翰·大卫·帕萨凡特(Johann David Passavant)在1860年写道，"在艺术史中，拉斐尔的地位是独一无二的，无论从什么角度来看，他都是完美的，与其同时代的人相比，他卓越的天才显得格外熠熠闪光"。

克劳迪奥·斯特里纳迪在本书中以其独特的方式向我们展示了画家无与伦比的才华，他用了十三章的篇幅，通过对拉斐尔生平中较为有争议的几个片段、他与委托人之间的关系、创作背景、作品是否与人合作等方面，为我们详尽地展示了拉斐尔艺术创作的独特道路。

在本书的附录中，我们希望发掘出拉斐尔作品的现实性和现代意义，尤其是对20世纪的先锋艺术以及当代艺术的影响——在讨论现当代艺术的时候，五百年前的这位乌尔比诺的年轻人，是无论如何绕不过去的。

另外，本书也尽力通过相当篇幅的艺术评论的文字，力图还原拉斐尔在艺术创作中的心理状态、时空背景以及历史影响。

在《达·芬奇》这部画册中，达·芬奇向后人展示了一个全能的文艺复兴天才是如何在不同学科、各个领域施展令人惊异的才华，而在《拉斐尔》中，我们在一个细腻的艺术生命中，感知到了理念的交融、形体的碰撞、思想的交织与对照。

不论是达·芬奇，还是拉斐尔，他们都以自己的天才创造，走在了自己所处的时代的前面，甚至，走在了艺术和文明的前端。

与米开朗基罗式的创作激情相比，拉斐尔传递的哲学与宗教命题少了些悲剧性的冲突，而更多体现的是一种和谐。斯特里纳迪将这种和谐描述为"现代性与永恒性"。拉斐尔在面对古代艺术时，在对其调和的基础之上，不断对其进行继承与创新，他歌颂古代艺术的辉煌，却并不止步于此，其作品传递出的，是命运的力量、理想的魅力，更是一种灵性的感召。

在这部画册中，诸如《雅典学院》等巨作

①这本画册原名为《拉斐尔：全知全能》。——译者注

都是首次以较大的清晰度面世，相信在这些作品面前，每一个读者都能够唤醒自己内心的拉斐尔，并感受来自文艺复兴的、永不褪色的美的感知与体验。

拉斐尔只活了37岁，便英年早逝。在二十年短暂的创作生命中，拉斐尔画笔下完美的造型、祥和的场景和柔和的色彩背后，是人所能希冀的最高形式的艺术的、理想的美，而这种美直到五百年后的今天，仍然感召着倾心于艺术的我们，并愿意将这样美的旅程，随着打开这本画册，在我们的时代还原、铺陈开来。

译者序

天才人物就像流星一样，注定要燃烧自己，照亮他所在的时代。

我们不妨以拿破仑的这句话为上天找一个拉斐尔早逝的理由。年轻的天才在短短的37年的生命中，已经深刻地影响了自己所处的时代。在他身后，他的作品跨过阿尔卑斯山，越过地中海，直至穿越世纪的时空，成就了来自乌尔比诺的绘画王子的不朽声名。在他有限的生命中，他为所有爱艺术的人贡献了数量惊人的杰作，他笔下的人物洋溢着完美宁静的境界，与他的为人一样，和谐、安详而优雅。他比达·芬奇和米开朗基罗都年轻，在艺术上的早熟使他得以博采众家之长，他的画笔调和了柔和、圆润与饱满，同时更树立了自己明晰的风格，以世俗化的手法，通过对传统宗教题材的描绘，赞颂人性的光辉，诠释了一种纯净而理想的美。他的艺术成就承前启后，赋予了古代艺术新的生命，同时启发了巴洛克风格，更对法国古典学派产生了深远的影响。

本书由意大利艺术史专家克劳迪奥·斯特里纳迪 (Claudio Strinati)执笔，以拉斐尔的创作时间为脉络，着重分析了拉斐尔笔下的众多圣母像、祭坛装饰画(《基督被解下十字架》等)、梵蒂冈艾略多罗室等房间壁画(《雅典学院》《帕尔那索斯山》等)以及素描作品，为观者呈现最为完整、真实的拉斐尔。

倘若命运没有过早地让拉斐尔离开人间，欧洲的艺术史也许会改写。后人在审读历史时，不免驰骋自身的想象，替前人发出不甘心的抱怨。而作为仰视天空的后人，在彗星划过夜空的时候，寻找彗星陨落的轨迹固然重要，寻见被照亮的瑰丽天空、满天星辰，并对那过早陨落的星宿心生感恩，也许更是后人应做的本分。

拉斐尔自画像，梵蒂冈博物馆艾略多罗室湿壁画之一（局部），1511年。

（第12页）**拉斐尔自画像**（这是今天较为世人所知的拉斐尔自画像），木板油画，47.5厘米×33厘米，佛罗伦萨乌菲齐美术馆。
（第13页）**自画像**（被认为是洛伦佐·梅里尼所作），木板油画，46.3厘米×35.5厘米，私人收藏。
（本页）**天文学**，梵蒂冈博物馆署名室天花板湿壁画（局部），1509—1511年。

（右页）
（上图）**铜制勋章**，正面为巴尔达萨雷·卡斯蒂利翁的肖像，背面所表现的是女神奥若拉从马上跌落的情景。这枚铜币被认为是拉斐尔的作品，直径3.7厘米，藏于伦敦大英博物馆。
（下图）**永恒的主父、天使与圣母玛利亚**，1500—1501年，木板油画，112厘米×75厘米（主父），51厘米×41厘米（圣母玛利亚），那不勒斯卡波迪蒙特国家美术馆，这是拉斐尔为卡斯德罗城的圣奥古斯丁教堂所作名为《托伦蒂诺的圣尼古拉加冕》的祭坛画的残片。

乌尔比诺：初露锋芒

1554年，一位名叫路德维科·道尔奇的文人出版了一本书，书名是《才俊书信》(Lettere di Diversi Eccellenti Uomini)。书中收录了拉斐尔写给巴尔达萨雷·卡斯蒂利翁伯爵的一封信。虽然信中并未署名，只是由路德维科·道尔奇抄录全文，但还是被历史学家们认定，这封信是理解拉斐尔艺术创作理念的核心文本。直至今天，既没有人能拿出最直接的证据证明拉斐尔确是这封信的作者，也没有人能够令人信服地推翻这一假设。不过，这并不影响后世文艺批评家们将这些文字视为解读拉斐尔的不二法门，通过这封来路不明的信，或许我们才能够更加看懂这位天才艺术家灵感来源的一鳞半爪。

这一历史谜团虽已不可考。不过我们可以确知的是，这是一封言辞相当考究的信。从遣词造句中可以看出，写信人不仅博闻强记，还有着深刻的思辨力。这真的是我们印象中那个温柔和顺的拉斐尔吗？设若信的作者真的是他，是否文字中浮现的那个形象，才是画家本人真性情的另一面呢？

深刻而博学的拉斐尔，是一个不常被提起的形象。实则拉斐尔的父亲，乔万尼·桑蒂，就不仅是一位充满创造性的画家，更是一个洋溢着人文气息的作家，在这样的家庭中成长的拉斐尔，明显经受了父亲的言传身教。而这样的家学渊源和身处一个充满人文主义气息的城市，都使得这个乌尔比诺的年轻人很早便蒙受了艺术女神的青睐。

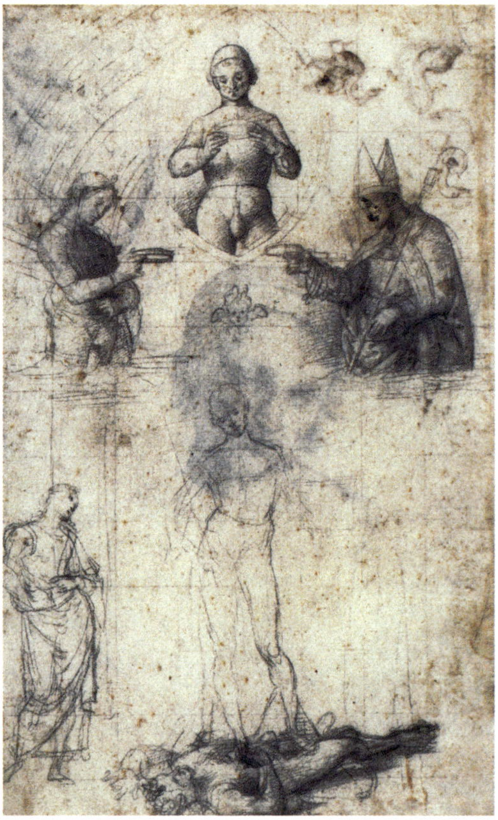

（左图）**托伦蒂诺的圣尼古拉的加冕**，习作（1500—1501年），正面像，黑色铅笔画，伦敦国家美术馆。

（右图）**天使**，1500—1501年，木板油画，31厘米×27厘米，布雷西亚，托西奥·马丁内古画廊（Pinacoteca Tosio Martinengo）， 这幅画作是画有《圣尼古拉的加冕》的祭坛画的一部分，圣尼古拉祭坛装饰画原作已残破，各残部在意大利及海外几大博物馆分别保存。

（右页）**天使**，1500—1501年，木板油画，57厘米×36厘米，这幅油画也是画有《圣尼古拉的加冕》的祭坛装饰画的一部分，巴黎卢浮宫。

与基督复活的神圣对话，乔万尼·桑蒂（拉斐尔之父），1481年，湿壁画，420厘米×295厘米，卡格里，圣多米尼克教堂，蒂拉尼礼拜堂（Cappella Tiranni），右页为局部。

（本页上图）**克莱蒙纳的艾乌赛比奥使三人从死里复活**，约1502—1503年，木板油画，25.6厘米×43.9厘米，里斯本，古代艺术国家博物馆。

（本页下图）**圣吉罗拉莫拯救希尔瓦诺并惩罚异端萨巴尼阿诺**，约1502—1503年，木板油画，罗利，北卡罗莱纳艺术博物馆。

（右页）**耶稣受难**（耶稣与两名天使、抹大拉、圣哲罗姆以及福音约翰），1503—1504年，木板油画，280厘米×165厘米，伦敦国家美术馆。

·I·N·R·I·

（左上图）平托瑞丘，**庇护二世**（*Enea Silvio Piccolomini*）**出发前往巴斯雷阿公会，**1502—1507年，湿壁画（庇护二世生平连环壁画之一），锡耶纳主教堂，皮克罗米尼图书馆。

（右上图）**海岸风景**（这幅油画风格神秘，画中有一圆球，被两艘船向前拉拽，球体内有一女子、一条狗和一只猫），局部，1498—1500年，巴黎卢浮宫。

（右页）拉斐尔，**庇护二世**（*Enea Silvio Piccolomini*）**出发前往巴斯雷阿公会，**水笔画，70.5厘米×41.4厘米，佛罗伦萨乌菲齐美术馆。

（上图）**圣母诞生**，约1497年，木板油画，25厘米×50厘米，法诺，新圣母玛利亚教堂。

（中图从左到右依次为）

抹大拉，约1502年，黑色炭笔，褐色墨水笔画，轮廓打孔，30.4厘米×9.1厘米，柏林国家博物馆。

圣凯瑟琳，习作，约1501年，黑色炭笔辅以铅白，四周红色粉笔，轮廓打孔，29.5厘米×11.5厘米，巴黎卢浮宫。

圣凯瑟琳（正面，左图），约1501年，木板油画，39厘米×15厘米，乌尔比诺，马尔凯国立艺术馆。

“RAPHAEL SANT”的签名放大细节，见于圣凯瑟琳衣服边缘。

（左图）**“RAPHAEL SANT”签名逆时针旋转90度的字样**。

（左页）**圣凯瑟琳的神秘婚礼**，约1497年，木板油画，51.2厘米×37.7厘米，私人收藏。作品中有“RAPHAEL SANT”（拉斐尔·桑蒂）的签名字样。

（上图）**圣三位一体旗**，左图：圣三位一体与圣塞巴斯蒂安和圣洛克。右图：上帝创造夏娃，约1500年，木板油画，166厘米×94厘米，卡斯得罗城，市立美术馆。

（下图）**游行十字架**（被认为是拉斐尔的作品），1498—1502年，烫金胶画，46.8厘米×33.5厘米，双面作画，米兰波尔迪·佩佐利美术馆。

（左图）**迄今为止发现的拉斐尔的第一幅自画像**，约成画于1500年，黑色粉笔画，30.8厘米×18.3厘米，伦敦大英博物馆。

（右图）**圣母与圣子**，该作品作者未明确，或是拉斐尔之父乔万尼·桑蒂，或为拉斐尔本人手笔。在拉斐尔的早期作品中，常常能看到其父亲的影子。在瓦萨里的笔下，乔万尼·桑蒂虽然是一个“没有十分杰出成就的画家”，但也同时是“将儿子引上正确道路的启蒙者”。他精通绘画，更以其杰出的文学才华在乌尔比诺的宫廷社交圈有一定名声。可以想见，年轻的拉斐尔的艺术启蒙，正是在其父亲的画室中进行的。创作年份可能为1493或1497年，湿壁画，97厘米×67厘米，现藏于乌尔比诺的拉斐尔故居。

佩鲁吉诺，**耶稣复活**，约1500年，木板油画，224厘米×162厘米，藏于梵蒂冈美术馆。佩鲁吉诺在1499年接受委托开始创作。该作品之前被推测是佩鲁吉诺与拉斐尔合作完成的。

基督复活，约1501年，木板油画，52厘米×44厘米，藏于巴西圣保罗艺术博物馆。

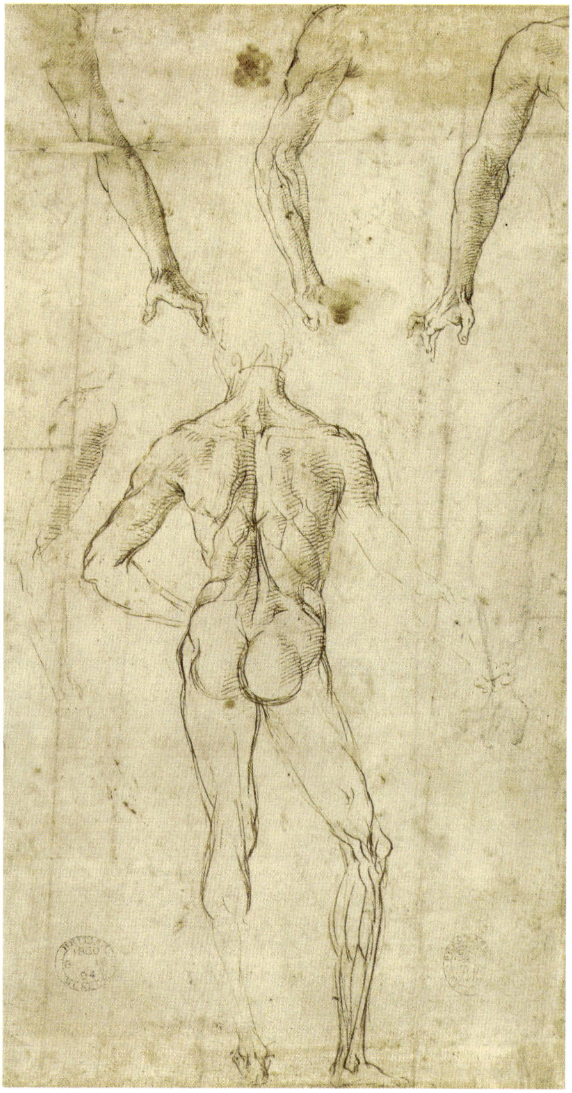

（左图）**人体解剖习作**，钢笔素描，约1498—1500年，31.4厘米×19厘米，伦敦大英博物馆。

（右图）**站立的酒神**，这幅拉斐尔的作品之前被认为是佩鲁吉诺所作，黑色铅笔、钢笔在黄色画纸上作画。39厘米×19.7厘米，佛罗伦萨乌菲齐美术馆。

（左上图）**圣母与圣子**，佩鲁吉诺，约1500年，木板油画，70.2厘米×50厘米，华盛顿国家艺术美术馆。
（左下图）**看书的圣母**，习作，约1502年，钢笔素描，12.3厘米×12.2厘米，巴黎卢浮宫。
（右上角）第34页作品中**圣母的服饰**，局部。

（右上图）**圣母子与小圣约翰**，1503年，木板油画，69厘米×50厘米，柏林国家博物馆绘画陈列室。
（右下图）**圣母与石榴**，习作，约作于1504年，灰粉笔画，41.1厘米×29.5厘米，维也纳阿尔贝蒂娜博物馆。

圣母子，1502—1503年，木板油画，55.2厘米 × 40厘米，美国帕莎蒂娜加州艺术博物馆，诺顿·西蒙基金会。

梭利圣母（Madonna Solly），约1502年完成，木板油画，52厘米×38厘米，藏于柏林国家博物馆，普鲁士文化画廊绘画陈列室。

（上图）**圣母子与圣哲罗姆、圣方济各**，约1502年，木板油画，34厘米×29厘米，柏林国家博物馆，普鲁士文化画廊绘画陈列室。

（右页）**圣塞巴斯蒂安**，约1502年，木板油画，43厘米×34厘米，意大利贝尔加莫，卡拉拉美术学院。

青年时代：虔诚的宗教画家

欧迪家族在当时的佩鲁贾是最有权势的家族之一。这个声望显赫的家族对支持文化艺术活动也表现出极大的兴趣。1502年，欧迪家族的玛达勒纳委托拉斐尔创作教堂祭台上的装饰屏。欧迪家族的祭台装饰画具体成作时间已不可考，一般倾向于认为拉斐尔在接受委托后，立刻开始了创作。或许正是这幅作品，使他离开了先前一直生活的小镇卡斯德罗城(Città di Castello)。对这幅作品进行分析，对于我们理解拉斐尔早期的创作风格是很重要的。

装饰屏所表现的是童贞玛利亚的加冕。这幅拉斐尔早期的著名作品后来几经颠沛流离。1797年，法国人得到了这幅作品，并将它带到了巴黎。在巴黎，它遭受到了极大的损伤，其后又在法国几经修缮，并由布面装裱，于1815年回到故乡意大利，现藏于梵蒂冈博物馆，与其他三个装饰屏一起展出，其他三幅装饰屏油画分别是：《受胎告知》《三博士来朝》和《神殿的奉献》。

另一幅重要的装饰画"科隆纳祭坛装饰画"(*Pala Colonna*)与欧迪家族的祭坛装饰画之间的关系仍然错综复杂，二者同样都是拉斐尔前往佛罗伦萨之前的早期宗教题材的作品，要理清拉斐尔的早期创作风格的形成，这两幅作品是关键。可惜"科隆纳祭坛装饰画"与欧迪家族委托创作的装饰画之间的关系一直缺乏明确的历史文献佐证。

"科隆纳祭坛装饰画"(*Pala Colonna*)得名于长期收藏它的科隆纳家族。1901年J. P. 摩根(J. Pierpont Morgan)在一次地下交易中得到了由拉斐尔所作的最后一幅最重要的祭坛装饰画，这是年轻的画家专门为意大利佩鲁贾修道会所作的。自1916年起一直藏于纽约大都会博物馆。拉斐尔是在接受佩鲁贾委托后开始创作的，圣安东尼奥修道院的修女们向年轻的画家订购了这一作品。由于年代久远，这幅祭坛装饰画同样没有得到很好的保护。从作品中我们可以隐约看到平托瑞丘和佩鲁吉诺画风的痕迹。在明确拉斐尔与佩鲁吉诺和平托瑞丘的关系上，许多学者的观点发生了分歧。

在为欧迪家族订制的祭坛装饰画中，拉斐尔描绘了这些宗教形象——童贞玛利亚、圣子、小圣约翰以及圣凯瑟琳和圣玛格丽特。二十多岁的拉斐尔在人物的塑造上借鉴了前

（右页）**童贞玛利亚的加冕**，为欧迪家族订制的祭坛装饰画，约1503年，木板油画转布面油画，267厘米×163厘米，梵蒂冈美术馆。

辈平托瑞丘的风格。这些形象的表现是极为克制的，笔触是流畅的，艺术家通过其卓越的手法，向传统的画法致以谨慎的敬意。我们可以看到，在这幅画作中，圣母被安放在宝座上，宝座上方有一个华盖，而圣人们则各安本位，围绕着宝座上的圣母，面朝观画的人。这种表现从内部结构的处理上来看，安排得极为得体恰当，而从外在的观感来评价，却同时不失华美奢侈的感受。在16世纪初，这种人物出场的方式十分普遍，在同时期的意大利中部，威内托、伦巴底以及意大利南部的作品中都很常见。总之，这一时期的拉斐尔似乎还并未想到要去突破作品订购人的审美趣味，实现对传统画法的扬弃。

然而，当我们转移视线，将目光投向“科隆纳祭坛装饰画”(*Pala Colonna*)时，又会发现，在这幅作品中的人像处理，圣彼得和圣保罗分处画面的两边，我们能感到在两个男性形象与女性形象之间(童贞玛利亚和两位女圣人)有某种不一致的东西。我们会发现，圣彼得和圣保罗这两个男子形象，其表现形式是根据传统的习惯，分别被刻画为在阅读查经和在向大众传道的形象。圣彼得手中的《圣经》是合上的，他的一根手指插在书中，仿佛他刚刚合上书，而又随时准备接着阅读一般。他的另一只手拿着钥匙，呈现出一副时刻准备向世人布道的姿态。而圣保罗则是完全沉浸在读经的状态，他似乎还在沉思经文的内容。需要指出的是，在当时的意大利，对这两个男性圣经人物的塑造已经完全成型了，但在拉斐尔的这幅作品中，男子形象与圣母和女圣人造型上相比，仍然要显得更加雄伟和有力度。在这两个男性形象中，我们体会出不可冒犯的尊严和古典气息，而这是在佩鲁吉诺和平托瑞丘的作品中都找不到的。其中在“科隆纳祭坛装饰画”中，我们能感受到拉斐尔在创作中的一种质感，他更加着眼于人物形象上外在丰满，更注重凸显人物由内而外散发的气魄，同时笔尖不乏华丽的技巧。在这幅年轻时代的作品中，我们会联想到拉斐尔几年后的恢宏巨制《雅典学院》，在那幅举世惊叹的作品中，圣彼得与圣保罗两个圣人的形象越发显得成熟丰满，而那种技巧上的完美，在乌尔比诺时期，就已经开始酝酿，并展现出与前辈不同的高度。

这种男性形象与女性的对比同样存在于其他三个祭坛画作品中，年轻的拉斐尔这个时期的作品已经预示着一个不世出的伟大画家即将诞生。在《耶稣受难》这幅作品里，圣母玛利亚因失去儿子的痛苦而晕厥，这么一个脆弱心碎的母亲形象，使我们联想到《从十字架上解下耶稣》(藏于罗马的波尔盖塞画廊)中的圣母；而《圣母哀悼基督》中对佩鲁吉诺画风的借鉴，又暗示我们，这个年轻人已经能够得心应手地处理继承前辈的与自我风格的形成之间的关系——很显然，年轻的

（右页）**欧迪家族祭坛装饰画附饰画**
（从上至下分别是）**受胎告知、三博士来朝、神殿的奉献**。约1503年，木板油画后转为布面油画，27厘米×50厘米，梵蒂冈美术馆。

拉斐尔在这里是有意弱化了日渐形成的属于自己的风格；而在《园中祷告》中，拉斐尔向我们展示了自己表现形体静态的技巧，这似乎是他对威内托和伦巴底画派的一种天才的预见，他已经达到了和曼塔那（Mantegna）或者乔万尼·贝利尼（Giovanni Bellini）其后才达到的一种绘画境界。

总之，通过对这些早期作品的对比，种种迹象都在暗示，作为一个年轻的画家，在借鉴传统的同时，他就已经在思考如何开创独树一帜的画风，在继承的同时，他已经看见了超越。正因为这些作品中所表现出的一些超前意识，部分学者据此认为，“科隆纳祭坛装饰画”的创作或许历经了较长的时间，从这个角度来看，确定这幅作品的完成时间，似乎也就没有必要了，因为作品本身要传达给后人的，已经不需要一个时间点来补充了。

这两幅作品都是拉斐尔留给佩鲁贾这座城市的。两幅作品的创作背景，都处于一个相对稳定的艺术传统和文化氛围中。将这两幅宗教题材画作进行横向对比，我们会发现，

（本页由上至下）**科隆纳祭坛装饰画附饰画**，约1501—1502年，板上胶画，24厘米×85厘米，伦敦国家美术馆。

园中祷告，约1501—1502年，木板胶画，24厘米×29厘米，纽约大都会艺术博物馆。

圣母哀悼基督，约1501—1502年，板上胶画，23.5厘米×28.8厘米，波士顿伊莎贝拉嘉纳艺术博物馆。

（右页）科隆纳祭坛装饰画，**圣父与两名天使（弦月窗）**，**王座中的圣母子与五位圣人**，约1502—1504年，木板油画，分别为74.9厘米×180厘米与172.4厘米×172.4厘米，纽约大都会艺术博物馆。

两位方济各会的圣人，板上胶画，两幅作品均为24厘米×16厘米，伦敦达利奇学院画廊。

这两幅拉斐尔年轻时代的杰作，都具有一种内在的矛盾，并不具备一种应有的统一的艺术风格，两幅作品都运用了一些新的、技术上的革新理念。生在那个时代的拉斐尔是幸运的，他分明把握住了时代能够赋予一个艺术家最好的礼物。青年拉斐尔在创作的时候，似乎不断地在汲取接受时代以及周围的艺术家或艺术流派的影响，其创作的过程，是动态的、流动的，而非静态的、僵化的。这也是作品最终完成时，体现出的我们上面提到的前后不一。总之，年轻的拉斐尔在初出茅庐的青年时代，就已经彰显出了两副相互补充又不可分割的艺术面貌，在绘画上他是传统的，在艺术史中又是革新的，这种二元对立的关系，伴随了他一生的创作生涯。

为了更好地理解这种二元对立的关系，有必要从“加冕”这一细节出发，更加细致地分析“欧迪家族祭坛装饰画”。圣母玛利亚的加冕这一场景结构简洁，与画面中的其他场景相对，可被看作是一个正在独立进行的事件。拉斐尔在创作这幅作品的时候，用简洁明快的方式进行了画面布局的分配。在画面的上方，圣母玛利亚在云端接受人子的加冕，这种布局上明快的切割意在引导世人在观画时领悟“地上的国”与“天上的国”二者之间的绝对区别。在人物形象的塑造上，拉斐尔与当时传统流行的画法保持了一致。当时的欧洲普遍相信，圣母玛利亚的坟墓被发现时，坟墓里是空无一物的，这正是圣母已经升天的证据。这一神迹虽然并无人亲眼见证，但却是天主教世界毋庸置疑的真理。因此，在这幅作品中，拉斐尔笔下的使徒看到的虽然只是满是鲜花的空墓，但各人的表情却分明表示，似乎就在不久前，他们就亲眼见证了这一神迹。手持《圣经》的圣彼得，展示的形象是偏理性的，他手拿《圣经》，神情仿佛在向虚空中发问；而圣保罗则是以感性的形象示人，这是一个带有佩鲁吉诺画风的男性形象，他抬头看天，左手捂胸，形象含蓄，用笔收敛。而画面中间的使徒则是抬头看天，眼神流露出的神采真真切切，似乎正在顶礼自己头顶上的虚空正在发生的神迹。拉斐尔运用透视原理，将圣母的墓地缩小了一些，这种错落有致的空间上的顺序感，正是为了凸显画家想传递的情感上的深度，而人物身后的景色则在远方延展。如此远近的对比，画面显得非常饱满紧凑，光线充足，充满了一种宁静祥和的气氛。在画面上方，圣母玛利亚接受加冕的同时，四个围绕着她的天使所演奏的乐器各个不同，她们衣服的下摆也似乎正被春风吹过，而显出微微的褶皱。这些形象的画面和谐完美。拉斐尔在创作中对远景和透视原理的运用已经非常熟练了，而在画面中，虽是《圣经》故事中的人物，但人物本身，而不是宗教说教，在作品中占据着主要地位。在绘画中透视原理的运用，正是为了突出画面中占主导地位的人物形象，这一点在1450年利奥·巴蒂斯塔·阿尔贝蒂（Leon Battista Alberti）的著作《论绘画》（*De Pictura*）中有精彩的阐述，年轻的拉斐尔通过画笔，也许暗示出，他已经预感到了一个“人的时代”即将来临。

在“欧迪家族祭坛装饰画”中，拉斐尔通过作品对自己接受的绘画教育进行了回顾。我们知道，拉斐尔的第一个绘画老师自然是他的父亲，可是大家往往忘记了，在父亲之后，拉斐尔实际上走上了自我教育的道路。许多人总是相信或者愿意相信，拉斐尔曾经是平托瑞丘或者佩鲁吉诺的学生，但这实际上是不符合历史事实的。他应该是受到了当时在乌尔比诺活跃的一些艺术家的指点，也肯定受到了皮耶罗·德拉·弗朗切斯卡(Piero della Francesca)的人物造型思想的影响。随后，与他同时代的翁布里亚的画家，诸如洛伦佐·达·维泰博（Lorenzo da Viterbo）、马泰欧·迪·乔万尼（Matteo di Giovanni）、弗朗切斯科·迪·乔尔乔·马尔蒂尼（Francesco di Giorgio Martini）等也一定影响着拉斐尔的创作风格。我们知道，这些画家都是透视绘画的大师，他们作品的主题从乡村开始向城市生活转移，主要表现的是城市空间、市民生活等主题。在为欧迪家族所作的祭坛装饰画中，“受胎告知”这一宗教题材的处理就体现了很明显的透视理念。在画面的中央，有一根大理石柱，这就是画面透视的焦点，巧妙地将画面左边的天使和右边的圣母分开；在《三博士来朝》这幅作品中，人物的排列呈现出一种建筑学上的顺

（第44页）佩鲁吉诺，**圣母的婚礼**，约1503年，木板油画，234厘米×186厘米，法国冈城美术馆（Caen, Musée des Beaux-Arts）。

（第45页）**圣母的婚礼**，1504年，木板油画，170厘米×118厘米，米兰布雷拉美术馆。

RAPHAELVRBINAS
M DIIII

序；在《神殿的奉献》中，拉斐尔通过一个缩小的透视性的建筑物，造成视觉上的空间穿透效果。从这类对透视理论娴熟的应用，我们看得出拉斐尔对前辈画家技巧的学习。在拉斐尔出生之前，受到佛罗伦萨人文主义的影响，透视理论在绘画中已经得到了相当充分的运用，其后这种绘画技巧在意大利中部又得到了进一步成熟的发扬。因此拉斐尔是幸运的，他出生在群星闪耀的年代，正是在乌尔比诺这个意大利中部城市，他不断地汲取艺术养分，继承了前辈创作的遗产，继续在自己的创作中实践空间透视理论，并形成了自己独特而超越的风格。追根溯源地说，拉斐尔在他父亲的影响下，已经开始倾向于透视这一特定的表现技巧，而在为欧迪家族所作祭坛装饰画中，拉斐尔将前人开创的绘画技巧带到了一个时代所能企及的最高峰。

因此，我们可以说，为欧迪家族所作的祭坛装饰画为后人展示了这位二十多岁的画家所具备的深厚的文化底蕴、卓而不凡的艺术灵感以及自信娴熟的绘画表达技巧。这个来自乌尔比诺的年轻人，将以一个注定高于同

（上图）平托瑞丘，**庇护二世向奥地利大公腓特烈三世引见葡萄牙的埃莱奥诺拉**（庇护二世生平连环壁画），1502—1507年，湿壁画，锡耶纳主教堂皮克罗米尼图书馆。

平托瑞丘，**埃涅阿·西尔维奥·皮克罗米尼（庇护二世）被腓特烈三世授予“桂冠诗人”称号**（庇护二世生平连环壁画），1502—1507年，湿壁画，锡耶纳主教堂皮克罗米尼图书馆。

平托瑞丘、巴尔托洛梅奥·卡波莱莉（G.B.Caporali），
圣母加冕与音乐天使，木板油画，330厘米×200
厘米，梵蒂冈美术馆。

时代的艺术家的姿态，迎接自己的创作高峰。欧迪家族的祭坛装饰画只是他小试牛刀，他对艺术的探索才刚开始。有文化修养和艺术品位的贵族有一天会对佩鲁吉诺形式上的夸张感到厌倦，他们很快将着迷于拉斐尔，为他那简约而不失华丽的美而倾倒。

（上图）佩鲁吉诺，**弗朗切斯科·德拉·奥佩雷的肖像**，约1494年，木板油画，53厘米×44厘米，佛罗伦萨乌菲齐美术馆。
（下图）**圣伊波利托**，湿壁画的局部，通常被认为是帕吉亚罗托（Pacchiarotto）或佩鲁吉诺画坊、翁布里亚画派的作品。近来被迪沃·萨维利（Divo Savelli）确认为是拉斐尔约1500年的自画像。
（右页）
（左上图）佩鲁吉诺，**自画像**，湿壁画，约1498—1500年，40厘米×30.5厘米，佩鲁贾，坎比奥学院。
（右上图）**男子的肖像**（亦被认为是拉斐尔的自画像），约1502年，木板油画，45厘米×31厘米，罗马波尔盖塞美术馆。
（左下图）**男子的肖像**（可能是佩鲁吉诺的自画像），亦曾被认定为是拉斐尔的作品，木板胶画，51厘米×37厘米，佛罗伦萨乌菲齐美术馆。
（右下图）**绅士的肖像**（也被认为是拉斐尔的作品），约1503—1504年，木板油画，55厘米×45厘米，列支敦士登公国，瓦都兹。

骑士的梦，约1504年，银头水笔绘制，轮廓打孔，18.2厘米×21.4厘米，伦敦大英博物馆。

骑士的梦，1504年，木板油画，17厘米 × 17厘米，伦敦国家美术馆。

佛罗伦萨时期

拉斐尔的作品《骑士的梦》(第50、51页)实则是对西塞罗《论共和国》中一段文字的图解。黄金时代的罗马共和国,征服了几乎整个文明世界,古罗马人开始注重享受,追逐世间的荣耀,而西塞罗则借助西庇阿的一场梦,感叹世间荣耀的虚幻,告诫世人真正值得追求的荣耀其实不在地上,而在天上,世人应当远离尘世中的享受。

画面中的两个女人一个手持书与剑,另一个手持一朵花,这正是人生两种不同追求的对立,而位于她们之间的那位骑士,正在杨树下安睡。这个画面不禁让人想到《圣经》中在树下经受诱惑的亚当。骑士的身后,是远方的佛罗伦萨,与前景的人物很和谐地融为一体。拉斐尔的父亲对当时佛罗伦萨学派的思想很是钦慕,这对年轻的艺术家也许不无影响。在创作这幅作品之前,他很有可能读过马西利奥·费奇诺(Marsilio Ficino)的作品《论三重人生》(*De Vita Triplici*),并在作品中通过透视技巧的运用,体现作家对意志与善行之间冲突的调和理论。这种思路在《美惠三女神》(*Grazie*)中也有体现,拉斐尔通过画面背景远端延展的风景,形成与古罗马雕塑《三种恩典》的对比。

美惠三女神是古希腊神话中象征真善美的知名女神,亦为古希腊、古罗马雕刻中的常见题材。

在《美惠三女神》(第53页)这幅双联画作品中,拉斐尔实现了绘画与古代雕塑之间的呼应,这种艺术上跨越千年的呼应一直伴随着他一生的创作。事实上,这幅双联画中一种萌芽的创作思路,和梵蒂冈的署名室、艾略多罗室的伟大作品是有很紧密的关联的。当拉斐尔着手创作《骑士的梦》和《美惠三女神》的时候,一种模糊的概念虽然只是刚刚萌芽,但也已经十分确定了。《骑士的梦》这幅作品,是画家向古典绘画靠拢的一种尝试,而《美惠三女神》则是对古代雕塑的一种明确的继承。拉斐尔应该敏锐地察觉到了,在15、16世纪鼎革的年代,艺术家需要处理自身所处的时代与古代艺术之间的关系,正如平托瑞丘曾提出的对古罗马艺术的继承问题。正是平托瑞丘为代表的一代画家,启发了许多后来的艺术家,在15世纪

(左上图)**刻有美惠女神的勋章**,尼古拉·迪·佛尔则罗·斯皮内里,约1488年。

(右上图)**三种恩典**,雕塑,锡耶纳主教堂,拉斐尔将其视为古代作品的模板。

美惠三女神，1504年，木板油画，17厘米 × 17厘米，巴黎香提伊城康德亲王博物馆。

圣米歇尔与龙，1504年，木板油画，31厘米 × 27厘米，巴黎卢浮宫。

圣乔治与龙，1505年，木板油画，31厘米×27厘米，巴黎卢浮宫。

后半叶，对罗马重见天日的雕塑和画作进行研究。平托瑞丘、菲利皮诺·里皮(Filippino Lippi)，以及其他卓越的艺术家，站在时代的交叉口，他们有意识地要回归古代，建立过去的辉煌与所处的时代的联系，尽力用一种统一的视角来进行艺术上的再创作。

当平托瑞丘开始着手进行锡耶纳主教堂图书馆的壁画创作时，这种将文艺复兴绘画与古代雕塑调和的尝试已经相当成熟了。拉斐尔创作的《骑士的梦》，正是在与平托瑞丘的交往后，以后者的风格来创作的。更有意思的是，在这幅双联画中，形体的塑造分明是佩鲁吉诺风格的，或者至少可以说，拉斐尔运用了平托瑞丘关于古典复兴的形体塑造理念，却在同时，与平托瑞丘较为生硬的笔触相比，在形象塑造上更为优雅、精致。在这幅作品中，我们看到的两位活跃在15世纪末16世纪初的前辈的风格同时出现，这恰恰说明拉斐尔本人在这一时期，受到了二者的影响，但他并不拘泥于学习与模仿，而是试图探索出二者之间的一种调和、中间的艺术风格。这种拉斐尔式的风格，调和了平托瑞丘对古代作品的继承，同时也运用了佩鲁吉诺在形象塑造上柔软的笔触。

了解到这一点，我们就会明白这幅双联画在拉斐尔创作生涯中的重要地位，对两种风格的调和，这种努力在布雷拉的《圣母的婚礼》中体现得最为淋漓尽致。因此，我们

（上图）**圣乔治与龙**，草稿，约1506年，钢笔素描，黑色炭笔勾勒，轮廓打孔，26.2厘米×21.4厘米，佛罗伦萨乌菲齐美术馆。
（下图）**圣乔治与龙**（被认为是拉斐尔的作品），木板油画，27.5厘米×21.1厘米，斯波莱托市立美术馆。

（右页）**圣乔治与龙**，1506年，木板油画，29厘米×21厘米，华盛顿国家艺术美术馆。

在欣赏这幅作品的同时，不妨将藏于卢浮宫的《圣米歇尔与龙》以及《圣乔治与龙》一起对比赏鉴。后两幅作品被认为应该是拉斐尔接受了乔万娜·费尔特里娅·德拉·罗韦蕾（Giovanna Feltria della Rovere）的委托，为纪念圣米歇尔修会向自己的丈夫和儿子授勋而创作的。这两幅作品，见证了拉斐尔的创作思想开始向佛罗伦萨时期的过渡。

乔万娜·费尔特里娅·德拉·罗韦蕾是拉斐尔在家乡乌尔比诺的保护人。在一封拉斐尔给她的信中，青年画家表示自己现在社会交往的圈子比两年前要大得多，因为仅仅在两年前，他的作品还仅限于家乡附近的几个城市，而在佛罗伦萨，他得以认识更高层的社会名流与贵族阶层。乔万娜·费尔特里娅·德拉·罗韦蕾将拉斐尔介绍给了佛罗伦萨的首席执政官、掌旗官索德里尼（Gonfaloniere Soderini）。在她的信中，她不吝赞美之词，称这个来自乌尔比诺的年轻画家天分很高，并且想在佛罗伦萨学习一段时间。虽然这封信并没有发现原件，只是后人誊抄，但也表明了拉斐尔在来到佛罗伦萨之后，并没有切断与家乡的联系，这也向我们提示了他甫到这个文艺复兴城市的创作环境。我们据此推想，拉斐尔到达佛罗伦萨的时间应该就在1503年，就在寄出这封信不久之前。这一年，在家乡乌尔比诺，奎度巴尔多（Guidubaldo）在新教皇尤里乌斯二世的支持下，重新夺回了公爵的宝座，罢黜了瓦伦蒂诺（Vanlentino）。在这几个月中，政治局势风云诡谲，发生了深刻的变化，而拉斐尔的社会地位在这段时间也变得更加稳固。在佛罗伦萨的岁月注定将要成为拉斐尔到达罗马——他本人艺术生涯的巅峰——之前的序曲。

我们今天虽然无法确切得知在佛罗伦萨，拉斐尔到底学到了什么，但是我们不要忘了，同一时期的佛罗伦萨，还居住着另外两个伟大的艺术家，莱奥纳多·达·芬奇和米开朗基罗。那时的达·芬奇艺术地位如日中天，而米开朗基罗则比拉斐尔年纪稍大。我们猜想，拉斐尔定得到了这二人的指导，他的《安吉里之战》便是明证。

拉斐尔是幸运的，受教于自己的父亲，其后又在与平托瑞丘和佩鲁吉诺两位大师的交

（上图）**利奥十三世的圣母（读书的圣母）**，羊皮纸作品，17.8厘米×17.8厘米。私人收藏，藏于罗马艺术修复中心研究所。

往中，从后者身上发现了值得借鉴的特点。佛罗伦萨的岁月也注定让他有所收获，他正好见证了达·芬奇与米开朗基罗的那场艺术交锋。这些难得的经历使他更加确信自己先前的想法，艺术的创作应该包容一种二元对立，只有包容的艺术态度，才能实现对对立的超越，使对立元素的协调成为可能。

在佛罗伦萨，年轻的拉斐尔无疑见证了与之同时代的两个文艺复兴巨人——达·芬奇和米开朗基罗在艺术上的高下之争，这个乌尔比诺的年轻画家一定会想到平托瑞丘和佩鲁吉诺，也一定觉察出了在佛罗伦萨进行的艺术交锋的跨时代意义。事实上，平托瑞丘和佩鲁吉诺之间的艺术高低且不论，他们

读书的圣母（康那斯圣母，Madonna Connestabile），1504年，木板油画，布面装裱，17.8厘米×17.8厘米，圣彼得堡艾尔米塔什博物馆。

之间的确缺乏一种对艺术形式宏大性表达的视野。而达·芬奇和米开朗基罗却是站在一个更高的艺术高度进行较量的，他们共同将艺术带到了一个前所未有的高度。

1505年12月12日，就在这一年就要过去的时候，拉斐尔和佩鲁贾圣玛利亚修道院的修女们签下了合约，将为她们创作一幅祭坛装饰画，这幅作品是我们审视他在这一段时间内艺术活动变化的另一个重要角度。这幅作品的合同表明，拉斐尔这一时期的创作已

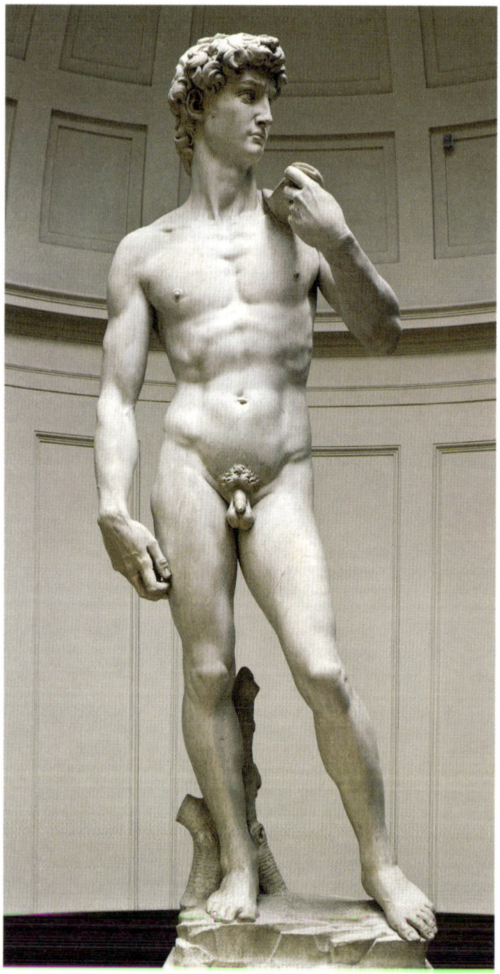

（左图）**大卫**，米开朗基罗，1504年，大理石雕塑，高516厘米，佛罗伦萨美术学院。

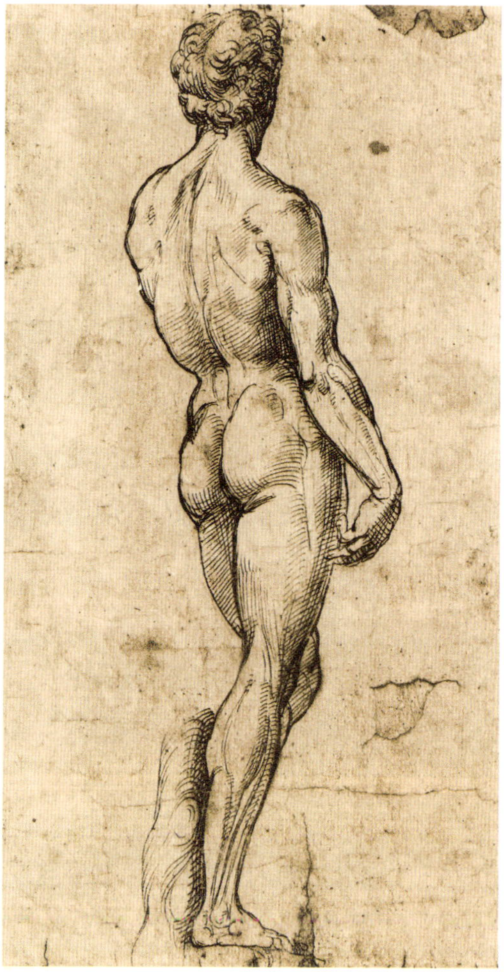

（右图）**大卫**，拉斐尔临摹米开朗基罗同名雕塑，水笔画，黑粉笔勾勒，39.3厘米×21.9厘米，伦敦大英博物馆。

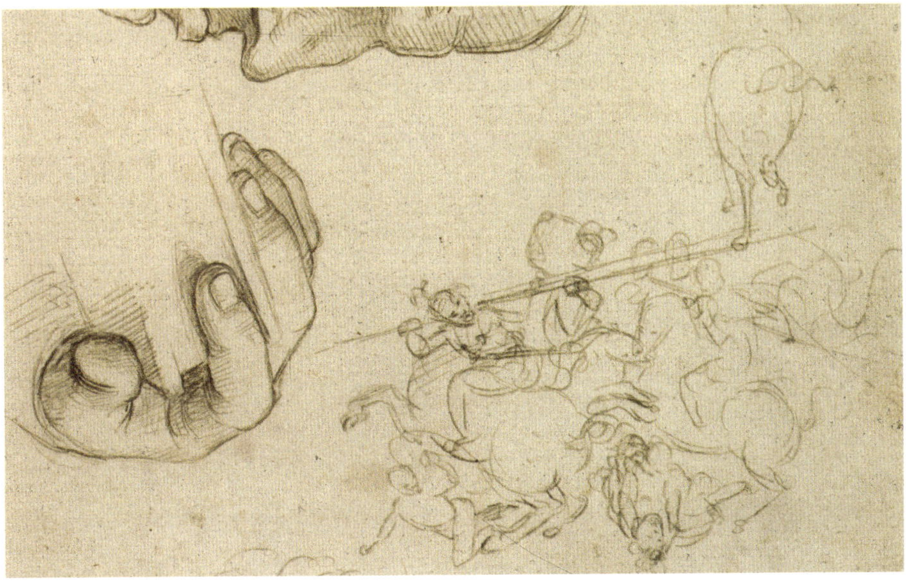

（上图）**多利亚**，被认为是达·芬奇的《安吉里之战》画面居中情节的最好一幅临摹作品，木板油画，86厘米×115厘米，私人收藏。

（下图）**达·芬奇的《安吉里之战》**，拉斐尔临摹，约1505年，牛津大学阿什莫尔博物馆，局部。

（上图）亚里士多德·达·桑加罗，**米开朗基罗的《卡西那之战》的草图**，莱切斯特伯爵收藏。

（左下图）**穿衣服的士兵**，奥古斯丁诺·威内奇亚诺（Agostino Veneziano），对米开朗基罗《卡西那之战》的临摹，1524年，木刻，33.1厘米×44.1厘米。

（右下图）**对米开朗基罗的《卡西那之战》习作的临摹**，马可安东尼奥·拉伊蒙蒂（Marcantonio Raimondi），约1510年，28.8厘米×22.9厘米，木刻。

经到了如下城市：佩鲁贾、阿西西、罗马、佛罗伦萨、乌尔比诺和威尼斯。这意味着什么呢？拉斐尔显然不太可能同时都在这许多城市活跃，但是当时的合同公证人却在无意之中为后人透露了一个历史事实，那就是，拉斐尔在

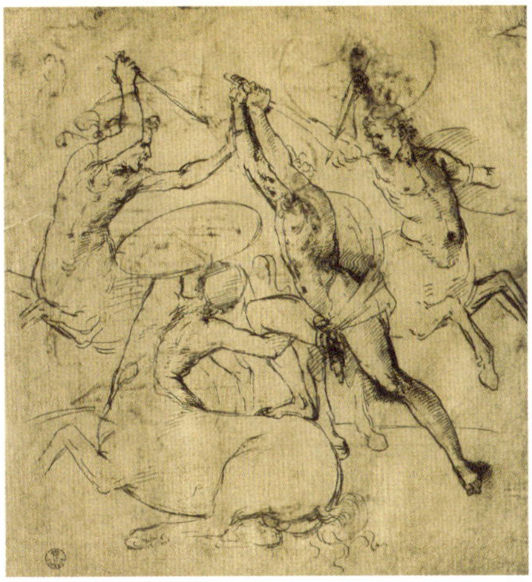

那个时候，已经形成了较为成型的艺术风格。也就是说，拉斐尔在1505年的时候，已经和翁布里亚的主要城市(当然包括他的家乡乌尔比诺)有了很密切的创作往来，而更重要的，在罗马、佛罗伦萨、威尼斯等大城市，他也开始获得一定的声望。《多尼夫妇肖像》，就是画家本人为我们留下的明证。在这两幅肖像画中，拉斐尔显露出了一个顶级画家的水

（左图）**圣马太**，米开朗基罗，约1506年，大理石雕塑，高271厘米，佛罗伦萨美术学院。
（右上）**站立的男人**（拉斐尔对米开朗基罗的《圣马太》的临摹），褐色墨水笔画，22.8厘米×31.8厘米，伦敦大英博物馆。
（右下）**与人马作战的英雄赫拉克利斯**，钢笔素描，24厘米×23厘米，佛罗伦萨乌菲齐美术馆。

平，他在意大利艺术风格和荷兰画风之间高超的平衡能力，以及卓越的绘画技巧，表明他的水平几乎已经达到了达·芬奇的高度，而他艺术的现代性也从此初见端倪。

这一时期的拉斐尔发展出了一种无可比拟的现代风格。他人生的最后一幅作品是《基督变容》，正是这种风格的最后体现。这是拉斐尔应红衣主教朱利亚诺·美第奇委托为法国纳博纳教堂绘制的祭坛画。这幅作品中拉斐尔实现了一种旋动的动感，而画面色彩鲜明饱满。耶稣带着圣彼得和圣约翰登上高山，在他们面前突然变了形象，面色明亮如日，衣裳洁白如光。摩西、以利亚也向他们显现，与圣子耶稣说话。有光明的云彩遮盖他们，一个声音在云彩里说："这是我的爱子，我所喜悦的，你们要听他。"门徒听到了，就俯伏在地，极其害怕。耶稣走近，抚摸着他们说："起来，不要害怕。"他们举目不见一人，只见耶稣在这里。在这幅画中，人群却被基督显灵的光所照亮，而与之对比的地面却是暗无光彩。圣光和云彩托起基督，仿佛他不是从山上升起，而是从空中降落一般。

（左上图）**圣塞巴斯蒂安**，1837年版画，仿拉斐尔同名画作，巴黎。

（右上图）**圣塞巴斯蒂安**，约1508年，木板油画，13厘米×18厘米，传统上认为是拉斐尔的作品，现不知藏于何地。

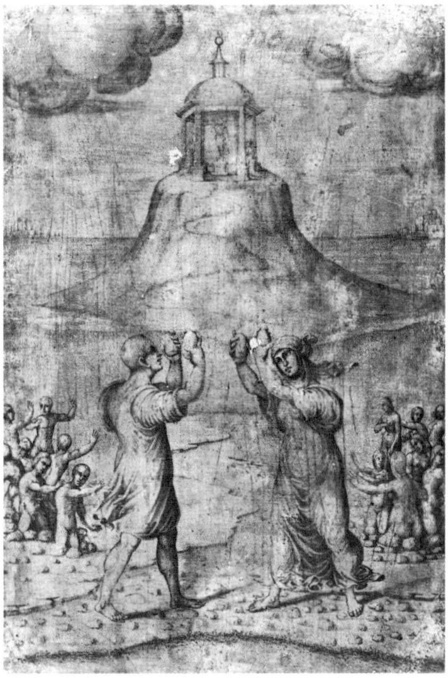

而在《多尼夫妇肖像》(第66、67页)中，拉斐尔开始明确一种新的视野，他开始以这种视野整理自己所学的知识，正如他处理“耶稣易容”这一主题而采用的新的创作风格一样，他自己的画风也在这个时候迎来了崭新的面貌。一种划时代的绘画理念，推动着拉斐尔以《基督被解下十字架》这幅作品开启了一个新的时代。文艺复兴的欧洲在这幅作品中应该已经隐隐约约地瞥见了一个新时代孕育的苗头，这是绘画艺术在文艺复兴中催生的果实。

（左图）**大洪水**，《阿尼奥罗·多尼肖像》的背面，佛罗伦萨帕拉蒂纳美术馆。
（右图）**人类的诞生**，《马达勒娜·多尼肖像》的背面，佛罗伦萨帕拉蒂纳美术馆。

另外值得一提的是，拉斐尔创作《多尼夫妇肖像》这件事情本身，就说明了拉斐尔在佛罗伦萨获得的社会地位。阿尼奥罗·多尼(Agnolo Doni)是佛罗伦萨的头面人物。他是富有的商人，还是个大收藏家，精通古代艺术，同时对珠宝品鉴也很有研究。画作中他的妻子身着华丽的丝绸衣服，腰系金腰带，有意将稀世珍宝戴在身上，这些都是这个家庭

（第66页）**阿尼奥罗·多尼肖像**，木板油画，63厘米×45厘米，佛罗伦萨帕拉蒂纳美术馆。
（第67页）**马达勒娜·多尼肖像**，木板油画，63厘米×45厘米，佛罗伦萨帕拉蒂纳美术馆。
（第68页）**怀孕女子的肖像**，1507年，木板油画，66厘米×52厘米，佛罗伦萨帕拉蒂纳美术馆。
（第69页）**沉默的女子肖像**，1507—1508年，木板油画，64厘米×48厘米，乌尔比诺马尔凯国立美术馆。

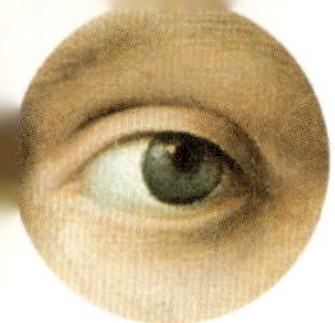

（第70页）**青年男子肖像**，1508年，木板油画，54厘米×39厘米，布达佩斯国家博物馆。
（第71页）**手拿苹果的青年男子**，约1504年，木板油画，47厘米×35厘米，佛罗伦萨乌菲齐美术馆。
（本页）
（左上图）**《怀抱独角兽的贵妇》的眼睛**，局部。
（左下图）**蒙娜丽莎**，达·芬奇，约1503年或1514年，木板油画，77厘米×53厘米，巴黎卢浮宫。
（右上图）**圣凯瑟琳**，该画为1935年修缮前面貌，现为《怀抱独角兽的贵妇》（参见第397—403页）。

财富的一个缩影。画作本身的细节也从侧面说明，拉斐尔在当时的主要雇主，已经是佛罗伦萨的上流社会的人物了。

总而言之，一个现代的、具有自我意识的拉斐尔就诞生于此。佛罗伦萨的大家族成就了画家从佩鲁吉诺画风向一种更成熟、更现代的风格的转变。毫无疑问，走过佛罗伦萨的岁月，拉斐尔将以一种更为完美的姿态走向罗马，在那里，欧洲将以惊异的眼神见证《基督被解下十字架》和《圣礼之争》的面世。

（第73页）
（左上图）**怀抱独角兽的贵妇**，1506年，木板油画，布面装裱，67.8厘米×53厘米，罗马波尔盖塞美术馆。
（左下图）**阳台上的贵妇人**，钢笔素描，铅笔与粉笔勾勒，22.3厘米×15.9厘米，巴黎卢浮宫。
（右图由上至下）**艾米利亚·皮亚·达·蒙特费特罗（Emilia Pia da Montefeltro）的肖像**，右上图为整体，右下图为局部。约1502年，木板油画，42.5厘米×28.5厘米，巴蒂摩尔艺术博物馆。

（左上图）**一名绅士的肖像**，约1506—1507年，木板油画，68.8厘米×53.8厘米，洛杉矶盖提美术馆。
（左下图）**青年人的肖像**，被认为是拉斐尔或其弟子所作，木板油画，42.8厘米×41.9厘米，温莎城堡皇家图书馆藏。
（右上图）**青年人的肖像**，被认为是拉斐尔或翁布里亚学派的作品，约1508年，木板油画，53.5厘米×41.2厘米，慕尼黑老绘画陈列馆。

（右下图）**奎度巴多·达·蒙特费特罗**（Guidobaldo da Montefeltro）**的肖像**，这幅作品传统上认为出自拉斐尔之手，约1503年，木板油画，69厘米×52厘米，佛罗伦萨乌菲齐美术馆。

伊丽莎白·贡扎加（Elisabetta Gonzaga）的肖像（传统上认为出自拉斐尔之手），约1502年，木板油画，59厘米×37厘米，佛罗伦萨乌菲齐美术馆。

（左上图）**台伯河岛上的圣母、耶稣与小圣约翰**，木板油画，该作品是《美丽的女园丁》的变体画，110厘米×80厘米，私人收藏。

（左下图）**圣母子与施洗约翰**，吉罗拉莫·德拉·罗比亚（Girolamo della Robbia）根据拉斐尔的《美丽的女园丁》创作而成，釉瓷，佛罗伦萨国家中央图书馆。

（右页）**圣母子与施洗约翰（美丽的女园丁）**，1507年，木板油画，122厘米×80厘米，巴黎卢浮宫。

（上图）**草地圣母**，习作，约1506年，红色粉笔画，22.4厘米×15.8厘米，纽约大都会艺术博物馆。

（右页）**草地圣母**，1506年，木板油画，113厘米×88厘米，维也纳艺术史博物馆。

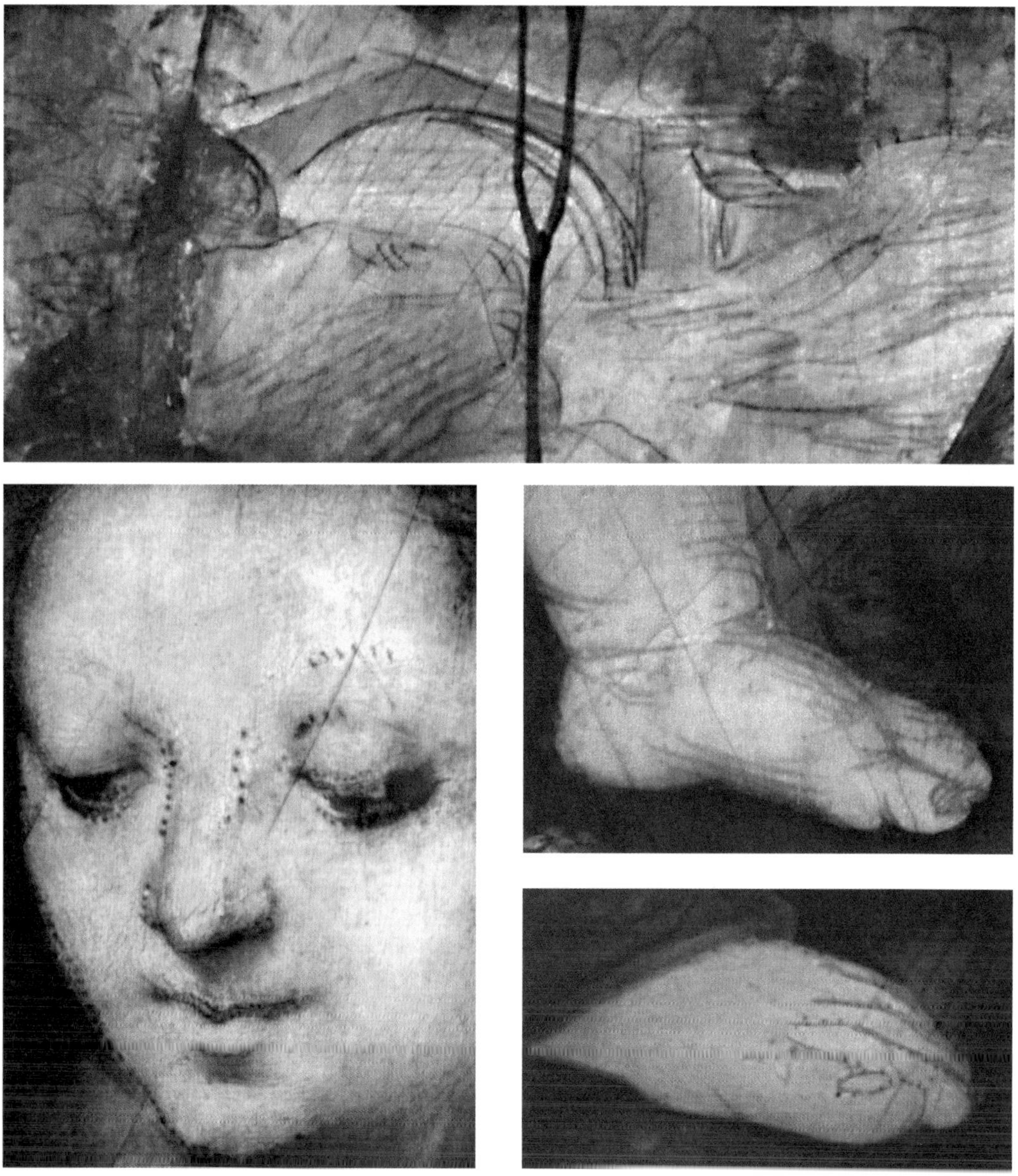

（本页）佛罗伦萨乌菲齐美术馆馆藏**金翅雀圣母，红外线照射下的四处局部**：桥、圣母的面部、施洗约翰的左脚、圣母的左脚。

（右页）**圣母子与小圣约翰（金翅雀圣母）**，1506年，木板油画，107厘米×77厘米，佛罗伦萨乌菲齐美术馆。

（右图）**沉默的女子肖像**，局部（全图见第69页），在红外线照射下可见左下图中拉斐尔创作时有修改的痕迹。
（左图从上至下）**金翅雀圣母未曾面世的版本**，木板油画，107厘米× 77厘米，私人收藏。下有**三处局部图**：圣母的面容、圣约翰的耳朵与卷发、圣子的脚在圣母脚上。
（右页）**三位一体与众圣人**，1505年，壁画，连底座高389厘米，佩鲁贾，圣塞维罗修道院教堂。

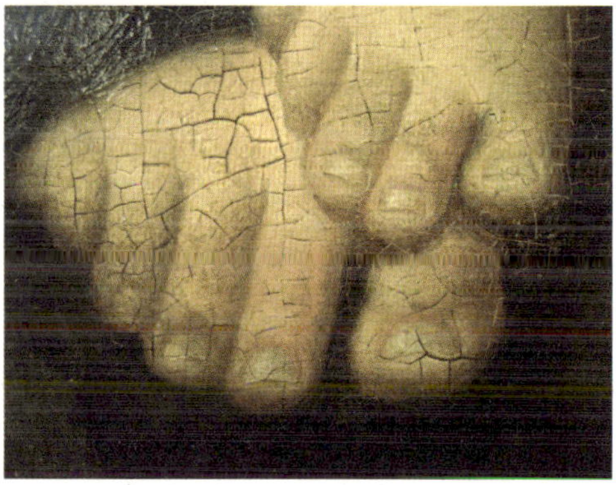

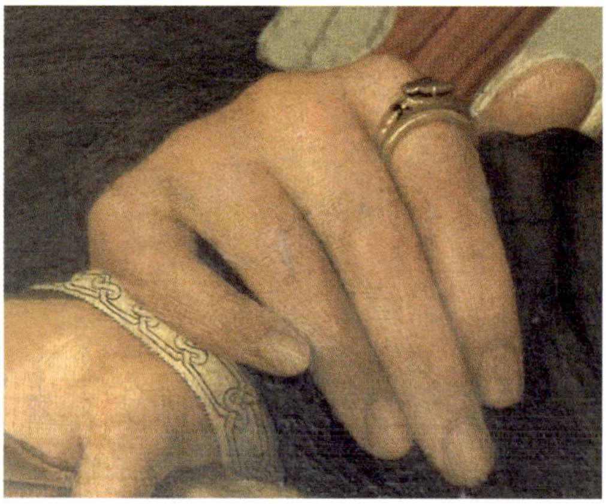

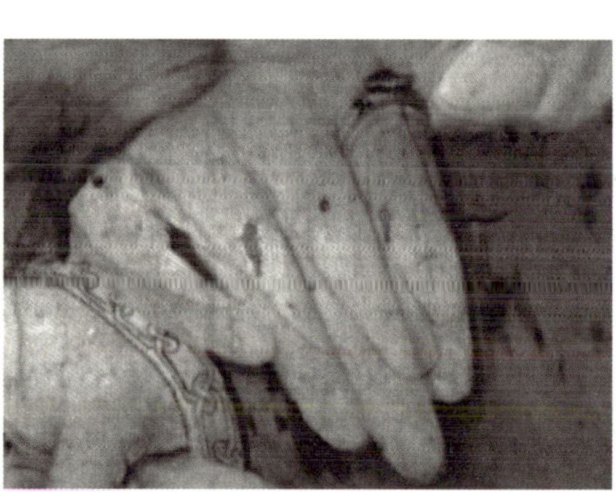

从青年画家到艺术权威

“安西帝祭坛装饰画”(*Pala Ansidei*)是拉斐尔在佛罗伦萨时期的又一幅巨作。学者们推测,在1505—1507年这段时间,拉斐尔一直在佩鲁贾和佛罗伦萨两个城市间往来穿梭。这幅著名的圣母像是为佛罗伦萨的圣弗伦佐(San Fiorenzo dei Serviti)教堂所创作的,定制这幅作品的是尼古拉·迪·菲利普,其父是佩鲁贾一地富有的商人。他想订制一幅作品,其中要体现圣约翰和圣尼古拉(与其父子同名的圣人)的事迹。从王座上的圣母玛利亚的披肩上的日期隐约可以推知,这幅作品是在1506或1507年完成的。对这幅作品的了解,可以帮助我们认识拉斐尔是如何达到其艺术顶峰,并创作出《基督被解下十字架》这幅作品的。

在这幅油画中,圣母的王座的台阶非常光洁明亮,圣母头顶的云彩以及圣母脖子上的项链等细节都表明,这一时期的拉斐尔的绘画技艺已经非常精准了。拉斐尔在这幅作品中突出了绘画中的角度意识,通过光线的变化和对形体伸展的把握,以及柔和的表现力,将其才华发挥到了极致。柔和的表达自然是来自佩鲁吉诺,然而拉斐尔以一种威内托艺术流派的方式来运用色彩,在创作中进行了改进与突破。

很显然,《多尼夫妇肖像》创作之后,拉斐尔并没有止步于此,这时候的拉斐尔已经意识到,艺术反映的是真实的生活,不能也不必是一种教条化的存在。从小,父亲就这么教导他,而现如今,他正在通过自己的作品,去独立实践这一真理。在《雅典学院》中,建筑物的结构是简洁明朗的,这种接近本质的表现力凸显了作品内部和外部世界的关系。画作背景的地平线就像是被阳光压制了一般,而天空却几乎隐匿不见。这幅画如同三棱镜一般,使拉斐尔笔下的人物仿佛获得了生命。

在这幅油画中,圣母正在教导圣子读书,这种题材在当时并不常见,这也是拉斐尔用了一种更加亲密的、生活化的元素来表现宗教的神性题材。圣母左膝上的书是打开的,右腿上坐着耶稣,圣子的眼神又是那么的柔和,这对圣母子就像是人间的亲密母子关系,平和亲切,而又不失庄严。这种形象的刻画,让人觉得世间没有任何事物可以打破这种静谧的和谐。正是通过这种和谐,拉斐尔关上

(右页)安西帝祭坛装饰画,**王座上的圣母子与两名圣人**,约1505年,木板油画,209厘米×148厘米,伦敦国家美术馆。

SALVE MATER CHRISTI

了自己过去的大门，完整地形成了自己关于形象塑造的思想，开启了一个新的时代。

这也就是作为画家的拉斐尔，和文人、哲学家、科学家，或者政治家、宗教人士所不同的地方。作为画家的他，用画笔表达了一个概念，这个概念通过理性思辨几乎是无法企及的。当我们谈到拉斐尔式的完美时，往往并没有注意到，完美不是可以用一种感官来定义限定的，完美是一种不可言说、难于定义、无法丈量的概念。当拉斐尔开始着手创作《基督被解下十字架》的时候，他对于画面的认识更加具体而真实了，基于这样的一种理念，作品中的空间更加独立，人物形象也因之更为饱满。

这一时期拉斐尔的创作活动往往是和一些世俗生活中的重大事件联系在一起的。他在这个阶段参加了佛罗伦萨许多显赫人物的婚礼，并因此产生灵感进行创作，这也许也是拉斐尔的圣母带有人间气息的一个原因。

总之，这个时期的拉斐尔，是宗教的，也是世俗的。他的艺术生命与社会活动水乳交融，相互呼应。从1505年到1507年这几年间，这位“世俗”的画家，在创作艺术史上最具有代表性的几幅作品时，同时也走近了委托人的生活，而这些人正是佛罗伦萨这个繁荣的文艺复兴城市的统治阶级。他们希望在作品中体现黄金般的生活的奢侈和感情的充沛。这是一个刚刚经历过萨沃纳罗拉的宗教改革风暴的城市，贵族重新掌权，城市生活恢复秩序，市民又开始回归世俗的享乐。稳定的社会局面，安逸的生活状态，让人们又开始期盼俗世的幸福，不再那么关心在死后的彼岸世界是否能够获得荣耀和快乐。值得一提的是，就在前不久，这个城市的主人，豪华者洛

（本页上图）安西帝祭坛装饰画，**圣巴蒂斯塔布道**，约1505年，木板油画，26厘米×53.3厘米，伦敦国家美术馆。

（右页）**华盖圣母**（Madonna del Baldacchino），约1507—1508年，木板油画，277厘米×224厘米，佛罗伦萨帕拉蒂纳美术馆。

伦佐·美第奇的儿子就成为了新一任教宗,他就是利奥十世。

在世俗生活的浸染下,在创作宗教题材的时候,拉斐尔有一种不同寻常的视野。我们可以想象,当他从婚礼的庆典中回家,他脑子里婚礼的印象还没有褪去,他支起画板,面对画布提笔准备描绘圣母的慈爱时,一种俗世中神性的美即将诞生。

权贵阶层在孜孜以求地追求财富的同时,艺术品位同样挑剔。他们推动了拉斐尔朝着一种对风格的绝对完美进发,当然,奢华的生活也使拉斐尔在人像处理上略显肤浅。但这并不有损于他天才画家的声望——尽管耽于俗事交游,他仍然创作出了许多美轮美奂、深受欢迎的作品。

再过不久,1507年,艺术史将要见证自身最关键的一个时刻。佛罗伦萨从文艺复兴以来最为关键的一幅作品——《基督被解下十字架》,这幅作品成就了拉斐尔"画圣"的美名。这幅为佩鲁贾的圣方济各教堂里的家庭礼拜堂而创作的油画,注定要接受整个欧洲的赞叹。

(左页)**基督祈祷**,约1506年,木板油画,30厘米×25厘米,布雷西亚,托西奥·马迪内柯美术馆。

(本页上图)**烛台圣母**,约1512年,木板油画,直径65厘米,巴尔的摩沃特斯艺术画廊。

（本页）
（左上）米开朗基罗，**圣家庭与施洗约翰**（Tondo Doni，**多尼圆形画**），约1505年，直径120厘米，佛罗伦萨乌菲齐美术馆。
（右上）米开朗基罗，**塔代伊圆形画**（Tondo Taddei），约1504年，大理石，直径109厘米，伦敦皇家艺术学院。
（中图）**圣母子与天使**（**特拉诺瓦圣母，**Madonna Terranova），1505年，木板油画，直径87厘米，柏林国家博物馆，普鲁士文化画廊绘画陈列室。

（右页）
（左上图）**圣母，**习作，约1507年，银头钢笔素描，25.6厘米×18.6厘米，维也纳阿尔贝蒂娜博物馆。
（左下图）16世纪翁布里亚-佛罗伦萨画家作品，**圣母子**（**北溪圣母，**Madonna Northbrook），木板油画，66厘米×37厘米，伍斯特艺术博物馆（Worcester, Museum of Art）。
（右上图）**圣母子**（**奥尔良圣母**），约1506—1507年，木板油画，29厘米×21厘米，巴黎香提伊城康德亲王博物馆。
（右下图）**圣母子**（**布里奇沃特圣母，**Madonna Bridgewater），木板油画后转为布面油画，81厘米×56厘米，爱丁堡，苏格兰国家美术馆。

（第92页）**圣母子（小考珀圣母，Piccola Madonna Cowper）**，1505年，木板油画，59.5厘米×44厘米，华盛顿国家美术馆。
（第93页）**圣母子（大公爵圣母）**，1505—1506年，木板油画，84厘米×55厘米，佛罗伦萨帕拉蒂纳美术馆。

（第94页）**圣家庭**，1506年，木板油画，74厘米×57厘米，圣彼得堡艾尔米塔什博物馆。
（第95页）**圣母子（科隆纳圣母）**，1508年，木板油画，78.9厘米×58.2厘米，柏林国家博物馆，普鲁士文化画廊绘画陈列室。

（左页）**圣家庭与羊羔**，1504年，木板油画，32.2厘米×22厘米，私人收藏，近年来被确认为拉斐尔的作品。
（本页）**圣家庭与羊羔**，1507年，木板油画，29厘米×21厘米，马德里，普拉多国家博物馆。

羊羔圣母，约1506年，木板油画，86厘米×68厘米，私人收藏。

棕榈树下的圣家庭，约1507年，木板油画，后转为布面油画，直径101厘米，爱丁堡，苏格兰国家美术馆。

（左上图）达·芬奇，**帕诺瓦圣母**（Madonna Benois），约1478年，木板油画，后转为布面油画，48厘米×31厘米，圣彼得堡艾尔米塔什博物馆。

三幅**康乃馨圣母**：右上图为私人收藏；左下图，藏于布雷西亚，托西奥·马迪内科美术馆；右下图为私人收藏。

康乃馨圣母，1507—1508年，木板油画，29厘米×23厘米，伦敦国家美术馆。

内尔利·安蒂诺里的圣家庭（Sacra Famiglia Nerli-Antinori），画中有拉斐尔的签名“Raphael Urbinas Invenit”字样，木板油画，136.5厘米×106厘米，私人收藏。

（右页）**圣家庭与圣伊丽莎白、小圣约翰（卡尼贾尼的圣家庭，**Sacra Famiglia Canigiani），1507—1508年，木板油画，131厘米×107厘米，慕尼黑，老绘画陈列馆。

油画里的叙事：《基督被解下十字架》

《基督被解下十字架》是拉斐尔无可争议的代表作。然而这幅作品成于何年，却在艺术史上无法确定。一般认为，这幅作品本是由佩鲁贾的贵妇人阿达兰达·巴伊沃尼(Atalanta Baglioni)订购的，用来装饰佩鲁贾圣方济各教堂的家族礼拜堂。可惜的是，历史上所记载的礼拜堂今天也已经找不到了，一般认为就是圣马太礼拜堂。还有一个传说，这幅作品是由巴伊沃尼家族订制，实际上是为了纪念家族的长子格里佛内托(Grifonetto)的，他死于佩鲁贾当年的暴乱中。画面中抬着耶稣的腿，身穿绿色长袍的年轻人，据说就是格里佛内托。

从现在可见的拉斐尔留下的众多草图来

圣母哀悼基督，《基督被解下十字架》的习作，
褐色钢笔素描，33.5厘米×39.7厘米，巴黎卢浮宫。

基督被解下十字架，约1507年，木板油画，184厘米×176厘米，罗马波尔盖塞美术馆。

看，他在创作这幅作品的时候，不是一蹴而就的，而是不断地修正、完善，才最终完成。

这幅作品的画面很明显地分为两部分，而这两个画面之间几乎没有什么互动。一个场景是从十字架上解下基督的传统构图，这是这一题材经典的表现手法。

这幅作品的不同寻常之处是显而易见的。圣母和圣人在画面中出现的形式，已经不再循规蹈矩了，人物在画面中的位置安排，是按照一个动态的叙事线索进行的，这使得这幅油画更像是湿壁画，而不是祭坛装饰画。而画面中抬着耶稣的人的面部表情，肌肉线条，也很容易让人想到古罗马雕塑的造型，特别是于1506年刚出土的《拉奥孔》的雕塑。从十字架上刚被放下的耶稣是如此年轻，面部表情是那么柔和，完全看不出任何痛苦，这样平静安详的受难者形象，也与7年前米开朗基罗的雕塑《圣母哀悼基督》中的儿子的面容是如此相像。这种作品之间的呼应与联系让我们不禁想到，也许在这之前，拉斐尔就已经去过罗马了，并从古代雕塑中获取了自己灵感的源泉。

《基督被解下十字架》很快就成为了名副其实的新的艺术形式的凯旋，值得一提的是，虽然作品日期署为1507年，却并不一定是作品完成的年份。因为在作品中已经能够通过信望爱三超德的形象，感到拉斐尔应该已经知道米开朗基罗西斯廷礼拜堂穹顶了，因此这幅作品应该不会是在1508—1509年之前完成的。

《基督被解下十字架》这幅作品被认为是绘画作品中精确构图的典范。拉斐尔在画这幅作品之前的构思草图(第104页)现存于卢浮宫的绘画艺术部，在这幅习作中，耶稣基督几乎要跌落在地，而圣母的目光自上而下，表情痛苦，几乎要晕厥，而圣约翰是唯一的在画面中站着的人，他占据了画面的右边，撑起了整个画面空间的高度。另一幅习作(第107页)现藏于佛罗伦萨乌菲齐美术馆，与前一幅习作不同的是，这幅图中，抬着耶稣的人们几乎填满了画面的高度，他们一个紧挨着一个，而抹大拉则俯身凝视耶稣，眼里充满悲恸。

如我们所知，最后的作品和这两幅习作的构图完全不同，却又超越了二者的高度。

（上图）**少女的头部**，《基督被解下十字架》局部习作，约1506年，钢笔素描，26.2厘米 × 18.8厘米，佛罗伦萨乌菲齐美术馆。

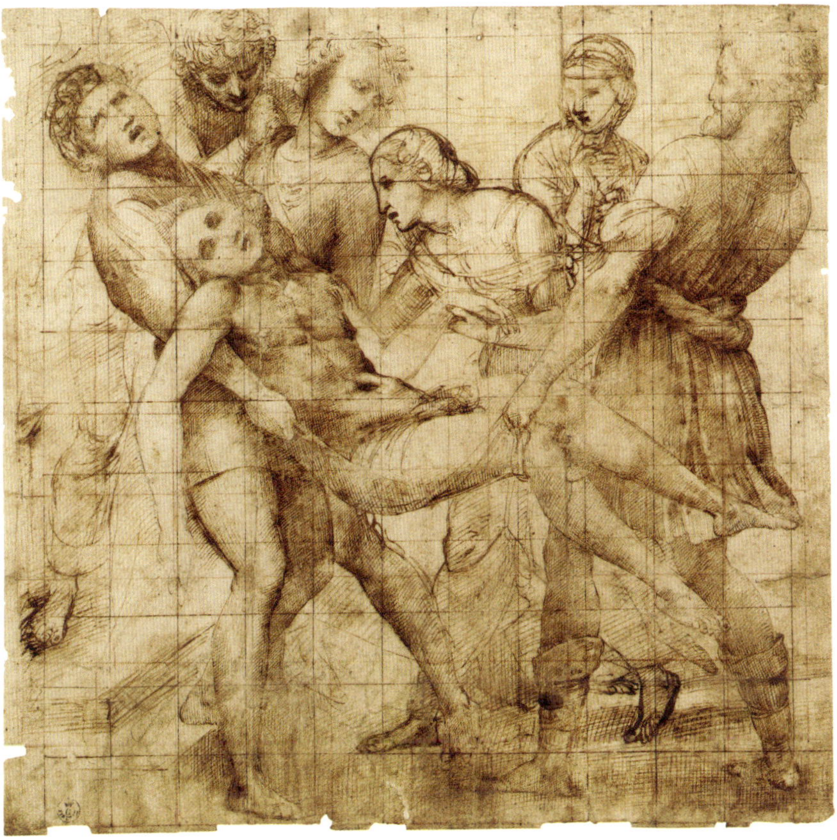

拉斐尔在最后的成作中，独具匠心，通过并排人物头部，提示我们留意远处的风景，这种处理方式似乎是平托瑞丘和佩鲁吉诺二人风格以及威内托、伦巴底画派的重叠。我们还能看到在《安西帝圣母》中已经出现的、那种绝对的明净近似光谱般的对光线的运用和把握，这些都是在佛罗伦萨的头两年创作中拉斐尔已经娴熟运用的。

在画面左边的三个人物中，我们感受到了拉斐尔笔下人物涌动的灵魂张力。圣约瑟勉力抬起耶稣的身体，并向天空吁请，他的表情是传统的、古典的，充满着尊严和力量；还有圣约翰，他的身体因为靠后而显得相对矮小，有一道惨淡的光线从他身上穿过。画面

基督被解下十字架，习作，约1506年，钢笔素描，28.5厘米×29.5厘米，佛罗伦萨乌菲齐美术馆。

（第108—109页）**基督被解下十字架**，局部（完整作品见第105页）。

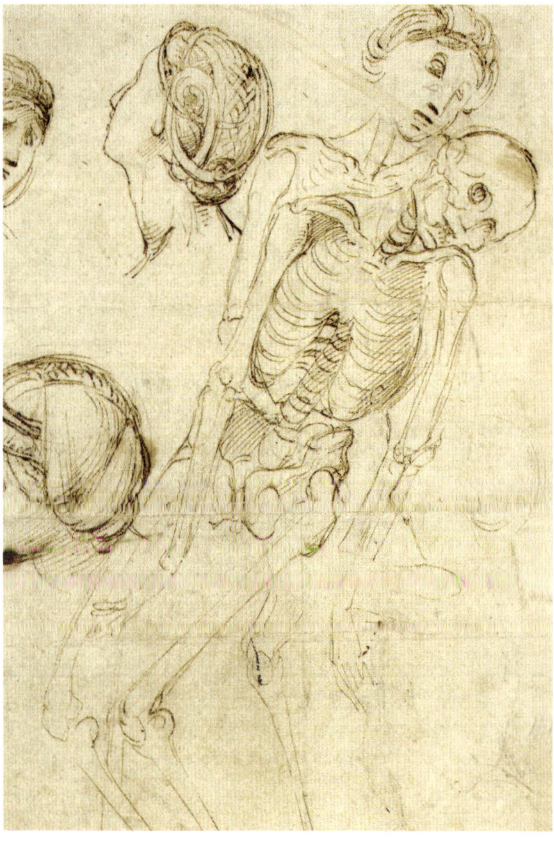

中的人物位置相当和谐，这种艺术上的巧思却仅仅体现为简单的排列成行。在画面外似乎能感受到一阵微风拂过，耶稣身体右侧的那个神秘的年轻人似乎被吹了口气，画中人的头发似乎微微吹起。这个神秘的年轻人就像是画面的中轴一样，将画面左边的场景和右边的场景拼接在一起。拉斐尔在画面整体的光影运用上显得得心应手，画面整体给人明亮的观感。我们还注意到，这种画面的安排，从左向右，相当自然流畅，就像欧洲人写字一样，而光影就是画家作画时的墨水，在画面中从左向右自然涌动，进而带动人物形象在画面中活动，使整幅油画故事性更加紧凑。也就是说，一幅传统的宗教画，因为拉斐尔天才的光线运用，观画人虽然站在画的外面，却也还能够自然地随着光影变化，找寻故事自然的线索，画面的故事性从而更强。

《基督被解下十字架》并不是一个新的绘画题材，然而这幅油画中所传递的构图艺术却是全新的。这种新，不是叙事元素的新，而是通过人物形象塑造进行创新。拉斐尔将静止画面在叙事结构上天然的缺陷转化为一种叙事中深沉的力量，而这种通过油画进行叙事的方式，在当时是绝无仅有的。拉斐尔

（上图）**被抬起的裸体男子**，《基督被解下十字架》的习作，约1506年，钢笔素描，22.4厘米×15.0厘米，纽约大都会艺术博物馆。

（下图）**骨骼与形体**，《基督被解下十字架》的习作，约1506年，钢笔素描，30.7厘米×20.2厘米，伦敦大英博物馆。

（右页）**信望爱三天使与裸体婴儿**，1507年，木板油画，每幅16厘米× 44厘米，梵蒂冈美术馆。从上至下分别代表爱、望、信的天使。

还是以一种全新的姿态走出了决定性的一步，也就奠定了他后来在梵蒂冈的署名室不朽的声望。

在拉斐尔前期的构图习作中，抬着耶稣腿部的人物，是这类作品中常见的圣经人物。显然，圣经人物对于画家而言，在创作上能轻易地有所借鉴，无疑更加方便。然而我们在最终的作品中看到，拉斐尔走上了另外一条叙事的道路。之前传统上的惯性却不见了，取而代之的是那个神秘青年。他的身体与画面中其他人相比，更为强壮和显眼。他的身体稍稍靠后，我们能够感觉到他似乎正在为了抬起基督的身体而发力，膝盖也因此稍稍弯曲。他的眼神没有落在任何其他人的身上，而是似乎看着远方陷入了沉思。拉斐尔放弃了先前的选择，而选择了这个身材更为魁梧的年轻人支撑着基督的身体，就像他支撑起了整幅作品的构图一样。

再回到画面中的人物中，那个抬着基督的腿的年轻人到底是谁呢？我们先前推测，

（上图）**主父赐福**，多美尼克·阿尔法尼（Domenico Alfani）根据拉斐尔原作创作，1507年，木板油画，64.5厘米×72厘米，佩鲁贾，翁布里亚国立美术馆。

认为他是格里佛内托——当然这不无可能。但是，这个身份未知的年轻人也许正是拉斐尔本人，或者说，是拉斐尔理想化了的自我形象。这里，画家再一次有意识地走进了自己的创作中。画面中的年轻人年纪在25岁上下，正与画家本人的年龄相仿。画家在创作中走进自己的作品，但并不是出于自我艺术上的膨胀，更非为了提醒世人作品出自何人之手。拉斐尔相对于作品的存在的认识，出自两个世界之间的一个契合点，他连接了真实的外部世界和画面的内部世界，也正因如此，画家的自我这一形象在显得不可或缺的同时，又具有独特而悠久的意义。

如果这个大胆的判断可以成立，我们可以因此认为，拉斐尔首次将肖像画镶嵌在了历史叙述中，这是他的第一次尝试，而在梵蒂冈的艾略多罗室(Stanza Eliodoro)随后的创作中，他还将反复让自己走进作品中。在随后圣经题材的创作中，拉斐尔还将在这个方向上走得更加彻底，将更多与画面看似无关的，甚至历史故事中不存在的虚构人物移入画面。我们可以认定，不论那个年轻男子是格里佛内托，还

（上图）**圣家庭与众圣人**，庞贝·迪·安塞尔莫与多美尼克·阿尔法尼合作，根据拉斐尔的原作创作，木板胶画，223.5厘米×150.5厘米，佩鲁贾，翁布里亚国家美术馆。

（上图）**天使与神兽**，木板胶画，21厘米×55厘米，原作为连续四幅组图，此为其中第二幅，其余部分已散佚。被认为是拉斐尔的作品。现藏于佩鲁贾翁布里亚国家美术馆，原藏于佩鲁贾圣方济各教堂。

（下图）**圣家族**，习作，褐色钢笔习作，35.7厘米×23.7厘米，法国里尔美术博物馆。

（左图）**圣母子（天彼圣母，**Madonna Tempi），1508年，布面油画，75.3厘米×51.6厘米，慕尼黑老绘画陈列馆。

这幅《圣母子》为佛罗伦萨的天彼家族（Famiglia Tempi）收藏，后为巴伐利亚的路德维希一世于1892年购买，从此落户德国。

在《天彼圣母》中，拉斐尔运用圣母子身后对称的风景凸显了画面中人物的立体感。圣母与圣子的脸颊贴在一起，母亲眼中的神采充满慈爱，而耶稣则张望着画面之外。拉斐尔在人物的结构安排上仿造了多纳泰罗（Donatello）的雕塑帕齐圣母（*Madonna Pazzi*），而画面左下方圣母的披肩似在风中摆动，又似因圣母侧身怀抱而产生轻微的褶皱，这种螺旋向上的动感从服饰一直走向右上方耶稣的头部，这也使得整幅画面充满静态与动态的平衡。

（右图）**圣母子（大考珀圣母，**Grande Madonna Cowper），1508年，木板油画，81厘米×57厘米，华盛顿国家美术馆。

《大考珀圣母》中，远处的风景若隐若现，人物形象在画面中显得极为饱满。耶稣的形象是一个爱玩耍的幼童，他坐在圣母的膝上的枕头上，左手抓住圣母的衣襟，似乎准备吃奶，神情灵动而自然。

是拉斐尔本人，他实际上都是来自“画面外”的真实生活。这种画面外的观感，完美有力地嵌在作品的叙事结构中，构成了拉斐尔人物塑造中独一无二的风格。

（第116页）**埃斯特黑齐圣母（圣母子与小圣约翰）**，习作，约1508年，28.5厘米×19.1厘米，佛罗伦萨乌菲齐美术馆。

（第117页）**埃斯特黑齐圣母（圣母子与小圣约翰）**，1508年（未完成），木板油画，28.5厘米×21.5厘米，布达佩斯国家博物馆。

皮耶特罗·阿莱迪诺(Pietro Aretino)于1550年写给奥古斯托·迪·阿达的信中提到了拉斐尔的一幅名为《亚历山大的圣凯瑟琳》的作品。然而,这幅油画的最终确认却要等到18世纪。事实上,也正是到18世纪,当这幅油画在罗马被发现时,世人才知道它的存在。1795年,亚历山大·德依(Alexander Day)将其购买,并于1801年在伦敦向世人展出。在这之后,这幅巨作又曾为威廉·贝克福德(William Beckford)所藏,并最终在1839年进入伦敦的国家美术馆。

画中的圣凯瑟琳抬头望天,她的面容是纯粹的拉斐尔风格的,这样恬静的面庞会让我们想到拉斐尔笔下的许多圣母。然而,在拉斐尔画笔下,圣凯瑟琳并没有像传统宗教画作中所塑造的殉道者那样,她没有头戴王冠,亦没有手持圣经或宝剑。她身后的车轮象征其生前为坚持信仰遭受迫害,被古罗马皇帝下令以车轮酷刑处死。据说,在进行轮刑之前,圣凯瑟琳向上帝的祈祷生效,她的手碰到车轮后,车轮随即四分五裂。

画中的圣凯瑟琳右手捂在胸口,双眼凝视右上方的虚空,眼中充满平静,而她靠在车轮上的左手伸出三根手指,那便是象征基督教的圣三位一体。

在《亚历山大的圣凯瑟琳》中,我们可以看见这幅作品与《大考珀圣母》以及与《基督被解下十字架》中的有趣联系。圣凯瑟琳侧身的姿态与大考珀圣母怀抱圣子的身姿是那么相似,而凯瑟琳身后的风景,又不禁会让人联想到《基督被解下十字架》中远处的风光。

这些圣母形象的刻画,在稍后的署名室中的《帕尔那索斯山》中还会反复出现。《帕尔那索斯山》一向被认为是署名室中最难以

(左下图与右页)**亚历山大的圣凯瑟琳**,1507年,木板油画,72.2厘米×55.7厘米,伦敦,国家美术馆,局部与整体。

(右下图)**圣凯瑟琳与小爱神**,习作,金属笔尖钢笔素描,16.9厘米× 27.9厘米,牛津大学阿什莫尔博物馆。

表达的一个主题，鉴于并没有一个内容饱满的叙事故事作为参照，而其位置也处在房间最尴尬的一个角落。

在佛罗伦萨时期的作品中，《大考珀圣母》无疑是最典型的女性作品，而在这幅作品中，许多研究者也指出，在母亲的慈爱与圣子的天真之外，同时有了一种更加自发而优雅的气息。我们可以看见，圣子笑着看着画面之外，那种笑容中带着一种孩子气的天真调皮，甚至可以说是一种憨笑。在作品中，拉斐尔已经有意识地将宗教人物的刻画变得更有生活气息，寥寥几笔的改动，传递出来的是创作中的现代意识。

瓦萨里认为，1508年，教皇尤里乌斯二世在看到《雅典学院》后，就下令将先前在署名室等房间工作的其他画家的作品销毁，并将所有房间的装饰工作委托给拉斐尔，那正是年轻画家完成《大考珀圣母》和《亚历山大的圣凯瑟琳》之后不久来到罗马定居的年份。拉斐尔的乌尔比诺同乡布拉曼特（Bramante）的推荐想必在教皇眼里起到了关键的作用，那时的布拉曼特如日中天，雄心勃勃，一心要将一副新的面孔赋予罗马，他更是得到了教皇本人的器重，是教皇的新卧室装饰工程的总监。正是布拉曼特构思了圣彼得大教堂重建的方案，他的建筑理念核心，正是拉斐尔的父亲乔万尼一生宣扬的乌尔比诺与佛罗伦萨的人文主义。

历史记载，当拉斐尔面对教皇的房间时，他吩咐众人将其打扫干净后，让所有人都离开房间，他确信自己将要完成的作品，会成为“世界的学校”，更会开启西方艺术史的一个新篇章。

在正史中其实并不能找到证据证明拉斐尔真的这么说过，但是谁又会去怀疑故事的真实性呢？

（本页上图）**赫拉克利特与德莫克里特**，布拉曼特（Bramante）所作（据猜测为达·芬奇和布拉曼特本人的肖像），约1490年，湿壁画，米兰布雷拉美术馆。

（右页）**雅典学院**，局部，全图在第124—125页。

艺术的盛宴：署名室以及在罗马早期的代表作

从文艺复兴的中心来到基督教世界的中心，拉斐尔迎来了更高的艺术创作高度。而梵蒂冈署名室的创作环境更是独一无二的。作品来自基督教世界最有权势的人物教皇的委托，而拉斐尔在一种深厚的文化的浸润中，在与众多天才画家的共事中，一种超越同侪的信念在拉斐尔心中升起。

以前署名室被认为是教皇发布敕令的一个房间，但是更深入的研究表明，这个房间实际上以前是一个藏书室，它与梵蒂冈图书馆功能不同，是教皇私人的藏书室。也许因为是教皇本人专用的图书室，历任教皇也可能在此处理过一些公共或私人事务，这个房间也就因此得名为署名室。

（第122—133页）**雅典学院**，草图，1510年，285厘米×804厘米，米兰，安布罗哲图书馆。

在这个房间窗户的两个门框上，记录了一个日期，1511年，这是尤里乌斯二世教皇在位的第八个年头，应该就是在这一年，拉斐尔完成了整个房间的绘制工程。

拉斐尔并不是第一个在这里创作的画家。实际上，在拉斐尔之前的一些画家创作的痕迹还是可以看到的。拉斐尔的四幅壁画镶嵌在拱廊上，这四个拱廊明显是在拉斐尔之前的画家完成的。不过，这并不影响我们今天将署名室整体归名于拉斐尔，瓦萨里认为，署名室正是拉斐尔第一次进行湿壁画创作的地方。

这个阶段的拉斐尔已经完全成为了一个具有文艺复兴意识的画家，在罗马，拉斐尔将完成自《基督被解下十字架》这幅作品中萌芽的一种新的绘画风格。

在进行创作之前，拉斐尔与教皇、学者们交换意见许久以后，决定依据诗人德拉·欣雅杜尔的诗来配画，歌颂神学、哲学、诗歌、法学。我们在署名室的人物塑造中将会发现拉斐尔对自己的艺术风格的沿袭。穹顶上的女性形象还带有佛罗伦萨时期的痕迹，围绕着女性形象周围的小天使，似乎就是圣母像中的童子耶稣的表兄弟。在《原罪》中的亚当、夏娃，形体优雅，笔触细腻，这都和《基督被解下十字架》中是一致的，只不过在署名室中，这种柔和的笔触更加精确到位了。

署名室被分为四个隔间，而拉斐尔所表达的主题则通过拱顶的四个圆形浮雕体现，每一处均有一个美丽的女性，分别代表神学、

（第124—125页）**雅典学院**，1510年，湿壁画，连底座高度约770厘米，梵蒂冈博物馆拉斐尔署名室。

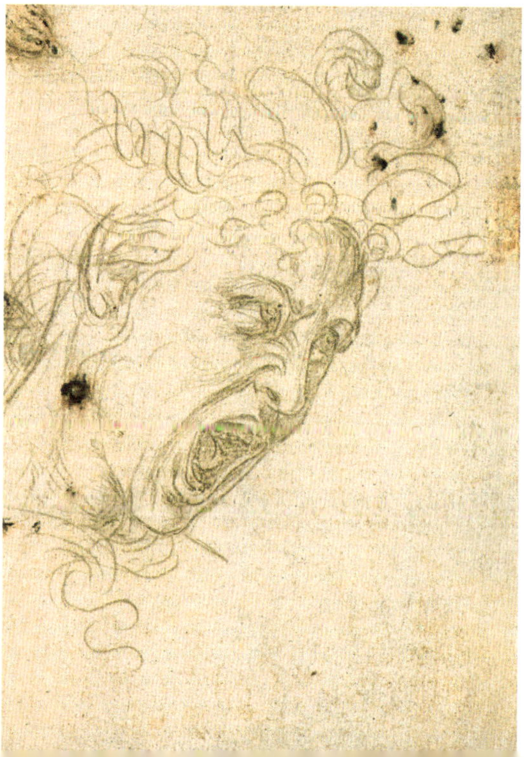

哲学、诗歌、法学，其下的四面墙上分别绘制了古代或现代的先贤人物对相应的主题进行诠释。

东边的哲学女神之下，古希腊的哲学家与圣人在弟子的包围之下进行辩论（《雅典学院》）；南边的法学女神之下的墙上，先是代表力量、审慎与节制的三女神(Virtù Cardinali)，其下分别为《特里波尼安将法典上呈查士丁尼》与《教皇格利高里九世颁布教令》两幅湿壁画；北墙的诗歌女神之下，帕尔那索斯山下的阿波罗和缪斯女神被众诗人围绕；西面墙上的神学女神之下，历史上的著名神学家在围绕"圣餐"展开争论。

在处理《圣礼之争》这样的抽象概念时，拉斐尔将画面切割为上下两部分，圣父居于画面最上方，赐福给正展示圣痕的圣子。象征圣灵的鸽子、圣母、众圣人与先知围绕着圣父圣子，居于画面上方的半圆内，最左边手持天国钥匙的圣彼得正与亚当说话，亚当坐姿随意，半裸着身子，神情也极为放松。

在画面的下方，是围绕着弥撒圣体进行争辩的圣多名我、圣方济各、圣阿奎那等，另外还有制定教义的圣哲罗姆、圣格利高里、圣安布罗哲与圣奥古斯丁等。画面的布局，以及来自不同时空的基督教圣人的汇聚，正是象征基督教教义在漫长的历史中、经历许多世代的贤哲实践而形成。

（上图）《雅典学院》中拉斐尔的自画像，局部。
（下图）美杜莎，为《雅典学院》而作的习作，约1509年，27.8厘米×20厘米，牛津大学阿什莫尔博物馆，局部。

《雅典学院》正对着《圣礼之争》,这种画面对称的格局,显示了西方传统中宗教的启示真理与哲学的理性真理之间的一种平衡。瓦萨里认为,《雅典学院》是拉斐尔在署名室中的第一幅作品,他也因此而在罗马扬名,这一说法在1695年被乔万尼·皮耶罗·贝罗里(Giovanni Pietro Bellori)否定,而现代研究也倾向于认为《圣礼之争》中所进行的人物刻画带有较强的佩鲁吉诺的风格,这表明该作应作于《雅典学院》之前。在《雅典学院》中,古希腊、古罗马和文艺复兴的意大利众多的哲学家、艺术家济济一堂,整幅画面体现的正是宗教之外,对人的理性与智慧的颂扬。柏拉图居于画面中部,腋下夹着《蒂迈欧篇》,一手指天,而他的弟子、更爱真理的亚里士多德则一手持《伦理学》,一手指前方。这里体现的正是古希腊唯心和唯物之争。我们看到,柏拉图长着一张达·芬奇的脸,这正是拉斐尔在作品中表达他对达·芬奇的敬重。而和《基督被解下十字架》中一样,拉斐尔本人也又一次进入了自己的作品,以一个画面外的形象,最终完成了作品的创作。

在窗户两侧的壁画,分别体现了皇帝查士丁尼颁布法典和教皇格利高里九世颁布教令两个事件,神权对君权的对照出现,正是人文主义者拉斐尔对世俗权力和神权的思考。

在《帕尔那索斯山》和《圣礼之争》中,我们都能看到但丁的形象。以今天的眼光来看,这并不奇怪,但是如果我们考虑到但丁在

（上图）**圣礼之争的背景**，局部。
（下图）**圣礼之争的祭坛**，局部，上有“教皇尤利乌斯二世（IVLIVS II PONT. MAX）”的字样。
（第128—129页）**圣礼之争**，1509年，湿壁画，高约770厘米，梵蒂冈博物馆署名室。

16世纪初充满争议的评价来看，拉斐尔却一直对这位失意的诗人备加推崇和赞美，而这种超前于时代的认识却并没有为当时的欧洲所理解，作为一个早熟的天才，拉斐尔走在了时代的前面。

当然，拉斐尔毕竟不是一个异议者。在他创作署名室的年代，与政治世界保持对立的姿态是不可想象的。无论如何，把但丁大胆地放在了梵蒂冈的署名室里面，这也是艺术史上的第一次，画家以如此的气魄，实现了绘画与同时代的文学的交相呼应。事实上，在署名室的作品中，《神曲》正是许多画作灵感的来源，甚至我们可以认为，署名室就是《神曲》的绘画版本，与但丁不同的是，拉斐尔是以画笔，而不是以诗歌的章句来体现相似的主题。但丁的出现，同样是现实照进艺术。正如但丁在十四世纪所做的那样，拉斐尔在署名室中体现了天与地的概念，这是一种新的造型语言，与年轻时的拉斐尔的风格相比，这又是一种新的、更高的创作高度。拉

（左上图）**拉奥孔**，马尔科·邓特，铜版雕刻，47.4厘米×32.5厘米。

（右上图）**帕尔那索斯山的头像**，习作（其中包括但丁和来自受《拉奥孔》启发的荷马形象），1509年，钢笔素描，26.5厘米×18.2厘米，温莎城堡皇家图书馆。

斐尔在作品中体现了神学家、政治家、艺术家、哲学家，在艺术的载体上，他实现了一个人间大舞台的维度，将古代哲人从古籍中复活，在自己的作品中复活。许多画中人距离文艺复兴的时代已经很遥远了，甚或有些人物并不是真实的历史人物，但是在拉斐尔天才的画笔之下，他们却在同一个时空中出现。

在署名室中，不仅不同时空的人能够在艺术中相遇，同一个人物也可以不同的面貌出现，在现实中呼应历史，彰显房间的主题。尤利西斯二世教皇在整个署名室的作品中就出现了两次，第一次，他出现在《圣礼之争》中，以格利高里一世的身份出现在西斯托四世对面祭坛的左侧壁画中，他的叔叔身上的披风金光闪闪，面前摆放着自己的专著；第二次，他以格利高里九世的身份，出现在《教皇格利高里九世颁布教令》中。

在署名室之前，除了《基督被解下十字架》中的灵光一现，拉斐尔之前在佛罗伦萨的作品往往只是为了满足某一个作品订购人本身的趣味，这种绘画的格局是受到限制的，因为特定的订购人对艺术的理解也是局限

（上图）梵蒂冈博物馆署名室的湿壁画中出现的**但丁**：分别出现在《帕尔那索斯山》和《圣礼之争》两幅作品中。

为**帕尔那索斯山中的维吉尔**所作的习作，素描，12.3厘米×10.1厘米，佛罗伦萨乌菲齐美术馆与霍恩基金会（Fondazione Horne）。

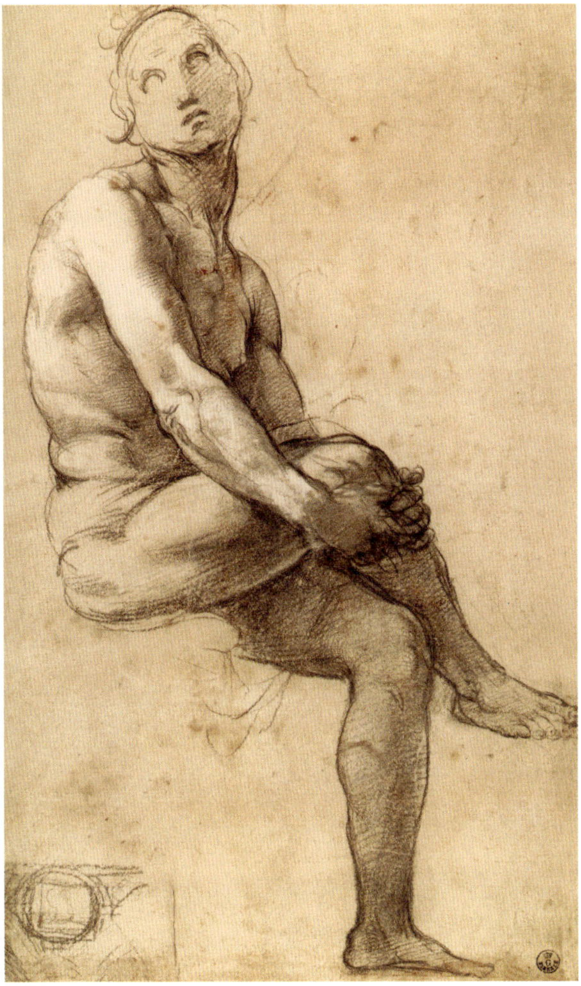

人体，为《圣礼之争》所作的习作，素描，炭笔粉笔，37.5厘米×21厘米，佛罗伦萨乌菲齐美术馆。

的、私人的，甚至庸俗的。艺术在他们看来，也许只是精美的装饰，而画家本身艺术的突破，在他们看来，只是一个巧妙的点缀，技术和理念的创新不是他们的金币所关心的。而在罗马，在梵蒂冈的署名室拉斐尔终于走到了更广博的创作天地，他发现了自己身上酝酿已久的那种气质，而艺术的真理渐渐在一种更广博的艺术视域中揭下了面纱。

1506年，拉奥孔塑像群在罗马被发现，而对古代作品，尤其是经典雕塑的热情，在拉斐尔的创作中从来就没有熄灭过。在《帕尔那索斯山》中，在失明的荷马身上，我们明显可以感受到拉斐尔受《拉奥孔》的启发。

《帕尔那索斯山》的绘制是拉斐尔又一次的匠心独运。他巧妙地安排了绘画的格局，以窗沿来支撑山顶，人物的身姿向前倾斜，越过虚构的窗户，在此安排之下，画作中的情景与真实的世界发生了交汇，由此更具深度和表现力。画面中并没有实体建筑，所有人物以阿波罗为中心，九名缪斯围绕在阿波罗的身边，人物本身的次序排列就已经形成了一种建筑的纵深感。在画面中不乏与拉斐尔同时期的人物，如画面右侧的阿利奥斯托，他的手压在嘴唇上，似乎在冥神思考；众诗人或坐或立，三五成群，各安本位。

这期间拉斐尔所获得的巨大成功，自然要归功于他的艺术造诣，同时也离不开教皇本人对他的赏识，以及主要的赞助人对其艺术创作的支持。这其中，锡耶纳的阿格斯蒂诺·基

吉也是他所谓“无法拒绝的朋友”。在1506年，基吉在罗马台伯河沿岸建成了一座风格古典的府邸，并邀请拉斐尔、塞巴斯蒂安·德·皮翁伯等人对其进行装饰。大约就在1512年，拉斐尔应约完成了《加拉提亚的凯旋》(第141–143页)。

在府邸敞廊东部的一面墙上，皮翁伯绘制了希腊传说中独眼巨人波吕斐摩斯的画像，在这幅画作的边上，便是拉斐尔的《加拉提亚的凯旋》。

（左图）**教皇格利高里九世颁布教令**，1511年，连底座高约220厘米，梵蒂冈博物馆署名室。
（右图）**诗人的群像**，《帕尔那索斯山》局部。
（下图）**帕尔那索斯山的小瀑布**。

（右页上图）**帕尔那索斯山**，1510—1511年，湿壁画，连底座高650厘米，梵蒂冈博物馆署名室。
（右页下图）**三大德性**（Virt ù Cardinali），1511年，连底座高约660厘米，梵蒂冈博物馆署名室。

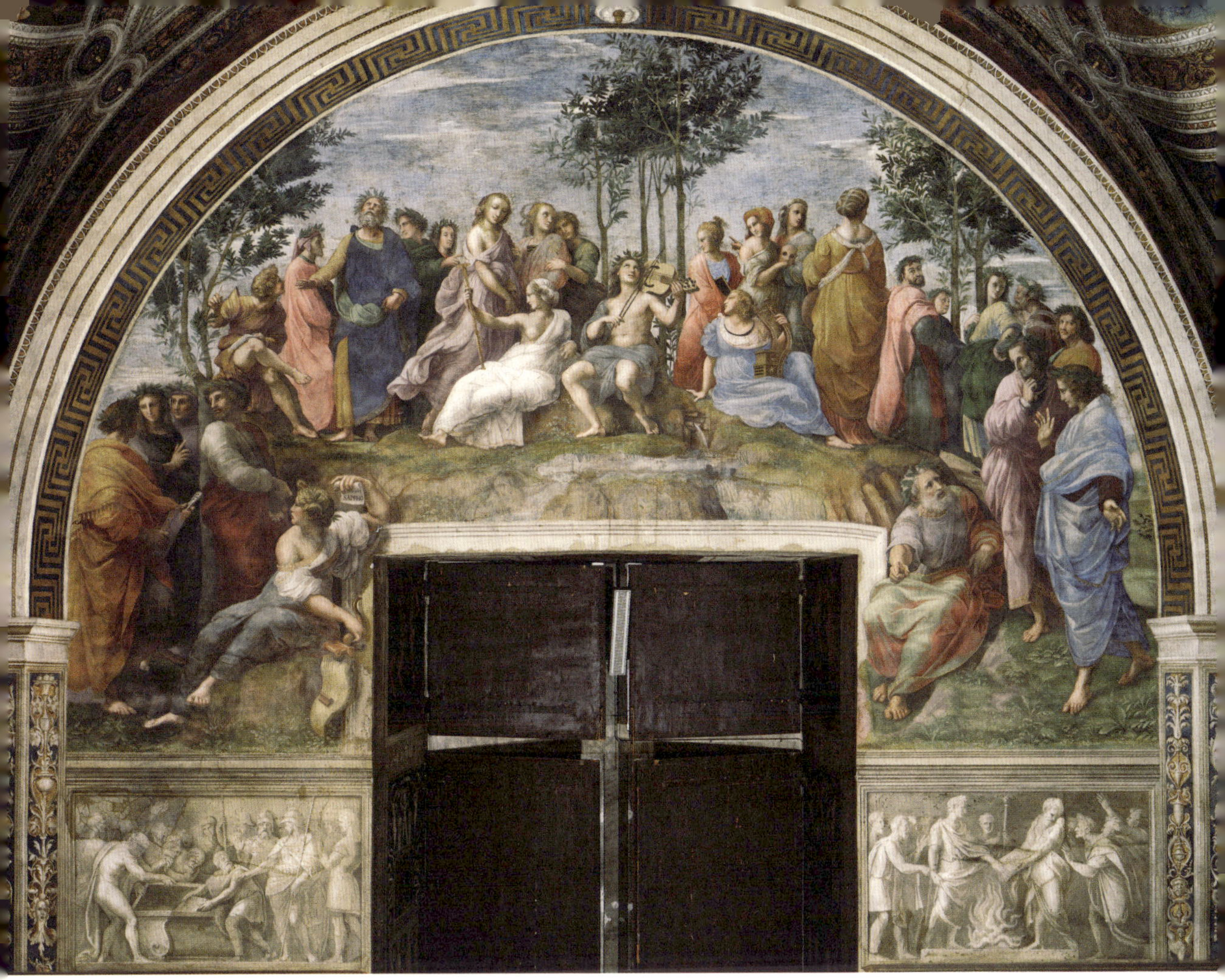

加拉提亚便是希腊神话中的海神涅瑞伊德斯，她的身后紧跟着的人身鱼尾的海神与众仙女，他们的形象都栩栩如生，充满活力。加拉提亚的头顶上方有三个拉弓射箭的小爱神，最下方的丘比特的面容更是让人联想到许多圣母像中的圣子的面容。整幅作品充溢着一种运动的韵律感和张扬的生命力，尤其是画面最左侧与最右侧的两个男子形象，动作方向不一，他们与手中用以吹奏的贝壳一道，确定了画面整体的边界，使得画面更加饱满而生动。

另外，阿格斯蒂诺·基吉还接受尤里乌斯二世的委托，赞助了和平圣母玛利亚教堂的礼拜堂，由拉斐尔进行装饰。在墙面上拱形祭台上方，拉斐尔绘制了一幅湿壁画，画中表现了众先知与女巫的形象。在瓦萨里看来，这幅壁画中体现了拉斐尔作品中“至高无上的美”，几乎可以被视为署名室中《三大德性》的延伸，而且更加壮观，构图上也更为流畅，人物的表情丰富，体态自然。

（上图）教皇格利高里九世颁布教令（局部）。
（右页）署名室的天花板。

署名室的天顶，湿壁画，1509—1511年，梵蒂冈博物馆：（左图从上至下）**法律女神与神学女神**；（右图从上至下）**哲学女神与诗歌女神**，每幅画直径均为180厘米。

（右页）署名室的天顶，湿壁画，1509—1511年：（左图从上至下）**阿波罗和天文学**；（右图从上至下）**所罗门的判决，亚当和夏娃**，每幅画均为120厘米×105厘米。

（上图）**波吕斐摩斯**，塞巴斯蒂安·德·皮翁伯，约1512—1513年，湿壁画，295厘米×225厘米，罗马法尔内西那别墅。

（第141—143页）**加拉提亚的凯旋**，1512年，湿壁画，295厘米×225厘米，罗马法尔内西那别墅。

ΝΕΚΡΩΝ
ΑΝΑΣΤΑ
ΘΑΝΑ
ΕΙΣΦΑΟΣ

（左页及本页）**女巫与天使**，1511年，湿壁画，
连底座高约615厘米，罗马，和平圣母教堂。

完美之境

据说，拉斐尔创作这两幅画作的初衷，是要将其并排放置在罗马的人民圣母玛利亚教堂的。这两幅画作便是《教皇尤里乌斯二世的肖像》和《圣母子与圣约翰》。据历史记载，这两幅画作在该教堂一直保存到16世纪末，后来被主教卖给了西庇奥内·波尔盖塞(Scipione Borghese)。随后经过几个世纪的流转，这两幅油画分别藏于伦敦的国家美术馆(《教皇尤里乌斯二世的肖像》)和巴黎卢浮宫(《圣母子与圣约翰》)。

（左图）**圣家族（洛雷托圣母）**，1511—1512年，木板油画，120厘米×90厘米，巴黎香提伊城康德亲王博物馆，局部见148页。

（右图）**圣母子与圣约翰（“戴工冠的圣母”或名“面纱圣母”，**Madonna del Diadema, Madonna del Velo），1511年，木板油画，68厘米×44厘米，巴黎卢浮宫。局部，见第149页。

从拉斐尔个人创作史的角度来看，这两幅作品非常值得后人研究。首先，这两幅画作不是用来装饰祭台的，也不是为了某一个具体的历史事件创作的，相反，画作的诞生是有其实际功用的。它们之间彼此有一种特殊的联系。今天，我们已经无法还原历史的细节，我们无从得知在画作完成后，本来会在何地，又是如何进行展示的，但有一点是清楚的，那就是，这两幅先后完成的作品，由于历史的机缘巧合，虽然分割两地，但仍在向后人展示一个不可分割的完整场景。在《教皇尤里乌斯二世的肖像》中，这个暮年的老人看着自己的左手边，他的表情有些痛苦，似乎沉浸在痛苦的回忆或冥想里。而在《圣母子与圣约翰》这幅作品中，圣母伸出了自己的右手，掀开了床上裸体的童子耶稣身上的纱巾。这样的耶稣形象既是神性的，更是人性的，而小圣约翰则在一旁看着这对母子，表情专注。从本质上来看，将这两幅画放在一起，尤里乌斯二世的眼神实际上投射向了圣母子与约翰，他的眼神内敛，以一种沉思的姿态在一旁平静地望着圣家庭。这两幅作品的风格并不相似。《教皇尤里乌斯二世的肖像》打着一种《多尼夫妇肖像》上的风格烙印，画风凝练，笔触也带有《雅典学院》里的风格；而另一幅作品中的圣母却是极为柔和的。今天，借助现代的科学分析，我们发现，在圣约翰所处的位置，拉斐尔原本画的是一扇窗户，似乎原本

（左图）**教皇尤里乌斯二世的肖像**，1511—1512年，木板油画，108.7厘米×81厘米，伦敦国家美术馆。

（右图）**教皇尤里乌斯二世**，1511年下半年所作，36厘米×25.3厘米， 查茨沃斯庄园 ，德文郡公爵（Duke of Devonshire）收藏。

（左上角）**面纱圣母**（Madonna del Velo），1510—1512年，收藏人不明。
（上图）**洛雷托圣母**，局部。

（第150页）**圣母子与圣约翰（阿尔多·布兰迪尼圣母或加瓦圣母像）**，1511年，木板油画，38.9厘米×32.9厘米，伦敦国家美术馆。
（第151页）**托马索·英吉拉米的肖像**，1511—1512年，木板油画，91厘米×62厘米，佛罗伦萨帕拉蒂纳美术馆。

（本页上图）**面纱圣母**，局部，全图见146页。

是要给教皇打开一扇凝视的窗的。在罗马的人民圣母玛利亚教堂中，还有另外两幅宗教题材的画作可以与这两幅画作作一个有意思的对比，也许我们从中可以窥见拉斐尔在从尤里乌斯二世到利奥十世这两位教皇之间，是如何实现他的艺术生涯的决定性转变的。

后两幅画是现藏于佛罗伦萨的帕拉蒂纳美术馆的《托马索·英吉拉米（Tommaso Inghirami）的肖像》，以及现藏于伦敦国家美术馆的《圣母子与圣约翰》（或称《阿尔多·布兰迪尼圣母》《加瓦圣母像》）。托马索·英吉拉米是罗马教廷卓越人物，是当时拉斐尔进行署名室创作时的梵蒂冈图书馆的馆长。这幅作品从风格上来看，正是拉斐尔的创作风格从《多尼夫妇的肖像》向尤里乌斯二世的人物塑造风格转型的作品。《教皇尤里乌斯二世的肖像》的创作据推测就在这位教皇去世前后，画面中的教皇眼神疲惫显示他已经是风烛残年了；而在《托马索的肖像》这幅作品中，用笔娴熟流畅，拉斐尔的观察非常细致，他把握住了人物的一个瞬间，突出了画中人斜眼向上看的神情，不难看出画中人是一个充满热情而不失幽默的人；在《加瓦圣母像》这幅作品中，拉斐尔的笔触却是柔和、内敛的，作品体现的是无尽的温柔与慈爱，这正是后人眼里非常典型的拉斐尔的女性形象——

（上图）**圣母子与小圣约翰（帐篷中的圣母，**Madonna della Tenda），1513年，木板油画，65.7厘米×51.3厘米，慕尼黑老绘画陈列馆。

（下图）**圣母子（麦金托什圣母，**Madonna Mackntosh），未完成，约1509年，木板油画，78.8厘米×64.2厘米，伦敦国家美术馆。

不同人物的生动体现，都向我们证明了拉斐尔这个时期在塑造人物形象上已臻完美。

在创作署名室的时候，拉斐尔着手完善了一种绘画创作理念，这种萌动的想法从佛罗伦萨时期就已经开始逐渐成形。由于父亲，拉斐尔很小便走上了艺术创作的道路；他的母亲由于产后虚弱，身体愈发不佳，在拉斐尔7岁时逝世。爱妻的离去让拉斐尔的父亲深受打击，终日郁郁寡欢，精神不振，4年后乔万尼・桑蒂也去世了。由于父亲的早逝，拉斐尔更是过早地开始了独立的自我教育。他得到了父母英俊秀美的容貌遗传，并且从小表现出极高的艺术兴趣与天分。我们知道，在创作《圣母的婚礼》时拉斐尔只有21岁。然

（上图）**圣母子与小圣约翰（椅中圣母）**，1513年，木板油画，直径71厘米，佛罗伦萨帕拉蒂纳美术馆。

（左图）《阿尔巴圣母》和《椅中圣母》的构图习作，约1510年，42.2厘米×27.2厘米，法国里尔美术博物馆。

（右图）为《阿尔巴圣母》所作的习作，约1510年，法国里尔美术博物馆。

（上图）**阿尔巴圣母**，1511年，木板油画，华盛顿，美国国家美术馆，安德鲁·梅隆收藏。

而，事实上，对于他早年的绘画训练，我们却因为知道得太少，而无力着墨。诚然，大家一般都会认为，说拉斐尔这个天才画家在家乡接受了老师佩鲁吉诺的指导，但是实际上，从那个时代的社会风俗来看，拉斐尔从未真正地与任何前辈艺术家形成过师生关系。因为父亲的早逝，他很早就从父亲那里继承了画坊，这也许也推动他被迫主动形成自己的艺术风格，而在一个十六七岁的天才少年身上，一种很成型的个性就已经成型了。甚至可以毫不夸张地说，他一登上画坛，就已经是一个大师了，接下来他需要做的，只是超越自己而已。他从未在任何人的画室里做过学徒，而从来都是因势利导，根据自己周遭经历的环境和与前辈的交流，从后者的身上不断地汲取养分，获取灵感。这位艺术天才，时刻准备展示自己不羁的艺术灵魂。在早期祭坛装饰画的创作时，他还要根据雇主的要求进行创作，作品中不时有循规蹈矩的约束，而随着视野的拓宽，拉斐尔很快就摸索出了属于自己的风格。

《西斯廷圣母》便是这一时期拉斐尔圣母像的代表作。与拉斐尔同时代的画家根据传统的表现手法，一般认为圣母玛利亚的面部轮廓应该是优雅而规则的椭圆形，她的发型应当是简约的，神情严肃且朴素，并散发出年轻纯真的气质。但在拉斐尔这一时期的圣母却更具现实的感染力，圣母怀抱圣子从天堂降临，沐浴在一片光明之中，怀中的圣子与她都目视前方，二人的头顶上没有光环，而是与普通人没有差别，云层仿佛幕布一般，缓缓使画面下方的天使现身，而画面两边的圣西斯托与圣芭芭拉则是画面外虔诚的信众与圣母子的中介，这种安排无疑是对祭坛装饰画这一题材大胆革新，瓦萨里称这幅作品是“独一无二而又令人赞叹的”，它将《佛利诺圣母》中静态的圣母形象转化为一种与观者之间更为直接和动态的交流，堪称自然主义与理想主义相结合来表现圣母的优雅的典范。

在佛罗伦萨的几年创作显然是承上启下的。这几年的创作使周围聚集了众多仰慕者和作品订购人。这些买主已经不再愿意自己订购的作品仅仅拘泥于固有的艺术题材，他们应时代而生，一同见证了一个天才的诞生。拉斐尔有了自己专属的艺术欣赏者，他们将

（上图）**西斯廷圣母**，局部，1512—1513年，布面油画，265厘米×196厘米，德国德累斯顿艺术博物馆。
（右页）**西斯廷圣母**，全图。

（第158页）**佛利诺圣母**，局部，1512年，木板油画，布面装裱，308厘米×198厘米，梵蒂冈美术馆。全图在第159页。

上帝与天使，习作，罗马人民圣母玛利亚教堂的基吉礼拜堂（Capella Chigi），约1513年，20.9厘米×21.4厘米，牛津大学阿什莫尔博物馆。

基吉礼拜堂穹顶的嵌画，拉斐尔绘制草图，路易吉·达·帕切（Luigi da Pace）完成，基吉礼拜堂穹顶内部，罗马人民圣母玛利亚教堂。

艺术作品视为自己社会地位与奢华生活的体现,希望作品中自己的肖像能够接近一种宗教性的表达。而艺术在文艺复兴的意大利,随着新世纪曙光的到来,尤其是在罗马,已经逐渐成为了一种追求品位与生活乐趣的工具。在当时的罗马聚集着一大批雕塑家和画家,他们与拉斐尔相互切磋,互相交流,与拉斐尔不同的是,这些人一心只想着宗教题材的作品,比如祭坛装饰画或者大理石祭坛雕塑。他们的创作从始至终都具有一种宗教归属感,而在逐渐成长为人文主义者的拉斐尔看来,这样是不够的。

（左上角）**基督与圣多玛**，约1512年（或在1512—1527年间），青铜雕塑，直径87厘米，基亚拉瓦莱（Chiaravalle）修道院，洛伦佐·洛蒂根据拉斐尔原作创作。

（左上图）**持盾牌的士兵**，为基督复活所作的习作，约1513年，黑色粉笔素描，18.4厘米×31.6厘米，牛津大学阿什莫尔博物馆。

（右上图）**为罗马和平圣母教堂基吉礼拜堂的耶稣复活所作草图**，约1513年，牛津大学阿什莫尔博物馆。

（左下图）洛伦佐·洛蒂根据拉斐尔原作《**先知约拿**》所作的大理石雕塑，约1516—1522年，罗马人民圣母教堂，基吉礼拜堂。

看守耶稣坟墓的士兵，为罗马和平圣母教堂的基吉礼拜堂所作《耶稣复活》的草稿，约1513年，黑色粉笔素描，34.5厘米 × 26.5厘米，牛津大学阿什莫尔博物馆。

工匠与艺术家,作品的固态与神韵的飘逸,其中的区别不可以道里计,他们是艺术的不同形式范畴,高明的艺术家并不会受到任何一种形式的约束,而是穿梭其中,运用一心。

我们注意到,拉斐尔在佛罗伦萨的那几年,参加了许多名门望族的婚礼,并受托进行创作。这类世俗生活的仪式,题材已经从天上回归到了尘世。这一时期的拉斐尔笔下的《圣母子与圣约翰》《多尼夫妇的肖像》《大公爵的圣母》等作品,不论是宗教题材还是世俗场景,我们都可以感受到启发作品本身的灵感源泉,这种灵感或者来自迎接一个新生命的降临的喜悦,或者来自两大家族的订婚的见证。世俗仪式本身是短暂的,但是拉斐尔却已经试图通过自己的笔触,使自己的作品挑战时间,传于后世。不难想象,当拉斐尔着手创作《基督被解下十字架》的时候,他的耳边似乎还能响起委托人对他说过,想要一幅不同寻常的作品,如果只是要一幅装饰墙壁的画作,同类的作品实在是太多了,他知道自己能够达到的远不仅仅是装饰而已。拉斐尔开始起笔了,而最终呈现在我们眼前的作品,也的确显示出一种别样的巧思。他的作品不再是一种拘泥于固定题材的教条性创作,而是对艺术的一种当下的抒发,这是一种脱胎于凡世,却又注定超越人间的表达。今天我们看到梵蒂冈的拉斐尔署名室,虽然仍然是宗教的内容,但却已经完全不是僵化的表达了。从这个意义上说,罗马的人民圣母玛利亚教堂的这几幅作品,是在这个转型期间很典型的代表作。艺术在拉斐尔眼中是一种与当下现实沟通的方式,作为艺术家的他,不再面向不确定的大众,而是面向特定的、有高级鉴赏力的贵族受众。进而,绘画与生活形成了一种相互促进的互动,最终也就实现了艺术对生活的超越。

手持美第奇家族戒指的小孩(艾略多罗室的画作草稿),约1514年,黑色粉笔素描,38.8厘米×19厘米,荷兰哈勒姆泰勒斯博物馆(Haarlem, Teylers)。

先知以赛亚，1513年，湿壁画，205厘米×155厘米，
罗马圣奥古斯丁教堂。

这四幅作品一以贯之的，都是拉斐尔在佛罗伦萨—佩鲁贾时期不停思考而实现的新的艺术风格。在对比中我们发现，一个画家的风格在一个时期会被认为是阳刚的，转身一变，在同时期的画作中，他又将体现自己柔和的创作面向。这看似冲突，其实是兼容并包的拉斐尔风格的一体两面。在创作祭坛装饰画的时候，拉斐尔的画笔是粗犷甚至不羁的，而在体现婚礼等场合的作品中，他的笔触又是含蓄的、保守的，无时无刻不流露出一种家庭式的温情和细腻。在人民圣母玛利亚教堂的两幅画作——《教皇尤里乌斯二世的肖像》和《圣母子与圣约翰》——对比中，我们发现了这一时期拉斐尔风格的对立与协调——在刻画教宗的面容时，他用一支画笔画出了画面的悲怆与严肃，而圣母子与圣约翰在他的眼里分明就是一个普通人家庭，他用另一支完全不一样的画笔，勾勒出了一种女性的柔美与母性的光辉。

（左页）**神圣对话（圣母和鱼）**，1512年，木板油画，215厘米×158厘米，马德里普拉多博物馆。

（本页左图）**圣母子与圣约翰**，1512—1513年，未完成作品，木板油画，36厘米×30.5厘米，罗马波尔盖塞美术馆。

（本页右图）**圣家族与小圣约翰**，木板油画，1511年（1520年以后完成），154厘米×114厘米，维也纳艺术史博物馆。

（右页）

（上图从左到右）**圣母子与圣约翰、圣伊丽莎白（神圣之爱的圣母）**，被认为是拉斐尔的作品，朱利奥·罗马诺或许参与合作，约1515年，木板油画，138厘米×109厘米，那不勒斯卡波迪蒙特国家美术馆（Galleria Nazionale di Capodimonte）。

（下图从左到右）为莱奥内罗·达·卡尔皮所作的**圣家庭（神圣之爱的圣母）**，局部与全图。约1515年，布面油画，139厘米×110厘米，日内瓦，私人收藏。

（本页上图）**圣家族与小圣约翰**，被认为是拉斐尔的作品，英国，温伯恩·明斯特大教堂。

“画圣”气度——艾略多罗室

位于梵蒂冈博物馆的艾略多罗室是拉斐尔绘画生涯的巅峰作品，从某种意义上来说，也是他艺术生涯逐渐走向危机的开始。室内的油画作品，对当时的文化现实和社会现实进行了生动的反映。

《圣彼得的解放》是一组连贯的叙事(第179页)。左面第一幅画中，监狱长手持火把，正呵斥责打睡着的卫兵；居中的油画中，天使已经前来解救，而此时室内的卫兵还未醒来；右面第三幅画中，圣彼得已经得救，在天使的指引下，小心地走下台阶，而昏睡的卫兵亦并未阻拦。《圣彼得的解放》中展现的场景明亮，拉斐尔通过狱卒手中的火把、月光和天使之光的交叉出现，渲染了森严的狱中环境和夜晚的恐怖，将光影的明暗对比发挥到了一种令人惊异的极致，这种黑夜与光影的强烈对比，也就只有卡拉瓦乔在一百年以后，才继承并发扬。

在《圣彼得的解放》这幅作品中，拉斐尔对自己过去的艺术创作进行了清算，并开始将自己的创作目光投射到了将来。他先前的作品没有一幅如此地充满风格上的对立。陪伴着圣彼得走出牢狱的天使容貌非常古典，带有一种从十五世纪到文艺复兴过渡的风格的残留，而从卫兵的形象上，我们却能感受到一种现代性，一种非常大胆的形象塑造的手法。《博尔赛纳的弥撒》同样是艺术史上的另一个奇迹。作品本身展示的张力，在拉斐尔的其他作品中也是很少见的。而《艾略多罗被逐出圣殿》则带有明显的的政治隐喻。对这些作品的赏析要求对西方艺术有一个深入的了解，最大可能地还原拉斐尔作品内外的信息。

教皇尤里乌斯二世在作品中身着祭司的衣服，这身装扮是一个隐喻，是作品本身现实性的体现，也是罗马教廷在面对自身权威不再如日中天的思考。尤其值得一提的是，在

（左页）**艾略多罗室天花板**。
（上图）**在燃烧的荆棘丛中的摩西**，草图，约1511—1514年，黑色粉笔画，140厘米×138厘米，那不勒斯卡波迪蒙特国家美术馆（Galleria Nazionale di Capodimonte）。
（第172—173页）**艾略多罗被驱逐出圣殿**，1511年，艾略多罗室湿壁画之一，连底座约高750厘米，梵蒂冈博物馆。

LEO·PP·X·ANN·D·M·D·X·IIII

IVLIVS II

艾略多罗室中，我们看到拉斐尔还将画中自己的形象作了改变。在署名室的《雅典学院》中，拉斐尔是一个年轻小伙子，形象柔和温顺，而在艾略多罗室中，拉斐尔已经变成了一个长着胡子的年轻人。

艺术史学家们注意到这么一个事实，那就是，《圣彼得的解放》虽然取材自《圣经·使徒行传》，但本身实际上是在隐喻一个历史现实。1512年，法国军队在没有明显先兆的前提下撤出了罗马，这在当时被认为是一个奇迹。经历了法国人占领的尤里乌斯二世特地在罗马带领信众进行了一次朝圣，以纪念自己的先辈——从枷锁中蒙恩得救的圣彼得。从这个历史事实出发，我们完全可以认定，这幅《圣彼得的解放》中的圣徒，就是教皇本人自比。而同样的，《利奥一世与阿提拉的会面》这一湿壁画中(大多数学者认为，这幅油画只有一部分是出自拉斐尔本人的手笔，其他大多数是由其弟子创作)，故事的起源也是与尤里乌斯二世有关。1513年，乔万尼·美第奇继任教皇，他还是主教的时候，曾经作为教廷的使者出使法国军队，被法王扣押为人质。法国军队撤出罗马后第二年，他成为了圣彼得的下一个继任者。画面中，利奥十世骑着白驴，看上去心平气和，其头顶上方，圣彼得与圣保罗在上面保护他。与《圣彼得的解放》这一作品一道，《利奥一世与阿提拉的会面》都是隐喻性相当明显的画作，同是当时历史事件的重现。

在《博尔赛纳的弥撒》这幅作品中，拉斐尔仍将教皇本人请到了几百年前的神迹中来。这幅油画取材自13世纪的一个教会传说，一位波希米亚神甫对圣餐面包和圣餐的酒中存在基督的肉体的说法持怀疑态度，但是在一次弥撒圣事时，他惊讶地发现祝献的圣饼居然真的流出了鲜血，而包着面饼的布巾还留下了鲜红的十字架印痕。在这幅作品中，祭台的右侧，与主持弥撒仪式的神甫相对的是一位身着紫袍的老人，他的臂肘支在案上，观看着发生的一切。不难看出，这便是尤里乌斯二世教皇。这种左右的对照，正是一种历史和现实的相遇或者汇合。

艾略多罗室原本是教皇的会客室，这个充满宗教气息的房间体现的核心是神对历史的干预。这种神性的干预带有一种调和精神，它试图调和犹太教世界和天主教世界在对上帝话语的解读上的冲突，这种视角和马丁·路德、加尔文在后来的宗教改革运动中所宣扬的理念事实上已经非常接近。艾略多罗室有着其特殊的地位与功能，我们可以据此认为，这个房间的绘画思路与教廷的意识形态应该是高度吻合的。罗马教廷坚持，只有通过神的出现才能体现基督教的奇迹，而这种奇迹自然是按照神的意愿实现的；而抗议宗在这一点上的分歧不过是认为，上帝的意愿不必非要通过神迹来体现，上帝的干预可以是司空见惯的，所谓奇迹在信徒的日常生活中无处不在，而神迹也因此不会打破自然万物本来的秩序。

艾略多罗室作为艺术史上的奇迹，他的“造物主”当然是拉斐尔。《艾略多罗被逐出圣殿》题自《圣经》故事，这个故事本身在某种程度上就实现了《圣经》的旧约和新约的比照与融合。这种文本的比照和融合，正是西斯廷礼拜堂壁画的基础。而拉斐尔在这里的艺术创作，与15世纪的画家的一般风格，甚至与米开朗基罗的风格相比，都已经展示出一种全新的面貌。当拉斐尔创作署名室的时候，我们似乎能时不时地瞥见米开朗基罗的影子，他似乎就坐在房间的一个台阶上，从沉思中偶尔抬头，与拉斐尔进行交流；而在艾略多罗室中，米开朗基罗的影子则全然消失了，我们在几幅油画中找不到任何他的风格或者他的艺术理念的映射，这完全是拉斐尔不受任何同时代或前人的影响，自我风格淋漓尽致的实现。

这一时期的人物肖像作的代表之一，是《巴尔达萨雷·卡斯蒂廖内伯爵的肖像》(第182页)。卡斯蒂廖内是拉斐尔在梵蒂冈相当有分量的朋友，21岁时便进入曼托瓦侯爵的宫廷中供职，参与军事和外交工作，26岁时进入乌尔比诺公爵的朝廷，并广泛结识了上层贵族，在当时的上流社会颇有声望，在1518年前后，写下了《廷臣论》(*Cortegiano*)一书。

在这幅肖像画中，卡斯蒂廖内的双手在画面下方只露出了一部分，似乎是在画面中被人为切割了一般。拉斐尔将人物的几乎一半身子置于阴影之中，光影的处理极为谨慎妥帖，而胸前衬衣上的褶皱，更是加强了画面中心的紧张感，与衣服上柔软的毛皮相比，更是凸显了一种冲突。仔细观摩这幅作品并不难发现，拉斐尔在创作中使用的颜色并不多，但黑白两色的运用是如此得当，足以使得画面相当饱满，丝毫没有单调乏味的感觉。

值得一提的是，卡斯蒂廖内与拉斐尔的交往并不局限于宫廷生活中，在艺术创作上，

（左下图）**拉斐尔的自画像，艾略多罗被驱逐出圣殿**，局部。
（右下图）**天使头部**，为《艾略多罗被驱逐出圣殿》所作习作，约1511年，黑色粉笔画，26.8厘米×31.9厘米，巴黎卢浮宫。

（第176页）**艾略多罗室一角**，位于《博尔赛纳的弥撒》和《利奥一世与阿提拉的会面》之间，梵蒂冈博物馆。

二人也有过较深入的交流。在一封写给伯爵的信中，拉斐尔提到了自己的《加拉提亚的凯旋》："要是它真的如阁下所说的一半那么好，我便能心满意足地称自己为名副其实的大师了！您的字字句句都是我们之间友爱的见证。然而我想，要想将女性画得更美些，那样的独到眼光与真知灼见，于我是十分缺乏的，我还应与阁下再深入探讨才是。"我们不妨猜想，肖像的主人与作品的主人在创作之前，应该有过充分的交流，他们都认同，绘制肖像画，不必衣饰光亮华美，完全可以放弃缤纷的服饰，而以黑色的天鹅绒来吸收光线，这是伯爵本人收敛而克制的个性使然，也是拉斐尔对光影过渡的处理技巧的体现。

（第177页上图）**博尔赛纳的弥撒**，1512年，艾略多罗室湿壁画之一，连底座高约660厘米，梵蒂冈博物馆。左下两图为局部。
（第177页右下图）**圣彼得的解放**，局部。

（本页上图）**为《圣彼得的解放》所作的习作**，约1512年，水彩画，25.7厘米×41.7厘米，佛罗伦萨乌菲齐美术馆。

（上图）**圣彼得的解放**，1512年，艾略多罗室湿壁画之一，连底座高约660厘米，梵蒂冈博物馆。180页为全图的两处局部。

作为乌尔比诺驻教廷的大使，卡斯蒂廖内伯爵无疑是一个显赫的人物，更是一个才华卓著的人文主义者。但画面中他给人的整体印象是收敛的，他的眼神既没有抬高，也没有放低，而是直视，营造出一种随时对话的平易近人的亲切感，他的眼神平静而不退缩，直视画面之外，显得十分从容不迫，而又不失威严。

总之，在这个时期的肖像作品中，拉斐尔传递出了一种得心应手的平衡感，透过这种平衡感的展示，观者和肖像人物之间达到了一种心灵上的沟通。

（本页上图）**利奥一世与阿提拉的会面**，约1513年，艾略多罗室湿壁画之一，连底座高约750厘米，梵蒂冈博物馆。

（第182页）**巴尔达萨雷·卡斯蒂廖内伯爵**（Baldassarre Castighione）**的肖像**，约1514—1515年，布面油画，82厘米×66厘米，巴黎卢浮宫。
（第183页）**女人的肖像（戴头巾的女子）**，约1513年，木板油画，55厘米× 64厘米，佛罗伦萨帕拉蒂纳美术馆。

（上图）艾略多罗被驱逐出圣殿，局部。

拉斐尔的生平，木刻作品，表现巴尔达萨雷·卡斯蒂廖内伯爵与拉斐尔在罗马的交往情形，后者正在向利奥十世请求保护古罗马文化，作者约翰内斯（Johannes Riepenhausen），局部，罗马，1833年。

声名远播

自从他抵达罗马的那天开始，这座古代气息浓厚的圣城就为他绘画中的建筑学视野提供了源源不断的灵感，此外，他追随布拉曼特，学习前人对于古代建筑的渊博知识与创作中体现的空间感。瓦萨里称，“拉斐尔对于古代建筑近乎痴迷”。直到1516年，他的建筑风格还是在追随布拉曼特，而随着他对古代建筑理解的不断加深，在玛丹别墅的设计中，他已经展示了超越前人的建筑才华。

1514年3月，布拉曼特去世。在去世之前，他特地向教皇利奥十世推荐了拉斐尔来接替自己的职务，完成圣彼得大教堂的重建工作。同年8月，利奥十世正式任命拉斐尔担任重建工作的工程总监，那一年，拉斐尔年仅31岁。他很清楚落在自己身上的责任与将要面对的挑战。他开始思考一种新的管理流程，加强与其他画家的合作，并开始尝试自己在作品的创作过程中主要进行创造性的构思，有意识地将自己的创作经验传授给学徒。一般认为，拉斐尔在署名室的创作后期，已经招收了一些得力的助手，艾略多罗室的几处作品，就是这些学徒在他的指导下完成的。在担任圣彼得教堂重建工程总监期间，他日后的得意弟子朱利奥·罗马诺加入了他的画坊。

在担任工程总监的同时，拉斐尔在西斯

（上图）布拉曼特，**“坦比哀多”**（Tempietto）**小堂**，1502年或1510—1512年。

（右页）

（上图）**理想城**，15世纪末，木板胶画，也被认为可能是卢奇亚诺·拉乌拉纳（Luciano Laurana）或者弗朗切斯科·迪·乔尔乔·马尔蒂尼（Francesco di Giorgio Martini）的作品，乌尔比诺马尔凯国家美术馆。

（中图）**圣伯尔纳迪诺的生平：圣人的葬礼**，平托瑞丘，阿拉科艾利的圣玛利亚教堂，布尔法里尼礼拜堂穹顶。

（下图）**交付天堂的钥匙**，佩鲁吉诺，1481—1482年，湿壁画（修复前），335厘米×550厘米，梵蒂冈博物馆，西斯廷礼拜堂。

廷礼拜堂创作的挂毯作品也在进行，那同样是来自利奥十世的委托，让他在礼拜堂的两侧墙壁绘制十幅壁毯进行装饰。他所绘制的全尺寸草图藏于伦敦的维多利亚与阿尔伯特博物馆，每幅画均为3米高、5米宽。这些壁毯的风格与西斯廷礼拜堂中已有的作品(吉兰达约等人)的古典主义相吻合，更符合教皇私人礼拜堂的个性化要求。

壁毯的主题均来自《福音书》与《使徒行传》，表现圣彼得和圣保罗的生平，如此题材的选择正是因为教皇继承的是圣彼得的事业。表现圣彼得生平的壁毯被安置在基督生平壁画的下方；而表现圣保罗生平的壁画则位于摩西生平的下方。

这个时候的拉斐尔已是一个声名远播的画家，整个意大利都在为一睹他的作品而备感荣幸。他为教皇设计玛丹别墅，为特洛亚主教设计官邸，为皮亚琴察的圣西斯托修道院绘制祭坛装饰画，此外还有许多作品越过阿尔卑斯山，来到法国宫廷。那幅《圣米歇尔击败撒旦》便深得国王的赏识。这是由利奥十世委托他创作，献给法国宫廷的礼物之一，而《弗朗索瓦一世的圣家庭》则是特地为法国国王弗朗索瓦一世的王后而作的。

画中的圣母被鲜花簇拥，一名小天使正在投向她的怀抱。画面中的摇篮造型独特，正面饰有一副古典风格的面具，这新生的摇篮，同时也是埋葬基督的坟墓的象征——此处拉斐尔对作品所要呈现的主题“复活”呼

（左上图）**捕鱼的神迹**，习作，约1515年，褐色墨水钢笔画，22.9厘米×32.7厘米，维也纳阿尔贝蒂娜博物馆，局部。
（左下图）**捕鱼的神迹**，壁毯，梵蒂冈美术馆。

之欲出，就像快要从摇篮跳出来的耶稣一般。通常认为，在这幅作品中，拉斐尔的弟子乔万尼·达·乌迪内的创作痕迹相当明显，而他的老师只是对作品的整体构思与创作进行了提纲挈领的创意与指导。根据瓦萨里的说法，拉斐尔常会在对助手的工作进行一定的润色以后，宣称这是自己独特创意的体现。自然，在壁毯作品或者油画上进行润色工作是相对简单的，而在湿壁画上进行后期加工则是很难想象的。这也就使得这一时期的作品归属问题变得比较复杂。如现藏于马德里普拉多博物馆的《圣家庭与小圣约翰、圣伊丽莎白》(《珍珠圣母》)、藏于那不勒斯的《圣家庭与小圣约翰》(《圣母与猫》)等作品在传统上都习惯将拉斐尔画坊的某几位弟子集体创作的作品，仍然只归在拉斐尔本人的名下。

（上图）**捕鱼的神迹，西斯廷礼拜堂壁毯的草图**，1514—1515年，黑色粉笔画，319厘米×399厘米，伦敦维多利亚与阿尔伯特博物馆。

（上图）**交付天堂的钥匙**，黑色粉笔胶画，343厘米×532厘米，伦敦维多利亚与阿尔伯特博物馆。

（上图）**耶稣治愈瘫痪的人**，黑色粉笔胶画，342厘米×536厘米，伦敦维多利亚与阿尔伯特博物馆。

（上图）**圣保罗向雅典人传道**，黑色粉笔，纸面胶画，342厘米×442厘米，伦敦维多利亚与阿尔伯特博物馆。

（上图）**艾利马（Elima）的惩罚**，黑色粉笔，纸面胶画，342厘米 × 446厘米，伦敦维多利亚与阿尔伯特博物馆。

（本页上图）**圣斯代法诺被投石处死**，壁毯，高398厘米（不包括壁毯边缘），梵蒂冈美术馆。
（本页下图）**扫罗的对话**，壁毯，连底高557厘米（不含边缘图案的宽度），梵蒂冈美术馆。

在此期间，拉斐尔对祭坛装饰画的风格与意义仍然在进一步探索中，这种继《西斯廷圣母》之后的创新意识在《圣塞西莉亚》(第197页)一画中有了较为集中的体现。

圣塞西莉亚热爱音乐，对音乐家极为友善。在画作中，拉斐尔将圣塞西莉亚聆听来自天堂的音乐的欢喜之情表现得淋漓尽致。她手拿一管小型风琴，其中一些琴管是开着的，暗示她刚演奏完音乐，而在她的脚下，零星散落着许多乐器，象征着俗世的音乐：有三支长笛、一个手鼓、一个小鼓、一个三角铁和一把古大提琴。画面上下两部分形成了一种清晰的对比。瓦萨里在书中写道，"圣塞西莉亚正满心欢喜地聆听来自天上的乐音，从她的面部表情我们看到的是歌声所带来的天国的和谐"。诚然，圣塞西莉亚抬头仰望上天，云层中显现出天使合唱团在歌唱，神圣元素在世俗的心中产生了极大的共鸣，上帝的形象虽未出现，却在上下画面的互动中分明显现出来。

在圣塞西莉亚的身边，依次是持剑若有所思的圣保罗，福音约翰和圣奥古斯丁目光对视，似在交流什么，而只有抹大拉的目光是朝向观者的。他们的姿态如雕塑一般，站立的位置前后交错，画面因此更具张力，而每个人的面部表情极为克制，与圣塞西莉亚面露欣喜之情形成反差。在这里，拉斐尔实现了自我超越，他的匠心独运不仅在主题的表达上发挥得淋漓尽致，更在艺术创作的原则上，达到了优雅与平衡下的一种表现力。

（右页）
（上图）**阿娜尼亚（Anania）之死**，黑色粉笔画，纸面胶画，342厘米×532厘米，伦敦维多利亚和阿尔伯特博物馆。
（下图）**里斯特拉（Listra）殉道**，黑色粉笔画，纸面胶画，347厘米× 542厘米，伦敦维多利亚和阿尔伯特博物馆。

（左上图）**狱中的圣保罗**，壁毯，梵蒂冈美术馆，局部。

（右上图与右页）**圣塞西莉亚与圣保罗、圣约翰、圣奥古斯都和抹大拉**，约1514年，木板油画，布面装裱，236厘米×149厘米，博洛尼亚国家美术馆，局部与整体。

乐器的“静物写真”，圣塞西莉亚，局部。

（第200—201页）**耶稣受难**，约1515—1516年，布面油画，318厘米×229厘米，马德里，普拉多博物馆，局部与整体。

（左图）**圣米歇尔**，约1518年，褐色钢笔素描，28厘米×19.7厘米，奥斯陆国家美术馆。

（右图及右页）**圣米歇尔击败撒旦**，1518年，木板油画，268厘米×160厘米，巴黎卢浮宫，整体与局部。

（本页与右页）**圣家庭与圣伊丽莎白，小圣约翰以及两名天使**（也被称为**弗朗索瓦一世的圣家庭**），约1517—1518年，木板油画，布面装裱，207厘米×140厘米，巴黎卢浮宫，局部与整体。

（左页）**神圣的对话**，约1511年，木板油画，158厘米×125厘米，佛罗伦萨帕拉蒂纳美术馆。

（左上图）**拥抱圣子的圣母**（画面右上方为局部习作），红色铅笔画，在备好的纸上用银针尖刺出画面，33.8厘米×21.4厘米，佛罗伦萨乌菲齐美术馆。

（左下图）**圣母子与圣约翰、圣伊丽莎白**（或称**小圣家族或贡扎加的圣母**），也被认为可能是朱利奥·罗马诺的作品，约1518—1519年，木板油画，38厘米×21厘米，巴黎卢浮宫。

（右上图）**张开双臂的裸体幼童**（为弗朗切斯科一世所作的《圣家族》的练习图），约1518年，红粉笔和铅笔画，27厘米×20.9厘米，佛罗伦萨乌菲齐美术馆。

（右下图）**圣家族与圣凯瑟琳、圣约翰**，也被认为是乔万尼·弗朗切斯科·佩尼（Giovanni Francesco Penni）的作品，木板油画，115厘米×95厘米，华沙国家博物馆。

（左页上图与右下图）**圣家庭与小圣约翰、圣伊丽莎白（珍珠圣母，**La perla），约1518—1520年，布面油画，144厘米×115厘米，马德里，普拉多博物馆，局部与整体。

（左页左下图）**圣家庭与小圣约翰（圣母与猫）**，也被认为是朱利奥·罗马诺的作品，推测为1520年以后所作，木板油画，171厘米×143厘米，那不勒斯卡波迪蒙特国家美术馆（Galleria Nazionale di Capodimonte）。

（本页上图）**圣家庭与小圣约翰（栎树圣母）**，被认为可能是与朱利奥·罗马诺合作完成，1518—1522年所作，木板油画，144厘米×110厘米，马德里普拉多博物馆。

博尔戈的火灾室

一般认为，在署名室的创作后期，拉斐尔就已经招收了一些助手。在艾略多罗室的创作中，这些助手完成了好几处墙体绘饰、《利奥一世与阿提拉会面》的某些部分以及女神像柱上的作品。而在博尔戈的火灾室中(博尔戈，意为“小镇”)，《博尔戈的火灾》最初习作与主要部分通常认为是拉斐尔亲自完成的，而随着工程量的增加，助手在其中的角色占据的比重也发生了变化。

《查理曼大帝的加冕》是一幅细节刻画十分精细的作品。其装饰恢弘的上半部分不是拉斐尔亲自完成的，而至少有三位助手参与了这件作品的完成。拉斐尔为《博尔戈的火灾》创作的两幅裸体男子习作，曾被他作为

礼物赠送给丢勒，虽然他声称自己亲自参与了《奥斯提亚之战》早期的创作，但实则不然。现在一般还认为，《利奥三世的誓言》应几乎完全出自拉斐尔的助手或学徒之手。

（第210页）**奥斯提亚之战与博尔戈的火灾**，湿壁画，与朱利奥·罗马诺以及乔万尼·弗兰切斯科·佩尼合作，约1514—1517年完成，梵蒂冈博物馆。
（第211页）**博尔戈的火灾**，局部（全图见213页）。

（本页左图）**埃涅阿斯**，练习图，红色粉笔画，约1514年，30厘米×17厘米，维也纳阿尔贝蒂娜博物馆。
（本页右图）**试图逃脱火灾的年轻人**，练习图，约1514年，红色粉笔素描，36.5厘米×16.1厘米，维也纳阿尔贝蒂娜博物馆。

博尔戈的火灾，约1514年，湿壁画，连底座高770厘米，博尔戈的火灾室，梵蒂冈博物馆。

奥斯提亚之战，约1514年，连底座高770厘米，
博尔戈的火灾室，梵蒂冈博物馆。

查理曼大帝的加冕，湿壁画，约1516—1517年，连底座高770厘米，博尔戈的火灾室，梵蒂冈博物馆。

（左页及本页上图）**利奥三世的誓言**，约1517年，湿壁画，连底高770厘米，博尔戈的火灾室，梵蒂冈博物馆，左页为局部图。

新的职位：教皇的美术总监

拉斐尔因罗马而在艺术上走向辉煌，而圣城罗马也因为艺术家的天才而更为神圣与不朽。毋庸置疑的是，人才济济一堂的罗马为拉斐尔提供了更为百科全书式的艺术体验和更高的创作视野。

1516年之前的拉斐尔的建筑风格一直是追随布拉曼特。在声名日盛中，他对古典建筑学习的热情丝毫没有降低。他还敦促马尔科·法比奥·卡尔维尽快完成维特鲁威的《建筑学论》的翻译。在这份现存于世的翻译手稿中，还能看到拉斐尔亲笔做的眉批与校对。

1514年到1520年间的拉斐尔，一方面投入委托画作的创作，一方面要应付不断出现的圣彼得大教堂重建中出现的新问题，他还参与了几处宫殿、别墅的设计与装饰工作。随着对古代建筑认识的不断深入，他逐渐超越前人，在位于罗马的布兰科尼奥宫和玛丹别墅上的设计就是明证。布兰科尼奥宫是专为利奥十世的廷臣乔万尼·巴蒂斯塔·布兰科尼奥(Giovanni Battista Branconio dell'Aquila)修建的。他还是当时著名的货币学家。可惜的是，在17世纪圣彼得广场建筑重新规划中，为了修建贝利尼长廊，这座宫殿不得不让腾出空间，被整体摧毁，只留下了设计图纸。今天的世人只能从图纸上去欣赏拉斐尔对整体建筑的设计理念了。

在布兰科尼奥宫的设计中，拉斐尔加入了许多其他古典建筑元素，他将万神殿、巴尔

（上图）**耶稣复活**，塞巴斯蒂安·德·皮翁博，约1517—1519年所作，木板油画，布面装裱，381厘米×289.6厘米，伦敦国家美术馆。
（右页）**基督变容**，1516—1520年，木板油画，405厘米×278厘米，梵蒂冈美术馆。

博家族墓穴和罗马君士坦丁凯旋门等古典风格与元素进行糅合，并以一种全新的面貌进行建筑的设计与规划。

在布兰科尼奥宫的外围，拉斐尔加了一圈围栏，这在宫殿设计中，还属首次。第一层拱廊呈现的是典型的多利安风格，其上还有三角形或半圆形的凹龛交替出现以作装饰。夹层孔的正上方有半身像的奖章作为装饰，而利奥十世的半身像则自然占据了中心位置。三层窗户的结构简洁，中间间隔有版画装饰，这些版画被认为模仿了罗马君士坦丁凯旋门拱门上的大理石浮雕艺术。

布兰科尼奥宫整体设计体现了拉斐尔在水平和垂直元素的交互使用中建筑韵律感的天才。宫殿的外墙装饰华丽而繁复，这种繁复的装饰并不是出现在宫殿内部，而是在外观上进行应用，这是拉斐尔进行的一次大胆尝试。然而，拉斐尔这次设计经典的构思还没有来得及被完全实现，利奥十世的玛丹别墅，就给他提供了更为完美的才华施展的平台。

1518年，玛丹别墅开始动工修建。翌年春天，拉斐尔在写给卡斯蒂廖内伯爵的信中表示，自己已经研究清楚了各种可能的设计方案，包括将矩形的内庭改为圆形设计。在信中，拉斐尔引用了许多维特鲁维著作中的设计构想，也吸收了罗马附近的古典建筑的特点，包括位于罗马郊区蒂沃里的哈德良别墅。根据拉斐尔的设计，别墅内的接待大厅和公寓均沿着通往梵蒂冈的道路中轴线分

（上图）**基督变容图**，局部，塞巴斯蒂安·德·皮翁博的**基督复活**的局部。
（右页）**基督变容图**，局部。

布，多利安风格的入口直通一层前厅，艾奥尼亚式石柱将古典的前厅分割为三部分，希腊风格的中庭则向外延伸为圆形。整个周边地区都建成梯田式的，并进行美化。

在1519年，梯田工程由于技术问题，需要进行修正和完善。应拉斐尔的邀请，小安东尼奥·达·桑加罗来到玛丹别墅与其合作。别墅的所有修改都记录在桑加罗的图纸上，现藏于乌菲齐美术馆。玛丹别墅的整体建筑，包括公寓部分，直到拉斐尔去世前都没有竣工，其后，他的弟子朱利奥·罗马诺进行监工。

玛丹别墅这个庞大的工程，无疑是拉斐尔出色的组织协调能力与青出于蓝的建筑才华的见证。如果没有对古典建筑作品的深入研习，玛丹别墅如此规制的工程能够最终竣工，是不可想象的。

1516年，本博在写给红衣主教比比耶纳的信中表示，“钟楼和壁炉房以及主教大人的府邸都已经落成，我们随时恭候您驾临”。壁炉房(Stofetta)的两面墙上，拉斐尔装饰上了精美的木板油画，上方代表权力的壁龛，边框经过了精心的设计与装饰。拱顶天花板、弦月窗和四面墙上都装饰着与维纳斯神话相关的壁画。在靠近墙根处，拉斐尔设计了一个

（上图）**比比耶纳主教的肖像**，画上有拉斐尔的签名，或为弟子根据拉斐尔1516年创作的原图为模板所创作。布面油画，86厘米×65厘米，佛罗伦萨，帕拉蒂纳美术馆。

（下图）**亚历山德罗·法尔内西那主教的肖像**，木板油画，132厘米×86厘米，那不勒斯卡波迪蒙特国家美术馆（Galleria Nazionale di Capodimonte）。该画出自拉斐尔还是其弟子之手，尚无法确定。

（右页）**主教的肖像**，1510年，木板油画，79厘米×61厘米，马德里普拉多博物馆。

905.
286.

（上图）**比比耶纳主教壁炉房**，局部，梵蒂冈博物馆。右页为**比比耶纳主教的房间壁炉间内部**，与乔万尼·达·乌迪内、朱利奥·罗马诺、乔万尼·弗朗切斯科·佩尼合作，1516年，梵蒂冈博物馆。这是主教的浴室，长2.52米。

（左下图）**潘恩与席琳克丝**，壁炉房习作，约1516年，18.6厘米×18.2厘米，巴黎卢浮宫。
（右下图）**维纳斯与阿多尼斯**，壁炉房习作，也被认为是朱利奥·罗马诺的作品，22.4厘米×18.1厘米，维也纳阿尔贝蒂娜博物馆。

黑色背景，其中，爱神坐在微型战车上，一群小动物——乌龟、蛇、海豚、蝴蝶和貌似龙的小动物——在前面拉拽着小车。这些古典形象创意非凡，我们可以感受到拉斐尔那灵活、急促的笔触。这些装饰风格上的创新，使拉斐尔取得了巨大的成功，这些创新的风格在之后的数年间被广泛复制于教廷的宫殿、房间的装饰。其后的1525年到1527年间，拉斐尔的弟子乔万尼・达・乌迪内还受到教皇克莱门特七世的委托，对圣天使堡的浴室进行相似风格的装饰。

在这一时期的肖像画创作上，拉斐尔同样达到了一个前所未有的高度。通常认为，《主教的肖像》是拉斐尔到罗马之后的第一幅正规画像。在这幅人物肖像中，已经体现出了这一时期人物肖像创作与佛罗伦萨时期的不同。这幅画观者透视图被放低了，主教的四角帽和颜色突出的披风都是对锥形画面的凸显。主教几乎毫无表情，他的服饰火红鲜艳，然而身处的背景是黑色，与其身上的服饰相比，也实现了画面人物的加强，制造了身体与心灵的一种距离。

而在《利奥十世与朱利奥・德・美第奇主教、路易吉・德・罗西主教》中，利奥十世

（上图）**比比耶纳主教的敞廊**，与乔万尼・达・乌迪内、朱利奥・罗马诺、乔万尼・弗朗切斯科・佩尼合作，1516年，梵蒂冈博物馆，穹顶局部。

（居中）**位于罗马的布兰科尼奥宫**（按照拉斐尔的设计建造而成），该图为1665年面世的一个木刻作品。

（下图）**号兵与旗手**，安德里亚・曼坦那（Andrea Mantegna），《凯撒的凯旋》系列第一幅（约1485—1596年），266厘米×278厘米，汉普顿宫，伦敦。

（第227页）
（上图）**万神殿内部与壁柱**，或认为是多美尼克·吉兰达约（Domenico Ghirlandio）的作品，约1505年，钢笔画，40.7厘米×27.7厘米，佛罗伦萨乌菲齐博物馆。
（下图）**利奥十世的别墅正面**，水笔素描，25厘米×36.2厘米，牛津大学阿什莫尔博物馆。
（本页）
（左上图）小安东尼奥·达·桑加罗（Antonio da Sangallo il giovane），**玛丹别墅和圣彼得别墅的习作**，57.7厘米×43.5厘米，佛罗伦萨乌菲齐美术馆，局部。
（上图）**酒神在印度的凯旋**，约1517年，钢笔与炭笔画，26.2厘米× 40.7厘米，维也纳阿尔贝蒂娜博物馆。
（居中）**大象**，为《扎马之战》所作的习作，《扎马之战》为“西庇阿传略”这一系列壁毯的主题之一（或认为这实际上是朱利奥·罗马诺的作品），铅笔、红色粉笔画，20.7厘米×31.1厘米，牛津大学阿什莫尔博物馆。
（下图）**圣彼得大教堂**，小安东尼奥·达·桑加罗（Antonio da Sangallo il giovane），习作，30.4厘米×46.2厘米，佛罗伦萨乌菲齐博物馆。

面对着一个巨大的背景而坐，他的身后各有一名红衣主教，其一是他的表兄朱利奥·德·美第奇，也就是后来的克莱门特七世。利奥十世背后的墙上显示出众多支柱，他面前的桌上覆盖一块红色的桌布，一本图案鲜明的书卷放在其上，我们可以清楚地看见，书的开始页画有圣约翰福音书。利奥十世本人左手持一面放大镜，书本边上放置有一个白银制造、黄金装饰的小铃铛。教皇的右手平放在摊开的《圣经》上，他的姿势轻松、随意，但又充满权威感。历史记载，利奥十世是一个有着良好修养、举止优雅的人。他还是一个喜剧和音乐的爱好者，同时收藏了众多手稿。这些人物特征，在画面中都有着相当节制的体现。教皇身后两名主教同样是神采各异，画面左边的是美第奇主教，他面部温顺谦卑地看着教皇，而德·罗西主教则双手紧紧抓住椅背，面向观者。两名主教分开站立，无疑是为了凸显画面中间的教皇的形象，使之成为整幅作品精神焦点。整幅作品的主色调为红色，次色调是白色，加上教皇衣帽上那种阴郁的色调，主教的盛装，与教皇面前桌布的橘黄色调。

瓦萨里在评价这幅肖像画的时候指出：“与其说这是一幅油画作品，不如干脆说这是一组雕像。利奥十

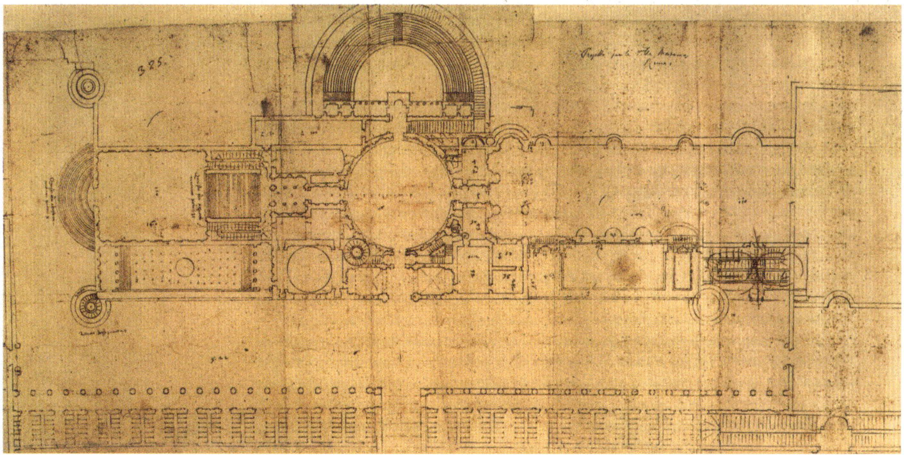

（上图）**天使**，为艾略多罗室中《主向摩西显现》中天使所作的习作，画中天使的形象为一名睡着的女子。约1514年，金属质笔尖的水笔画，26.4厘米×34.5厘米，佛罗伦萨乌菲齐美术馆。

（下图）小安东尼奥·达·桑加罗（Antonio da Sangallo il giovane），**根据拉斐尔的玛丹别墅**（Villa Madama）**所画的平面图**，约1519年，红色粉笔画，60.1厘米×125.8厘米，佛罗伦萨乌菲齐美术馆，局部。

世身着闪闪发光的天鹅绒，《圣经》羊皮纸的质地与小铃铛一样精美，而椅子上的金色圆球，就像镜子那样清晰地把透进窗户的光线反射到墙上。”据称，教皇的秘书巴尔达萨·塔里尼在带着文件请求教皇签署时，进入房间第一眼看到了这幅作品后，完全没有觉察出，自己面对的是画作而不是真人，谦卑地走到了画中的利奥十世面前。无论这则轶事真假如何，我们都可以认为，这幅作品所表现的超前的现实主义意识与神乎其技的绘画技巧，都是只有拉斐尔才能够展示给世人的。

安德烈·纳瓦杰罗和阿格斯蒂诺·贝阿扎诺（Andrea Navagero e Agostino Beazzano）**的肖像**，约1516年，布面油画，76厘米×107厘米，罗马多利亚潘菲利美术馆（右页为局部）。

（左页）
（左上图）**青年男子的肖像**，约1511年，木板油画，72厘米×56厘米，札托里斯基博物馆，克拉科夫，波兰。
（右上图）**青年男子的肖像图的临摹**，约1511年，卡拉拉美术学院，贝尔加莫。
（左下图）**安东尼奥·特巴迪奥**（Antonio Tebaldeo）**的肖像**，约1515年，木板油画，84厘米×64厘米，现不知藏于何处，该画是原件还是临摹亦不清楚。
（右下图）**男子的肖像**（画中人或为马可安东尼奥·拉伊蒙蒂），被认为是拉斐尔或其弟子所作，约1515年，50厘米×48厘米，私人收藏。

（本页上图）**宾多·阿尔多维迪**（Bindo Altoviti）**的肖像**，1514—1515年，木板油画，60厘米×44厘米，华盛顿，国家艺术美术馆。
（第234—235页）**利奥十世与朱利奥·德·美第奇主教、路易吉·德·罗西主教**，木板油画，154厘米×119厘米，佛罗伦萨乌菲齐美术馆，整体与局部。

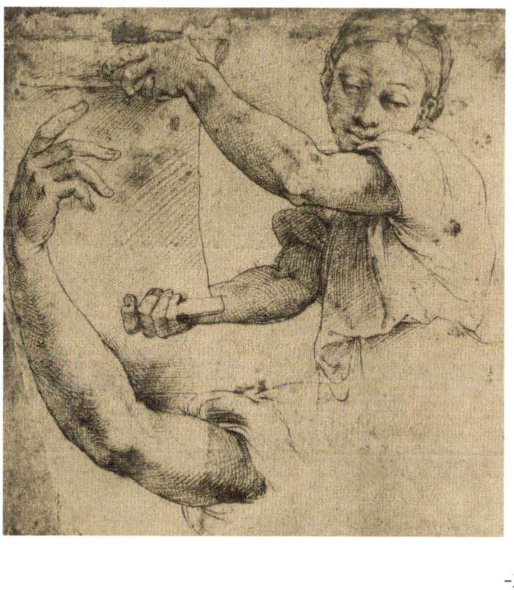

（左上图）**灵神将花瓶献给维纳斯**（法尔内西那别墅灵神回廊的习作），约1517年，26.4厘米×19.7厘米，巴黎卢浮宫。

（中图）**诸神的集会**，1517—1519年，与乔万尼·达·乌迪内、朱利奥·罗马诺以及乔万尼·弗朗切斯科·佩尼合作，罗马法尔内西那别墅。

（右上图）**宙斯和爱神**，被认为是遗失的画作最好的临摹作品，为法尔内西那别墅所作，约1517年，红色粉笔画，36.2厘米×25.2厘米，巴黎卢浮宫。

（左下图）**天使的头部与手臂**，为和平圣母教堂，基吉礼拜堂的天使所作的习作，约1511年，红色粉笔画，22厘米×21.5厘米，维也纳阿尔贝蒂娜博物馆。

（右页）**罗马法尔内西那别墅的壁画的正面以及局部**。

君士坦丁大厅

在为比比耶纳主教完成装饰工作后一年，拉斐尔与其助手又接受了一个更为浩大的工程委托。1519年6月16日，巴尔达萨雷·卡斯蒂廖内伯爵在写给伊莎贝拉·德·埃斯特(Isabella d'Este)的一封信中这么说道："我们尊贵的教皇正忘我地沉醉在音乐中。当然，与此同时，他并没有忘记为宫殿不断地增添东西。就在前不久，教皇已经拥有了一个由拉斐尔装饰的长廊。这是一个极为美轮美奂的长廊，在它面前所有美好的形容词都显得苍白乏力。"

在梵蒂冈长廊中，拉斐尔在先前布拉曼特的基础之上进行了继续创作与改进。他改变了二层拱顶的跨度，对壁柱和大理石柱也进行了重新设计，由此增加了长廊外观的空间纵深感。在每一个天顶的中心位置，都有一个佩戴着利奥十世徽章的天使或者胜利女神的形象。利奥十世的徽章是一条裙带，上镶嵌宝石，或是一枚带有三根羽毛的戒指。天顶的四块板上绘制的壁画是对《圣经·旧约》故事的再现：创世纪、亚当与夏娃、众先知的故事，以及最后一个房间的天花板壁画

（上图）**剧院舞台**，1519年，水笔画，62.5厘米×29厘米，佛罗伦萨乌菲齐美术馆。

（第240—241页）**米尔维奥桥的战役**，君士坦丁大厅壁画，1520—1524年，与朱利奥·罗马诺、乔万尼·弗兰切斯科·佩尼合作，梵蒂冈博物馆。

（左页）**圣伊丽莎白与圣母玛利亚相见**（Visitazione），木板油画，后转布面油画，1516年，200厘米×145厘米，马德里，普拉多博物馆。

ANNO DÑI
MDLXXXV
C·VAL·AVRE
IMP·VICTORI
MAXENTIO
OPES·FI

PONT·SVI
PRIMO

SIXTVS·V·
PONT·MAX·
AETERNI
TAS

ANNO·DÑI
MDLXXXV
EN TOYTΩI NIKA·
MODERATIO
CLEMENS·I

对耶稣生平的绘制。

长廊的功能是作为利奥十世所收集的古代雕塑的展示区。整个装饰工程是拉斐尔与其画室的共生关系的决定性事件。随后的君士坦丁大厅的创作，更是作为拉斐尔风格传承的见证。君士坦丁大厅是进入教皇宫殿的第一个大厅，当初设计大厅的主要功能是举办大型宴会与较为正式的外交场合。1519年10月，君士坦丁大厅内的脚手架搭建完成，1520年，拉斐尔逝世，而直至最晚1521年，君士坦丁大厅两面墙的壁画才完成，就在那一年，利奥十世去世，大厅的装饰工程暂停，直到1523年11月，随着克莱门特七世即位，工程才重新启动，并在翌年秋天最终完成。

瓦萨里指出，“利奥十世委托拉斐尔负责梵蒂冈宫殿上层藏有君士坦丁大帝的凯旋的大厅装饰工程，拉斐尔亲自主持了这项工程”，他表示，在拉斐尔身后，朱利奥·罗马诺和乔万尼·弗朗切斯科·佩尼接手了这项工程，并表示，“实际上，无论从设计还是基本轮廓上来说，君士坦丁大厅都是拉斐尔的杰作”。

现存的一些湿壁画的草图表明，事实上拉斐尔不仅亲自指挥了整个工程，还直接参与到君士坦丁大帝组画的前两幅油画的创作中，尤其是在《米尔维奥桥的战役》中宏伟的视角，以及各种武器、着装的绘制，更是反映出达·芬奇的《安吉里之战》对拉斐尔的深远影响以及拉斐尔对古代作品中古典主义的传承，它的创作立足于历史细节，但同时在拉斐尔的笔下，却又表现出对历史本身超乎寻常的想象力。

在君士坦丁大厅中，我们看到了拉斐尔对作品主题的选择、创意的把握，都显示出作为一个天才的画室主人所应具备的全部能力，他成功地引导了作品创作的全部流程，并发掘了助手或学徒们各自不凡的能力。最终，我们不妨说，君士坦丁大厅作为拉斐尔和其

（第242—243页）**圣十字架的异象**，君士坦丁大厅壁画，1520—1524年，与朱利奥·罗马诺、乔万尼·弗兰切斯科·佩尼合作，梵蒂冈博物馆。

（本页上图）**具有两性特征的裸体人像与美第奇家族勋章**，君士坦丁大厅壁画，也被认为或为朱利奥·罗马诺或乔万尼·弗兰切斯科·佩尼的作品，钢笔、褐色水笔画。阿姆斯特丹郁金香博物馆。

（右页）**法律女神**，位于乌尔班一世身边，君士坦丁大厅壁画，梵蒂冈博物馆。

IVSTITIA·
VR

合作者共同完成的作品，仍然应该归于其本人名下，这恐怕不是对他的合作者的天才的一种低估，而更是一种莫大的肯定与荣耀。

1520年前后，那时的拉斐尔已经快走到了生命的尽头。这位众多圣母像的创作者，又为后人留下了一幅颇具话题性的作品《弗娜丽娜》，在女子的左臂上，拉斐尔留下了自己的名字“RAPHAEL VRBINAS”。这幅被称为有生命的女性半身像，还有一个名字“维纳斯的裸体半身像”。在线条、颜色和完整度上，这幅作品都被认为是接近完美的。司汤达在《意大利的思想》中，提到了拉斐尔的《弗娜丽娜》，他表示，这幅肖像画中“拉斐尔的女人身上除了一条透明的纱巾之外没有其他衣物，显然，拉斐尔在她的胸部、右臂和头部进行了非常细致的创作”。画中身份颇具争议的女模特拥有完美的裸体，拉斐尔以精准的笔触赋予这幅画独一无二的张力，值得一提的是，这幅画一直被拉斐尔藏于自己的画室，直到去世都未将作品与世人见面。

甚至有人认为，画作中所传达的，是一种色情的、纵欲的美，巴尔达萨雷·卡斯蒂廖内伯爵就声称自己在作品中“对享受爱欲的渴望感到不适”。特别是纱巾的位置，它并没有遮盖住一些比较私密的部位，而是被明显地画在肚脐上方。这种对理想之美的改变，对俗世爱欲的直接表达，呈现了圣洁的拉斐尔作为画家的另外一面。

（上图）**乌尔班一世服饰的局部**，君士坦丁大厅壁画，梵蒂冈博物馆。

乌尔班一世身边的慈爱女神，局部，君士坦丁大厅壁画，梵蒂冈博物馆。

梵蒂冈长廊，约1516—1519年，与朱利奥·罗马诺、乔万尼·弗朗切斯科·佩尼、佩林·德·瓦加（Perin del Vaga）等艺术家合作，梵蒂冈博物馆。该画廊长65米，宽4米，共有52幅湿壁画，分别描述12个圣经故事。

梵蒂冈长廊的屋顶，所表现的是摩西的故事。

梵蒂冈长廊的圣经故事：
（左上图）**创世纪**：上帝创造动物。
（右上图）**诺亚的故事**：诺亚建造方舟。
（中左图）**诺亚的故事**：走出方舟。
（中右图）**诺亚的故事**：大洪水。
（下面两幅图）**亚伯拉罕与麦基洗德的故事**。

梵蒂冈长廊的圣经故事：
（左上图）**圣约瑟的故事**：天使向圣约瑟显现。
（右上图）**摩西的故事**：摩西在水里得救。
（中左图）**摩西的故事**：燃烧的荆棘丛。
（中右图）**摩西的故事**：摩西过红海。
（左下图）**摩西的故事**：摩西使水从磐石中流出。
（右下图）**摩西与约书亚的故事**：造金牛犊。

梵蒂冈长廊的圣经故事：
（左上图）**约书亚与摩西的故事**：摩西展示戒律。
（右上图）**约书亚的故事**：率领百姓过约旦河。
（中左图）**约书亚的故事**：约书亚使日月悬停伫立。
（中右图）**大卫的故事**：大卫王的凯旋。
（左下图）**基督的故事**：博士来朝。
（右下图）**基督的故事**：基督受洗。

（上图）长廊的局部，**摩西接受律法**。

（中左图）**三名天使向亚伯拉罕示现**，约1516—1518年，褐色钢笔素描，18.7厘米×23.7厘米，拉斐尔为梵蒂冈长廊所做草图，藏于维也纳阿尔贝蒂娜博物馆。

（中右图）**亚伯拉罕与天使**。

（左下图）**原罪（亚当和夏娃）**，米开朗基罗为西斯廷礼拜堂穹顶所作。

（右下图）拉斐尔在梵蒂冈长廊中所作的**原罪**。

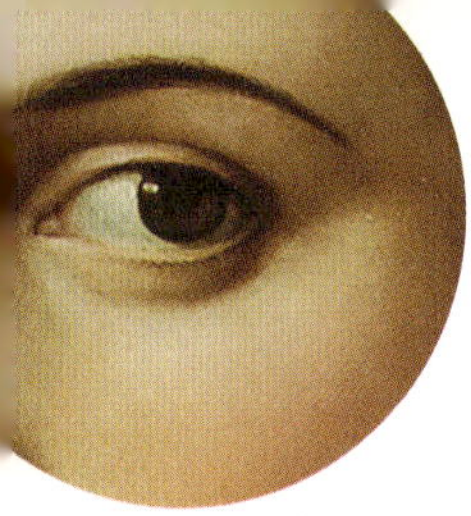

（左上角）**弗娜丽娜，左眼的局部。**
（左上图）**照镜的女子**，朱利奥·罗马诺，约1523—1524年，布面油画，木板装裱，111厘米×92厘米，莫斯科普希金博物馆。
（左下图）**微笑的裸体女人**，约1514—1518年，可能为莱奥纳多·达·芬奇的佚失作品的习作，72.4厘米×54厘米，巴黎香提伊城康德亲王博物馆。

（右上图）**在光下显示的《弗娜丽娜》画中背景的植物局部。**
（右下图）**天真的女子**，18世纪版画《弗洛拉》局部，安东尼·路易·罗曼奈，达·芬奇理想博物馆。
（右页）**年轻女子的肖像（即弗娜丽娜）**，约1520年，木板油画，85厘米×60厘米，罗马国家美术馆。

RAPHAEL · VRBINAS

牧羊人的奉献，褐色钢笔，水笔画，黑色粉笔打底，54厘米×40.2厘米，巴黎卢浮宫。

牧羊人的奉献，壁毯（根据拉斐尔原作创作），
梵蒂冈壁毯陈列廊厅。

为一个盘子的边缘所绘制的草图，图案样式神秘，题材不明（或为阿格斯蒂诺·基吉所绘），约1516年，钢笔、红色粉笔画，23.2厘米 × 36.9厘米，牛津大学阿什莫尔博物馆。

两名裸体男子，为《奥斯提亚之战》所作的练习图，阿尔布雷特·丢勒（Albrecht Durer）标明创作时间为1515年，41厘米×28厘米，维也纳阿尔贝蒂娜博物馆。

艺术的荣耀

16世纪的意大利作家路德维科·多尔斯，在其作品《关于绘画的对话》中，对当时广为流行的铜版雕刻作品进行了评价，他指出，“这些作品由最具天分并孜孜不倦的马可安东尼奥·拉伊蒙蒂创作，而所有作品，都是根据拉斐尔的原作进行创作的”。这从一个侧面印证了在拉斐尔去世后不久，他的作品就已经进入了收藏领域。

瓦萨里称，当拉斐尔这位璀璨的绘画王子回到天堂的时候，天堂也将因为他的来到而增色闪光。皇皇巨制《基督变容》(*Trasfigurazione*)也因此成为他未完成的遗作。从祭坛装饰画开始，他就展示出了自然、灵动的创作风格，继承了佩鲁吉诺的风格，同时远远超越了枯燥无味的艺术理论，对翁布里亚画派简洁、宁静的要素进行了继承与发扬，还汲取了威尼斯画派的精髓与浓厚的威尼斯气息，并且结合了佛罗伦萨的自然主义画风，开创了自己独一无二的风格。

拉斐尔的艺术起于他对自然万物的敏锐洞察，在对古老艺术的探索中达到了顶峰。文艺复兴是人类文明最为群星闪耀的年代，而拉斐尔凭借其绝世的才华，在文艺复兴的巅峰占据了无人可以替代的一席之地。

（右页）**海神之怒**（Quos Ego），马可安东尼奥·拉伊蒙蒂（Marcantonio Raimondi），铜版雕刻，约1510—1516年，43.3厘米×32.9厘米。

AEOLVS IMMITTIT
VENTOS IVNONE
PRECANTE
SOLATVR VENEREM
DICTIS PATER IPSE
DOLENTEM·
TROIANOSQ. VAGOS
LIBYCAS EXPELLIT
IN ORAS
AENEAM RECIPIT PVL-
CHRA CARTHAGINE
DIDO·
CVI VENVS
ASCANII SVB
IMAGINE
MITTIT
AMOREM
P. mariette 1613

（左上角）**疾病袭来**（Morbetto），局部，1515—1516年，马可安东尼奥·拉伊蒙蒂根据拉斐尔作品所作版画，19.69厘米×24.92厘米。

（左图）**有废墟的风景**，《疾病袭来》（Morbetto）的练习作，21厘米×14.1厘米，温莎城堡皇家图书馆。

（右图）**观景台上的阿波罗**，阿格斯蒂诺·韦内奇亚诺（Agostino Veneziano），铜版雕刻，26.9厘米×16.9厘米。

（右上角）**圣米歇尔与龙**，局部（见第54页）。
（上图）**拉斐尔的梦**，马可安东尼奥·拉伊蒙蒂，234厘米×337厘米，局部。

（下图）**圣塞西利亚的婚礼**，马可安东尼奥·拉伊蒙蒂，铜版雕刻，23.6厘米×40.3厘米。

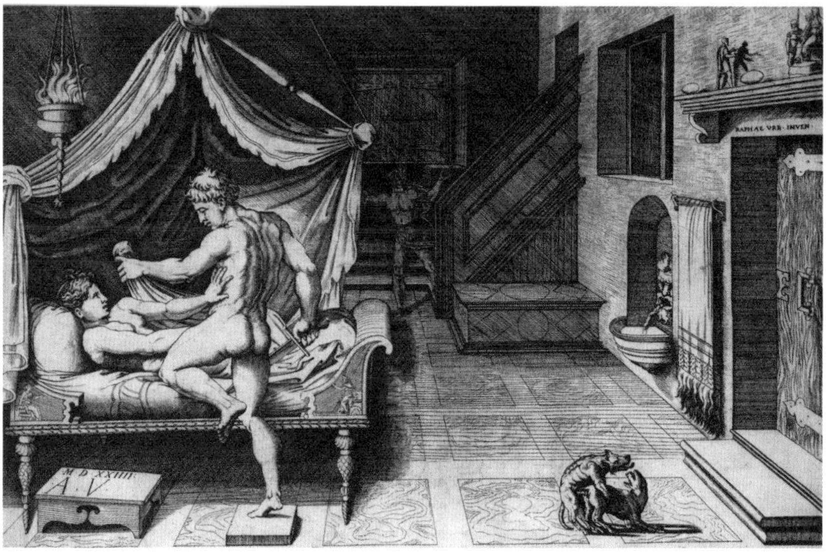

（左上角）**彼得·阿雷迪诺第15首十四行诗的插图**，马可安东尼奥·拉伊蒙蒂根据朱利奥·罗马诺的作品创作，局部。

（上图）**骨骼**，阿格斯蒂诺·韦内奇亚诺（Agostino Veneziano），铜版雕刻，31厘米×30.3厘米，维也纳阿尔贝蒂娜博物馆。

（下图）**塔尔奎尼奥与卢克莱西亚**，阿格斯蒂诺·韦内奇亚诺，铜版雕刻，28.2厘米×41.7厘米，维也纳阿尔贝蒂娜博物馆。

（左图）**圣玛格丽特**，1518年，木板油画，178厘米×122厘米，维也纳艺术史博物馆，绘画陈列厅。

（右图）**圣玛格丽特**，1518年，布面油画，192厘米×122厘米，巴黎卢浮宫。

（第266—267页）**巫师**，马可安东尼奥·拉伊蒙蒂，16世纪初作品，30.2厘米×64.2厘米，佛罗伦萨乌菲齐美术馆。

以西结的异象，局部，约1516年，木板油画，40厘米×30厘米，佛罗伦萨帕拉蒂纳美术馆，右页为本画全图。

（本页至右页）**以西结的异象**，局部。

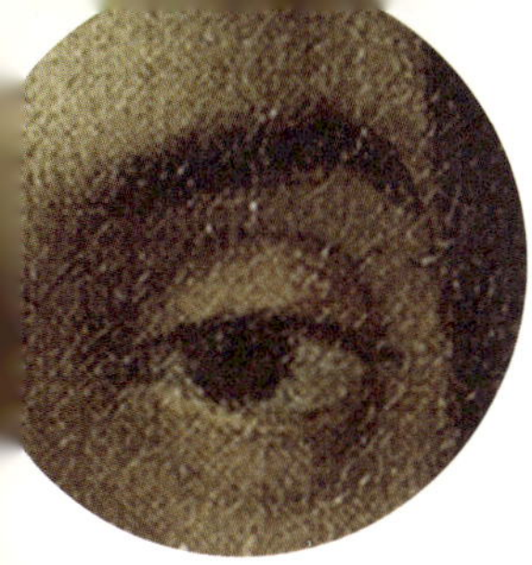

（左页）
（上图）**亚历山德罗和罗珊娜的婚礼**，所铎玛（Sodoma）作品，约1517年，罗马法尔内西那别墅。
（下图）**亚历山德罗和罗珊娜的婚礼**，约1517年，22.8厘米×31.7厘米，红色粉笔画，维也纳阿尔贝蒂娜博物馆。

（本页）**拉斐尔和击剑教师的肖像**，约1519年，布面油画，99厘米× 83厘米，巴黎卢浮宫。左上角为局部图。

（上图）**青年女子的肖像**（或认为是朱利奥·罗马诺的作品），约1520年，木板油画，60厘米×44厘米，斯特拉斯堡美术博物馆。

（下图）**荆棘中的圣母**，约1518—1520年，也被认为是乔万尼·弗朗切斯科·佩尼或朱利奥·罗马诺的作品，木板油画，76厘米×63.5厘米，洛杉矶盖提美术馆。

（右页）**伊莎贝尔的肖像**（也被认为或为朱利奥·罗马诺的作品），约1518年，板上油画后转为布面油画，120厘米×95厘米，巴黎卢浮宫。

（左上角）**瓦莱里奥·贝里的肖像**，铅质勋章，直径4.8厘米。

（左图）**青年男子肖像**，1517年，木板油画，44厘米×29.4厘米，马德里波涅米萨美术馆（Museo Thyssen Bornemisza）。

（右图）**瓦莱里奥·贝里的肖像**，约创作于1517年，纽约，私人收藏。

（第278页）**《沙漠中的小圣约翰》的三个版本**，1516—1520年创作。
（左上图）木板油画，174.3厘米 × 154.5厘米，私人收藏。
（右上图）布面油画，165厘米 × 147厘米，一般认为是拉斐尔或朱利奥·罗马诺，或佩尼的作品，佛罗伦萨乌菲齐美术馆。
（左下图）木板油画，103.3厘米 × 82.5厘米，卡尔洛·佩德雷蒂（Carlo Pedretti）认为是拉斐尔的作品，私人收藏。
（右下图）**乌菲齐画廊的一面墙**，弗朗切斯科·马尔奇西（Francesco Marchissi），佛罗伦萨乌菲齐美术馆。
（第279页）**圣母的加冕**，也被认为是乔万尼·弗朗切斯科·佩尼或朱利奥·罗马诺的作品，约1516—1524年，木板油画，354厘米 × 230厘米，梵蒂冈美术馆。

（左图）**朱力亚诺·德·美第奇肖像**，约1513—1516年，布面油画，83.2厘米 × 66厘米，纽约大都会艺术博物馆。
（右图）**洛伦佐·德·美第奇肖像**，1518年，布面油画，97厘米 × 70厘米。此前藏于纽约 Ira Spanierman 画廊，于2007年被拍出。

（左页）
（左上图）**圣母与圣子**，被认为是拉斐尔或朱利奥·罗马诺的作品，约1516年，木板油画，36厘米×30.5厘米，罗马古代艺术美术馆。
（右上图）**圣母子与小圣约翰**，朱利奥·罗马诺，约1518—1523年，木板油画，82.5厘米×63.2厘米，爱丁堡，苏格兰国家美术馆。
（左下图）**圣母与圣子**，被认为是拉斐尔或朱利奥·罗马诺的作品，红色粉笔画，白垩粉勾勒，21.2厘米×17.6厘米，巴黎卢浮宫。
（右下图）**圣母子与小圣约翰**，被认为是拉斐尔或朱利奥·罗马诺的作品，木板油画，29厘米×25.4厘米，巴黎卢浮宫。

（本页上图）**圣家庭与小圣约翰（玫瑰圣母）**，约1520年，布面油画，103厘米×84厘米，马德里，普拉多博物馆。

（左页）
（上图）**玛丹别墅**（*Villa Madama*），马里奥山花园上的长廊，拉斐尔进行前期设计，乔万尼·达·乌迪内（Giovanni da Udine）进行装饰画设计，朱利奥·罗马诺创作湿壁画。
（下图）**圣天使与圣安娜**，约1519年，水笔画，黑色粉笔画，20.6厘米×28.8厘米，查茨沃斯庄园。

（本页上图）**圣家庭与小圣约翰（途中的圣母）**，约1514年或1516—1520年，木板油画，90厘米×63厘米，爱丁堡，苏格兰国家美术馆。该图的创作理念应来自拉斐尔，实际创作或为其几名弟子。

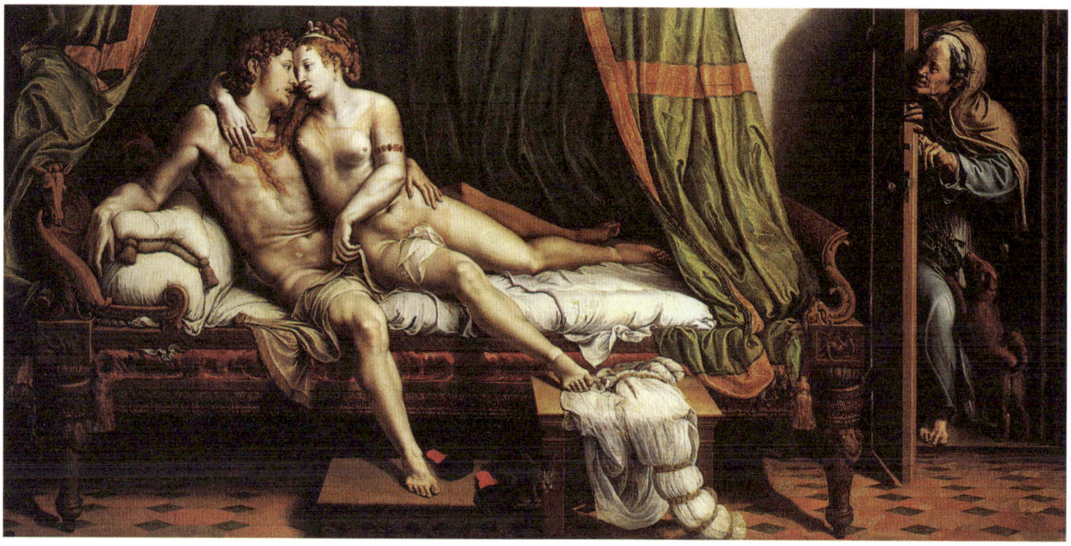

（上图）**一对爱人**，朱利奥·罗马诺，木板油画，163厘米×337厘米，圣彼得堡艾尔米塔什博物馆。

（左下图）**丰收女神**，被认为是朱利奥·罗马诺的作品，约1518—1520年，木板油画，38.4厘米×31.3厘米，巴黎卢浮宫。

（右下图）**以撒和利百加**（均为《圣经·旧约》人物），梵蒂冈长廊。

（本页上图）**对不朽的比喻**，朱利奥·罗马诺，布面油画，69厘米×69厘米，底特律美术学院。（第286—287页）**基督变容**，局部（全图见第219页）。

附录一　素描作品选集[①]

以下所有图片的出版均获得以下机构允许：

伊丽莎白二世温莎城堡皇家图书馆

意大利文化部

牛津大学阿什莫尔博物馆

佛罗伦萨乌菲齐美术馆

伦敦大英博物馆

合作出版：

佛罗伦萨斯卡拉（SCALA）图片博物馆

达·芬奇理想博物馆

文艺复兴理想博物馆

①原版此处为《基督变容》（Trafigurazione）。——译者注

第291页

使徒的头部，约1503年，灰色粉笔画，23.4厘米× 18.6厘米，温莎城堡皇家图书馆。

第292页

少年的肖像（或为**拉斐尔的自画像**），约1502年，灰色粉笔，白垩粉突出明亮部分，38.1厘米×26.1厘米，牛津大学阿什莫尔博物馆。

第293页

成年男性的头部，约1504年，黑色粉笔画，25.5厘米× 19厘米，伦敦大英博物馆。

第294页

女童的肖像，约1503年，黑色粉笔画，25.9厘米× 18.3厘米，伦敦大英博物馆。

第295页

一个女圣人的半身像，约1503年，黑色粉笔画， 41.1厘米×26厘米，伦敦大英博物馆。

第296页

女童的轮廓，约1503年，黑色粉笔画，银色笔尖勾勒，白垩粉突出明亮部分后钢笔素描，25.5厘米×16厘米，佛罗伦萨乌菲齐美术馆。

第297页

阳台上贵妇的肖像，1504年，铅笔与粉笔打底，钢笔素描，22.3厘米×15.9厘米，巴黎卢浮宫。怀特图库（White Images），佛罗伦萨斯卡拉（SCALA）图片博物馆。

第298—299页

战斗的场景，约1507年，黑色粉笔打底，钢笔素描，26.8厘米×41.7厘米，牛津大学阿什莫尔博物馆。

第300页

丽达与天鹅，约1507年，钢笔素描，30.8厘米× 19.2厘米，温莎城堡皇家图书馆。

第301页

成年男性的头部，局部（纸上还有手部习作和达·芬奇《安吉里之战》的临摹），约1505年，银质笔尖，白垩粉突出明亮部分作画，21.1厘米×27.4厘米，牛津大学阿什莫尔博物馆。

第302页

为《**雅典学院**》所作草图，局部，约1510年，285厘米×804厘米，米兰安布罗哲美术馆。

第303页

为《**雅典学院**》所作草图（两处局部），约1510年，285厘米×804厘米，米兰安布罗哲美术馆。

第304页

张开双臂的裸体男孩，为《弗朗索瓦一世的圣家庭》所作的练习作，约1518年，铅笔、红色粉笔画，佛罗伦萨乌菲齐美术馆，佛罗伦萨斯卡拉（SCALA）图片博物馆。

第305页

灵神将花瓶献给维纳斯，法尔内西那别墅灵神回廊的习作，约1517年，26.4厘米×19.7厘米，巴黎卢浮宫。

第306—307页

《基督变容》中头部与手的练习作，约1519年，灰色纸面上作画，黑色粉笔，白垩粉突出明亮部分，49.9厘米×36.4厘米，牛津大学阿什莫尔博物馆。

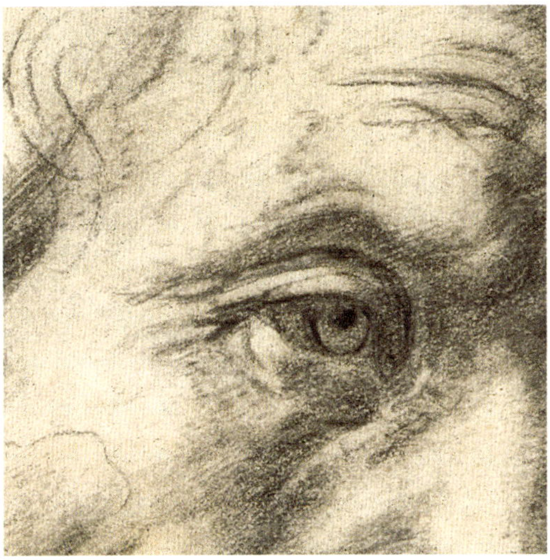

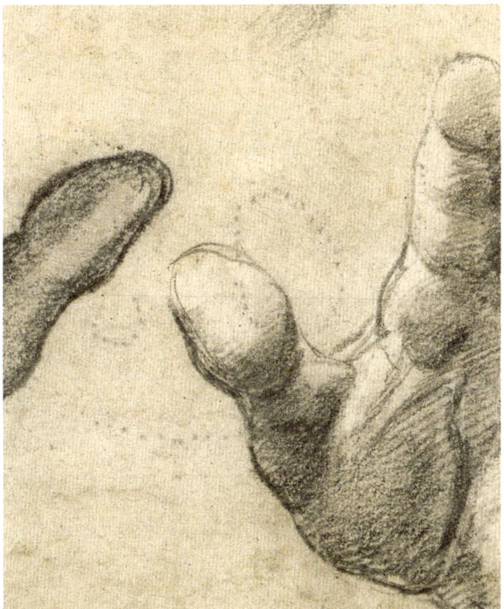

附录二　拉斐尔诗歌选译

其一

爱，用你美好的光明温暖我吧。
我在你明媚的双眸里辗转反侧，惴惴不安，
你如同雪花落下，又如夺目的玫瑰花，
我心因你愉悦。

拉斐尔的诗作原稿，在其上的空白处进行《圣礼之争》和《帕尔那索斯山》的练习作，1508—1509年，牛津大学阿什莫尔博物馆。

热情的火焰在我胸中燃炽，
任大江大河也无法将其熄灭。
我愿在这团热火中消沉而快乐！

抱紧我吧！我要被你的双臂捆绑，
这甜蜜的枷锁，我甘愿承受！
只要我心心念念向着你，
死亡又何足惧？

为《圣礼之争》所作的练习作，1508—1509年，
维也纳阿尔贝蒂娜博物馆。

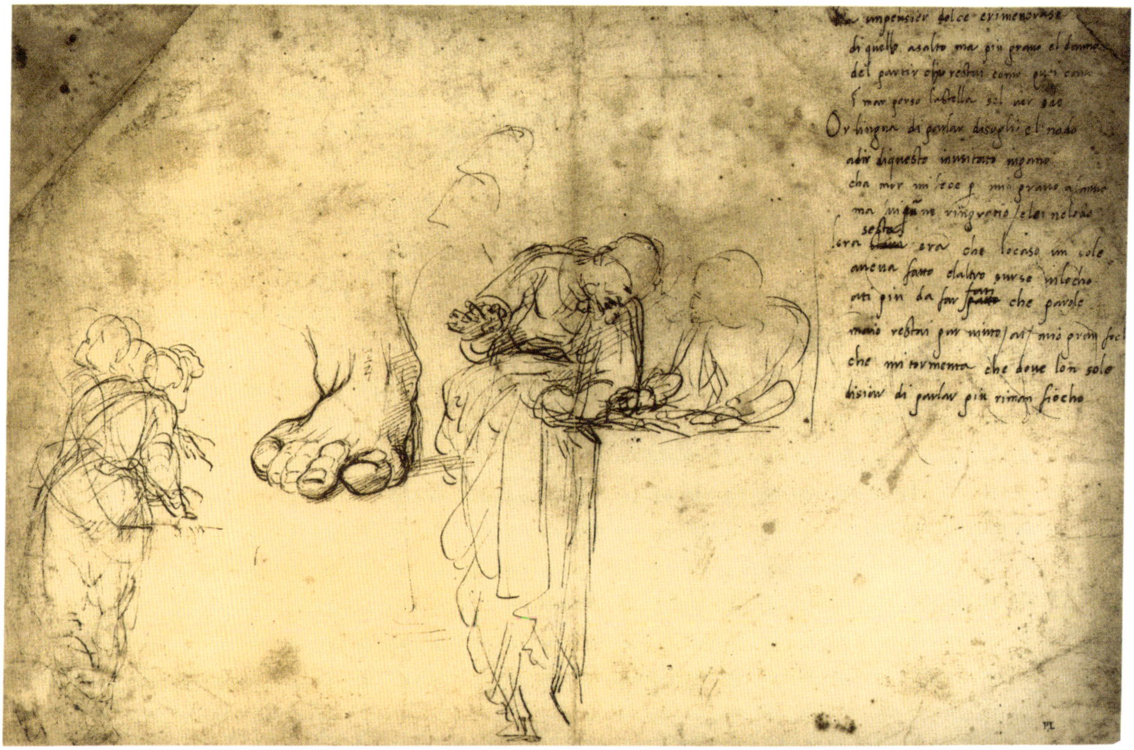

我被这理智的念头紧紧束缚，

只言片语也难从我口中表露，

这炽烈的忧伤我向何人倾诉?

我要抛弃爱情，

尽管我早已是它的俘虏。

不，这沉重的负担不会离开我半步。

时候已晚，夕阳已落入山谷，

可第二轮旭日，岂不是在你的明眸?

（上图）为《圣礼之争》所作的练习作，1508—1509年，伦敦大英博物馆。

附录三　拉斐尔传略[①]

图1

在漫长的岁月中，上天本该将其保有的无尽财富分给芸芸众生，可他却偏偏慷慨而仁慈地偏爱一人，并将所有恩慈与不世而出的才华，独独地赐予他。乌尔比诺的拉斐尔，才华卓越，行事优雅，正是上天偏爱的清楚见证。他生来品性良善，与所有天性友善的人一样，待人接物品性良善，大方得体。上天借米开朗基罗·博纳洛蒂(Michelangelo Buonarroti)之手，以艺术征服了自然，并将其馈赠于这个世界；在拉斐尔身上，上天则希望借以征服自然而馈赠后世的不仅是艺术，更是德行本身。诚然，当时大部分在世的工匠大多生性疯狂而孤僻，行事诡谲，在他们身上时人往往看不到不朽人物所应具备的那种声名与美德，也正因为此，在拉斐尔身上所显现的那种人性罕有的美德，以及他的优雅、好学、美善、谦逊与优秀的品行，也就格外熠熠闪光，直至盖过一切恶行劣迹。我们完全可以也应当这么说，像乌尔比诺的拉斐尔如此天赋异禀的人，绝非肉骨凡胎，而是已获得了不朽之身。世人于其作品之前，将长久怀想其声望，而这些不朽之人，也将因其一生所付出之辛劳，与秉持之品行，得享上天应予之回报。

1483年耶稣受难日(神圣星期五)的晚上11时(按照当时欧洲的习惯，称为“夜里三点”。——译者注)，拉斐尔出生在意大利著名的乌尔比诺城。他的父亲乔万尼·德·桑蒂是一名并不十分出色的画家(当然，在这个行

①选自乔尔乔·瓦萨里《由契马布埃至当今最优秀的意大利建筑师、画家、雕刻家生平》。

（图1）瓦萨里所著**《由契马布埃至当今最优秀的意大利建筑师、画家、雕刻家生平》**（或译《艺苑名人传》，书中首次正式使用“文艺复兴”一词并提出按14、15、16世纪划分美术史）。

当里他也并不平庸),在年少时并没有他儿子这样的幸运。作为一个有智慧的父亲,他很清楚如何将孩子往一条正道上引导。他知道母乳喂养的重要性,以为孩子不应该由奶妈哺乳,而应该吃自己亲生母亲的奶,在小拉斐尔受洗取名后,乔万尼便要求自己的第一个儿子一定要吃母亲的奶(事实上他在拉斐尔之后也并未再得子)。在拉斐尔的幼年,乔万尼便希望自己的独子能够学习桑蒂家族的品行,而不要养成粗俗不堪的乡野作风。随着拉斐尔的成长,乔万尼开始在绘画方面对儿子进行训练。他看到儿子在这一方面兴趣浓厚,颇具天资。没过几年,少年拉斐尔便已经成为了父亲的得力助手,协助父亲在乌尔比诺公国进行许多作品的创作。最后,慈善而充满父爱的乔万尼认识到,从他身上,拉斐尔已经学不到更多东西。这时有人对他说,皮耶特罗·佩鲁吉诺是当时画坛上首屈一指的人物,于是他准备让拉斐尔投入佩鲁吉诺的门下。在前往佩鲁贾之后,他并未遇到佩鲁吉诺,为了更好地打发等待的时间,他开始在佩鲁贾的圣方济各教堂内创作一些作品。当佩鲁吉诺从罗马归来后,敦厚而富有教养的乔万尼很快与之交上了朋友。在时机最为成熟的当口,乔万尼向佩鲁吉诺坦陈了自己的想法,友善并爱才的佩鲁吉诺,当即允诺收下拉斐尔为徒。心愿达成,乔万尼满心欢喜回到家乡,将爱子送到佩鲁贾学习,这期间自然免不得爱子心切的母亲一番惜别的眼泪。在佩鲁贾,佩鲁吉诺见到拉斐尔的绘画才能与端正的举止品行后,断言时间将会证明自己这一决定终究是无比正确的。

在跟随佩鲁吉诺学习的岁月里,拉斐尔潜心研习老师的画法与风格,尤其在临摹老师的画作的各方面堪称完美,其作品几与佩鲁吉诺的真迹并无二致。在佩鲁贾的圣方济各教堂内的那幅为欧迪家族的玛达勒纳(Maddalena degli Oddi)所作的祭坛装饰画

图2

《童贞玛利亚的加冕》(图2)便可一瞥端倪。画中,圣母与基督端坐天上的宝座,圣子为母亲加冕,而在作品下方的圣母的坟墓周围,则

是面对空空荡荡的墓穴冥思

图3

上帝荣耀的十二使徒；在整幅油画下方的三幅附饰画（predella）中，分别描绘了“受胎告知”“三博士来朝”与“神殿的奉献”的圣经故事（图3为《神殿的奉献》）。这幅作品充溢着不亚于其师的艺术才情，时人在观此画后，常有不谙熟二人画风之人，一口断定此画必出自佩鲁吉诺之手。在这幅作品完成之后，佩鲁吉诺回到佛罗伦萨处理一些个人事务，而拉斐尔则离开佩鲁贾，与他的几个朋友一道动身前往卡斯德罗城（Città di Castello）。在那里，他在圣奥古斯丁教堂以相似的风格创作了名为《托伦蒂诺的圣尼古拉的加冕》的祭坛装饰画（图4为该祭坛画的残片《天使》），另外还为该城的圣多名我教堂绘制了《耶稣受难》（图5），若不是因为拉斐尔在作品上署了自己的名字，没有人会相信这是拉斐尔的手笔，而一定会误认为是佩鲁吉诺本人的作品。在卡斯德罗城的圣方济各教堂，拉斐尔随后还创作了《圣母的婚礼》（图6），这幅作品见证着拉斐尔绘画才能的精进，已经青出于蓝，超过了自己的老师。在这幅精美的作品中，一座教堂依照完美的透视学，出现在远处的背景，可以想见此时的拉斐尔在创作中并未回避困难，而是不断地挑战技巧上的难度。

图4

图5

图6

因为对老师佩鲁吉诺画风的模仿与超越，此时的拉斐尔已经获得了极大的名声。此时在位的教皇是庇护二世(俗名埃涅阿·西尔维奥·皮克罗米尼)，他将平托瑞丘(Pinturicchio)招至锡耶纳，进行锡耶纳主教堂图书馆的绘画工作。平托瑞丘是拉斐尔的好友，深知拉斐尔的创作天才，引荐他也来到了锡耶纳，在那里拉斐尔为朋友绘制了一些素描与草图(图7)。在当时的锡耶纳，有

图7

一些画家不断地赞美达·芬奇在佛罗伦萨为教皇所作的骑兵草图，同时还提到了达·芬奇与米开朗基罗正在佛罗伦萨进行的绘画竞赛所绘制的裸体人像的精美。听到这些传闻后，出于对美好艺术的欣欣向往之意，拉斐尔决意终止在锡耶纳的工作，动身前往佛罗伦萨。

到达佛罗伦萨后，拉斐尔很快发现，作为那些伟大作品的诞生地，这个文艺复兴的中心城市本身也十分吸引自己，他不想再离开佛罗伦萨，决意在此地居住些时日。他很快便与一些年轻的画家成为了朋友，这其中有里多尔福·吉兰达约、阿里斯托蒂莱·桑加罗等人。在佛罗伦萨，拉斐尔备受赞誉，当地的富贾、人文主义者塔代欧·塔代伊(Taddeo Taddei)，向来热心与品性端正之人交往，更是常常宴请拉斐尔至其家中做客。而谦谦君子的拉斐尔自然也投桃报李，为其绘制了两幅油画，虽然其中仍然带有佩鲁吉诺的早期画风，但仍可见其后期不断钻研而达到的更为优秀的绘画技巧——这两幅作品仍然在塔代伊的后人家中珍藏(第一幅为《草地圣母》，图8；第二幅被认为可能是《圣家庭》，图9。——译者注)。

图8

图9

在佛罗伦萨，拉斐尔还与洛伦佐·纳西成为挚交。那时洛伦佐新婚不久，作为婚礼的馈赠，拉斐尔为其画了一幅油画(即今天的《金翅雀圣母》，图10。——译者注)：圣子耶稣站在圣母的双膝之间，小圣约翰则在一旁，满心欢喜地将一只鸟递给耶稣，两个孩童的表情都十分高兴，天真无邪，充满童趣。整幅作品的着色与笔法都十分精湛到位，人物的肌肤栩栩如生，几无艺术加工着色的痕迹，画中的圣母神态充满圣洁与优雅，除却人物，画中的风景也是美妙绝伦。这幅作品一直由纳西珍藏，作为拉斐尔对其美好友谊的回忆，并以此纪念拉斐尔和他杰出而高贵的才华。不幸的是，1548年11月17日，圣乔治山发生山崩，纳西的居所房屋坍塌，此画与马尔科·德·内洛(Marco del Nero)的后人的豪华府邸与邻近的房屋一道惨遭厄运。万幸的是，后来此画的残片在废墟中被发现，洛伦佐·纳西的儿子巴蒂斯塔十分热爱艺术，费尽心机，才将这幅作品复原。在创作了这些作品之后，拉斐尔的母亲与父亲先后亡故，乌尔比诺的家中事务无人照管，拉斐尔只得离开佛罗伦萨，返回乌尔比诺的家中。在家乡，他为当时的佛罗伦萨掌旗官奎度巴尔多·达·蒙特费特罗(Guidobaldo da Montefeltro)绘制了两幅小型的圣母像(其中之一便为《奥尔良圣母》，图

图10

图11

11)，画作虽然不大，但是却极为精美，现为乌尔比诺公爵奎度巴多所收藏。

拉斐尔还为这位保护人制作了一幅小型油画：基督正在花园中祈祷，远处的三个使徒已经昏昏睡去。这幅作品技巧精妙无比，无可挑剔，已臻完美之境，欲增减一分不可得。这幅画先前由乌尔比诺公爵弗朗切斯科·马利亚(Francesco Maria)所有，后来他的夫人莱奥诺拉将其赠送给威尼斯人、卡尔玛多利隐修院的修士——保罗·伊乌迪斯尼亚诺和皮耶特罗·奎里尼。这二人为纪念这位尊贵的夫人，又因着这幅画的稀有，更不用说还是出自拉斐尔之手，便将其安放在隐修院院长的房间中，视其为圣物一般，当然，这也是这幅作品理应得到的待遇。

图12

在完成这些作品的创作，将家中事务也处理好之后，拉斐尔又回到了佩鲁贾。在这里他为托钵修会安西帝礼拜堂做了一幅装饰画，画中有圣母、圣施洗约翰和圣尼古拉(“安西帝祭坛装饰画”，《王座上的圣母子与两名圣人》，图12。——译者注)。

另外，在当地的卡尔玛多利教团的圣塞维

图13

罗修道院，拉斐尔在圣母礼拜堂作了一幅湿壁画(《三位一体与众圣人》，图13。——译者注)，画面中，荣耀归于耶稣，众天使围绕上帝，圣本笃、圣罗慕阿尔多、圣洛伦佐、圣哲罗姆、圣马乌罗和圣普拉奇多分坐两侧。在这幅时人赞许为最美的壁画上，拉斐尔用粗大的字体清晰地留下了自己的名字。同样还是在佩鲁贾，拉斐尔接受了帕多瓦的圣安东尼奥修道院修女们的委托，绘制了一幅油画(即今天的“科隆那祭坛装饰画”，图14)。画面中耶稣基督坐在圣母腿上，那些朴实保守的修女们看到基督身上穿着衣服，想必会很高兴。圣母两旁是圣彼得、圣保罗、圣塞西莉亚(亦有认为是圣玛格丽特。——译者

图14

图15

注)与圣凯瑟琳。两位圣洁的童贞女神情温柔,面容美丽,特别是她们的头饰更是多姿多彩,是当时很罕见的一种装束。这幅作品上方有一扇弦月窗,拉斐尔在上面刻画了天父,圣坛的附饰画上有三个取自《圣经》的场景:基督在园中祷告,背负十字架的基督,以及死去的基督在圣母的膝上(图15)。这幅充满宗教热忱的作品同样让人惊叹不已。修女们看到作品完成的面貌时更是钦敬不已,而同行们也都是赞不绝口。此时的拉斐尔的技巧有了很大的变化与改进,这与他在佛罗伦萨得以接触到众多优秀作品是分不开的。与早期的创作相比,他的绘画风格已有很大不同,几乎看不出是出自同一个画家之手。

在拉斐尔离开佩鲁贾之前,阿达兰达·巴伊沃尼夫人请他为自己在圣方济各教堂的礼拜堂制作一幅油画,而当时拉斐尔无法满足她的愿望,只是先应承下来,许诺自己在佛罗伦萨把必须处理的事情办完后,就回来为她作画。来到佛罗伦萨之后,在全身心投入艺术学习之余,拉斐尔绘制了一幅草图,准备时机允许的时候便将其创作出来。(即《基督被解下十字架》。——译者注)

在佛罗伦萨居留期间,当地的名流阿尼奥罗·多尼请拉斐尔为自己和妻子绘制肖像画(阿尼奥罗与妻子马达勒娜的肖像,图16与图17)。这位多尼在其他支出上一向精打细算,只是在购买绘画或雕塑作品时,虽然显得有些斤斤计较,却也还是心甘情愿。这些以那种风格绘制的肖像画,现在是阿尼奥罗的儿子乔万尼·巴蒂斯塔的藏品,置于其父所修建的宅子内,那所宅子美观舒适,位于佛罗伦萨阿尔贝蒂街角附近的丁托利大街上。与此同时,拉斐尔还为多美尼克·卡尼贾尼(Domenico Canigiani)绘制了一幅圣母像(即卡尼贾尼的《圣家庭》,图18),画中耶稣高兴地向圣伊丽莎白领来的小圣约翰打招呼。圣伊丽莎白一边扶着小圣约翰,一边凝神看着圣约瑟,后者正双手拄着一根木棍,低头看着年老的圣伊丽莎白,似乎一边在赞美上帝的伟大,而又有些惊讶,仿佛在暗地里寻思着,怎么自己这个年纪还会有这么一个年幼的孩子。而画面中的这一对表兄弟(耶稣与小圣约翰)在这样小的年纪,神情中居然能表现出来一方对另一方的敬重,画面中的其他人见到此情此景,神情也是充满讶异。除

图16

图17

图18

了十分灵动的神情之外，人物的头部、手、脚的每一笔都让观摩者感到自己面对的不是一幅油画，而是有血有肉的人。这种画面的真实感不是任何大师匠心独运可表现出的。这幅高贵无比的画作现在由多美尼克·卡尼贾尼的后人保管，也算得其所哉。

在佛罗伦萨，拉斐尔研习了马萨乔的作品，也在达·芬奇和米开朗基罗的作品上花了许多心思与时间。前辈画家的风格与技巧使他受益良多，这期间他的绘画水平又得到了长足的发展。在佛罗伦萨生活期间，他不仅与老朋友交游，还结识了巴托罗密欧·迪·圣马尔科修士。拉斐尔很欣赏巴托罗密欧的设色法，并谦虚向他求教。而反过来，善良的修士在那时仍然对透视学一无所知，拉斐尔也毫无保留地将这一技巧传授与他。

在与同行朋友们的交流之中，拉斐尔的声名远播。随后，他被召回佩鲁贾，先前阿达兰达·巴伊沃尼夫人委托他在圣方济各教堂的装饰画，在先前的草图的基础之上进行了改动，并最终完成了阿达兰达·巴伊沃尼夫人委托他在圣方济各教堂的装饰画(图19，即今天的《基督被解下十字架》)。这幅神圣的作品体现的是死去的基督被解下十字架下葬的场景。整幅作品色彩明快，笔法细腻，今天看来仍似乎是刚刚完成一般。在创作这幅作品的构图时，拉斐尔充分表现了死者的骨肉至亲在安葬尸体时的悲哀，他们失去了自己最亲爱的人，而被解下十字架的耶稣也是一家人幸福、荣誉与平安的寄托。画面中的圣母玛利亚痛不欲生，而其他人则似乎保持了克制，饮泣吞声，尤其是圣约翰，他双手交叉，低垂着脑袋，那副神情会让最坚硬如铁的心肠也不禁柔软。这幅作品所显示的精致、博爱、技巧与优雅，使观者无不折服。而人物的姿态，衣饰的华美，简言之，没有一个细节不是完美的。

图19

图20

在创作完这幅作品后，拉斐尔返回了佛罗伦萨，接受委托在圣灵教堂内市民的德依家族(Famiglia Dei)礼拜堂进行祭坛装饰画的创作，草图差不多完成了(即《华盖圣母》，图20。——译者注)。同时，他着手创作一幅作品，这幅作品日后被送往了锡耶纳。后来，由于他再次离开佛罗伦萨，前往罗马，临行前他不得不将未完成的画留给了吉兰达约，由吉兰达约最终完成，并补画了一件蓝色衣服(即《美丽的女园丁》，Belle Jardinière，图21。——译者注)。此时在罗马，他的同乡布拉曼特——此人与他还有那么点亲缘关系——正在教皇尤里乌斯二世处效力，他向教皇举荐了拉斐尔，并写信给拉斐尔，称教皇让自己建了几间房间，而房间的装饰工程正是拉斐尔大显身手、实现自己价值的好机会。拉斐尔欣然接受了这个委托，这才放弃了在佛罗伦萨的工作，丢下了尚未完成的油画，前往圣城罗马。拉斐尔去世后，巴尔达萨雷·达·佩夏(Baldassarre da Pescia)将此未完成的作品安放在他故乡的教堂内。

图21

抵达罗马后，拉斐尔发现事实上梵蒂冈的大多数房间已经绘饰过，或正在进行绘饰。在一间房间里，他看到皮耶罗·德拉·弗朗切斯科(Piero della Francesca)已经完成了一个圣经故事的绘制；卢卡·达·科尔托纳(Luca da Cortona)画的一面墙即将完工；阿雷佐的圣克莱门特修道院院长皮耶特罗·德拉·加塔(Pietro della Gatta)也已经开始了他一些作品的创作。米兰人布拉曼特(Bramantino da Milano)也画了许多人物，大多数是写生，而那些作品也都被认为是一时之作。

图22

刚到罗马，拉斐尔便深得教皇的宠幸，他开始在署名室描述了这样一个故事(即今天的《雅典学院》，图22。——译者注)：神学家调和了哲学与占星术，使之与神学和谐一致，全世界的圣贤济济一堂，各抒己见。几个占星家站在一边，在几张小桌子上画着几何与占星术的数字或者符号；美丽的天使将他们的画送给福音书作者；而这些福音书作者正在滔滔不绝地进行讲解；这其中有手握酒杯的第欧尼根，他半躺在台阶上，正陷入沉思，人物形体与服饰之美毫不做作。亚里士多德手拿《伦理学》，柏拉图手持《蒂迈欧篇》被众多哲学家围绕。占星家和几何学家正用圆规在书板上刻画书写，他们的形象精美生动。这些人物形象之间有一个年轻人，他的形象俊美，俯首高举双臂，眼里流露出钦敬之情，那正是曼托瓦公爵费德里克二世，当时他正在罗马。另外那个弯腰、手拿圆规、在书板上画圆的，据说是向教皇举荐拉斐尔的布拉曼特，如果他当时仍然在世，就一定是他。在一个手持天球仪的背面人物的旁边，是索罗亚斯德，他身边的年轻人，便是拉斐尔本人，他还是一副年轻人的相貌，神情谦逊，头戴一顶黑色的帽子，显得极为优雅得体。福音书的作者们头部与形体的美感，也是超越语言所能表达的极限的。他们专心致志，表情并不矫揉造作，尤其是在写字的形象尤为突出。圣马太在抄写书板中的符号，一个天使正将书板举在他的面前，他身后的那位老人，膝上放着一张纸，正在抄写圣马太写下来的东西。他神情专注，只是他的姿势恐怕太不舒服，使得他的脑袋似乎在随着圣马太手中笔的移动而不停地左右扭动。这幅巨作气度恢宏，构思上每一处细节都无懈可击，画面的布局也是井然有序。我们完全可以说，这幅画是拉斐尔才华的明证，世人明白，这个年轻画家将在绘画界中独占鳌头。

在这幅画中，拉斐尔匠心独运，以透视法使得许多人物形象活灵活现，尤里乌斯二世在看到拉斐尔的作品后，决定将其他画家的作品，不论是前人的还是同时代的，尽数放弃。维切利的乔万尼·安东尼奥·索多玛(Giovann Antonio Soddoma da Vercelli)的作品，位于拉斐尔作品的上方，也被教皇下令废弃。然而拉斐尔在一番思考之后，还是决定采用前人的分格画法，并借鉴其怪异的风格。在四幅圆形装饰画中，每一幅画的人物都是对应主题的隐喻。第一幅情景画体现的是哲学、占星学、几何学、诗歌与神学和谐共处的

图23

场面，上方是一个代表认识万物的女神，她安坐在宝座，宝座两边由女神库柏勒支撑，女神有许多乳房，在古代这是多乳狄安娜的标志；她衣服上的四种颜色代表四大元素，头部以下的颜色象征火，紧身褡下的颜色代表天空，从腹股沟到膝部是大地的颜色，其他部分到足部是水的颜色。还有一群十分美丽的小男孩在她的身边(图23)。在另一幅圆形饰画中，靠着观景楼的窗边的是一个诗歌女神，她被塑造成波吕许尼亚(希腊神话中九位文艺与科学女神之一，主管颂歌)的形象，头戴桂冠，一手持古代乐器，一手持书，双腿交叉，她的面容美丽，双眼仰望苍天，边上两个小天使活泼可爱。在这扇窗的上方，拉斐尔向世人呈现了《帕尔那索斯山》。在第三幅圆形饰画中，神圣的教会神父们正在围绕着弥撒的方式进行激烈的争论，在其上方是代表神学的女神，

她的周围是书籍和其他物体。在那扇俯视庭院的窗户上方，还有一幅圆形饰画，其中代表法律的女神手持天平，高举宝剑，身旁同样围绕着众多天使。这幅圆形饰画最为美丽，因为在其下方的墙下，拉斐尔画了罗马法和教会法规的颁布的历史场景(《特里波尼安将法典上呈查士丁尼》与《教皇格利高里九世颁布教令》)。

在同一个天顶上，拉斐尔在穹隅中以同样的风格画了四幅景色，他的笔触到位，人物的尺寸虽然不大，颜色的运用却也一丝不苟。第一个在神学女神旁边，那是亚当的原罪——他贪食了禁果，整幅作品精美异常；在

图24

占星学女神边上，是女神在使恒星和行星各安其位。在帕尔那索斯山《帕尔那索斯山》，图24)边上是玛息阿被阿波罗绑在树上，正准备剥皮受苦；在此景边上，是教令集，其中画着所罗门的判决——在这个著名的故事里，智慧的所罗门下令将婴孩一劈两半(图25)。这四幅画的笔法精美准确，色彩也是华丽典雅，其中描述的情景自然交融，令观者无不流连忘返。

穹顶的作品便是这样，我们再来看看拉

图25

斐尔在另一面墙上所画的作品。朝向观景楼的墙面上是帕尔那索斯山和赫力孔泉，月桂树的树影在山的四周若隐若现，朦朦胧胧的绿色中，我们几乎可以听见树叶在微风中摆动的窸窸窣窣的声响，空中数不清的裸体爱神，正在采摘月桂枝条编织成花环，撒在漫山遍野上。如此场景，让人感受到画中的神性与高贵的气息，而后又不免自问，是何等的天才，竟能凭借这简单而完美的色彩，与神乎其技的画笔，将生命从画笔中注入作品中！山上的众诗人同样身材非凡，他们三三两两地坐着，由拉斐尔进行巧妙安排，各安其位，或站或立，或交谈，或议论，或写作，或歌唱。这些诗人或来自古代，或与拉斐尔同一时代，其中有来自古代的奥维德、维吉尔、恩乌尼斯、提布卢斯、卡图卢斯、普罗佩提乌斯、盲诗人荷马(他正抬着头朗诵诗歌)；还有与拉斐尔相

隔不远的但丁、彼特拉克与薄伽丘。在众诗人之间的是优雅的阿波罗与美丽的缪斯，他们的形象优雅而神圣。在另一面墙上，拉斐尔展示了天堂，以及基督、圣母玛利亚、施洗约翰、众使徒、福音书的作者们、殉道者们分别在云端中显现的情景，在他们之上的是正在赐予众人圣灵的上帝。在下方的祭坛周围，围绕着最伟大的四名神学博士(圣奥古斯丁、圣格利高里、圣哲罗姆与圣安布罗哲)之外，还有许多圣人(圣多名我、圣方济各、圣阿奎那、圣文德、但丁、费拉拉的萨沃纳罗拉等)和神学家们。天空中四个天使手捧打开着的福音书(即今天的《圣礼之争》，图26)。在空中围坐成一圈的圣徒们就像塑像一般，呈现一种立体的美。他们的服饰各异，衣褶优美，每个人的面部表情充满神性，几乎看不到人间的烟火气息。再看耶稣基督，他的脸上呈现出来的，是绘画艺术所能传递出的所有神性所包容的仁爱。拉斐尔笔下的人物头部是如此的可爱精致，这种能力几乎是与生俱来的。圣母的形象也是另一个明证，她的双手按在胸口，双目凝视着自己的儿子，眼神中充满了母亲的慈爱；拉斐尔通过他的画笔，赋予基督教神学家以古代气息，同时又以简约的笔调处理使徒形象的刻画，而在殉道者身上，他则向我们展示了其对宗教的信念。围绕着圣礼进行争辩的神学家们三两成群，他们有的面露好奇的神色，有的神色惊异地手舞足蹈，有的一边说话一边比划着什么，也有侧耳倾听、凝神思考的，每个人的形象都各具特点；居于他们中间的，是四位基督教教会博士，他们得着了圣灵的启示，依照《圣经》的教义，正在解释福音书的全部问题。

图26

在另一面开窗的墙上，一侧是查士丁尼皇帝将律法交给先哲们修改，上方是节制、坚忍与谨慎(图27)。另一侧描述的则是格利高里教皇颁布教谕的场景(图28)，在这一历史事件中，格利高里教皇被刻画成当时的尤里乌斯二世，在教皇的身边站立的是红衣主教乔万尼·德·美第奇(后为教皇利奥十世)，红衣主教安东尼奥·迪·蒙特以及亚历山德

图27

罗·法尔内塞(后来的教皇保罗三世)等。

图28

尤里乌斯教皇对这幅作品十分满意,为了使嵌板与这些画作相称,他特地派人到锡耶纳的奥尔维耶托·迪·基乌苏里山请来了十分擅长透视镶嵌细工的乔万尼·达·维罗纳修士。他不仅完成了四周的镶嵌细工,还运用透视法完成了门和座位。这一方面他的才华的确无人能及,在他的家乡维罗纳,在锡耶纳和那不勒斯都有他的作品。他的创作使他得到了教皇格外的赏识,更得到了丰厚的报酬和无上的荣宠。

拉斐尔的创作才能日新月异,教皇继续命他再为大厅附近的房间作画。此时的他已经是名满天下了,为尤里乌斯二世教皇所绘制的肖像也与其本人酷似,使看到的人无不心生畏惧,甚至会误以为教皇本尊就在自己面前(图29)。这幅画现在藏于罗马的人民圣母玛利亚教堂,在那里还有一幅圣母像,也是拉斐尔同一时期的作品(即今天的《洛雷托圣母》,图30)。画中的耶稣基督尚在襁褓之中,圣母正在为圣子盖上面纱,圣子的头部与身躯各个部分都达到了完美的境界,显示出这个孩子作为上帝真正儿子的不同凡响之处。而圣母玛利亚的美丝毫不逊于圣子,她满怀慈爱地看着自己的儿子,神情中流露出虔敬与喜悦的神采。在一旁的圣约瑟是一位安详的老人形象,他双眼低垂,眼神充满敬慕,双手倚靠在一根竿子上,正陷入了安静的思考。这两幅作品在当时神圣的节日里面向公众进行展出。

图29

图30

此时,拉斐尔已经在罗马获得了赫赫声名。更难能可贵的是,尽管他品行端正,所有人对他也都赞誉有加,面对圣城如此众多的古物珍品时,他还始终不卑不亢。在那个时候,教皇正因为米开朗基罗在礼拜堂的绘画大为光火。触怒了教皇,米开朗基罗只得被迫逃离罗马,前往佛罗伦萨。此时,拉斐尔的朋友布拉曼特有礼拜堂的钥匙,他为拉斐尔行了个方便,让他去礼拜堂看看,好学习米开朗基罗的绘画的风格。在观摩过后,拉斐尔立刻将圣奥古斯丁教堂内圣安娜上方的先知以撒推倒重来。在看过米开朗基罗的作品后,重新创作的先知显得更有气魄(《先知以赛亚》,图31)。这也难怪米开朗基罗在后来见到拉斐尔的作品后,心中会认为布拉曼特为了成就拉斐尔的名声,而伤害了自己——米开朗基罗会这

图31

么想，恐怕也是不无道理的。

此后不久，锡耶纳的富商、交友广泛的阿格斯蒂诺·基吉邀请拉斐尔来绘饰他的礼拜堂。不久前，拉斐尔在他的住宅(现在称基吉宫，位于台伯河沿岸)里的敞廊画过《加拉提亚的凯旋》(图32)。画中海中女神被众神围绕，坐在车上，由两只海豚拉着前进。这一回，基吉想让拉斐尔创作的礼拜堂位于和平圣母玛利亚教堂的入口处正门的右侧，拉斐尔在草图完成后，以一种新的风格完成了湿壁画的创作。这种新的风格与他先前的风格相比，更为大气和华美。在这幅湿壁画中，拉斐尔描绘了几个先知与女预言家，那是在米开朗基罗的礼拜堂向公众开放之前完成的：画中的女人与儿童展现出勃勃生机，其色调亦臻完美之境(《女巫与天使》，图33)。无论是在拉斐尔的生前还是身后，这幅作品都获得了广泛的赞美，也是他一生中最出色和最罕见的杰作。

图32

接下来，教皇尤里乌斯二世的一位内侍

图33

请求他为阿拉切利教堂作了祭坛装饰画(即今天的《佛利诺圣母》，图34)。圣母怀抱基督，在空中显现，远方的风景十分美丽，地上的人物是圣约翰、圣方济各和一身红衣主教打扮的圣哲罗姆。圣母的神情谦卑，表现出一种神性的谦和，在她的怀中，圣子耶稣正在把玩着母亲的披风；圣约翰是一幅斋戒后显露出的忏悔神情，他的头部展现了灵魂的真诚，正如那些远离纷繁俗世，弃恶扬善的人们的表情那样。圣哲罗姆同样仰面望着圣母子，他似乎陷入了沉思，眼神中透出无限智慧，而他身边弯腰站着的那位侍从的动作，似乎正在向圣母子推荐这位博学的红衣主教。画面左侧一身朴素打扮，跪在地上的是圣方济各，他张开双臂，抬头看着圣母子，眼神中充满了仁爱。通过构图与着色，拉斐尔展现在观者面前的，是圣母美丽

图34

的眼神与基督灵动的美之外的情感交织。在这幅祭坛装饰画的中央，拉斐尔在圣母的下方描绘了一个站着的男孩，他抬头看着圣母，姿态优雅，无可挑剔。另外，在人物之后的景色亦是独一无二，美若圣境。

后来，拉斐尔继续绘制基吉宫内的房间，他画了奥尔维耶托(博尔赛纳)圣餐布的神迹(《博尔赛纳的弥撒》，图35)。在这个场景中，正在进行弥撒的教士面色发红，他眼见着圣饼变成了鲜血，面露疑惑和惊恐的神情，显然，他正为自己的信仰不坚感到万分惭愧，在参加弥撒的会众面前不知所措；他的双手在打颤，显露出凡人在面对这种场景时的万分惊恐。在惊恐的教士的身边，拉斐尔创作了许多千姿百态的人物，或在助祭，或跪在台阶上。所有人在这一奇异的景象前都显得不知所措，神色慌张。拉斐尔捕捉到了这一瞬间的许多动作与神态，从他们的神态中我们看得出，许多人都深信自己身上所背负的罪过。在女人们当中，有一个坐在这个场景底部的地上，她怀里抱着一个孩子，似乎正在倾听另一个女人在讲述正在发生的事件，她的表情美丽而惊恐，那是一张极为真实的面庞。在画面的另一侧，教皇尤里乌斯在听念祷文，这是全画浓墨重彩的一笔，其中拉斐尔还将红衣主教圣乔治和许多其他人物也都安排在了画面人物中。拉斐尔还巧妙地画了一段台阶连接窗口，使得整幅作品成为了一个整体，失去了窗口的空间，作品的完整性就会遭到破坏。拉斐尔在各种主题作品的构思与布局方面具有值得骄傲的天才，比起其他人，他的视野要更为开放。

在这幅作品的对面，拉斐尔的天才同样发挥得淋漓尽致。这幅作品描绘了圣彼得被希律王囚禁，并由士兵看管的故事(图36)。在这幅作品中，拉斐尔展示了自己高超的建筑学知识与对监狱建筑结构的熟悉。在他以后的其他人的类似题材作品中，我们就看不到这类似的精妙，而是混乱。拉斐尔在处理历史题材的时候，总是尽可能还原故事的本来面貌。拉斐尔在此画中对监狱恐怖气氛的

图35

图36

营造，体现出他对细节的完美把握。画面中，在两名士兵中间，一个老人身陷囹圄，枷锁缠身，而不远处的狱卒正在酣睡。入夜的监狱漆黑一片，突然间天使之光照进，一切细节均在光亮下现形，在这一瞬间，士兵的武器闪闪发亮。这已经不是简单的绘画了，而是实在的原景重现。当圣彼得得到解放，除去了身上的束缚，在天使的护佑下走出牢房时，圣徒脸上的表情分明在告诉我们，他尚以为这一切只是梦魇；此时牢房外的狱卒听见铁门的声响，神色慌张，一名看守手持火把，叫醒了同伴，他们身上的盔甲在火把的照耀下熠熠闪光。拉斐尔将这幅画作放置在窗户上方，那里的墙壁最暗，因此当观画人观摩作品时，会感到光线从画作中打在自己的脸上，现实中的光与画面中夜晚里不同的光亮交相辉映；火把的烟、天使之光与漆黑的夜晚，显得如此真实自然，令人无法相信这是出自画笔。在拉斐尔的神来之笔下，光影的难题得到了破解。盔甲上闪动的阴影，其他突出部分的阴影、各种反光和模糊的微光，都以最深的颜色描绘得淋漓尽致，这幅画作堪称大师中的大师。在一切描绘夜色效果的作品中，这是最真实，也是最杰出的，世人公认其为稀世之作。

在一面完好无损的墙上，拉斐尔展示了神圣的礼拜和希伯来人的约柜；教皇尤里乌斯在画面中登场，象征着将教会的“贪婪”逐出圣殿(即今天的《艾略多罗被驱逐出圣殿》，

图37

图37)。这幅画的色彩与《圣彼得的解放》中夜景一样完美。教皇坐在御座上，由侍卫抬着前行，人群中有几个妇女，纷纷为教皇让路。一名骑士面带怒容，全副武装，带领两名士兵赶来将艾略多罗撞倒在地。那傲慢的艾略多罗是奉安替奥库斯之命，前来抢夺神殿中穷苦人的财宝的。就在此时，神迹发生，艾略多罗被猛击倒地(事实上这只不过是只有他一人能看见和听见的幻象)，那些随他而来搬运财宝的人们被击溃，财宝随之散落一地。画面中间的大祭司奥尼亚斯正合掌望天，似在虔诚祈祷，既为那些穷苦人险些失去自己的财富而感到备受痛苦折磨，同时在神迹发生之后，又备感心安与愉悦。我们还能看到，拉斐尔在这里还灵机一动，在画面的左侧绘制了许多惊恐的看客，他们或是攀爬上大理石柱，或是挤在柱基四周，观望着这一神迹将如何收场。

在这些图画上方的天顶上，拉斐尔展示

图38

了四个圣经故事(《艾略多罗室的穹顶》,图38):上帝向亚伯拉罕显现,向其许诺他的种子将会结果;以撒的献祭;雅各的梯子和摩西燃烧荆棘丛(图39为草图),这些作品风格优雅,独具匠心与巧思,技艺之美在拉斐尔的其他所有作品中都有体现。

正当拉斐尔最为春风得意地施展才华的时候,命运或许是出于嫉妒,夺去了教皇尤利西斯二世的生命。作为教皇,他培育了美德,更是最懂得欣赏美好事物的人。在他之后,利奥十世继任,成为新教皇。他同样出身于

图39

对艺术有强烈爱好的家庭,并希望已经开头的作品能完成。得以遇见这位慧眼独具的君主,拉斐尔可谓生逢其时,他的天才得以尽情发挥。在利奥十世即位后,他在其他墙面上绘制了另一个历史故事,在这个故事中,他对利奥十世投桃报李:上帝之鞭阿提拉率大军来到罗马,在马里奥山下与当时的教皇利奥一世会面。在教皇的言语祝福后,阿提拉从此退兵(即《利奥一世与阿提拉会面》,图40)。在这幅画中,圣彼得和圣保罗手持宝剑,听闻教会有难,前来解救。事实上,利奥一世的生平中并没有这样的情节,但拉斐尔依然神思

图40

驰骋,恐怕是出于天马行空的艺术遐想。他为了使作品更加引人入胜,往往偏离主题,当然,在画作完成之后,人们往往会发现,这种离题并不与他们最初的意向相悖。

画作中出现的使徒形象使我们可以感受到上天的骄傲与愤怒,上帝忠实的仆人肩负

捍卫信仰的使命,而上帝的裁决亦见于此。画面中的阿提拉骑着一匹黑马,马蹄为白色,马的额头上有一颗星。在教皇面前他大惊失色,准备掉转马头撤军。马里奥山上火光一片,表明士兵在行军的时候,总是将营房付之一炬。拉斐尔笔下的人物都是写实的,伴随着教皇的持有权杖的随从也如真人一般,就像他们骑着的马一样栩栩如生。整个场面赏心悦目,各种元素和谐共处,对后人的创作极有借鉴意义,后世画家谁想再涉足同类题材,皆应潜心研习此画。

与此同时,拉斐尔还创作了一幅油画,有圣母,一身红衣主教打扮的圣哲罗姆和伴随托比亚的天使拉斐尔,此画安置于那不勒斯的圣多名我教堂的一间礼拜堂内,礼拜堂内有与圣托马斯·阿奎那交谈的耶稣受难图。

另外,拉斐尔还为梅尔多拉君主莱奥内洛·达·卡尔皮(Leonello da Carpi)绘制了一幅画,这幅画同样色彩完美,我以为没有人能比他画得更好。圣母的面部呈现出那种神圣的柔情,仪态庄重无比,这样的圣母只有在拉斐尔的笔下才会显现,她紧紧抱着儿子,脸上充溢着崇敬之情,坐在母亲的膝上的基督正爱抚着小圣约翰,在一旁站着的是圣伊丽莎白和圣约瑟。这幅作品先是由莱奥内洛的儿子卡尔皮红衣主教收藏,他酷爱艺术,至今应仍为其后裔所有。

后来,教廷大法官、圣夸特罗红衣主教洛伦佐·普齐赏识拉斐尔,请他为博洛尼亚的蒙特圣约翰教堂绘制一幅油画,此画现存蒙福的莱奥纳·达尔·奥利奥的遗骸安息的礼拜堂内(即《圣塞西莉亚》,图41)。其优雅的风格和精湛的技艺,足以证明是拉斐尔的大手笔。画中,天使歌唱队在天上歌唱,圣塞西莉亚站着,听得出了神,正陶醉在歌声中,她的表情因为狂喜而益发显得沉醉。那散落一地的乐器看上去不像是画上去的,而是实实在在的真实物件。圣母的面纱、绣金的丝绸外衣和奇特的粗毛衬衣,也如真实一般。圣保罗的右臂正搁在出鞘的剑上,头俯在手上,神态自命不凡,却又沉稳持重。他披着一件当作半篷的纯红色长袍,内衬绿色长及膝盖的束腰外衣,就像众使徒那样光着脚。抹大拉的玛达勒娜面容典雅,双手捧着一只精美异常的石瓶,模样典雅;她转过头去,因皈依上帝而喜出望外。在我看来,同样主题的画作恐怕没有可以与之比肩的。同样十分美丽的是圣奥古斯丁和福音书作者圣约翰的头像。在其他作品中,我们看到了作品的美,但在拉斐尔这件作品中,我们得以直接欣赏到生命的美。因为在他的人物身上,你能够感觉到肌肉的活力,能感受到他们的呼吸,能听见脉搏跳动的节奏,他们是有血有肉的人。也正因为如此,这幅作品使拉斐尔更加声名远扬。

图41

此后，像在博洛尼亚一样，拉斐尔在艾尔克拉诺伯爵的宅第内又画了一幅小型的人物画《以西结的异象》（图42）。画中的基督俨然是朱庇特的形象，他的身边是四位福音书作者，如《圣经》中以西结所描述的，他们分别呈现人形、狮形、鹰形和牛形。其下有些许景色表示大地。整个画面虽然不大，但气度恢宏，精美绝伦，与其他作品相比绝不逊色。

图42

另外，拉斐尔还为维罗纳的卡诺萨伯爵家族绘制了一幅同样优秀的作品，这是一幅精美的耶稣诞生画，画面中的黎明与圣安娜（或认为是圣伊丽莎白）的描绘曲尽其妙（即《圣母子、小圣约翰与圣伊丽莎白》，又名《珍珠圣母》，因西班牙菲利普四世后来购得，并称其为自己藏品中的“珍珠”而得名，图43——译者注）。诚然，只要说这是出自乌尔比诺的拉斐尔之手，任何其他的褒奖都显得是多余的了。这幅作品被伯爵家族视为珍品，众多王公想出大价钱购买，他们也都不愿出售。

图43

那时候的宾多·阿尔托维迪还是个小伙子，拉斐尔为他做的肖像画更是有口皆碑（图44）；他送往佛罗伦萨的一幅圣母像亦是稀世珍品（图45，《神圣的对话》，又名《窗户圣母》，因画中有一透亮的窗户得名。——译者注），现在藏于科西莫公爵宫内新宫的礼拜堂，作为祭坛装饰画，这个礼拜堂是我（此处指瓦萨里本人。——译者注）建造和绘饰的。在这幅作品中，圣安娜已经上了年纪，她将圣婴捧给圣母，基督笑容可掬，身体裸露，是一副人见人爱的孩童形象；此外，在圣母的形象上，拉斐尔将女性之美张扬到了极致，她唇红鼻挺，慈眉善目；衣饰朴素大方。在我看来，这幅作品亦是盖世无双。小圣约翰身上亦没穿衣服，他的身边有一个女圣徒，也是一样的优美。背景是一幢房子挂着布帘的窗户，光亮

图44

图45

图46

从那里打进来，照在画中人物的身上。

在罗马，拉斐尔绘制了一幅巨幅肖像，画中有教皇利奥十世，红衣主教朱利奥·德·美第奇和红衣主教罗西(图46)。这些人物看上去不像是画的，而具足一种雕塑感：大量的天鹅绒和教皇的锦缎衣饰闪闪发光，似在窸窣作响，皮毛衬料柔软光滑，金器和绸缎如此逼真，看上去不是画上去的，而是真实的。桌上有一本羊皮纸书，几乎与实物一模一样。一只锻银铃美得无法用言语来形容。除此之外，教皇座椅上一个亮晶晶的金球，就像镜子一般；光线从窗户透进来，以及教皇的双肩，房内四壁的明暗都堪称这幅作品的点睛之笔。一切画得完美无瑕，很难想象会有人更胜一筹。教皇对此作品大加赞赏，赐予重赏。此画现在藏于佛罗伦萨公爵的藏衣室。此外，拉斐尔还绘制了洛伦佐公爵(图47)和朱力亚诺公爵(图48)的肖像画，素雅的色彩一看便知是他的作品，因为那样完美的技艺不会出自他人之手。此画现在由佛罗伦萨的奥托维亚诺·德·美第奇的后人收藏。

图47

图48

拉斐尔的名声如日中天。为了让后人记住自己，他准备在罗马新区建造一所豪宅，由布拉曼特来制造铸件。现在，这位数一数二的大师，已经凭借他的作品，声名远播至法国和弗兰德。阿尔布特·丢勒，这位杰出的德国画家、铜版画画家，以他自己的作品向拉斐尔致敬，送去一幅自画像，是画在一块细麻布上的树胶水彩画，两面可看，亮部透明，不用铅白，底色和其他色彩都是用水彩颜料画成的，麻布的白色留作亮部。这幅作品得到了拉斐尔很高的评价，并回赠给丢勒许多亲手绘制的素描，丢勒也将其视为至宝(图49，拉斐尔为《奥斯提亚之战》所作的草图。——译者注)。丢勒所作的头像现为曼托瓦的拉斐尔的学生朱利奥·罗马诺收藏。

图49

在看到丢勒的版画后，拉斐尔很想知道自己的作品制成版画后会是什么样子，于是他吩咐马尔卡·安东尼奥·博罗涅赛对版画进行透彻深入的研究。后者很快便颇有心得，并受拉斐尔嘱托将自己的作品制成版画，这些制成版画的作品有：《无辜的人们》《最后的晚餐》《海神》，以及油画《圣塞西莉亚》等。这些版画他后来送给了一个学徒，这名学徒在巴伐利亚一直替拉斐尔照顾一名他深爱的女子，为了这名直到自己生命的最后一刻还

图50

深爱的女人，拉斐尔也画了一幅精美的油画(即《戴头巾的女子》，图50)。

拉斐尔还为巴勒莫的奥利维托山的圣玛利亚·德洛·斯帕斯莫修道院(Santa Maria dello Spasmo)绘制了一幅基督背负十字架的油画，这幅作品同样被认为是杰作(图51)。画中那些将耶稣钉死的官兵，正穷凶极恶地将他赶往卡尔瓦里山(Calvario)；走向受难的耶稣正万分痛苦，他浑身满是血污，还不忘回头看着两个泪如雨下的玛利亚。在两个女性之间的，还有维罗尼卡，她伸出双手，递给基督一块布，脸上浮现出深沉的爱，在画中还有众多骑兵与步兵，他们从耶路撒冷的城门中蜂拥而出，手持司法的旗帜，姿态各异。这幅作品完成之后，并没有被送到本应安置的地方，而是命途坎坷，险遭灭顶之灾。据说，作品在装船运往巴勒莫的途中遭遇了暴风雨，船只触礁，上面的人和货物都不见踪影，唯有这幅作品居然在箱子里安然无恙，沿海路一直漂到了热那亚。被打捞上岸后，这幅作品自然成为公众眼中的圣物，并得到了非常细致的保管。也许，大自然的恶劣天气也对拉斐尔艺术的美心存敬畏之心吧！这件事情传开了之后，教士们费尽心思找到了这幅作品，并获得了教皇的准许，以重金赏赐发现并保护它的热那亚人，将此作品物归原主。这一次的航行安然无虞，到达巴勒莫后，它自然也成为了当地比火神山更为知名的圣物。

图51

在达官贵人之间周旋之余，拉斐尔并没有忘记自己的另一项工作。他从未停止过在教皇的房间与大厅内绘画，当然，这也是出于他个人的兴趣。他一直让人们依据他的设计进行工作，并事无巨细地亲自监督，为此宏伟的规划竭尽心力。不久之后，他在博尔贾塔楼内的作品也都完成了(即《博尔戈的火灾》，或名《小镇的火灾》，图52。——译者注)。作品表现了博尔戈(意为小镇)的火灾在利奥四世的祈福中最终熄灭的故事，构图与上色均已成为美与善的象征，画面生动富有生机，叙事流畅。画面中的女人头顶着水瓶，慌忙赶去灭火，从她们凌乱的衣服和头发

图52

可以想见当时慌乱的情形；还有一些人已经被烟呛得有些晕头转向，不辨南北了。画面的左侧，一个年轻人背负着一名年老的病人，似乎刚从火场里逃出生天——这使观画人不仅想到了维吉尔在诗中描述的埃涅阿斯背着老父亲安喀塞斯的情形。同样在房间内完成的作品还有《查理曼大帝的加冕》和《奥斯提亚之战》(图53)。

居室的天顶已经由他的老师佩鲁吉诺绘

图53

就，拉斐尔没有将其毁弃，而是怀着对老师的深厚感情加以继承。这就是拉斐尔之所以伟大的所在，意大利各地、波佐罗的，甚至希腊艺术家的作品，只要是对艺术本身的发展有利的，拉斐尔均汲汲以求，加以钻研和探索。正是在各种艺术风格的探索中，拉斐尔又开始了一个大厅的创作，那里体现的是几个使徒和圣徒在圣殿里。他的弟子乔万尼·达·乌迪内作为他的助手。乔万尼是一个画飞禽走兽的高手，利奥十世当时饲养了许多诸如变色龙、香猫、无尾猿、鹦鹉、狮子、大象等异兽，这些动物在拉斐尔的笔下也都惟妙惟肖。

除了在宫内铺设许多充满巧思和变化的小径之外，他还设计了教皇的阶梯，并在布拉曼特去世后接替他完成梵蒂冈长廊的设计，他的木模型比布拉曼特的在比例和装饰上要更胜一筹。利奥十世一心要在建筑中表现出宏伟气魄与慷慨大度，拉斐尔为建筑中的灰泥饰、图画和天顶做了精美的设计；风格奇特的灰泥饰位于乔万尼·达·乌迪内的作品之上，由他的弟子朱利奥·罗马诺进行人物的创作，并由拉斐尔进行最后的雕琢；这一时期拉斐尔还延请乔万尼·弗朗切斯科、弗朗切斯科·普力马蒂奇(人称伊尔·博洛尼亚，Il Bologna)、佩里诺·德尔·瓦加、佩雷格里诺·达·摩达纳、文琴奇奥·达·圣吉尼亚诺和波利多罗·达·卡拉瓦乔等画家，与他们一道合作，由他们绘制景色、人物与其他细节，最后由拉斐尔完成全作。他的作品被送到佛罗伦萨，卢卡·德拉·罗比亚根据草图进行路面的铺砌。就绘图、灰泥饰、布局或任何美丽的创新而言，恐怕这是空前绝后的作品。拉斐尔也因此被教皇任命为宫内兴工的图画和建筑的主管(梵蒂冈长廊湿壁画，《建造诺亚方舟》，图54)。

图54

图55

另外，拉斐尔还为教皇的玛丹别墅进行了设计，博尔戈的许多房屋也是他设计的；尤其是乔万尼·巴蒂斯塔·达尔·阿奎拉的宫殿，是美轮美奂的建筑(即《布兰科尼奥宫》，图55为拉斐尔所作的草图)。他亦为特洛亚主教位于佛罗伦萨圣加洛街的府邸进行设计(图56)。他还为皮亚琴察的圣西斯托修道院制作了一幅高祭坛装饰画，画中人物为圣母与圣西斯托、圣巴巴拉，这是一幅旷世杰作(即今天的《西斯廷圣母》，图57。——译者注)。

图56

图57

他绘制的许多图画被送往法国，其中一幅献给了法国国王，画的是圣米歇尔大战恶魔，画作堪称完美无瑕(图58)。在这幅作品中，他以一块烧焦的岩石，代表大地的中心，含硫的火焰从石缝里喷出；以各种肉色来呈现撒旦烧焦的四肢，撒旦怒火中烧，残暴、骄横地与主为敌；英勇的圣米歇尔身着铁和金的盔甲，与地上的撒旦形成鲜明的对比，尽管画得有仙气，但同时却丝毫不妨碍他周身上下流露出的孔武有力与毫不动摇的决心。圣米歇尔已经将撒旦打倒在地，并将长矛刺入他的脊背。简而言之，法国国王在看到这幅作品后，极为高兴，重重地赏赐了拉斐尔。他绘制的《弗拉拉贝雅特里奇》和其他贵妇人的肖像，尤其是他自己情人的肖像(《弗娜丽娜》，图59)，还有他人的肖像，也是不计其数。

图58

图59

拉斐尔天生是个情种。他热爱追逐女性，无论什么时候，都乐意为她们效劳。他发觉朋友对他这种追风戏蝶的行为并不是十分苛责，

（第334页）
（左上图）**乔尔乔·瓦萨里的肖像**，《由契马布埃至当今最优秀的意大利建筑师、画家、雕刻家生平》（《名人传》），1772年版本封面，达·芬奇理想博物馆。
（右上图）乔尔乔·瓦萨里作品，**画家的画室**，约1573年，佛罗伦萨，瓦萨里故居。
（左下图）**瓦萨里所著《名人传》第一版的扉页**，1550年，佛罗伦萨。
（右下图）**瓦萨里所著《名人传》第二版的扉页**，1568年，佛罗伦萨。

LE VITE
DE PIV ECCELLENTI ARCHITETTI, PITTORI, ET SCVLTORI ITALIANI, DA CIMABVE INSINO A' TEMPI NOSTRI: DESCRITTE in lingua Toscana, da GIORGIO VASARI Pittore Aretino. Con vna sua vtile & necessaria introduzzione a le arti loro.

IN FIRENZE
M D L.

DELLE
VITE DE' PIV ECCELLENTI
PITTORI SCVLTORI ET ARCHITETTORI
Scritte da M. Giorgio Vasari
PITTORE ET ARCHITETTO ARETINO

Primo Volume della
Terza Parte.

Con Licenza, & Privilegio di N. S. Pio V. & delli Illustrissimi, & Eccellentissimi Signori Duca, & Principe di FIORENZA, E SIENA.

In Fiorenza, Appresso i Giunti, 1568

图60

并没有人认为他有失分寸。他的好友阿格斯蒂诺·基吉请他为家中的长廊进行绘饰的时候，拉斐尔因深陷与爱人的情爱而无心创作，基吉在失望之余，又是请旁人劝告，又是亲自出马，想尽一切办法让拉斐尔的爱人继续在其工作的地方住下去，好让他安心绘画。费了好一番波折后，拉斐尔这才大功告成。他为此画绘制了全部草稿，并亲自为壁画中的许多人物着色。在画的四周，他请乔万尼·达·乌迪内做了一个花卉、叶簇和水果的垂花饰框边，十分美丽(图60与图61为法尔内西那别墅灵神敞廊的局部与全貌，图62为罗马人民圣母教堂基吉礼拜堂穹顶)。

图61

拉斐尔的声誉可谓如日中天。利奥十世下令让他为楼上的大厅绘制君士坦丁的凯旋(《圣十字架的异象》，图63；《米尔维奥桥的战役》，图64)，这幅画他开了个头。随后，教皇又想要一些华丽的烫金绣花丝挂毯。于是拉斐尔亲自动手，绘制和设色全部原样和与原大小相同的草图，送往弗兰德织造，挂毯织就后，送回罗马。这件作品无可挑剔，观者无不惊叹，无法相信在挂毯这样的材料上，竟能让毛发毕现，丝线竟也能使得肌肤显得如此柔媚(《捕鱼的神迹》，图65)。那绝非人工所能成就的艺术品，而是一个奇迹；挂毯上的动物、流水和房屋都不像是编织而成的，而是用笔画出来的。这幅作品花费了七万克朗，现在尚存于私人礼拜堂。

拉斐尔还为红衣主教朱利奥·德·美第奇绘制了《基督变容》，送往法国(图66为《基督变容》，图67为《荒野中的小圣约翰》)，这幅

图62

图63

图64

图65

画由他一气呵成，画面表现的是基督登上塔博尔山向众使徒显现，十一位门徒在山脚下等候。在人群中有一个年轻人，他被带到这里寻求基督的解救。这个绝望的年轻人被恶魔附身，张开双臂，神情已经失常，不停地呼号，他的肉体和灵魂正在承受巨大的痛苦，面容扭曲，形容枯槁。一个老人双目圆睁，目光炯炯有神，眉毛紧皱，高高扬起，将这个年轻人搂在怀中，极力安慰着他、鼓励着他，同时目不转睛

图66

图67

地看着使徒，似乎从对使徒的极大信心中获取了力量。两名女圣徒跪在使徒们的跟前，头转向他们，向失常的人伸出双臂，指点他的痛苦。使徒们或坐或立，有的跪在地上，面对少年深深的不幸，他们表露出哀恸怜悯的神情。画中人物的形体和头部的描绘富有新意，千变万化，精美无比，无怪乎内行们一致公认，在拉斐尔的无数作品中，此画最为光彩夺目，也最有神圣的气息。谁想知道基督变容与显圣应如何描绘，就应该先观摩此画。基督在画面上方的山顶上显现，拉斐尔运用透视法，在基督的背后绘制了晴朗的天空，阳光灿烂，摩西和先知以利亚在耶稣的圣光中显现，神情逼真。下方的使徒们姿势各异，有的匍匐在地，有的捂住脑袋，似乎还没有适应基督身上发出的光芒而睁不开眼。身着一身白衣的基督双臂伸展，高扬着头。拉斐尔似乎在竭尽全力在基督的面容上发挥他艺术的无上美丽。在这幅作品完成后不久，拉斐尔便离开了人世。

我们已经对这位天才画家的作品有了一个大致的了解。在讲述他的死亡之前，由于需要顾及许多同行的体面与名声，我不想对拉斐尔的各种不同风格浪费笔墨。

少年时期的拉斐尔就努力效仿佩鲁吉诺的风格，无论是笔法、着色还是构图，都取得了不俗的成就。但是，当他步入更为成熟

图68

的创作期时，他认识到已经取得的成绩是局限的。他领略到达·芬奇的作品在男女面部表情的刻画上无人能及的高度，对其人物的优雅和姿态的展示更是心服口服(图68，达·芬奇的《安吉里之战》)。拉斐尔极力研习，终于摆脱了佩鲁吉诺的画风，试图竭力追随达·芬奇的风范。然而，即使他孜孜不倦，仍然难以超越达·芬奇。尽管在许多人看来，拉斐尔的作品悦目动人，具有一种自然的灵光，似乎要超越达·芬奇，但要论绘画所达到的思想境界和那种瑰丽恢弘的气魄，拉斐尔到底还是要低达·芬奇一等——毕竟，自古以来能与达·芬奇并驾齐驱的人实属罕见。不过，拉斐尔无疑比任何一个画家都更加接近达·芬奇，尤其是在色彩的优雅方面。

艺术的圣山，巍巍高哉。拉斐尔在潜心学习之余，及时地认识到佩鲁吉诺的风格已经成为自己艺术成长的障碍，这种画风在自己年少时已经谙熟，但那种制图术虽然细致，却不乏生硬和单薄的气息。他最终超越了自己的老师，自觉地摆脱了佩鲁吉诺的影响，全身心地投入到对米开朗基罗(图69，米开朗基罗的《卡西那之战》)那种困难风格的学习上；他废寝忘食，别人要花上几年才能学会

图69

的技艺，他在短短的几个月之内就精通了。

拉斐尔在决意改变与改进自己画风的时候，刚开始他对人体并不是十分重视，只是按照佩鲁吉诺的风格进行写生，以体现一种自然之美。后来他专心研习人体绘画，将解剖台上的尸体和剥去皮的人体的肌肉，与活人的皮包着的肌肉进行细致的比较。他继续认真观察，在一般位置下，肌肉是如何呈现其柔软度的；他更注意到，若改变观察的角度，会注意到一些平时容易忽略的优美的褶皱。此外，他还仔细研究了人体四肢或全身俯仰伸缩形态、以及骨头、肌腱和血管的连接，从而在各个方面取得了一个大画家所应具备的能力。尽管如此，他心里明白，米开朗基罗仍然代表了一个无法到达的高峰。多年的研习使他悟到，绘画不仅旨在表现人体，还应该被赋予更为广博的境界，真正高明的画家，他们的想象同时是一种敏锐的判断力的表达。构图的布局应当充满创新，层次分明，不繁复，亦不失之空洞无物(图70)。拉斐尔十分明白，丰富的画面感可以通过装饰技艺来实现，通过透视法进行难以想象的变化，画面中建筑物、风景乃至人物身上的衣饰，都使人物形象更加饱满，时而在阴影中若隐若现，时而在光亮中凸显，而头部的刻画则应生机勃勃，在必要的情况下，人物应当灵活地辅以动作，以凸显形体的魄力。他还在考虑如何有力地表现战斗中的战马狂奔和士兵的厮杀、描绘各类动物的知识，尤其是如何使其外形栩栩如生，

图70

令观画者一望便知画中事物为何。还有许许多多其他东西，诸如服饰、鞋子、头盔、甲胄、妇女的头饰、头发、胡须、饰瓶、树木、洞穴、岩石、火焰、阴沉或明朗的天空、云、雨、闪电、夜色、月光、太阳的光辉和其他许多难以尽数的东西——这一切都是绘画艺术的基础。在人物造型上反复推敲之后，拉斐尔领悟到，自己在米开朗基罗所擅长的领域是无法与之争胜的，他需要开辟一种新的风格。于是，他不再用心去模仿他的画风，而是在艺术的其他方面去竭力创造一种雅俗共赏的美。

下定决心后，拉斐尔认识到，巴尔托罗密欧·迪·圣马可修士的一种很好的画法——扎实的制图术和悦目的着色术。尽管为了取得更具立体感的效果，拉斐尔时时过分使用暗色，淡化如他所需和所思之物，即一种在素描和设色之间的中间方案，他却在那种画法中再结合选取其他画家杰作中的某些方法。他将许许多多画法融为一体，形成了拉斐尔自己独具特色的风格，受到了同行们一致的赞许。他在和平圣母玛利亚教堂内绘制的作品中，女巫和先知的形象，即是这种风格的范例；这幅作品大大得益于他在教皇的小礼拜堂内所看到的米开朗基罗的作品。

如果拉斐尔止步于此，不执着于以过多的色彩与变化来证明自己，告诉世人他与米开朗基罗在人体上有一样的功底，他本已获得的名声也就不会受损。他在博尔贾城堡的房间内所绘制的小镇火灾中的人体，虽然也称得上是佳作，但难以说实现了突破。他在阿格斯蒂诺·基吉宫中所画的天顶画，缺乏他特有的优雅与华美，其人体亦不能让人十分满意，这是因为在很大程度上他是让别人根据他的意图上色。然而，拉斐尔还是敏感地察觉到了那个错误，于是决定以后亲自着色，不再要他人代笔。蒙托里奥圣彼得教堂中的《基督变容》中就有一幅佳作所必需的一切特征。只可惜在创作中，拉斐尔心血来潮，使用了烟黑色，使得画作的颜色随着时间的推移会越来越黑。如果不是这样，我相信这幅画会一直像刚刚完成那样，保持鲜艳的色彩。

我以为在此传记接近尾声的时候，为了表明这位值得尊敬的艺术家是以何等的努力、钻研和勤奋追求自己的艺术高度，作出此论断是恰当的，这么做更是为了其他画家，也许他们还能从拉斐尔的身上和作品中找到挽救自己的智慧和天资的灵感，可以学会更好地在艺术的道路上避开路障。我还必须再说一句，一个人从事的事业倘若与自己的天性相吻合，那么，他便是幸福的，刻意地模仿前人只能是徒劳无功，事倍功半。另外，无论天资如何，苦心孤诣总是不二法门，好高骛远、一心要在艺术上超越天才的前辈，恐怕再废寝忘食，也终归南辕北辙。须知志大才疏者的埋头苦干，始终难及艺术高峰；而天纵英才之人，因着自己所独创的艺术道路，却能够毫不费力地如愿。

以上所述与拉斐尔本人也许关系不大，我们现在回到拉斐尔的生活与死亡上来，他与比比亚诺红衣主教贝尔纳多·迪维奇奥(图71为主教的肖像，图72为比比耶纳主教的壁炉房)有甚深交情，许多年来红衣主教都想为他做媒。拉斐尔并不好直接拒绝主教的好意，而是一味地敷衍搪塞，一拖再拖。这一等就是好几年，拉斐尔也并未将此事放在心上，只是那主教大人倒还时常好心提醒他。拉斐尔生性谦恭，明白自己既然话已出口，便不好再食言，于是便只好应承下来，答应娶主教的

图71

图72

侄女为妻。这样勉强的撮合自然不能让拉斐尔满意，虽然已经答应下来，但一说到具体的婚期，拉斐尔又开始一味拖延，终于并没有成婚。他这么做，恐怕并不是因为什么不良动机，而实在是因为他为教廷服务多年，利奥十世还有大笔酬金未支付自己。据称他曾得到暗示，在他将大厅的装饰工程完成后，教皇自会以红衣主教的职位相赠，以不负他多年来的心血与努力。要知道，这样的承诺教皇向很多人都应允过，而许多人并比不上拉斐尔。

拉斐尔偷偷地拈花惹草，肆意寻欢作乐。有一次，他在外头寻欢过度，回到家中便发起高烧。医生并不知道他行为不检点，只认为是过分激动所致，于是便轻率地给拉斐尔实施了放血疗法，他因此变得十分虚弱，一时间感觉自己时日无多，其实，他需要的只不过是多多进补罢了。

在病重中，拉斐尔写下了遗嘱：首先，像一个体面的基督徒那样，将情人送出家门，给她一笔钱，保证她能过上体面的生活；其次，将财产分给他的爱徒朱利奥·罗马诺、人称拉斐尔的管家的乔万尼·弗朗切斯科·佩尼和他的一位亲属，那位亲属是一位乌尔比诺的教士，姓名不得而知。最后，拉斐尔嘱咐，将自己葬在圣母玛利亚教堂，将他的一部分财产用于翻造圣母玛利亚教堂内的一个古老的神龛，并做一个带有圣母大理石像的祭坛。其余的财产都留给朱利奥·罗马诺和乔万尼·弗朗切斯科·佩尼，遗嘱的执行人是负责教廷官员候选人资格审查的巴尔达萨雷·达·佩夏。在拉斐尔进行了临终忏悔后，离开了人间。三十七年前的那个耶稣受难日，他来到了这个世上，在他短暂的一生中，世界因他的才华更加美好，而他的灵魂也必将使天国增色。

他长眠在他曾经绘饰的大厅里，为美第

奇主教所作的《基督变容》就在他的头顶上方。每一个看到此番景象的人，想到他生前所作的图画和死后长眠的所在，任何人都会悲从中来。

为了纪念画家的离世，红衣主教特命人将那幅作品置于蒙托利奥圣彼得教堂高高的祭坛之上。拉斐尔一生端正做人，在他身后也获得了不绝的赞誉之声。他获得了与声名相匹配的葬礼，艺术家们无不含泪为他送行。他高尚的品质受之无愧。整个教廷也都为天才的去世而哀恸，他生前亦是侍从室的主脑，更不用说他还深受教皇的宠幸，教皇本人也为之痛心不已。

啊！你是多么的幸运，主对你多么眷顾有加！人人对你津津乐道，歌颂你的业绩，赞美你为世人留下的每一幅作品！当这位至高无上的艺术家离开世间，绘画艺术也蒙受了不可挽回的损失！他闭上双眼的时刻，绘画艺术也随之走进黑暗！我们这些尚且活在世上的人们，幸而可以模仿他优秀的技法，那是拉斐尔留给我们的财富。我们当以感恩之心铭记他的事业，而将其传于后世，更是我们后来人的肩上重任。因为，千真万确，他的艺术给予我们融为一体的色彩与新意，并达到了如此完美的高峰，令无数后人高山仰止。超越拉斐尔，几乎是任何人都不敢想象的。

对拉斐尔来说，艺术就像是一位挚友一般，接受他天才的恩惠，除此之外，他一生的行径，都在告诉世人，应当如何与大人物、中层和最底层的人交往。诚然，在他众多非凡的才能中，我觉得还有这样一种价值。在与拉斐尔一道工作的艺术家，会感觉艺术所创造的所有品性会自然地相融，在这样的融合中，一切邪恶的品性在他们的视野中消亡，一切恶念在他们的脑海中无影无踪。在任何一个时代中，最美妙的融合莫过于此，征服艺术家的，不仅是拉斐尔的艺术，更是他充满慈爱、备受推崇的品格。

据说任何一个认识拉斐尔的画家，甚至与他毫不相干的画家，如果向他索取自己需要的作品，拉斐尔都一定会慷慨出手相助。他总是会雇佣许多画家，在共同创作中对他们进行指导和关爱，似乎他们不是自己的同行，更是自己的孩子。他每次去教廷，都会叫上同伴，与之分享这种荣宠，当他离开家的时候，总会有数十名画家——他们中不乏才华出众的人——相拥，以示敬意。

最后，我想说，拉斐尔的生活不像是一个画家所拥有的，他简直就是一个尊贵的王子。

绘画艺术啊！你完全有理由因为拉斐尔，认为自己是最受天主荣宠的，因为蒙福，上天赐予你一个德艺双馨的艺术家，因为他，你比天堂还要圣洁！

绘画艺术的信徒们！你们在跟随如此一个伟大人物的足迹时，应该领悟如何去生活，应该去领会艺术与美德的结合是何等重要，正如拉斐尔已经为你们昭示的那般！

拉斐尔的身上流露出的那种力量，令高

贵的尤利西斯二世和慷慨的利奥十世都十分折服,备受恩宠和礼遇,他成为两位教皇最亲密的朋友,得到他们的慷慨资助。正由于他们的偏爱与帮助,拉斐尔才得以令自己和艺术大放异彩。那些曾经被他雇佣的,曾经为他工作的,也都是有福之人。因为那些效仿他的人们都发现,不知不觉中,自己已经到达了一个光荣的栖身之所。所有仿效他的艺术的后人,都同样得到了世人的推崇,正如他那样,在生活中保持高洁的品性的人们,上天也都会护佑他们。

圣彼得，巴尔托罗密欧或拉斐尔作品，布面油画，209厘米×107厘米，梵蒂冈美术馆。根据瓦萨里的记述，这幅作品应于1514年委托巴尔托罗密欧修士进行创作，后由拉斐尔最终完成。

附录四　拉斐尔年表

1483年

乌尔比诺画家乔万尼·桑蒂的儿子，拉斐尔·桑蒂出生。

1484年

5月19日，乔万尼·桑蒂从拉斐尔的祖父继承了画室与所有动产、不动产。

1485年

9月20日，拉斐尔的弟弟夭折。

1491年

10月7日，母亲去世。

10月25日，妹妹去世。

1492年

5月25日，父亲再娶，其继母伯尔纳蒂纳是乌尔比诺一个钟表商的女儿，其后生一女，取名伊利莎贝塔。

1493年

这一年拉斐尔开始跟随父亲，随后是佩鲁吉诺学习绘画，佩鲁吉诺是乔万尼最崇拜的画家。

1494年

父亲乔万尼·桑蒂去世，葬于乌尔比诺圣方济各教堂。

（左上图）“Magister Rafael”字样，1500年12月10日合同中拉斐尔的笔迹。
（左下图）拉斐尔诞生房屋。

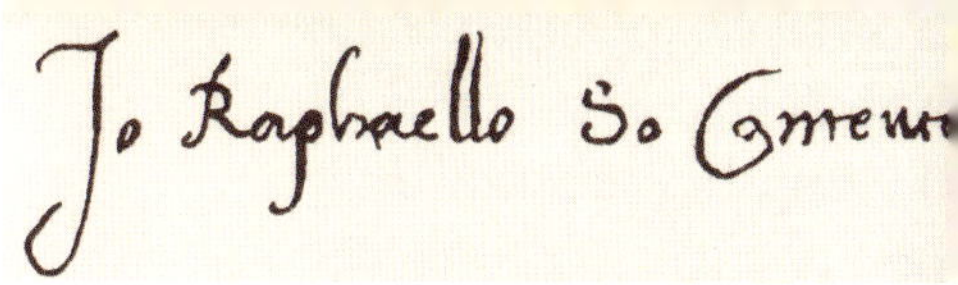

1497年

与佩鲁吉诺合作法诺的新圣母玛利亚教堂的祭坛装饰画，创作圣母诞生。

1499年

6月，为卡斯得罗城创作《圣三位一体旗》。

1500年

5月4日，与佩鲁吉诺合作，创作坎比奥大厅的壁画。

12月10日，接受委托，创作《托伦蒂诺的圣尼古拉的加冕》。

1501年

9月13日，完成卡斯得罗城的祭坛装饰画，1789年的大地震将该画毁坏，现残片分别藏于那不勒斯、布雷西亚和巴黎。

绘制“科隆纳祭坛装饰画”。

1502年

6月29日，平托瑞丘签署合同，开始创作锡耶纳主教堂图书馆壁画，拉斐尔与之合作，并创作若干幅草图。

受欧迪家族的委托，开始了为佩鲁贾圣弗朗切斯科教堂绘制祭坛装饰画的创作。

1503年

在卡斯得罗城的圣多名我教堂绘制《基督受难》，该作品使拉斐尔获得佩鲁贾最优秀的画师的美誉，并随后接受委托，绘制《圣母的加冕》，该作品于20年后方由朱利奥·罗马诺以及乔万尼·巴蒂斯塔·佩尼完成。

1504年

在卡斯得罗城，签订圣弗朗切斯科教堂的《圣母的婚礼》的合同。

1505年

绘制“安西帝祭坛装饰画”、《圣米歇尔与龙》和《圣乔治与龙》。

1506年

开始制作佩鲁贾的圣菲奥连兹教堂礼拜堂祭坛画。

1507年

创作《美丽的女园丁》《基督被解下十字架》《卡尼贾尼的圣家族》《科隆纳圣母》以及《布里奇沃特圣母》。

（右上图）“我，拉斐尔，欣许……”字样，这是拉斐尔于1516年6月21日在蒙物卢切祭坛装饰画合同上的笔迹。巴黎卢浮宫，中央图书馆。
（下图）《卡尼圣母》中衣饰上的拉斐尔签名。

1508年

创作《大考珀圣母》《亚历山大的圣凯瑟琳》《天彼圣母》以及《埃斯特黑齐圣母》。

1509年

在罗马定居。

10月4日，教皇尤里乌斯二世任命拉斐尔负责教皇居室全面装饰工作。这项工作是由乌尔比诺同乡、建筑师布拉曼特的推举。

拉斐尔成为教皇的宠臣，同时创作了许多个人肖像画、圣母像。

1511年

开始艾略多罗室内的创作，1514年完工，其中创作了《圣彼得的解放》。

绘制《佛利诺圣母》《加拉提亚的凯旋》。

1512年

制作梵蒂冈宫第二厅壁画《博尔赛那的弥撒》。

1513年

《尤里乌斯二世的肖像》，在罗马人民圣母教堂展出；绘制《西斯廷圣母》《椅中圣母》《头戴面纱的女子》。

1514年

布拉曼特去世，拉斐尔被任命为圣彼得大教堂重建工程总监；开始“博尔戈的火灾室”的创作，该作品最终由朱利奥·罗马诺

（本页上图）**基督被解下十字架**，局部。

1517年合作共同完成。

1515年

6月7日回信给伊莎贝拉·蒂斯杜、11月8日回信给卡斯迪奥尼、11月30日伊莎贝拉夫人的信上，言及她们期望拉斐尔的“小品”绘画。6月15日作西斯廷礼拜堂挂画草稿。8月27日，被任命为古代遗迹发掘的监督官。

1516年

《弗朗索瓦一世的圣家庭》《圣米歇尔击败撒旦》；3月21日，费拉4月1日写给彼得罗·本博的信中，提及画了《巴尔达萨雷·卡斯蒂廖内伯爵肖像》等数件作品。

1517年

受教皇利奥十世委托，绘制赠送法国王室的《弗朗西斯公爵》，阿方索·迪·埃斯特请拉斐尔绘制《酒神的凯旋》。该作品未能完成，拉斐尔将《利奥三世的誓言》一作赠与公爵。

7月19日，梵蒂冈各房间的绘制工作完成。

（右上角）**弗娜丽娜**画中的指印。
（本页大图）**弗娜丽娜**，左臂上拉斐尔的签名“RAPHAEL VRBINAS”字样。

1518年

从1月22日至2月5日的信中提及，完成《洛伦佐·迪·美第奇肖像》。3月1日至6月19日的数封信中记载，完成《圣米卡埃尔与恶魔》《圣家族》等作品。5月15日购入在罗马的葡萄园。

1519年

向利奥十世建言，提出有关罗马遗迹的保存与古代地图手稿的保存。完成七幅《西斯廷礼拜堂壁毯画》手稿。

1520年

4月6日，拉斐尔去世。

（上图）海姆斯克尔克（Martin van Heemskerck）作品，**梵蒂冈城与长廊**，16世纪上半叶作品，维也纳，阿尔贝蒂娜博物馆。

让-奥古斯特-多美尼克·英格雷斯（Jean-Auguste-Dominique Ingres）作品，拉斐尔在罗马的住宅，木板油画，直径16厘米。

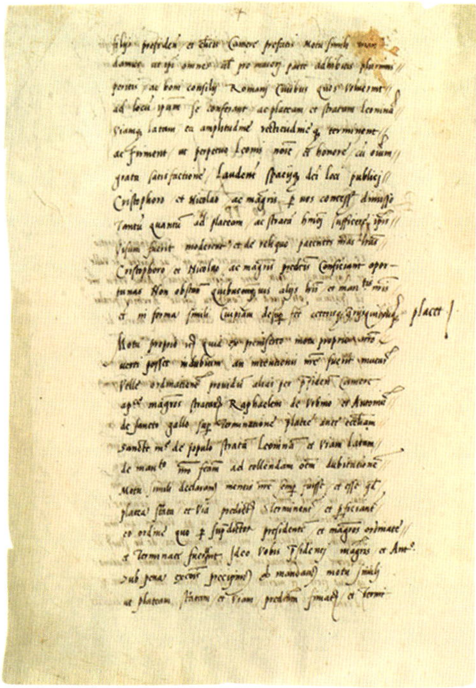

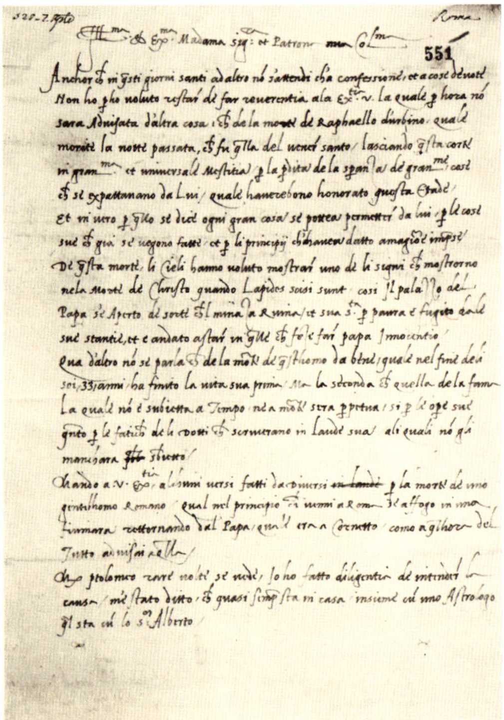

（最上图）现藏于普拉多博物馆的**圣伊丽莎白与圣母玛利亚相见**，局部，其中可见画家的签名与献辞。

（左图）**教皇利奥十世谕令**，其中教皇委托拉斐尔、安东尼奥·达·桑加罗对人民广场进行装饰，梵蒂冈档案馆。

（右图）1520年4月7日，拉斐尔去世翌日，**班多尔夫·皮科**（Pandolfo Pico）**写给伊莎贝拉·迪·埃斯特的信**中，报告了这一不幸的消息，曼托瓦，国家档案馆。

NVS BRANCONIVS · E · F

附录五　对《怀抱独角兽的贵妇》进行的科学分析

65岁的塞拉奇尼是一名工程师,他的职业很特殊,他不与普通的电路或者电子设备打交道,而是试图透过科学的棱镜揭示艺术品的过去、现在与未来。早在20世纪70年代于加州大学圣迭戈分校生物工程系就读期间,他便体会到了在科学与艺术之间“辗转反复”的滋味。彼时不务正业的塞拉奇尼每周都会驱车前往加大本部修读“文艺复兴艺术史”课程,正是在那儿的课堂上,他遇见了自己的“命运”——提议用科技手段来寻找“失落的名画”的达·芬奇专家卡罗·佩德雷蒂。

通过X射线照射油画,人们将知道隐藏图层中作家曾经抹去的创作痕迹——在传说中佚失已久的达·芬奇代表作《安吉里之战》,其实一直隐藏在佛罗伦萨旧宫的瓦萨里后来创作的壁画背后;而在拉斐尔的《怀抱独角兽的贵妇》中,独角兽的前身竟是一只小狗!

通过类似的方式,塞拉奇尼博士还将带领团队寻找达·芬奇的《安吉里之战》,他相信这幅一般认为没有完成的作品仍在世,只是被巧妙地隐藏了起来。塞拉奇尼的信念来自于他1975年的发现。当时,塞拉奇尼发现在瓦萨里的壁画中隐藏着这样一行文字“谁寻找,谁就找到”。此后三十多年间,塞拉奇尼一直在对这片墙壁进行研究。使用X射线扫描,在两堵墙之间发现了一个长达1英尺的空穴,而这个空间正好可以容纳达·芬奇19×13英尺的画作。塞拉奇尼认为,这很有可能就是那幅失落多年的《安吉里之战》。“从瓦萨里的著作中,我们发现了达·芬奇对他的重要性。”塞拉奇尼表示。由于瓦萨里是达·芬奇的崇拜者之一,为了保护名师之作,当年,他很有可能在《安吉里之战》上封堵了一层墙壁,并在上面完成了自己的作品。他由此推测瓦萨里并没摧毁达·芬奇的原画,还在自己的画上留下了这行字迹,透露了这个线索。这个发现引起了世界轰动。

还有多少隐藏的图层在作品背后等着我们去发现?无论《安吉里之战》是否能够找到,通过这一方式,还原画家的创作思路,已经是一项十分有意义的研究了。

《怀抱独角兽的贵妇》画面右边的石柱局部放大图：最左边是自然光下的作品；居中和右图为X光下的作品，显示出作品的创作过程。

（左上图）1930年时，自然光下作品经修复前。
（左下图）X光分析。
（右上图）作品修复后，原作与修复后作品的叠加。
（右下图）X光分析图。

（左页上图）在自然光下可见的头部局部。
（下图）在X光下，可看到下图在创作中的涂改痕迹：睫毛、瞳孔、额头、右眼、面颊、左耳。

（本页上图）在X光下，可见底部分层中头发的细节。

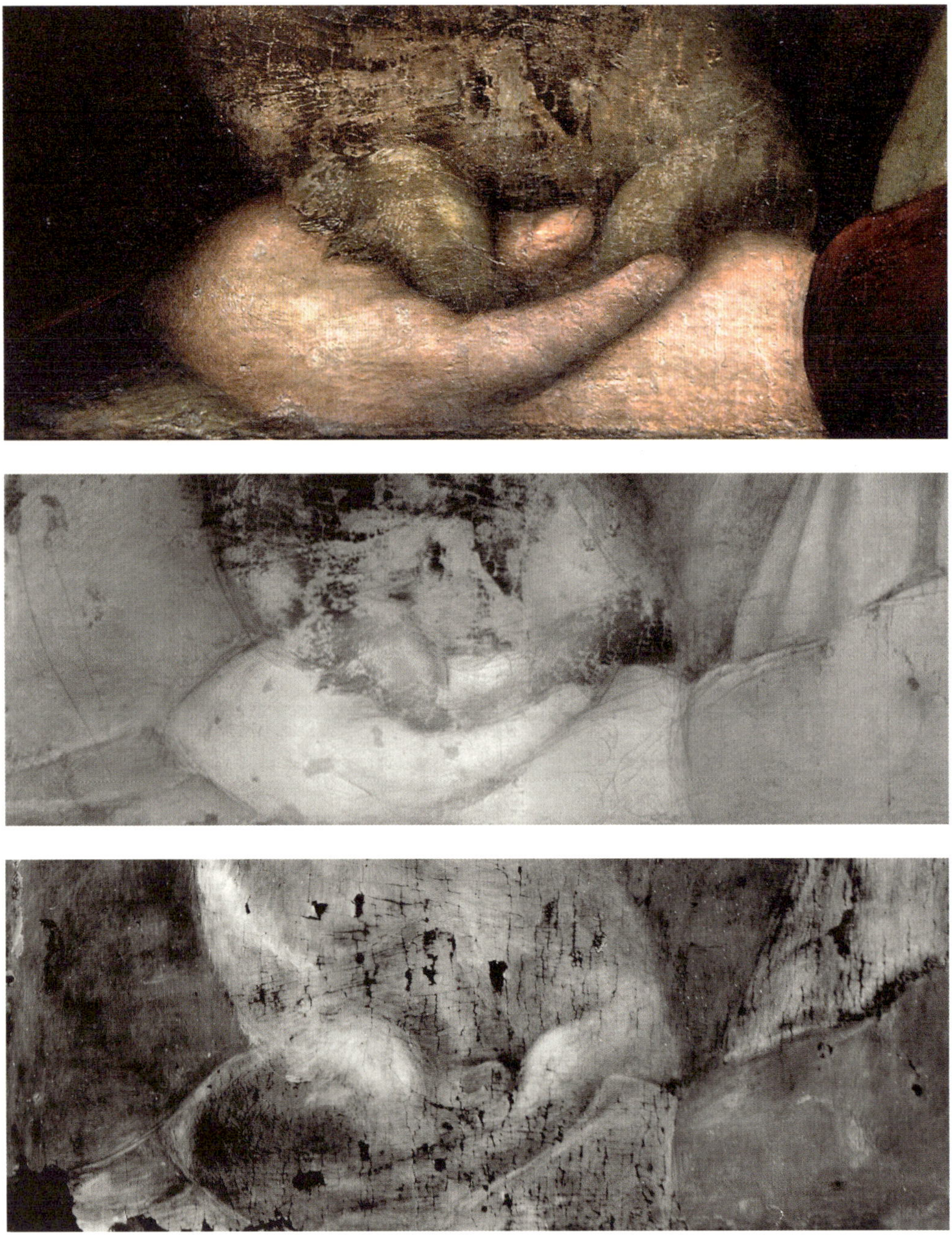

（从上至下）**自然光，反射复制和X光下作品的对比**。画中人物的双手并未在绘画阶段成型，与怀中的小狗成一体，在后期拉斐尔将小狗改为独角兽。

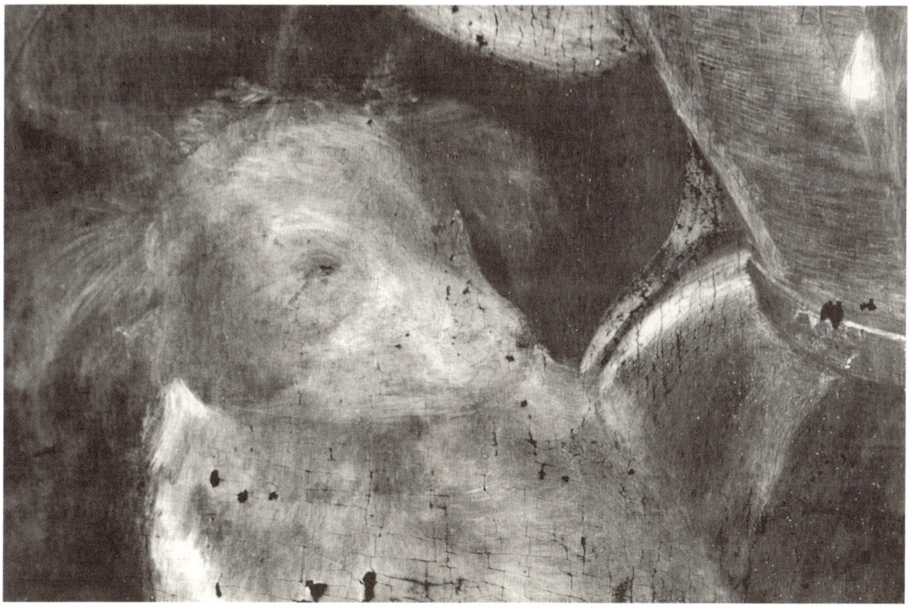

（上图）**原作在修复后**，自然光下可见独角兽，局部。
（下图）**在X光下**，小狗的形象也可在同一局部图中辨识。

跋 绘画的王子——拉斐尔

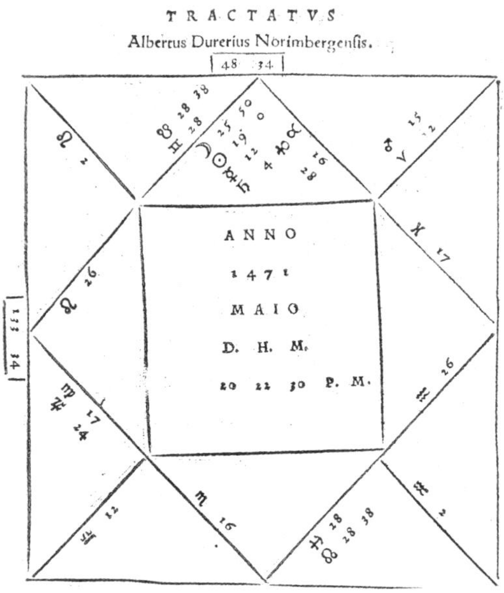

A lbertus Durerius fuit Pictor celeberrimus in Ciuitate Norimbergensi, vt inquiunt. In Italia fuerunt Pictores eminentissimi Leonardus Vincius Florentinus, Donatellus Pictor, & Sculptor eximius, Raphael Vrbinas, Titianus, Andreas Mantegna Mantuanus, Costa etiam Bononiensis, & Francia Pictor, & Aurifaber, & pleriq; alij, quorum genituræ non circunferuntur. Excellentissimus omnium est Michael Angelus Florentinus.

阿尔布雷特·丢勒（Albrecht Dürer）所著《论星象学》中拉斐尔的星相。

圣路加在拉斐尔的注视下为圣母作肖像画，木板油画，后转为布面油画，220厘米×160厘米。先前被认为是拉斐尔在约1511年的作品，现在一般认为该作品是由拉斐尔的弟子在其去世后完成的，罗马，圣路加学院。

拉斐尔的肖像，让·巴蒂斯特·乔治·赛胡·阿冉古尔（Seroux d’Angincourt）所著《艺术史》的插图，1823年，巴黎。

卡尔洛·马拉塔（Carlo Maratta），拉斐尔的肖像。

拉斐尔的肖像，《拉斐尔传》，夸特梅尔·德·昆西（Quatremere de Quincy）著，巴黎，1824年出版。

贺拉斯·福纳特（Horace Vernet），**拉斐尔（居中）与米开朗基罗、达·芬奇和尤里乌斯二世在梵蒂冈**，1832年，布面油画，392厘米×300厘米，巴黎，卢浮宫。

安杰罗·维斯孔蒂（Angelo Visconti），**拉斐尔与布拉曼特（布拉曼特引荐拉斐尔给尤里乌斯二世，局部）**，1854年，布面油画，98厘米×131厘米，阿西亚诺，卡西奥里博物馆。

保罗–普罗斯佩尔·亚莱（Paul-Prosper Allais），**拉斐尔被介绍给达·芬奇**，1845年，96厘米×78厘米，达·芬奇理想博物馆。

威廉·霍尔（W.Holl），拉斐尔的肖像，19世纪，达·芬奇理想博物馆。

彼得罗·巴卡迪·瓦尔赛奇（Pietro Bagatti Valsecchi），**拉斐尔的画室**，1839年，米兰，安布罗哲美术馆。

约阿希姆·冯·桑德拉特（Joachim von Sandrart），
拉斐尔的肖像，1683年，达·芬奇理想博物馆。

迪奥尼基·法孔蒂（Dionigi Faconti），**对拉斐尔的《椅中圣母》进行的想象性再创造**，1849年，布面油画，100厘米×130厘米，都灵，现代艺术美术馆。

多尔菲诺（Dolfino），**拉斐尔的肖像**，19世纪，
达·芬奇理想博物馆。

莱蒙尼埃（Lemonnier），**弗朗索瓦一世的宫廷**（画中的法国国王弗朗索瓦一世正在欣赏拉斐尔为其创作的《圣家庭》），1813年，布面油画，130厘米×195厘米。

切萨雷·穆西尼（Cesare Mussini），奥诺弗利奥·迪奥菲比（Onofrio Diofebi），**拉斐尔第一次为弗娜丽娜脱衣**，19世纪，60厘米×44厘米。

拉斐尔正在创作《弗娜丽娜》，彼得罗·威尔基纳·达·菲利切（Pietro Vergine da Felice）作品，1849年，布雷西亚，艺术与历史博物馆。

阿尔伯特·亨利·佩恩（A.H.Payne），**拉斐尔的肖像**，19世纪，达·芬奇理想博物馆。

贺拉斯·福纳特（Horace Vernet），尤里乌斯二世将梵蒂冈的工程与圣彼得教堂的重建工作交付给布拉曼特、米开朗基罗以及拉斐尔，布面油画，巴黎卢浮宫。

卡斯蒂廖内伯爵曾经这么说过，“要想探究和理解一个作品的真谛是十分困难的，也是几乎不可能的。这也是为什么各派艺术家评论不一的真正原因”。接着，他给出了艺术评论的定义：“欣赏了达·芬奇、米开朗基罗、拉斐尔的作品，他们的艺术风格迥异，却同样都淡泊名利，只有这样创作出来的作品才堪称完美。”而拉斐尔，是三人中最年轻的一位，按照年龄来算，拉斐尔可以算是达·芬奇的孙辈。达·芬奇(1452—1519)、米开朗基罗(1475—1564)与拉斐尔，他们在一定程度上就是意大利文艺复兴的绘画最高成就与风格特征。拉斐尔在世上只停留了短短的三十七年。还在少年时代，他就表现出了超凡的艺术领悟力，他早期的圣母像已经表现出基督教形象与古希腊女性形象融合的创作思路，并很快创作出至少可与恩师比肩的作品；在到达佛罗伦萨后，他更是努力学习前人的技巧，博取众家之长，这一时期的不少圣母像与人物肖像画使青年画家声名鹊起。1508年到达罗马后，在梵蒂冈的教皇房间的创作，使他达到了壁画艺术的最高峰，并深受教皇的器重。他的早逝是整个艺术史的巨大遗憾，而他本人并没有辜负短暂的年华，终其一生，他的绘画作品比米开朗基罗还多。

天才艺术家之所以不断被模仿，正在其永不衰竭的独创性。有的艺术家前无来者，他们天赋聪明、触类旁通，似乎一切都是自然成就；更多的天才则是在后天的观察、实践中不断学习和完善，最终到达后无来者的高度，取得不可被替代的地位。达·芬奇，就是第一种创新型艺术家，他的艺术生涯随着一生的起起伏伏，足迹遍布佛罗伦萨、米兰、罗马，最后在法国各地周游，他在自离开维罗奇奥画室那天起，就几乎立刻学会了自我补足与完善，努力学习和汲取各个派别的艺术家的精华。而拉斐尔属于第二类，他的艺术风格是大众化的，他的艺术如同一条大河，成千上万的支流淌过时间的长河，汇集历史的精华后又重新汇聚，使这条长河更为壮美。他崇尚古希腊、古罗马的古典主义，在作品中大胆地将古希腊、古罗马的多神教思想与基督教思想融合，特别是在《雅典学院》和《帕尔那索斯山》中，这种努力体现得尤为淋漓尽致。在

（左上角）**拉斐尔和卡诺瓦的半身像**，普契尼花园中的雕塑，皮斯托亚，1845年。
（上图）让-奥古斯特-多美尼克·英格雷斯(Jean-Auguste-Dominique Ingres)作品，**比比耶纳主教为拉斐尔做媒，介绍自己的侄女**，49厘米×46厘米，巴蒂摩尔，沃特斯艺术画廊。

拉斐尔身上，哲学理性与宗教激情不是天然对立的而是自然地相会并和谐共存。

达·芬奇将科学灌注在艺术思想之中，在解剖学、透视学、明暗法构图等方面都有所突破；米开朗基罗则最擅长通过人体肌肉的描绘来传递情感；拉斐尔则汲取了佛罗伦萨画派和威尼斯画派的长处，继承了翁布里亚画派宁静、简洁、感知的三要素并将科学引入创作中，形成了自己独有的风格，并以世俗化的形象描绘宗教题材的作品。作为一个后起之秀，拉斐尔博学深思，虽然比不上达·芬奇，而且缺少米开朗基罗那样的英雄气魄，但却能够继承前人最优秀的艺术精华，从达·芬奇那里他汲取了前者的庄严与崇高的女性美，学会运用轮廓模糊的绘画方法来创作浅蓝色的朦胧景物，突出人物面部表情的神秘，他的众多圣母像都体现了达·芬奇的金字塔构图与柔和的光线、透视效果，后期也采用了威尼斯画派细腻而丰富的色彩技法；同时，他还吸收了米开朗基罗作品中的雕塑感，特别是在佛罗伦萨研究米开朗基罗的作品时，从中受到启发，创作了复杂的构图，他融会贯通了米开朗基罗赋予人物力量和生命的才能。他坚信，艺术应该模仿自然，然而同时，他又致力于超越自然，有意识地超越对自然的机械模仿与刻板忠实。他的肖像作品形神兼备，惟妙惟肖地展示了人物鲜明的性格，从中可以感受到一种理想化的自然美的完美努力，

（上图）莱奥波尔多·科斯托里（Leopoldo Costoli），**青年拉斐尔半身像**，青铜，高79厘米，乌尔比诺，拉斐尔故居博物馆。
（下图）鲁多尔夫·莫尔加里（Rodolfo Morgari）作品，**弥留之际的拉斐尔**，1880年，布面油画，302厘米×255厘米，佛罗伦萨，皮蒂宫现代艺术画廊。

圣塞西莉亚，局部，全图见第197页。

尤其是他在罗马完成的画作表现了绘画艺术向纯粹的古典主义的平衡转变。他的构图完美而严密，后期的宗教画更加精密复杂，构图也更加精雕细琢，画面充满动感。通过形体研究，在画作中引入了动态，追求古希腊雕塑的单纯与宁静，一方面坚持了写实再现的原则，同时增加了以特殊色调描绘的姿态复杂的、学院式和雕塑般的裸体形象，力图刻画人物独特的内心世界与性格特征，增强了画面的戏剧效果。

比起达·芬奇的圣母，拉斐尔塑造的圣母要更加甜蜜一些，而他的人体表现比米开朗基罗的要更加完美一些。他在21岁时创作的《圣母的婚礼》，既借鉴了佩鲁吉诺的风格，同时还超过了前辈。他以流畅的线条、优美的人物造型、形与空间的和谐以及纯净的情调，已经彰显出一个天才早熟的才华。在他20岁刚出头的时候，他显然已经把关于素描的所有问题都解决了，如动态、形体、明暗、解剖以及透视，这就为他日后创作《圣礼之争》与《雅典学院》做好了铺垫。毫无疑问，他是最擅长于塑造圣母形象的大师。在《美丽的女园丁》中，拉斐尔吸收了达·芬奇金字塔形的构图方式，以圆润流畅的线条将圣母、耶稣与小圣约翰的形象以一种极为和谐的方式组合在一起，创造出充满人间气息的世界。他笔下的圣母，已经重新获得了人间的母亲形象。在他的《读书的妇人》中，人物的形象上找不到一条僵硬的直线，也没有过于尖锐的角度，画面的形象由优美柔软的曲线交错而成，人物肌肤更是光洁细腻，富于弹性，但又不是鲁本斯的肉感。他笔下的圣母和其他一些现实人物的肖像画，是他艺术思想的集中体现。他曾经表示："为了创造一个完美的女性形象，我不得不观察了许多美丽的妇女，然后从中选择一个最美的来当我的模特。您知道，选择模特是很困难的，因此，在创作时，我不得不求助于我头脑中已经形成的，和我正在搜寻的美的形象，它是否就是那种完美的艺术，我不知道，但是我知道我正在努力使它达到完美之境。"从他留下的这段话中，我们可以大致将他圣母像的创作视为是肖像画的创作。虽然圣母是宗教题材，但是在创作中，拉斐尔事实上已经将其视为活生生的人的写照了，自觉地采取归纳法，典型化地处理最能突出女性美的元素，并将其转化为最为理想化的美的形象。

如果说，在早期的创作中，年轻的艺术家还很乐于向世人展示自己高超的记忆，并乐此不疲的话，那么，到了而立之年，在完成了《雅典学院》和《圣礼之争》后，已然成熟的拉斐尔在素描技巧上发生了深刻的转变。他的风格开始变得壮阔而简约——在《西斯廷圣母》中，人物的形象是概括的，尤其是人物宽大的衣饰，让人隐约看到了米开朗基罗的《创世纪》的影子。在那之后的《博尔赛纳的弥撒》中，拉斐尔进一步汲取了威尼斯画派的精髓。在《圣彼得的解放》中，拉斐尔向世人揭开了明暗对比的秘密，丁托列托后来在评价拉斐尔这种利用光的明暗进行绘画的做法时，表示这种技艺无疑让作品更为鲜活，也为荷兰画派灌输了新的元素，浪漫艺术被推向另一个新的高度。

拉斐尔和米开朗基罗的艺术在当时都可谓是独特风格的代言。一些人对拉斐尔的优雅情有独钟。在路德维科·多尔斯撰写的《关于绘画的对话》中，引入了提香对拉斐尔一生的评价，他肯定了拉斐尔对艺术所作的巨大贡献。随后，由于综合学派的兴起，人们的眼光不再停留在米开朗基罗的风格上，而是趋向与早期艺术大师完美画技的融合与交汇。奥古斯蒂诺·卡拉奇在他的十四行诗中，侧面体现了当时的艺术氛围以及拉斐尔的艺术地位：

对艺术的追求与灵感就像是一位拥有着精湛技艺的画师，他让罗马人精通素描，让威尼斯人开创了光影画法，让米开朗基罗画派红极一时，还让提香冲破了传统的束缚，展现出最真实的大自然，也让拉斐尔独创了对称之美。

1607年，法国艺术出版社出版了瓦萨里的《名人传》，普桑从这本书中得到了许多灵感，并受到鼓舞前往罗马学习绘画。拉斐尔在法国的影响如同早期素描对雕塑的影响一般。李·苏厄尔(Le Sueur)被誉为是法国的拉斐尔。在法国的艺术中，苏厄尔的声望虽然不及勒布伦(Lebrum)，但不容置疑的是，亚平宁半岛的艺术风格都无可争辩地在法国扎下了根。路易十四对意大利艺术偏爱有加，他还在罗马建立了法国艺术学院。在拉斐尔画室中，来自法国的仰慕者们纷至沓来，以至于教会后来不得不下驱逐令，将他们驱逐出梵蒂冈。在此期间，多瑞尼的雕刻艺术的传播，也加深了拉斐尔的艺术影响。

18世纪，考古学家温克尔曼和他的助手拉斐尔·蒙斯将拉斐尔的艺术成就与影响力推到了顶端。在意大利之旅中，约翰·沃尔夫冈·歌德于1786年看到了拉斐尔的《圣凯瑟琳》，并被这幅作品深深感染。在他心中，拉斐尔已经超越了基多·雷尼(Guido Reni)等人。他日后的著作《远去》《福斯特的婚姻》以及《海伦》，不仅有着日耳曼语言的力量，更整合了佛罗伦萨画派的那种雄壮有力和拉斐尔精美雅致的风格。

在德国浪漫主义的后期，拉斐尔成为一个富有神秘色彩的伟大艺术家，他有着女性般的温和性情，崇高且神圣，对于他的研究骤然形成一股强大的艺术之风，席卷了整个德国。青年艺术家们弗里德里希·欧文拜克、爱德华·斯坦尔等人，致力于改变南部地区的传统主义艺术，他们经常聚在一起，共同学习拉斐尔年轻时候的作品，其中欧文拜克更是醉心于《西斯廷圣母》的模仿。在文学方面，他们还以拉斐尔为主人公创作小说——当然，如果拉斐尔自己看了这些文字，恐怕会认不出来那是自己。

18世纪的法国艺术回归了本国路线，而拉斐尔的传统风格，对法国艺术的发展产生了巨大影响。当时，意大利的艺术珍宝被拿破仑攫取到巴黎，这位雄心勃勃的君主要将巴黎打造成法国的雅典。拉斐尔的艺术也由此对法国的年轻画家产生了深远的影响，自那以后，意大利、西班牙以及卢浮宫馆藏的许多作品都越来越受到世人的关注和礼赞。

18世纪初，法国著名雕刻家多里尼受雇将拉斐尔在挂毯上创作的作品临摹于纸上；与此同时，乔纳森·理查德森发表了他那著名的《绘画理论散文集》，这本书深深地影响了约书亚·雷诺兹(Joshua Reynolds)，他在罗马学习期间不幸得了耳疾，却反而得以潜心学习，收获颇丰。在他眼里："拉斐尔继承了佩鲁吉诺艺术，且远远超越了枯燥无味的艺术理论和观点，赋予艺术无限的活力。当拉斐尔在创作时，他的画笔似乎是有生命一般，尽现主人的艺术精髓与独有的画风。”

1848年，约翰·埃弗里特·米莱斯、但丁·加百利·罗塞蒂和威廉·霍尔曼·亨特发起拉斐尔前派艺术运动，反对那些在米开朗基罗和拉斐尔的时代之后偏向了机械论的风格主义(Mannerist)画家。他们认为拉斐尔时代以前古典的姿势和优美的绘画成分已经被学院派的教学方法所腐化了，因此取名为拉斐尔前派。他们尤其反对由约书亚·雷诺兹(Joshua Reynolds)所创立的英国皇家艺术学院的画风，认为这种作画技巧只是懒散而公式化的学院风格主义。他们主张回归到15世纪意大利文艺复兴初期的，画出大量细节，并运用强烈色彩的画风。

我们不妨以以下这段话来作为本书的收尾，它来自罗斯金对于拉斐尔前派的批评：

随着大量的艺术复制品浮现于世，形成了所谓的前拉斐尔画派，换言之，为了把自己的画派发扬光大，拉斐尔本人要不断地提升自己的思想与智慧。我们应当教育青少年，大自然并不完美，她充满了缺陷，至少是有瑕疵的，因此，我们要改善她，完善她，然而，拉斐尔的作品本身是完美无缺的，它越是被世人临摹，就越是趋于完美。

（右图）**雅典学院**，局部。

（左上图）让–奥古斯特–多美尼克·英格雷斯（Jean-Auguste-Dominique Ingres），**拉斐尔的肖像**，约1820年，布面油画，43厘米×34厘米。
（右上图）朱利奥·帕乌里尼（Giulio Paulini），**《英格雷斯的创作》一书插图**，1968年。

（左下图）路易吉·翁塔尼（Luigi Ontani），**人生的三个时期**（画中为拉斐尔和达·芬奇），1978年。
（右下图）斯代法诺·阿里恩迪（Stefano Arienti），**拉斐尔的自画像**，1989年。

（左上图）伦勃朗，**拉斐尔的巴尔达萨雷·卡斯蒂廖内伯爵肖像的素描**，约1639年。

（左下图）亨利·马蒂斯，**巴尔达萨雷·卡斯蒂廖内的肖像**，临摹拉斐尔作品，1895—1900年。

（右图）杜兰画家城堡的画家，**亚当与夏娃**，圆盘（原图为拉斐尔的《帕丽斯的判决》的局部），约1525年。

（最上图）马克安东尼奥·拉伊蒙蒂根据拉斐尔的作品所绘制，**帕丽斯的判决**，1510—1520年。

（中左图）安东·拉斐尔·蒙斯（Anton Raphael Mengs），**帕丽斯的判决**，1756—1757年，布面油画，22.5厘米×28厘米，圣彼得堡艾尔米塔什博物馆。

（中右图）皮埃尔·奥古斯特·雷诺阿，**帕丽斯的判决**，浮雕。

（左下图）皮埃尔·奥古斯特·雷诺阿，**帕丽斯的判决**，1914年。

（右下图）毕加索，**帕丽斯的判决**，1951年。

（第一幅图）爱德华·马奈，**草地上的午餐**，1863年。
（第二幅图）毕加索，**草地上的午餐**，1962年。
（并排两幅图）鲁本斯，**帕丽斯的判决**，约1638年。
（最后一幅图）鲁本斯，**帕丽斯的判决**，约1605年。

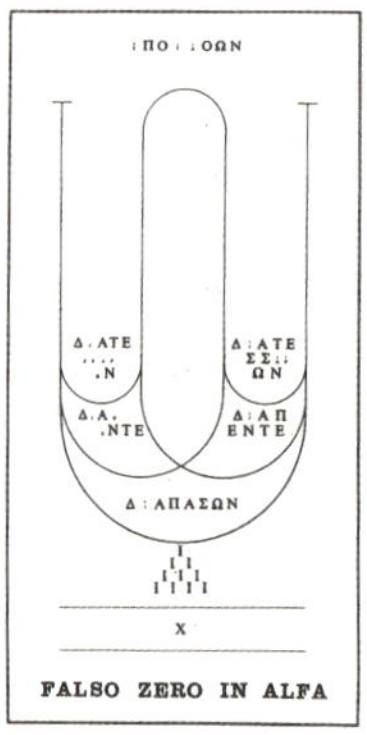

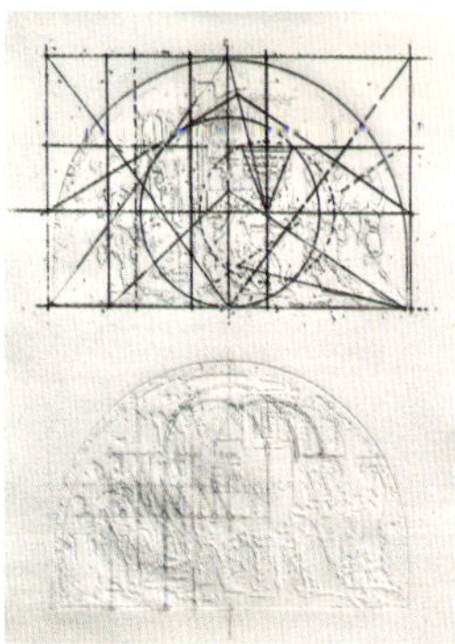

（左上角）萨尔瓦多·达利，**燃烧吧，雅典娜！** 1979—1980年。
（中右图）雷纳多·卡萨罗（Renato Casaro），**电影天堂秀色剧照**，仿拉斐尔的**雅典学院**，1988年。

（中左图）鲁奇奥·萨法罗（Lucio Saffaro），**在阿尔法中的虚零点**（Falso zero in alfa），仿**雅典学院**的图画结构，1984年。
（左下图）沃特·瓦伦蒂尼（Walter Valentini），**拉斐尔与黄金比例**（根据《博尔戈的火灾室》进行的图解），1984年。

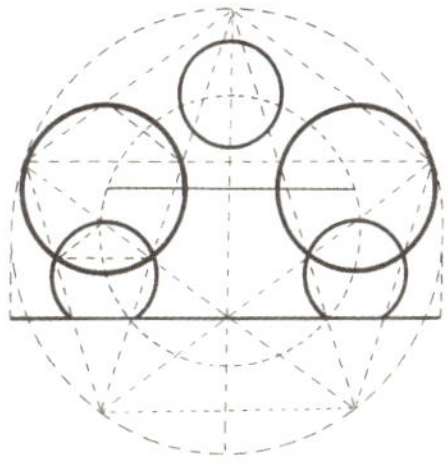

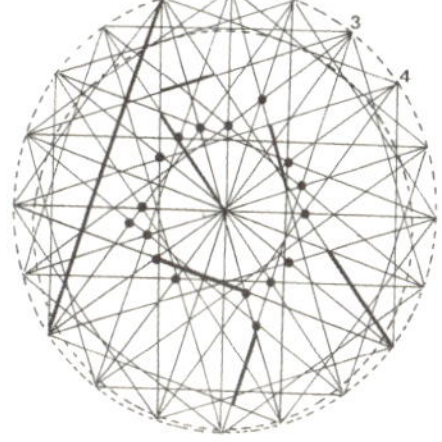

（左上两幅图）塞·托姆布雷（C.Y.Twombly），**雅典学院**，1960年与1961年。
（右上两幅图）路易吉·维罗内西（Luigi Veronesi），对《椅中圣母》的结构进行分析，**关于黄金比例的笔记**，米兰，1985年。
（中图左）尤吉尼奥·米奇尼（Eugenio Miccini），**我的藏书**（*Ex libris*）"我开始写作，并且要忘掉有所谓文学这回事"，1984年。
（中图右）乌尔比诺画室，阿维洛（Avello）的学生所作，**上帝在以撒面前显现**（临摹拉斐尔的梵蒂冈长廊），约1540—1550年。
（右下图）安东·拉斐尔·门斯（R.Mengs），F·斯柯托（F. Scotto），**圣母子与小圣约翰**，十九世纪，版画。

（左上图）威廉·贺佳斯（William Hogarth），根**据拉斐尔的草图中创作的四幅头像**，约1720年。（左下图）弗里德里希·欧弗贝克（Friedrich Overbeck），雅各布·费尔辛（Jacob Felsing），**圣母子、圣安娜与小圣约翰**，19世纪，版画。（右下图）维欧勒–勒–杜克（Eugene Viollet-le-Duc），**临摹署名室天顶的装饰**，1837年。

让-奥古斯特-多美尼克·英格雷斯，**拉斐尔与弗娜丽娜**，1813年。

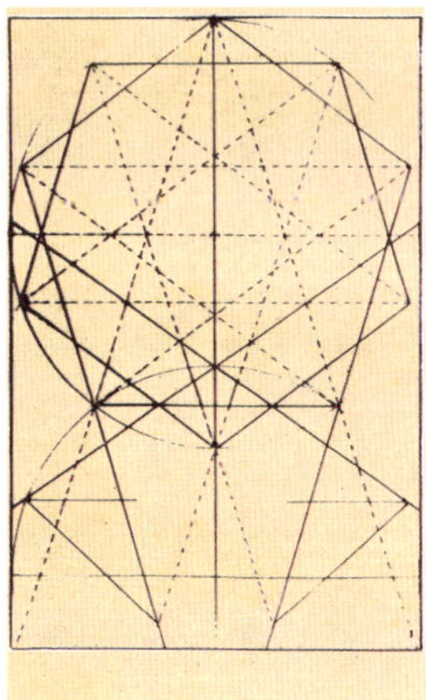

（左上图）约翰·鲁斯金，**《绘画元素》一书中对拉斐尔的托伦蒂诺的圣尼古拉所作的习作**。
（左中图）吉诺·赛维里尼，**哺乳的母亲**，1916年。
（右中图）吉诺·赛维里尼，**哺乳的母亲**，1919年。
（右上图）威廉·戴斯（William Dyce），**圣母子**，约1845年。

（左下图）**《基督变容》画面中上端的几何素描**，被认为是拉斐尔所作，伦敦，大英博物馆。
（右下图）吉诺·赛维里尼，**对《基督变容》画面结构的研究**，选自《拉斐尔与黄金比例》，1984年。

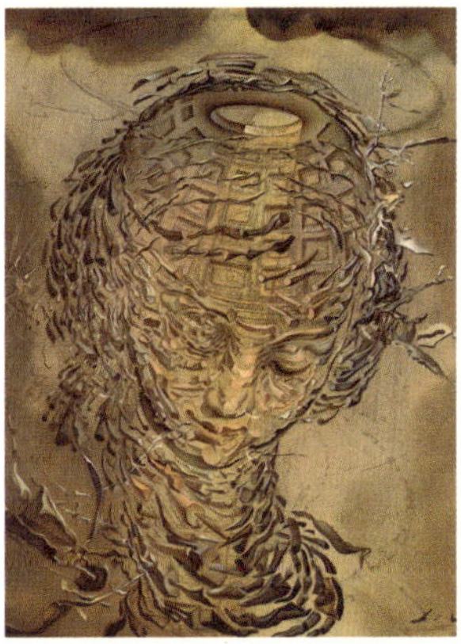

（左上图）乔尔乔·德·吉里科（Giorgio de Chirico），**沉默的妇人**（临摹拉斐尔同名作品）。
（右上图）乔尔乔·德·吉里科，**怀孕的妇人**（临摹拉斐尔同名作品）。
（中左图）萨尔瓦多·达利，**拉斐尔的头部**，1951年。
（中右图）萨尔瓦多·达利，**拉斐尔的圣母最快速度**，1954年。
（下图）麦克斯·恩斯特（Max Ernst），**拉斐尔与朋友的会面**，1922年。

（左上角图）麦克斯·恩斯特，**亚当与夏娃—美丽的女园丁**，1923年。
（左上图）毕加索，**意大利女人**，1919年。
（左中图）雷纳托·古图索（Renato Guttuso），**戴纱巾的女人**，1982年。
（左下图）毕加索，**格尔尼卡**，1937年。
（右上图）毕加索，**拉斐尔与弗娜丽娜**，1968年。
（右下图）路易吉·维罗纳西，**黄金比例下的拉斐尔肖像**，1983年。

图1

图2

图3

图4

图5

（图1）伊利·考拉尔（Jiri Kolar），**根据阿尼奥罗·多尼肖像所创作**，1982年。
（图2）伊利·考拉尔，**金翅雀圣母**，1991年。
（图3）巴尔尼（Barni），**拉斐尔与艾略多罗室**，1973年。
（图4）萨尔沃（Salvo），**自画像**，仿照拉斐尔的《圣米歇尔和龙》，1973年。
（图5）卢卡·玛利亚·帕德拉（Luca Maria Patella），**加拉提亚的凯旋**，1985年。

（左图）卡尔洛·夸里恩蒂，**圣母与小老鼠**，1972年。
（右图）雷纳托·曼博尔，**拥抱**，1965年。

（左图）安东尼奥·布埃诺（Antonio Bueno），**拉斐尔的美惠三女神**，1984年。
（右图）马里奥·切罗里（Mario Ceroli），**美惠三女神**，1991年。

卡瑞尔·特林克维茨（Karel Trinkewitz），**瓦萨里之塔**，1997年。

（左上图）奥马尔·隆达（Omar Ronda），**西蒙内塔和洛伦佐**，2009年。
（右上图）奥马尔·加利亚尼（Omar Galliani），**怀抱独角兽的贵妇**，1979年。
（左下图）奥马尔·加利亚尼，**圣母领报**，1978年。

马尔科·巴尼沃利（Marco Bagnoli），**雅典学**
院，1978年。

里多尔夫·德·吉兰达约，**人人都有各自的面具**（*Sua cuique persona*，拉丁语），曾被认为是拉斐尔的作品，佛罗伦萨乌菲齐博物馆。

致　　谢

感谢以下机构和个人为本书的出版提供图片：

佛罗伦萨斯卡拉图像档案馆，柏林艺术、文化与历史机构（BPK），意大利共和国政府内政部祭祀建筑基金会，意大利文化遗产与活动部，大都会艺术博物馆，布达佩斯艺术博物馆，伦敦国家美术馆，安布罗哲图书馆/德·阿格斯蒂尼图片图书馆，怀特图像，佛罗伦萨斯卡拉图像（www.scalarchives.com），P.S.A.E照片档案馆，乌尔比诺拉斐尔故居基金会，乌菲齐美术馆绘画与印刷品陈列室，巴蒂摩尔艺术博物馆，大英博物馆信托，牛津大学阿什莫林博物馆，温莎城堡皇家图书馆，约尔格·梅耶·祖尔·卡佩纶，佛罗伦萨艺术史协会，文艺复兴理想博物馆，莱奥纳多·达·芬奇理想博物馆，罗珊娜与卡罗·佩德雷蒂基金会。

感谢以下朋友积极促成原著的问世：

斯黛拉·鲁道夫、保罗·贝鲁奇、罗伯特·乔万内利、弗兰科·古尔佐尼、劳拉·卢索、维拉·希尔瓦尼。

当我想到我在学着生存时，
我也在学着死亡。

——达·芬奇

目　　录

出版说明

走出中世纪的欧洲，十四、十五世纪进入了文艺复兴，迎来了人的解放。意大利，这个欧洲的花园也迎来了亚平宁半岛最为群星璀璨的时期。其中，达·芬奇无疑是最闪耀的一颗。此次Scripta Maneant出版社选取了这位文艺复兴巨人的作品，正是希望通过本书的出版，继续将意大利最高端的艺术精华带给我们所处的时代。

达·芬奇的天才无疑是自由而不受拘束的。他度过了漫长的一生，终其一生，这位巨匠自由穿梭于众多领域，是各种学科中的天才。他的成就超越了那个时代，并给身后几百年的后人留下不竭的灵感源泉。

在这个天才巍巍高山般的成就面前，无数后人除了惊愕，仍在苦心孤诣地想要探寻达·芬奇作品背后的秘密。他五百年前的作品无疑在今天仍然让众多追求完美的缪斯的门徒如痴如醉。

最后，Scripta Maneant出版社想借此机会，感谢所有促成本书面世的朋友。这本画册的出版凝聚了各方的心血，正如本书的书名“达·芬奇：永无止境”①，我们每一个见证了本书问世的人都相信，对艺术的探索和它本身带给我们的愉悦都是永无止境的。

科拉多·塞瓦尔第（Corrado Sevardi）

Scripta Maneant 出版社

①原著名为《达·芬奇：永无止境》。——译者注

原版序言

卡罗·佩德雷蒂（Carlo Pedretti）

加州大学Armand Hammar达·芬奇研究中心主任

达·芬奇不仅仅是一个历史人物,他更是一个历史现象,不用说还是艺术史上取之不竭的课题。打开这部画册,展现在我们面前的,是艺术家浩瀚的作品,通过作品背后若隐若现的生平以及众多未解之谜,我们渐渐拨开迷雾,走近这位文艺复兴的巨人。

走近巨人达·芬奇,是不容易的。他一生留下了众多的绘画作品与文字创作,这些不同形式的作品,在将我们带回到古代的同时,也让我们不断发现他的现代性与超越性。

达·芬奇现象是一个迷宫一样的领域,不可思议的奇迹与缜密而理性的思辨在达·芬奇身后交织。仰之弥高,钻之弥深。面对达·芬奇这样的历史巨人,我们甚至会忘记惊叹。这是一个没有止境的艺术家。后人在史实之外,展开各种合理的推断与联想,力图最大程度去掉达·芬奇身上过于神秘的面纱,还原天才“人”的一面。

但是天才身上的光圈或者误读是不容易褪去的。几百年间,达·芬奇是无所不能的先知,或是神秘的巫师,甚至是刺探情报的间谍,种种天马行空的说法不一而足,你我也一定不会感到陌生。

而达·芬奇对于自己所处的时代对自己的误读也是极为敏感的。他感受到了来自时代的嫉妒与不好的“恶念”。他在说到自己的时候,曾经自嘲地说自己是没有文化的人。

在二十世纪,达·芬奇被誉为意大利天才,是人类第一个千年的标志。谈论这样一个千年一遇的天才,人们总是习惯性地盖棺论定或者浓墨重彩地夸大自己无法理解的地方。而实际上,艺术家本人的一幅作品就已强过外人的千言万语,艺术家本人,也许才是自身最有说服力的研究者。作为后人,拨开历史的层层迷雾,通过达·芬奇本人留下的不乏怀疑、矛盾的众多作品,努力还原天才的本来面目,无疑是困难的。

但是,在这本画册中,我们将要试图通过一些特定的方面来进行努力。近几年来,又有许多文献资料被发掘,这些资讯提供了详细的信息,在进一步深入的解读之后,这些新的材料提出了一些新问题和角度。我们说达·芬奇是无止境的,也正因为如此,在研究达·芬奇时,一个问题的解答永远不是自身的终点，实际上它可能会引发一个多米诺骨牌的效应，引发更多新的、有待回答的问题。

通过这些解读，读者将会获得一把认识达·芬奇的密钥，从而解开达·芬奇现象的谜题。肯尼斯·克拉克(Kennth Clark)曾经说过，"一千个人心中有一千个哈姆雷特。而达·芬奇是艺术史上的哈姆雷特"。而达·芬奇谈及圣·奥古斯丁时也说，"对一个事物如果不了解的话，那么喜爱和厌恶它都是徒劳的"。他更说道，"比起动物，人类的认识更为广博，但却也因此显得更徒劳与虚假。对一件事情微小的把握，也比确认一个谎言要来得有力"。

艺术的魅力是难于归纳，甚至超越理性的。艺术表达确定的概念，同时也留下未解之谜。对艺术本身惯常的、无知的夸大甚至神话色彩并不能使艺术本身庸俗化。艺术技巧是具体的，而艺术家个人的想象则拥有更大的空间。这种想象的空间如同一座联接古代与现代的桥梁，诠释了过去，启示并通向未来。

作为一个百科全书式的天才，画家是达·芬奇的第一个也是更适合的身份。与绘画相比，写作是具象的，而画笔表达的则是无尽的想象。

吉罗拉莫·卡尔达诺(Girolamo Cardano)在十六世纪曾经这么描述达·芬奇："他不仅是医生，也不仅是哲学家，这些都只是他的一个侧面，他更是一个完全意义上的、彻底的画家。"也许这句话，正是同时代人对他的最精确的定义。而弗洛伊德更是指出，达·芬奇"在众人仍在沉睡的黑夜里，过早地醒来了"。尼采则在达·芬奇身上读出了"不受教条拘束的自由的观念"，他更进一步认为，"也许达·芬奇是唯一一个有着超越基督教视野的人。他认识东方，有着对内心与外部世界的把握，在这个文艺复兴的伟人身上有一些超越那个时代的欧洲的精神"。

近几十年来，以达·芬奇理想博物馆为代表，对于达·芬奇的研究正在朝着跨学科的领域不断深入，一个更加立体而多面的文艺复兴天才，正不断走出历史的卷帙，展现其卓越的现实意义。作为一个科学艺术家，达·芬奇对于二十世纪的现代艺术无疑产生了深远的影响。无论如何，这是一个应运而生的巨人，他注定在文艺复兴的意大利与时代相遇，并注定以其天才的创造，改变这个世界，发现自然与生命的秘密。

译者序

文艺复兴"是一次人类从未经历过的最伟大的、进步的变革,是一个需要巨人而且产生了巨人——在思维能力、热情和性格方面,在多才多艺和学识渊博方面的巨人的时代"(恩格斯)。有时天才人物在历史上的留影是如此伟岸,后人在仰望之余难免要问:是伟大的灵魂引领了不平凡的时代,还是伟大的时代造就了不平凡的心灵?

瓦萨里在《名人传》中如此描述达·芬奇的天才"在人类历史进程中,个别人会得到上天格外的垂青,这种偏爱有时候甚至以一种超自然的方式眷顾某个天才,使其成为美丽、优雅与才干的化身。他所获得的成就简直不是凡人可以奢望的,而是来自神启,因为他不管投身何种领域,都能达到超凡入圣的境界"。这是来自不同时代人的赞美,后人也赞同这样的说法,并不以为是溢美之词,况且无数后人前赴后继,在达·芬奇的作品中得到灵感,启迪智慧,就是明证。

亚历山德罗·委佐齐(Alessandro Vezzosi)、阿涅赛·萨巴多(Agnese Sabato)是最为著名的达·芬奇研究专家,在本书中,二人通过对《三博士来朝》《岩间圣母》到《蒙娜丽莎》等奠定达·芬奇成为伟大画家的名作以及达·芬奇画室、画派的作品的介绍,向读者展示了一个画家以其对自然美的敏锐和完美的展示技巧所能达到的艺术最高峰,将人文主义的自然观与科学的形式主义美学在绘画实践中完美结合,引领欧洲的艺术走进现代;通过对达·芬奇手稿中机械、建筑设计、解剖、发明的介绍,揭示了艺术家缜密、超前的科学头脑。

此外,本书以达·芬奇的生平经历为主线,通过对画家的作品与手稿的呈现与分析,揭示了一个私生子幼年经历对其艺术创作潜移默化的影响;在维罗奇奥画室的学习时期,达·芬奇系统学习了绘画、机械理论,汲取时代与前辈所能够给予自己的最好的养分,以《三博士来朝》崭露出天才艺术家不世出的才华;在斯福尔扎治下的米兰时期,达·芬奇还表现出音乐家的一面,他善于演奏里拉琴,还热衷于发明各种新式、超越时代的机械装置——飞翔——他一生发明的主题。米兰时期更是他创作的鼎盛时期,在此期间,他不仅创作了《岩间圣母》和《最后的晚餐》等作品,在其他领域也都淋漓尽致地施展才华;他研究物理上数量与力量、运动与力量的关系;学习抽象的几何学;掌握了人体解剖知识,研究了生理学和医学。他甚至发明了降落伞,设计了各种起重设备。本书还展示了达·芬奇的日常生活:研制颜料,讽刺画,合同的签署,日常开支等等。

本书收录了达·芬奇一生中所有重要的作品,插图的精美与清晰程度前所未有。“表现无法表现的事物”是达·芬奇绘画的理想,事实上,达·芬奇本人也已经成为了艺术史上“无法表现”的一个现象,他的成功自然无法被复制,甚至,以本书的规模,也只能尽力地将其才华展示给后人。本书的翻译过程,是作为译者的幸运,但人若有自知之明,便当知道,在译文中戴着镣铐跳舞,所呈现给读者的,恐怕只是达·芬奇所有才华的一鳞半爪——这也许是达·芬奇在艺术史上的另一个价值:让所有后来人对艺术才华所能企及的高度保持一丝敬畏之心。

达·芬奇在威尼斯，朱利奥·帕乌里尼（Giulio Paolini）所作，1992年，芬奇，达·芬奇理想博物馆。

这是目前可以确定的达·芬奇的第一幅署名画作，署名日期为“1473年8月5日”。作品展示的是**在芬奇镇北部的蒙塔巴诺**（Montalbano）**俯看瓦莱·迪·尼耶沃勒**（Val di Nievole）**与帕杜勒·迪·弗切奇奥**（Padule di Fucecchio）**的风景**。

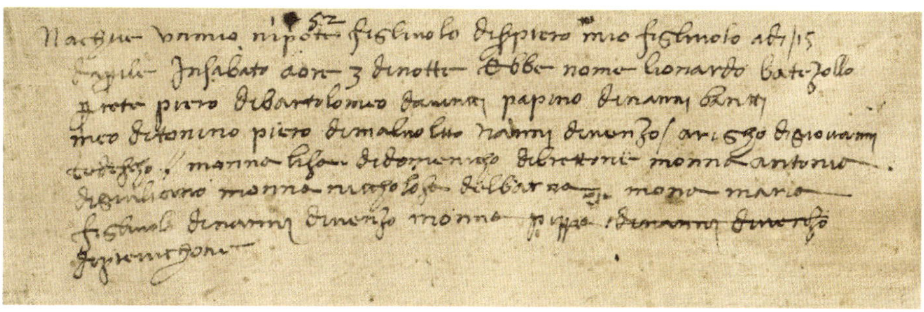

达·芬奇的爷爷安东尼奥对孙子的出生以及受洗的回忆（附有其个人签名）。1452年，局部。

1452—1469：在芬奇和佛罗伦萨，天才的出生与童年

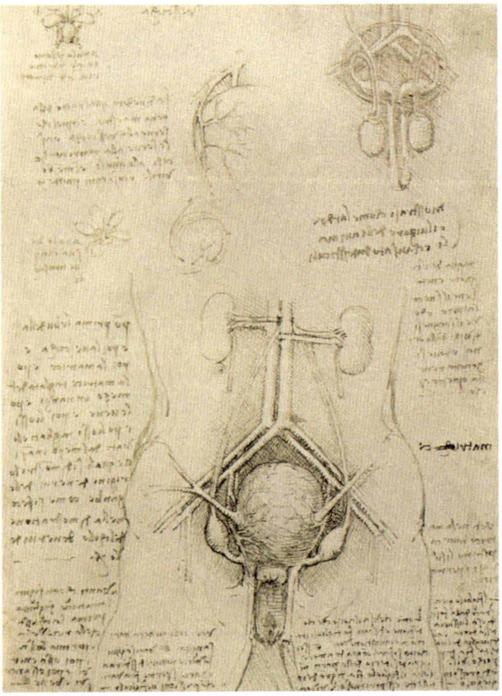

（上图与右页）**达·芬奇人体解剖习作**，魏玛公国博物馆藏。

一个充满智慧、富于个性的天才人物是如何来到这个世间的？这个问题听上去让人觉得好笑，但达·芬奇也许会是一个启发，特别是当我们将他与其平庸的兄弟们相比，这个启发就显得更有说服力了。现藏于魏玛公国博物馆的一份1507年的解剖学笔记中表明，“如果父母双方的交配是出于对彼此的爱意的召唤与不可抑制的冲动的刺激，他们将能生出聪明而有活力的儿子”。

在一份于1507年左右绘制的解剖图上，达·芬奇这么写道：“攻击性的而非两情相悦的交配，父母生出的孩子急躁易怒，不可信赖；但是如果是父母双方因爱和欲望而进行交配，那么生出的孩子将会才华出众，可爱聪明。”而与此相反的是，这份笔记中同样指出：“倘若行房事的母亲对性事充满苛求奢华的形式，而男性又只是例行公事、勉力而为，则会生出反应迟钝、智力低下的儿子。”

今天，我们从遗传学与优生学的角度来说，这种说法无疑是有道理的。然而我们知道，催生出伟大人物的，自然并不完全是优良的基因。与达·芬奇同时代的吉奥维奥(Giovio)在谈到达·芬奇的故乡托斯卡纳的芬奇时，将其描述成“一个不开化的埃特鲁斯村庄”。实际上，芬奇并没有他所说的那么不堪，这个小镇并不是一个穷乡僻壤、荒无人烟的所在，相反，它镶嵌在托斯卡纳这个文艺复兴发源地的中部。镇上的城堡和教堂古老而高大，周围是排列有序的石头房屋。这是佛罗伦萨共和国的一个边远居民点，1254年以来一直在佛罗伦萨辖治下。在这之前，奎迪家族(Guidi)拥有对芬奇的治权，奎迪建造了镇上的地标——芬奇城堡。从这里骑马出发，途经恩

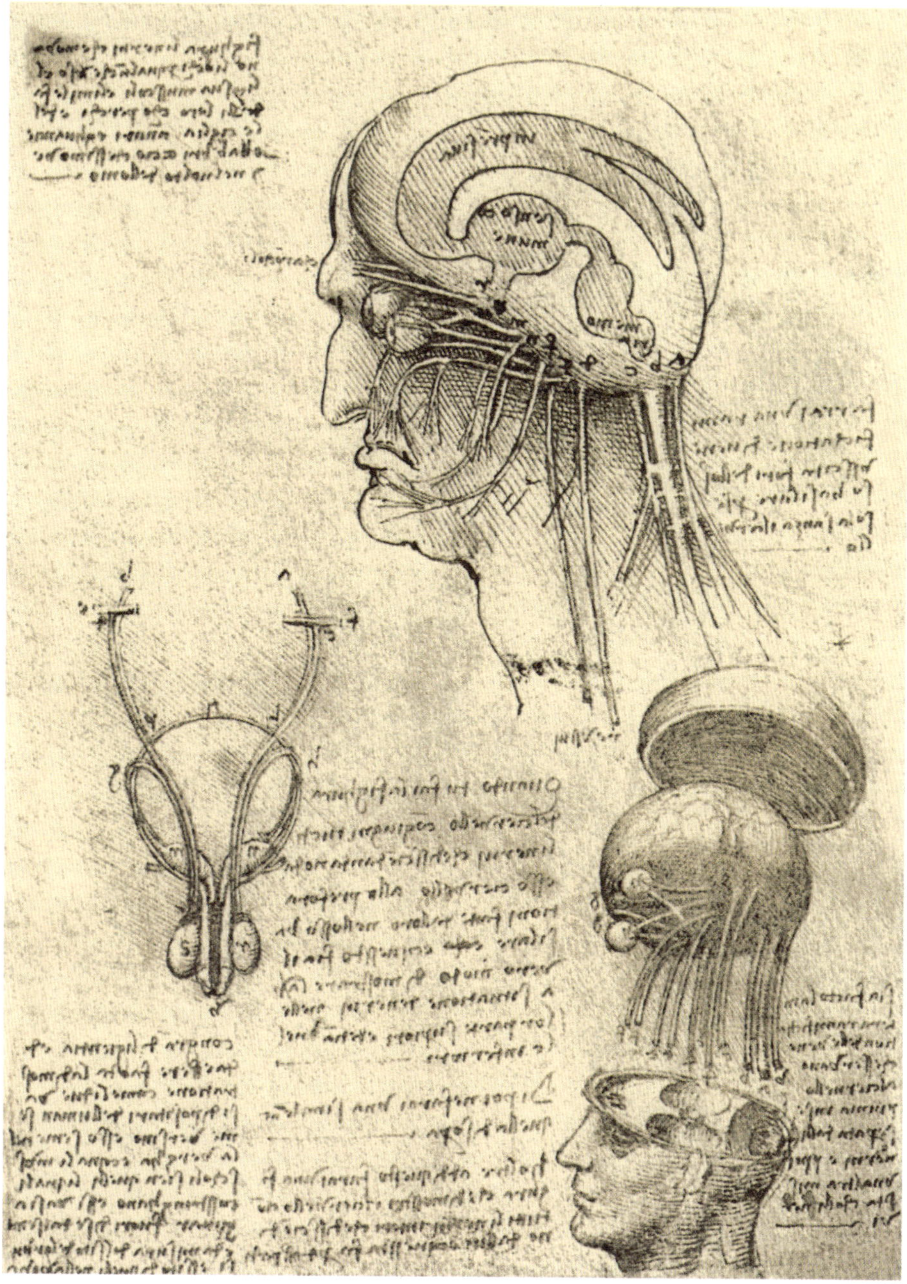

图中文字为达·芬奇对头颅、神经与大脑等部分的笔记。约1506年，魏玛公国博物馆所藏。

波利和蒙特卢波，一天的时间就能到达佛罗伦萨。另外，有必要特别指出的是，与传统传记不同的是，达·芬奇并不是在芬奇这一个地方长大的，他也曾在佛罗伦萨度过自己的童年时光。达·芬奇的一生留下了巨大的艺术宝库，其中仅手稿就至少有七千五百多页，在这些作品的解读中，历史真相与未解之谜纵横交错，在后人眼前展现出来的是围绕着这个文艺复兴巨人的一面巨大的网，而这个网的重要结点，就是芬奇这个托斯卡纳小镇。

深入了解达·芬奇的童年，以及他早年的求学经历，是解开“达·芬奇现象”的关键，而母亲这一角色，也是他的作品中所贯穿的一个重要的主题。

1931年，关于达·芬奇出生的具体时间有了新的佐证。达·芬奇的祖父安东尼奥留下的回忆录在这一年重现天日。这一发现于八年后的1939年公布于世。达·芬奇年迈的祖父留下的文字描述极为详尽，“1452年4月15日周六夜里三点，我的孙子，塞尔·皮耶罗·达·芬奇的儿子来到人世间。他的名字是莱奥纳多(Lionardo——译者注)，为他施洗的是皮耶罗·迪·巴托罗密欧神父，见证洗礼的还有帕皮诺·迪·南尼·班迪、梅奥·年迪·托尼诺、皮耶罗·迪·马尔沃多、纳尼·迪·文佐及其女儿、阿里戈·迪·乔瓦尼、丽莎·迪·多美尼克·迪·布雷顿、安东尼娅·迪·朱力亚诺的夫人、尼古拉萨·德·巴尔那太太、玛丽亚夫人、比帕·迪·布雷维科内夫人”。根据这些文字，我们由此可以大致推算，“夜里三点”，也就是按照今天的算法的23点左右，达·芬奇来到了世间。

值得注意的是，与自己的父亲和叔叔不同，达·芬奇一出生，就打破了世俗的习惯，他的教父和教母有五名(一般来说，当时人的教父或教母最多只有三名)，而这些人实际上都是达·芬奇一家的邻居，可以想见达·芬奇一家在当地的地位。阿里戈·迪·乔瓦尼生于德国，是里多尔斐家族(Ridolfi，佛罗伦萨的名门望族，在芬奇一地拥有地产)的农场管家，他和丽莎·迪·多美尼克·迪·布雷

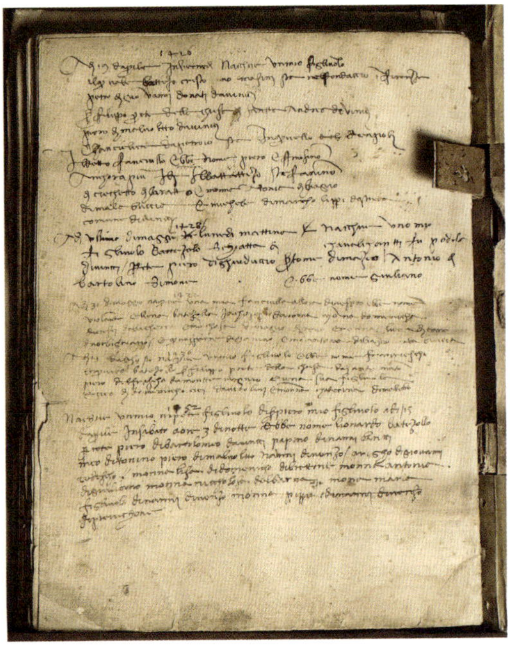

（上图）达·芬奇的祖父安东尼奥·达·芬奇关于孙子、其父亲列昂纳多·迪·塞尔·皮耶罗·达·芬奇和他的叔叔们（朱力亚诺、弗朗切斯科）的出生与受洗的回忆录。

达·芬奇，画家、雕塑家与建筑家，卡尔洛·拉希尼奥（Carlo Lasinio）作品，根据乌菲齐馆藏的自画像所作，其上的出生日期（误为1445年，应为1452年）与去世日期（误为1520年，应为1519年）均不正确，1789年，芬奇，达·芬奇理想博物馆。

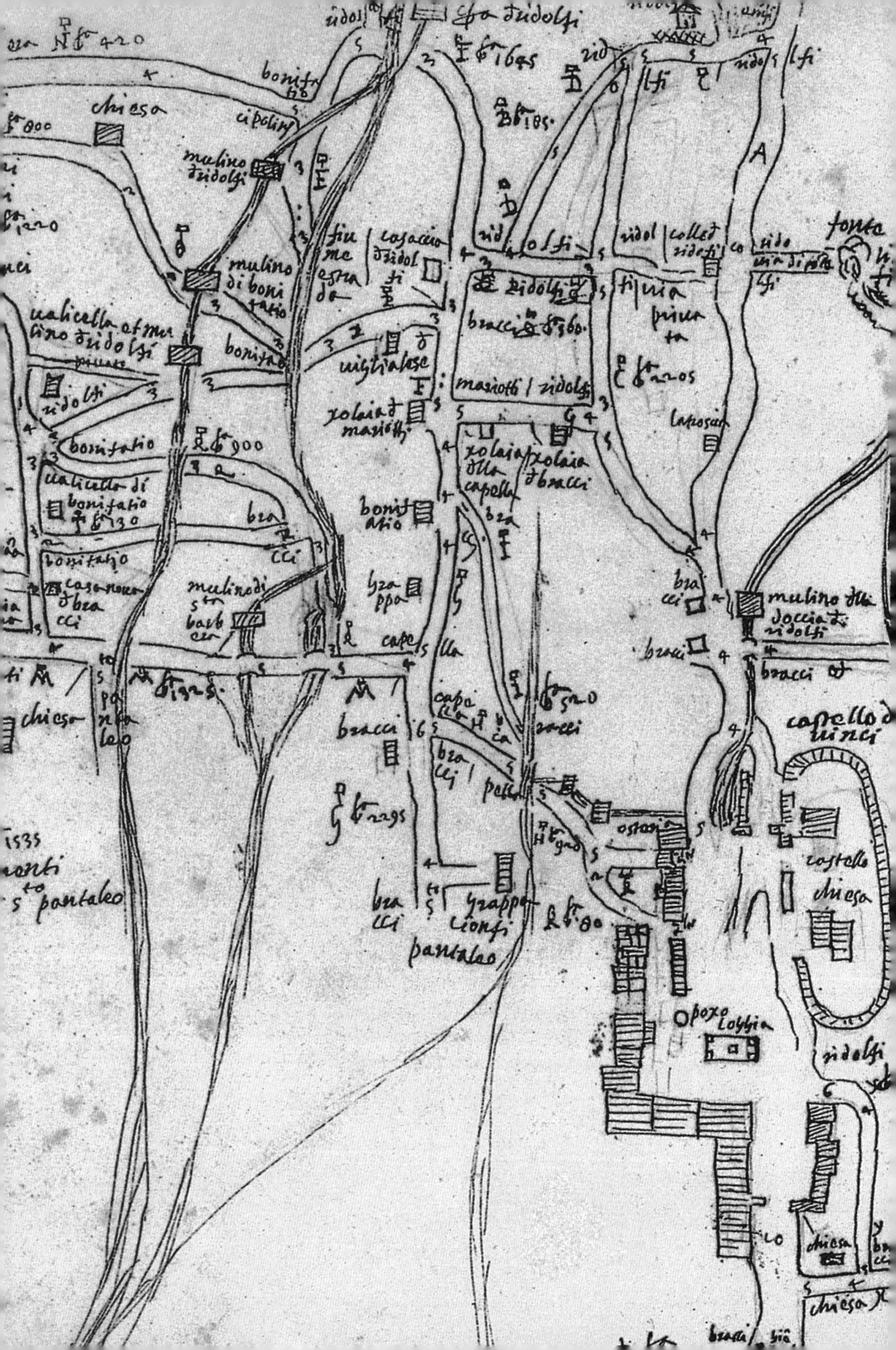

chiesa
mulino di boni fatio
bonifatio
bracci
osteria
pozo
lobbia
castello
chiesa
ridolfi
chiesa

顿(多美尼克·迪·布雷顿的遗孀)还是阿卡达布里卡(Accattabriga,意为“挑事者”,达·芬奇的生母凯瑟琳的丈夫)的邻居。

这份详细的回忆,来自历史现场的第一见证人。这些文字的面世,驱散了许多围绕着这个天才人物的迷雾,也使许多传言不攻自破。达·芬奇来到世间的时候,并未让家族蒙羞。他是在父母和长辈的爱与关心下出生的,尽管,这种非婚生的身份困扰了他一生。达·芬奇本人在后来曾经提到:“曾有一个艺人遭人指责,称他不是合法的儿子(即私生子),他的回应则是,自己来到这个世上,无一不遵从人性的法则,而与人类相比,前者只不过比野兽多穿了些人的衣服罢了”。(马德里手稿II,编号f.65r)字里行间中,我们依稀还能感受到天才在其自尊受到世俗冒犯时那敏感的内心世界。

达·芬奇出生的1452年注定是一个不平凡的年份。那一年,萨沃纳罗拉(Savonarola)在费拉拉出生。而达·芬奇后来的绘画老师安德烈亚·维罗奇奥(Andrea Del Verrochio)在那时还是个十六七岁的鲁莽少年。那一年,他在与人发生争斗时,用一把利刃刺死了一名同伴,根据双方家族达成的谅解协议,这个年轻

气盛的年轻人得以免于处罚,而历史也将安排这个血气方刚的少年最终成为达·芬奇艺术上的领路人;与此同时,在阿雷佐的圣弗朗切斯科教堂,皮耶罗·德拉·弗朗西斯卡(Piero Della Francesca)也已经开始了自己《真十字架的传说》(Leggenda della vera Croce)的壁画创作。

还是在这一年,佛罗伦萨的美第奇家族(Medici)创办的银行已经初具现代银行的雏形,佛罗伦萨正与米兰的斯福尔扎家族(这时

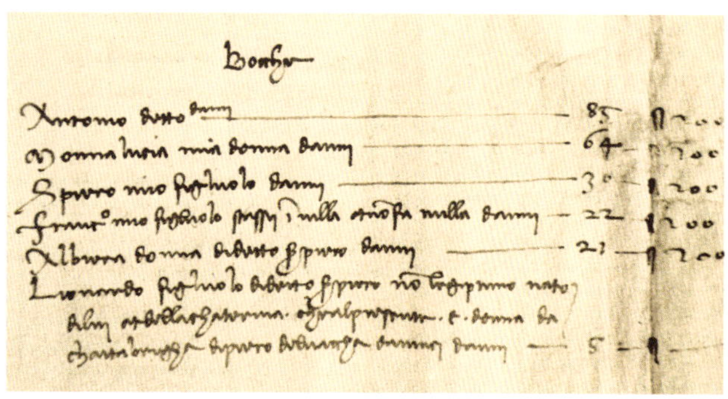

(左页)**芬奇城堡与芬奇市镇**(图右下),图中左上为芬奇河。

(本页上图)**圣母玛利亚的降生**,托斯卡纳佚名画家作品,藏于圣十字教堂。曾被认为是达·芬奇的作品,作品中所署日期为1553年,该作品于1993年经达·芬奇理想博物馆修复。

(本页下图)达·芬奇的父亲塞尔·皮耶罗·达·芬奇(Ser Piero Da Vinci)记录的**达·芬奇的出生数据**,局部。

统治米兰的弗兰切斯科·斯福尔扎正是达·芬奇的艺术赞助人、摩尔人路德维科的父亲)、热那亚、曼托瓦以及法兰西的查理七世等联盟,对抗由威尼斯、萨沃伊家族、蒙费拉托和那不勒斯的阿拉贡家族组成的联盟。奥斯曼土耳其苏丹穆罕默德二世也即将对君士坦丁堡进行围困,一年以后,君士坦丁堡陷落,从而终结拜占庭王朝。

时代在躁动,号角已吹响。一个伟大时代的序幕正在缓缓拉开,一切都预示着一个在小镇出生的天才人物的出场。

达·芬奇的祖父母——安东尼奥和露琪亚

达·芬奇出生于一个公证员世家。文献资料表明,至少从十四世纪上半叶起,这个家族就已经开始从事这一职业。塞尔·米凯莱(卒于1332年前)生下塞尔·奎多(在1339年的一次公证资料中,就已经有他的名字),而塞尔·奎多的儿子塞尔·乔万尼,生下了塞尔·皮耶罗(与达·芬奇的父亲同名),这就是达·芬奇的曾祖父,历史上关于他的记载从1381年到1413年,他曾经做过佛罗伦萨共和国的大臣以及大使。

达·芬奇的祖父安东尼奥出生于1371年前后,他并没有继承家族的职业。在1431年,安东尼奥写道,"我今年已经59岁了,我没有任何投资,也没有担任什么公务"。他的妻子名为露琪亚,比他年轻二十岁,同样生于公证员之家。她的家乡在距离芬奇不远的托亚·迪·巴凯雷托(Toia di Bacchereto),位于阿尔巴诺山东侧,离芬奇镇不远,巧合的是,她的父亲也同样叫皮耶罗。1426年4月19日,他们的第一个孩子出生,也许是为了纪念各自的父亲;这对夫妻决定给这个孩子起名为皮耶罗。

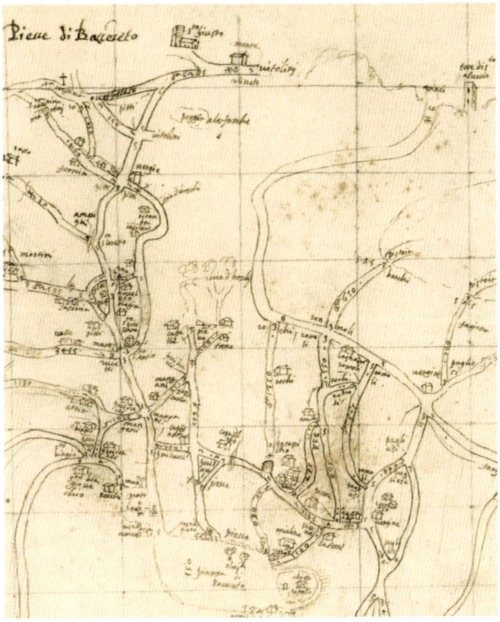

(上图)**达·芬奇的祖母露琪亚的故乡巴凯雷托,以及圣朱斯托修道院和圣阿洛奇奥钟楼,**佛罗伦萨,国家档案馆,局部。

(右页)**位于芬奇的巴凯雷托和阿尔巴诺山**(Bacchereto e il Montalbano),图中可见阿诺河流经普拉多、皮斯托亚(Pistoia)和塞拉瓦莱(Serravalle),约1503年,温莎城堡皇家图书馆手稿(RLW),编号12685,局部。

barga
pescia
borgo
serravalle
pistoia
larciano
tizana
carmignano
vinci
cerreto
fucecchio
empoli
pontormo
signa
179

母亲凯瑟琳身份之谜

达·芬奇的一生中，有两个与女人相关的不解之谜，一个自然是藏于卢浮宫的蒙娜·丽莎(Mona Lisa)，另一个就是他的生母凯瑟琳。历史上凯瑟琳通常被描述成一个女奴，这一说法极为普遍，连正史几乎也采信这一说法。当我们追根溯源，却发现这种说法的一些方面有失偏颇。

1901年，俄国作家梅列日科夫斯基(Mereskovshij)出版了《达·芬奇罗曼史》(*Romanzo di Leonardo da Vinci*)，在书中，他言之凿凿地声称，达·芬奇是芬奇一个农妇的儿子，他的外祖父是切雷罗·奎迪这个地方的一名樵夫。这本绘声绘色的小说于1901年在意大利出版后，无疑对大众造成了深远的影响，一百年后的学术界将其作为正史引用也就不足为奇了。这种对达·芬奇的深刻误读，比丹·布朗的《达·芬奇密码》提前了一百年。

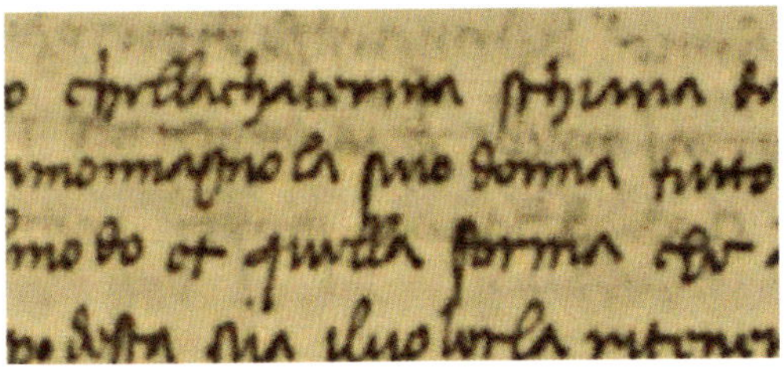

（上图）**范尼·迪·尼古拉·迪·塞尔·范尼的遗嘱**，上有“塞尔·皮耶罗·达·芬奇”“女仆凯瑟琳”的字样。

在这部小说中，梅列日科夫斯基是这么描述达·芬奇的出生的：“凯瑟琳出生于芬奇当地一户农家，自幼父母失怙。1451年春，一位年轻的公证员皮耶罗·迪·塞尔·安东尼奥·达·芬奇(Pietro di Ser Antonio da Vinci)受邀来到安奇亚诺处理公务。在一家酒馆里，凯瑟琳为这个年轻人倒酒。这位年轻的公证员事后承认，在看到这个女孩的第一眼，自己就爱上了她，并因此拖延了回佛罗伦萨的归期。”小说中添油加醋地描述道，那次相遇之后，凯瑟琳便怀上了塞尔·皮耶罗的孩子。得知儿子的消息之后，年轻人的父亲安东尼奥颇为震惊，并立刻写信召回儿子，随后他立刻促成了皮耶罗与阿尔比耶拉小姐的婚礼，而凯瑟琳则在其后嫁给了一个绰号是“挑事者”(Accattabriga，阿卡达布里卡)的男人，她的丈夫比不上塞尔·皮耶罗，是个年老体弱、脾气乖戾的男人。这本小说的种种情节，自然符合大众对爱情扼腕叹息的心理需求；可惜的是，小说毕竟是小说，情节实在经不起推敲，并不符合历史事实。

事实上，小说中位于安奇亚诺的酒馆并不存在，而根据现存的历史资料，也无法证实她生于托斯卡纳。何况，当塞尔·皮耶罗与凯瑟琳相识的时候，达·芬奇的祖父安东尼奥仍然住在芬奇，何来将儿子召回佛罗伦萨的情节呢？历史事实提醒我们，凯瑟琳的境遇远远没有小说中那么跌宕起伏。这个女孩事实上获得了塞尔·皮耶罗的爱，她自己也并没有被这个家族排斥，而是经由芬奇家族的好心安排，嫁给了家族的一个朋友。

根据达·芬奇理想博物馆编纂出版的伦佐·钱奇(Renzo Cianchi)的研究，梅列日科夫斯基的杜撰其实也并不完全是空穴来风，还是有一定的历史依据的。在1449年,塞尔·皮耶罗的确办理了一起遗嘱公证,委托人是一位名叫范尼·迪·尼古拉·迪·塞尔·范尼(Vanni di Niccolo' di Ser Vanni)的银行家,其家族从事伐木生意。范尼在遗嘱中规定,自己故后,将家中女仆凯瑟琳留给夫人,由她“随意安排她的出路”。1451年,范尼·迪·尼古拉去世后,凯瑟琳在原主人的住处就再也未出现过。据推测,在先前的主人去世后,凯瑟琳便来到了芬奇。

这也许就是小说所据的历史事实。在达·芬奇出生的那一年,据历史资料记载,佛罗伦萨所有较为殷实的人家里,共有五百多名女仆,其中并不能找到一名叫凯瑟琳的。关于她在芬奇的唯一可信的史料,是十六世纪的史料中的达·芬奇传记中的以下文字:“达·芬奇,佛罗伦萨公民,塞尔·皮耶罗的合法儿子,其母亲出身于‘好的’血脉。”“合法儿子”的说法自然是错的,达·芬奇虽然在事实上是皮耶罗的儿子,家族也承认他对父亲和叔叔的遗产的继承权,但他绝非婚生子,而“好的血脉”(di buon sangue)又作何解释呢?

后人对“好的血脉”的解释众说纷纭。有人认为,这里只不过是在暗示达·芬奇是“自由爱情”的结晶,也有人持不同意见,认为这里是在暗示达·芬奇是妓女的儿子——因为在那个时代的语境下,说一个女人出生于“好的血脉”或者“强有力的血液”,往往不是其字面意思,而是暗指其女仆身份。至于究竟何意,也许只有见仁见智了。

关于达·芬奇出生的最新研究,是由意大利的基耶迪大学(Universita' degli Studi di Chieti)的人类学教授路易吉·卡帕索(Luigi Capasso)领衔完成的。卡帕索教授称,自己找到了破解达·芬奇出身谜团的最直接证据。这项研究通过非破坏性的光谱测定法,对收集到的达·芬奇指纹进行搜集测定,研究表明,部分完整指纹是由达·芬奇的左手拇指按下的,这验证了达·芬奇是左撇子的说法,另外,皮肤的拱形、圆环和螺旋状等图案特征都表明,达·芬奇身上有中东人的基因。这表明达·芬奇的母亲凯瑟琳有可能来自中东地区。

凯瑟琳的身份之谜仍在吸引着众多学者,若没有更加直接的史料佐证,围绕着这个神秘女人出身的谜团恐怕没有被揭开的那一天了。

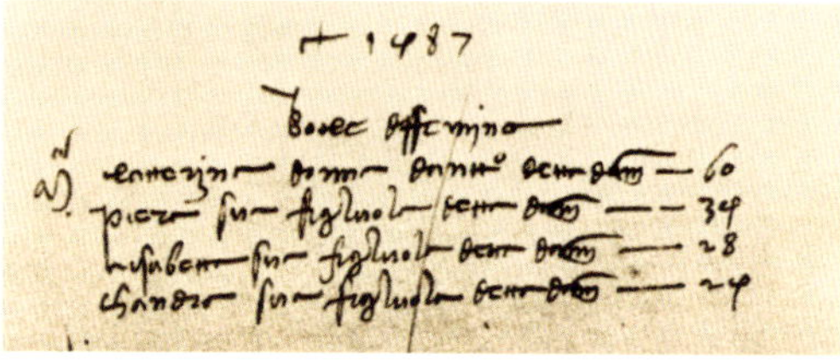

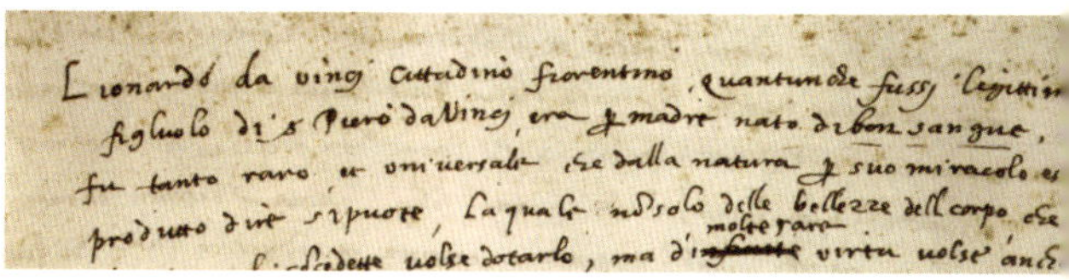

(上图)**阿卡达布里卡与凯瑟琳的户籍登记**,1487年10月10日。凯瑟琳当时已60岁,她与阿卡达布里卡所生的女儿皮耶拉也已经34岁了。
(下图)**阿诺尼莫·加迪亚诺手稿**(Anonimo Gaddiano),佛罗伦萨国立中央图书馆馆藏手稿(Cod. Magliab. XVII, 17),编号c.88r,片段,图中文字是对达·芬奇出身的介绍。

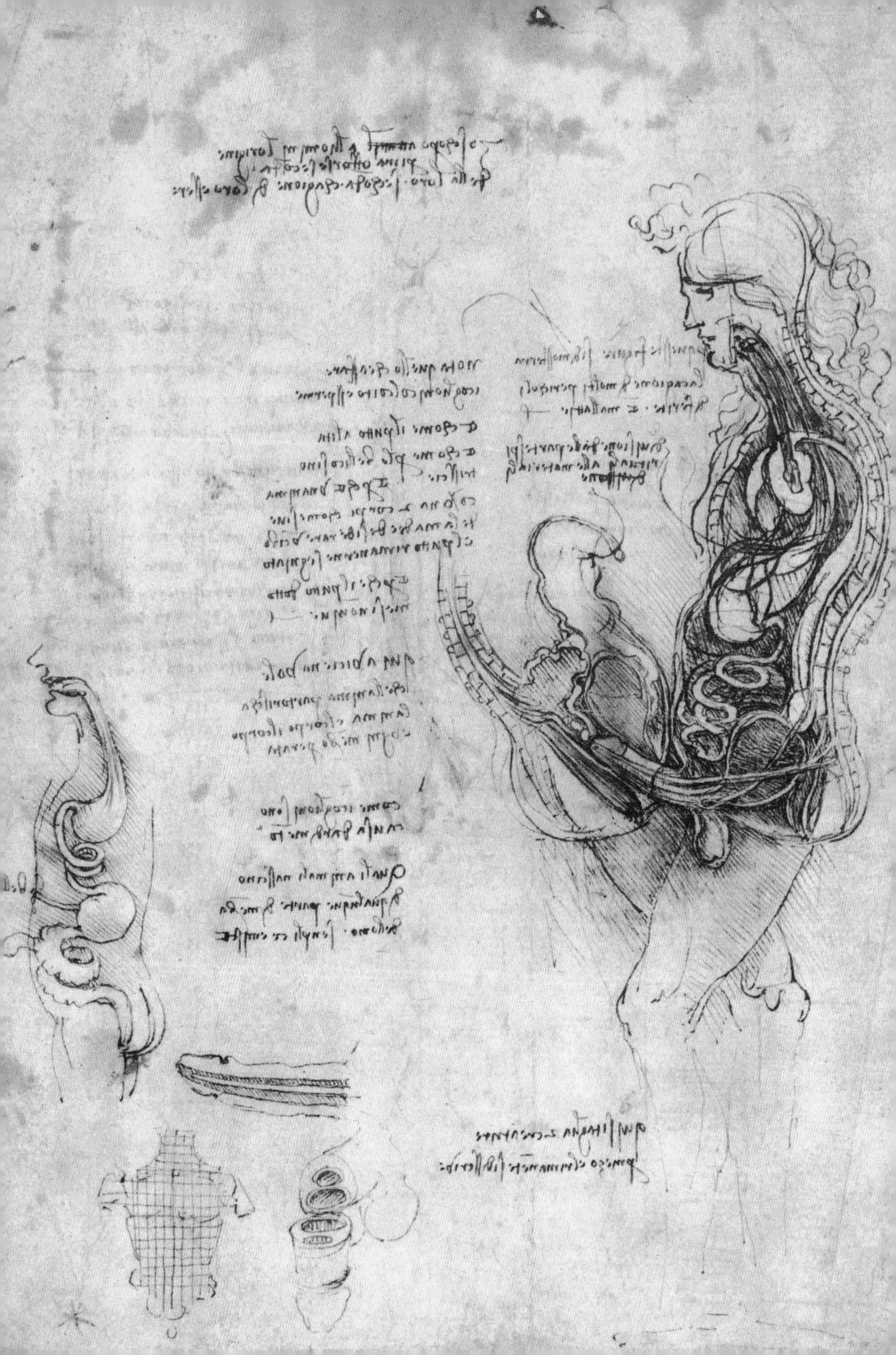

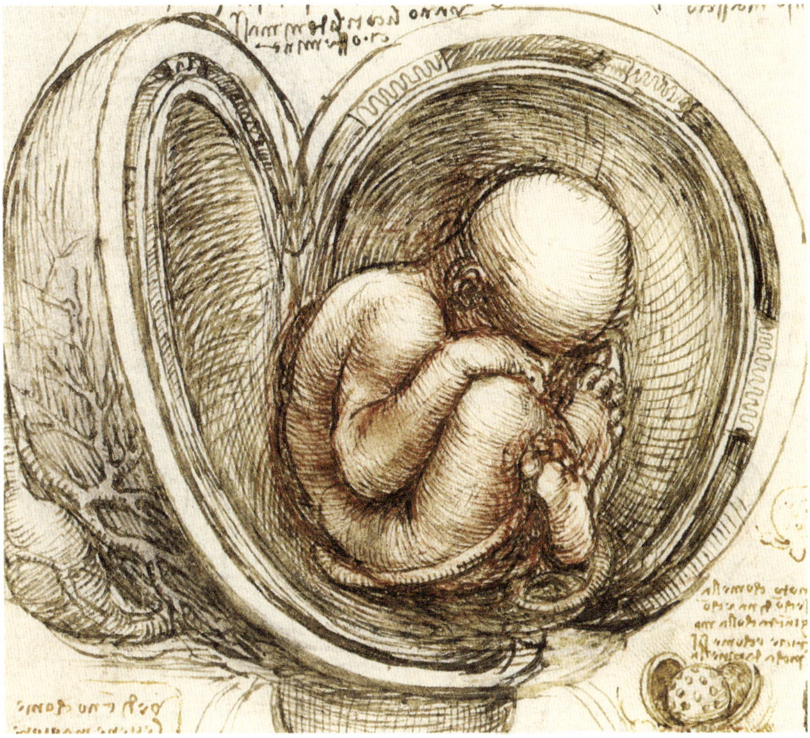

（左页）**交媾中的男女**（站姿），另附有子宫、背部以及胸部的细节。约1492年，温莎城堡皇家图书馆手稿，编号19097v。在这幅作品中，可以看到达·芬奇的附注："婴儿通过脐带获得养分，而母亲要同时给两个身体供给养分，因此可以解释女人在怀孕时吃得更多，乳房也更为丰满。"

（本页）**母体的伟大奥秘**，约1510年，黑粉笔及红粉笔、鹅毛笔蘸墨水颜色由深渐浅画在纸上。温莎城堡皇家图书馆手稿，编号19102r，局部。

凯瑟琳的丈夫、达·芬奇的继父——“挑事者”

目前的史料对达·芬奇的继父,那个绰号“挑事者”(Accattabriga)的男子所知不多。从他的绰号我们有理由猜测,这也许是一个脾气多少有些暴躁的粗野汉子。

1457年,达·芬奇的爷爷安东尼奥曾这么记述道:“达·芬奇,塞尔·皮耶罗的孩子,今年五岁,他的生母是凯瑟琳,这个女人现在是阿卡达布里卡的妻子。”这个绰号为“阿卡达布里卡”的男子,本名叫安东尼奥·迪·皮耶罗·迪·安德雷亚·迪·乔万尼·布迪·德尔·瓦卡(Antonio di Piero di Andrea di Giovanni Buti del Vaccha)。他的家族祖祖辈辈都在坎波泽皮(Campo Zeppi)这片土地上耕作,这片土地属于圣班达雷奥(San Pantaleo)教区。布迪一家拥有自己的土地,地位比一般农户略高,只是收入也仅够维持生计。在1457年的地籍册中,达·芬奇的名字又作为税收返还人口,出现在生父的家庭名册中,这从侧面暗示我们,凯瑟琳带着身孕与布迪结婚,生下达·芬奇后,便在坎波泽比将达·芬奇抚养长大,这自然也使得年幼的天才童年的经验变得十分复杂和微妙。

“挑事者”布迪与凯瑟琳的结合,被认为是达·芬奇家族出于功利性的善意安排。孩子母亲的身份无疑使得这个家庭在社会上有些难堪,而对于布迪来说,接受这名女子作自己的妻子,也许有着经济上的考量,或者是出于与上层社会通过这种撮合的婚姻建立某种联系的愿望。迎娶凯瑟琳的时候,布迪大约24岁,还比妻子小几岁。他是一名火炉工,据当地一家名为殉道者塞尔·皮耶罗修道院的档案记载,他自1449年到1453年向修道院租借了一处石灰窑,1469年达·芬奇的父亲塞尔·皮耶罗再次代表续签了租借合同。而当地的地籍册中显示,1472年,作为证人,布迪见证了达·芬奇的父亲皮耶罗与叔父弗朗切斯科之间的土地合同的签署,而几年以后,他又在佛罗伦萨见证了一场由皮耶罗主持的遗嘱公证。1480年8月,弗朗切斯科也为其做了一次见证人。当时他正有一小块与圣班达雷奥教堂毗邻的土地要出售,购买方正是里多尔非家族,这个家族在随后几年内还将布迪家族的许多土地吞并。1487年,从地籍册中我们得知,

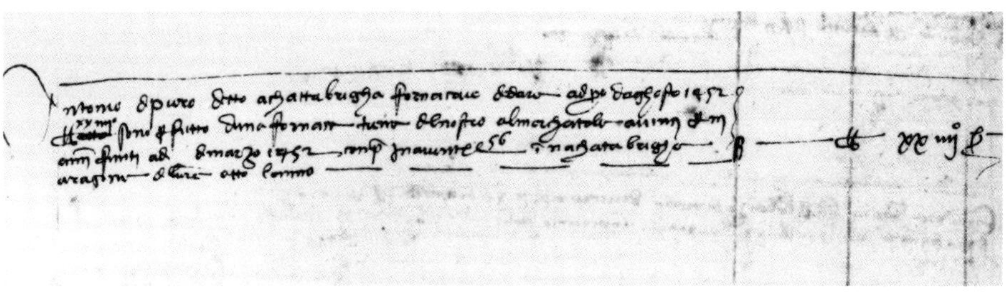

火炉工阿卡达布里卡的字样,1452年,殉道者塞尔·皮耶罗修道院档案,编号Ms. 75。

当时凯瑟琳仍然与布迪和他们的四个孩子生活在一起。地籍册中记载凯瑟琳当时的年纪是60岁——这是唯一一篇涉及这个神秘女子出生日期的文献。

这些历史片段都在提示我们，在接受了一场尴尬的婚姻之后，达·芬奇的继父与自己的生父一家仍然保持了至少不坏的关系。地籍册表明，1490年前后，阿卡达布里卡去世，大约在他去世后不久的1493年，60多岁的凯瑟琳就被达·芬奇接到了米兰居住。

梅列日科夫斯基在那本著名的小说中还提到了小达·芬奇成长的一个细节："由于凯瑟琳没有母乳，达·芬奇从小是喝阿尔巴诺山当地的山羊奶长大的。"这种捕风捉影的说法其实并没有历史依据。虽然在十五世纪的欧洲，母亲生下婴孩之后，让乳母带孩子却也的确是较为常见的做法，不过，如果凯瑟琳的出身的确低微，且又完全有能力哺乳的话，我们看不出要将孩子交给乳母喂养的必要。当时的欧洲人普遍相信，通过母乳喂养，母亲的母性形象将在孩子的童年回忆中得到巩固。因此那时的医生也建议，父母除非不得已，应该尽量找一个与孩子的生母长相相似的奶妈来哺育孩子。总之，关于达·芬奇是喝羊奶长大的说法，至少是没有根据的凭空想象了。

要破解这一个疑问，最终还是达·芬奇亲自给后人提供了线索。在他的一份解剖学笔记中(温莎城堡皇家图书馆手稿，编号19097v)，他认为，母乳是由母亲的经血变成的，并经由子宫上部的血管流向胸部。而在温莎城堡皇家图书馆手稿第19037v号中，他更是言简意赅地表示，"此处显示出子宫以及月经的血管如何输血给胸部"。我们不妨大胆推知，这些细致的观察和推断，正是来源于他童年的母乳哺育的体验。

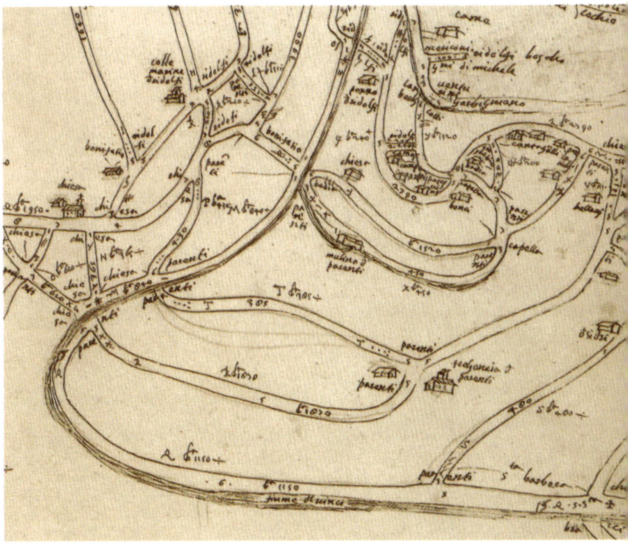

（左图）**牛与驴**，习作，约1478年，温莎城堡皇家图书馆手稿，编号12362，局部。
（右图）**坎伯泽皮**（Campo　Zeppi），阿卡达布里卡家族世居于此，圣班达雷奥（San Pantaleo）教堂，约1583年。

叔叔弗朗切斯科

达·芬奇出生的时候，他的叔叔弗朗切斯科还很年轻，只有15岁。瓦萨里(Vasari)在他的《从契马布埃到意大利当代杰出建筑师、画家、雕刻家的生平》(*Le vite de' più eccellenti pittori, scultori, e architettori*，以下略为《名人传》)几次将达·芬奇的父亲与叔叔弄混，这也许正说明了，弗朗切斯科与达·芬奇的关系要比皮耶罗与自己儿子的关系亲密许多。他从父亲身上继承了家族与乡村亲近的气质，从小似乎并没有展示出许多事业上的抱负心。在1458年的地籍册中记载，这个年轻人“在乡下什么也不做”，1462年，他见证了哥哥皮耶罗的一次公证活动，在1464年，他成为了一名蚕丝商人。

1504年，在弗朗切斯科的遗嘱中，他将自己其他的侄子全都排除在外，唯独将自己的所有财产指定留给达·芬奇。我们猜测，达·芬奇的生父皮耶罗恐怕是一个对孩子并不十分关心的父亲，而这种缺失的父爱恰恰由自己年幼的弟弟来代替他赋予达·芬奇。这种猜测在皮耶罗的遗嘱中得到了验证——在这份遗嘱中，达·芬奇并没有从生父那里继承到任何东西，尽管皮耶罗后来共结了四次婚，育有多名婚生子女，但是什么也不留给达·芬奇，恐怕是意味深长的——与此形成鲜明对比的是，弗朗切斯科故后，皮耶罗的婚生子反而还因为叔父的遗产发生过激烈的争执。

这就是达·芬奇成长的家族。这个家族成员复杂，每个人的秉性脾气各异，甚至是古怪与不合时宜的，这样一个小镇上的家族，恰恰是文艺复兴时期社会的入世与出世之间两极化气质的一个缩影——它是城市的，却来自乡村，它是激进的，却同时充满田园风情。这两大特性各有其相对优点，当时很多人，至少是从罗马诗人霍勒斯开始的作家和画家都对此做过论说。在达·芬奇的生活和作品中我们也不难见到这两种特性。他的大半生都在城市中度过，部分原因是出于工作的便利，不过决不是其全部原因。但是他对乡村的挚爱，对乡村生活方式和生活氛围的热爱始终贯穿于他的绘画和写作之中。

达·芬奇家族的基因某种程度上可在基因图上标示出来。我们了解了达·芬奇家族命运的整体轮廓，弄清了他出生的这个家族在社会、文化、经济、物质甚至是心理等方面的背景。当然这只是他家族基因故事中的一半而已。另一半也就是他的母亲以及他母亲的先人，我们却知之甚少。在达·芬奇性格形成的时期，母亲一直都处在一个暗区，正像达·芬奇画中的那样，但是我们却被

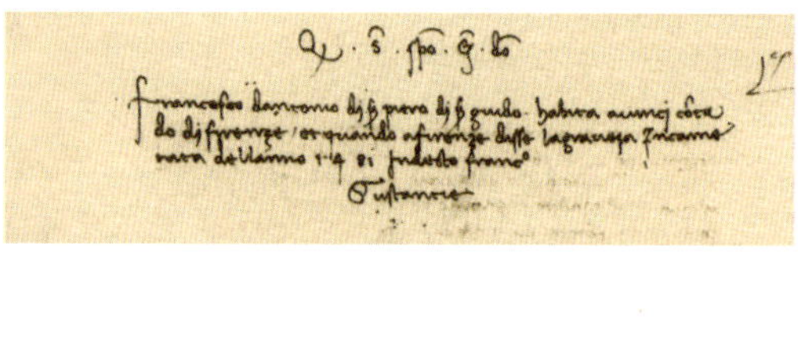

弗朗切斯科·达·芬奇的户籍资料，1495年3月28日。

达·芬奇的家谱，达·芬奇理想博物馆，2008年。

这个发光的深邃暗区深深吸引，好像它有什么秘密要向我们展示一样。

芬奇这个姓自然是源于地名，从十三世纪起，这个姓一直在芬奇镇存在到1800年左右。流经芬奇镇的河叫芬奇河。Vinci(芬奇)这个词来源于拉丁语，原指一种柳树的名字。

年幼的达·芬奇在托斯卡纳的乡间成长，这里得天独厚的自然风光和人文气息使他能够亲近自然，并熟悉自己这个世纪和前代的一些艺术作品。乡间生活对他后来的创作有着深远的影响，在他的手稿中，有很多关于劳动工具的改良或者设计的想法。在他的解剖学笔记中，我们甚至可以看到这样的文字："在托斯卡纳杀猪的时候，用刀尖刺向猪的心脏，血喷涌而出。"

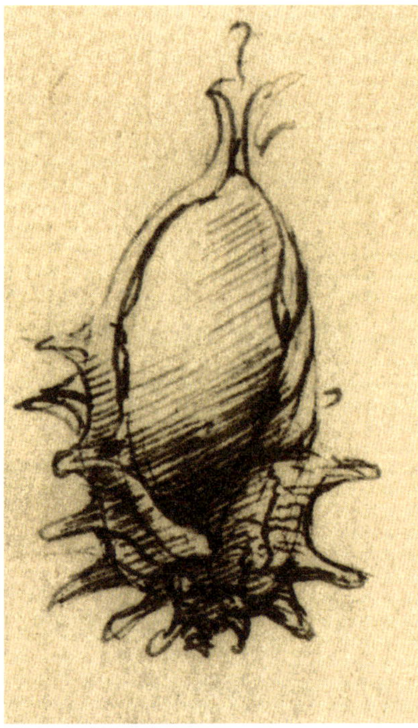

（左下图）**柳条编织的小船**，约1487年，Ms.B手稿，编号f. 62v，局部。
（右下图）**贝壳**，草图，约1498年，阿伦代尔手稿（Arundel codice），编号f. 33v。

（上页左上图以及本页下图）**达·芬奇的迷宫**，本页下图是达·芬奇花园对迷宫的重现，芬奇，达·芬奇理想博物馆。

（左上图）**螃蟹**，草图，约1480年，科隆，瓦尔拉特博物馆（Wallraf-Richarz），局部。
（右上图）**螃蟹化石**，芬奇，达·芬奇理想博物馆。

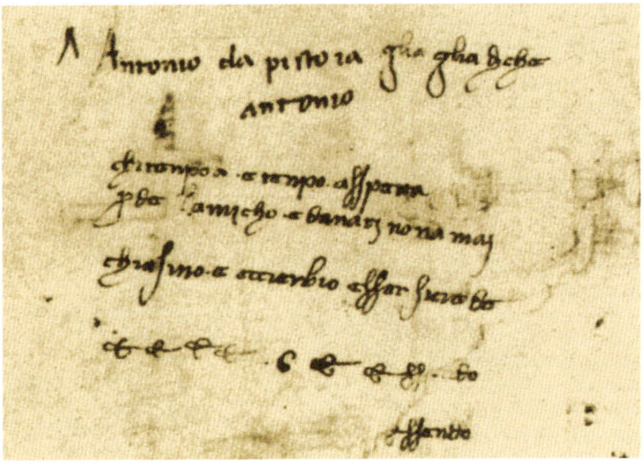

（左上图）Antonio da Pistoia字样，约1478年，大西洋古抄本手稿，f.18r，局部。
（右上图）竞技，约1516年，大西洋古抄本手稿，编号f.239v，局部。

（下图）佛罗伦萨行政官宫（旧宫），朱塞佩·佐齐（Giuseppe Zocchi）作品，版画，1744年。

象征白雪圣母玛利亚修道院的**谦卑圣母的象征几何图形**，该修道院现为皮斯托亚的谦卑圣母教堂，1396年，Ms. F手稿，f. 25v。

（上图）佚名画家，**萨沃纳罗拉在领主广场受火刑，**1498年，佛罗伦萨，圣马可博物馆。在画面的深处靠近兰奇长廊的地方，就是达·芬奇一家当时在佛罗伦萨的住处。

教规的重申（La Conferma della Regola），多美尼克·吉兰达约作品，约1482—1485年，佛罗伦萨，圣三位一体教堂。其中可见达·芬奇一家在僭主广场的房子的局部。

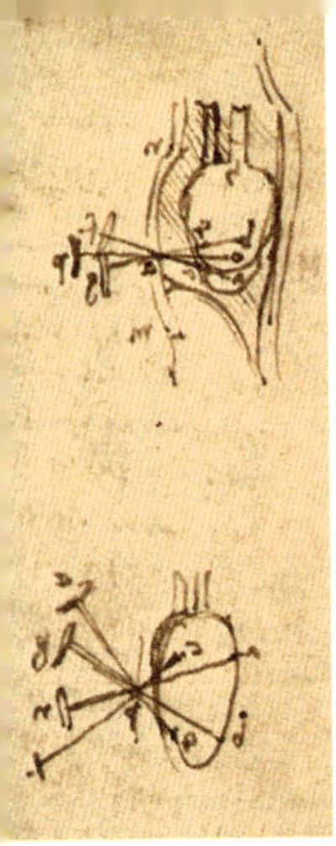

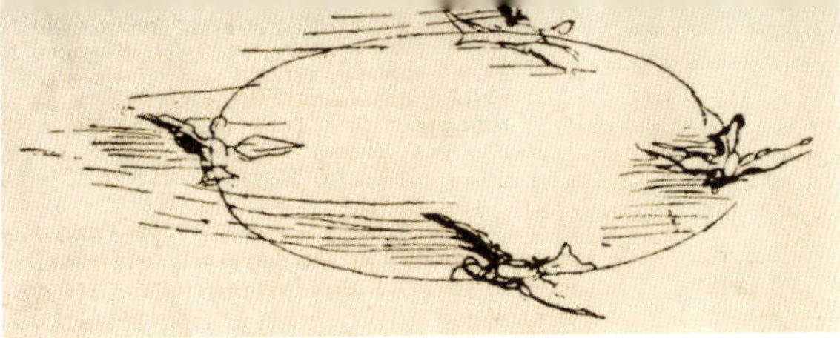

童年回忆

达·芬奇最早的记忆来自摇篮里。在大西洋古抄本手稿中，有许多是专门研究鸟类飞行的，其中有这么一段耐人寻味的文字："写到这种鸢，仿佛是我命中注定一般。当时我还在襁褓中，我记得好像有一只鸢向我飞来，用它的尾巴打开了我的嘴，有好几次甚至还在我的嘴里拍击。"

根据钱奇(Cianchi)的分析，如果这一幕，或类似的事情真的在达·芬奇的幼年发生过，那也应该是在他三岁之前。弗洛伊德根据达·芬奇对鸢的童年回忆，进行潜意识的心理研究，并于1910年写下了著名的《达·芬奇的童年回忆》一书。他认为，鸢的尾巴打开了幼儿的嘴，实际上是母亲哺乳的一个暗喻，暗示达·芬奇对母亲的依恋，但这种推测并不一定准确，考虑到弗洛伊德的依据是翻译有误的德语译本，该版本将"鸢"错译成了"秃鹫"。不过，这种分析仍然是有力的，弗洛伊德更进一步指出，达·芬奇通过这个奇特的回忆似乎是在暗示后人，在他"生命中最初的关键几年，父亲塞尔·皮耶罗对他们疏于照料，他是与生母凯瑟琳一起度过的"，而在卢浮宫馆藏的《圣母子、圣安娜与羔羊》中，同样有一只鸟隐藏在圣母的衣服中，它的翅膀沿着衣服的褶皱若隐若现，而鸟的尾巴也正好伸向耶稣的嘴里，这里，达·芬奇的"童年回忆"显然又一次出现了。

在童年回忆中，达·芬奇自己也不是十分肯定，他毕竟是说"好像有一只鸢"，这是一种犹豫不决的语气。如果这是一个梦，为何文字却如此细致真实？而如若是一个幻觉，那么，这个幻觉是来自他的童年，还是在他进行描述时的中年？人们长久以来围绕着这段神秘的文字争论不休，有人认为这是对真实发生的事件的忠实回忆，也有人认为这不过是人到中年后对幼年幻想的一个描述。从现藏于世的手稿中，我们发现，在1505年前后，也就是他写下那些文字的年代，他对于人类飞行重新产生了极大的兴趣，在手稿中他声称"这只巨大的鸟将从大切切诺山开始他的首次飞行。世界将因此震惊，而它的美名也将长存于世，它的诞生之地也将因它而无上荣耀"。这段文字暗示，达·芬奇当时正在佛罗伦萨附近的斐耶索拉(Fiesola)

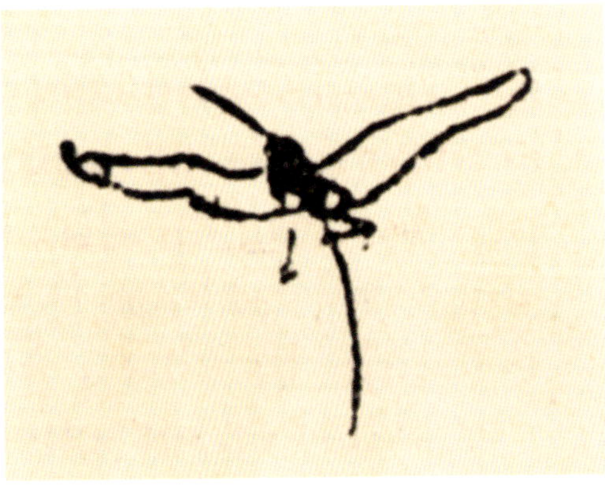

（左上图）**帽子**，素描细节，约1492年，福斯特手稿III, 编号f. 9r，局部。
（右上图）**鸢的飞行**，约1506—1508年，大西洋古抄本手稿，编号f.571a-v，局部。
（左下图）**鸢的飞行**，约1513—1514年，国家档案馆手稿，Ms. E, f. 38v，局部。

进行飞行的实验。就在一次次飞行试验之余，达·芬奇的脑海中也许再次浮现了这只“鸢”的意象，似乎就是在这个意象中，那只幼年时高空俯冲而下的鸢，以一种怪异的动作“命中注定”般地呼应了半个世纪以后从山顶飞向大地的“巨大的鸟”。

弗洛伊德指出“这一意象所揭示的正是关于哺乳的回忆。这是人类最美丽的场景之一，而达·芬奇作为一个画家，将以画笔来加以描绘这种无法磨灭的美好回忆”。(这里，弗洛伊德指的正是达·芬奇的《哺乳圣母》。)不过，以鸢(秃鹫)的尾巴来指代母亲的乳头未免有些怪异，从婴儿的角度出发，鸢(秃鹫)的尾巴应该是恐惧的，具有攻击性的，从这个角度出发，似乎可以揭示出达·芬奇幼年回忆中母亲这一角色的双重性。1454年，凯瑟琳与阿卡达布里卡的第一个女儿出生，那时候的达·芬奇仅仅两岁，他也许敏感地察觉到了自己在这个家庭的地位遭到了新生儿的威胁，她将与自己分享母亲的关爱，甚至在照顾自己的同母异父的妹妹的时候，母亲曾经拒绝过自己，那只梦中的鸢以它的尾巴拍击幼儿的嘴巴，也许正是一种不安情绪的表达，再或者，鸢的尾巴也许象征着男性生殖器，代表来自男性的压力与威胁。

弗洛伊德认为，达·芬奇通过这个幻象“似乎告诉”我们，他“生命中最初的关键几年不是在他的父亲和继母身边度过，而是与他贫穷的遭遗弃的生母一起”。在婴儿这段关键时期，“某些印象得以固定，对外部世界的反映方式也得以确立”，而与生父皮耶罗之间的隔阂感也在这一时期得到了加强。生父的形象是远离母子关系的，他同时还是瓦解这种关系的一个潜在因素。摇篮、高空俯冲下的猛禽、鸢的尾巴，这些都指向了母亲的温暖怀抱、争夺母爱的不安全感以及来自父亲的不认同感与压迫感。值得一提的是，皮耶罗正是在写下这个意象的那些年里去世的(1504年)，这就更加强了弗洛伊德的说法。

（上图）玛索利诺（Masolino），**耶稣治愈瘸子**，约1424—1425年，衣饰的局部。佛罗伦萨，卡尔米内圣母教堂，布兰卡奇礼拜堂。

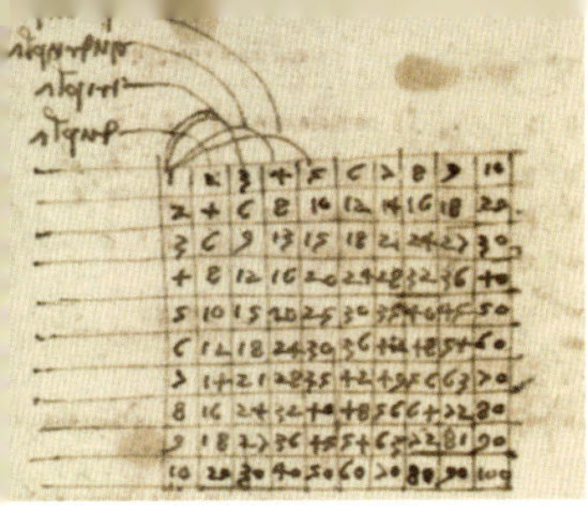

瓦萨里在记述达·芬奇的一生时，提到了他的早期教育，“这个极具天分的孩子在学习文化知识上有些朝三暮四，他什么都想学，却又有些半途而废。尤其是算学，在学习的最初，他的成绩突飞猛进，不断地向老师提问，就连老师都有点招架不住”。达·芬奇的学校教育是在当时的算术学校完成的，当时的孩子一般是在10到14岁之间被送到算术学校，上大约二十个月的课。而作为一个私生子，达·芬奇的学校教育结束得有些早，他必须早点开始工作。

那么，达·芬奇是什么时候开始艺术实践的？与传统相反的是，他是在17岁前开始的：那个时候的画家进入画坊学习的时候往往都非常年轻，甚至年幼。巴尔托罗密欧·德拉·加达在只有5岁的时候，就已经成为佛罗伦萨金银匠人联合会的一员了，随后更是很小的时候就加入了维罗奇奥的画坊。菲力皮诺·里皮9岁的时候就已经开始与父亲合作，在斯伯雷托（Spoleto）的主教堂内进行创作，10岁的时候就已经开始赚钱了。

据推测，达·芬奇最早的艺术

（左上图）**毕达哥拉斯的九九乘法表**（图中数字13应为12），约1499年，阿伦代尔手稿，编号f. 153r. 局部。
（下图）**陶器残片**，上有幼野兔装饰图案，15世纪，芬奇，达·芬奇理想博物馆。

创作应该是在位于巴凯雷托的家里的石灰窑中进行的。先前已经提到过，他的祖母露琪亚正是来自巴凯雷托，巴凯雷托在十四、十五世纪的意大利，已经是主要的瓷器艺术品的生产重镇，这里的许多工坊出产的瓷器直接进入了洛伦佐·德·美第奇在佛罗伦萨的豪宅中。而露琪亚更是出身于一个生产陶器的世家，另外，达·芬奇的继父阿卡达布里卡亦是一名火炉工。这些都为达·芬奇从幼年起便接受造型艺术提供了便利。达·芬奇投身艺术创作，应该正是从制作陶器开始的，在12岁的时候，他便进入了班迪内里（Bandinelli）在佛罗伦萨的工坊学习。

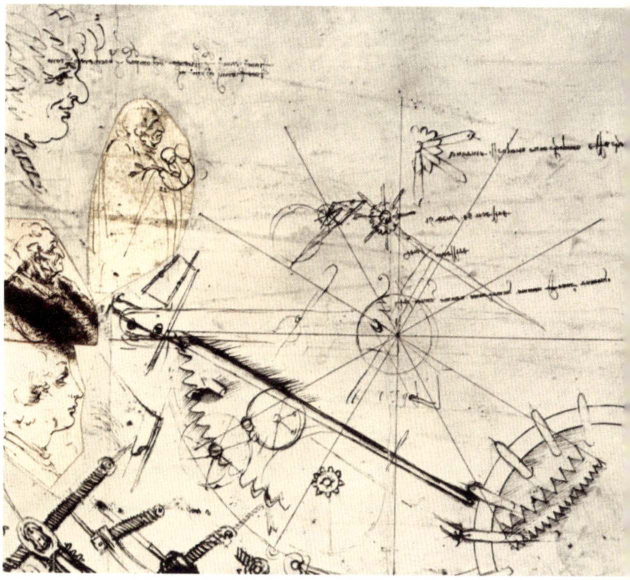

（右上图）**芬奇结**，约1498年，根据达·芬奇的作品所作的木刻。
（右下图）**达·芬奇笔记中对机械装置的研究**，其中的文字“弗朗切斯科·迪·安东尼奥和巴凯雷托的伙伴们”，暗示其曾在巴凯雷托的石灰窑的早年经历。
（左下图）**芬奇结**。

在《名人传》中，瓦萨里还曾提到了达·芬奇的书写特点，"他在这些解剖学习作的边上详加说明，那些文字都是用左手写就的，字体很难辨认。如果不借助镜子，这些文字就如天书一般无法读懂"。画家朱塞佩·盖齐曾经收藏过莱切斯特手稿，他同样注意到了这种奇怪的书写方式，并认为"达·芬奇应该是一个左撇子，他书写的方式和犹太人一样"；还有人认为这种书写方式来自"东方"，吉罗拉莫·卡尔维(Girolamo Calvi)声称，达·芬奇的写作方式"是伊特鲁里亚人曾经流行的方式，而伊特鲁里亚人正是他血缘上的先祖"。

从达·芬奇的早期手稿的书写方式来看，对他来说，最自然的书写方式已经成形，他习惯用左手写字，落笔的时候从右往左写。特别是莱切斯特手稿的写作方式，不仅每一页上的文字是从右向左写成，整本手稿的装订顺序也是颠倒的，我们平常习惯的第一页，实际是手稿的最后一页。一般认为，左撇子是右脑比较发达，而右脑是主管语言、视觉与表达能力的。这种说法事实上在当时的许多画家身上都能得到印证，丢勒、拉斐尔、米开朗基罗、皮翁伯，他们毫无例外地习惯使用左手。

有的时候，达·芬奇也会使用右手，甚至书写的顺序与大多数人一致，尤其是在一些需要展示给外人看的文字中，他特别注意字迹的辨认度，比如在一些地形图、消费清单以及关于父亲逝世的回忆等。1483年《岩间圣母》的合同上，他的签名就是右手写的。

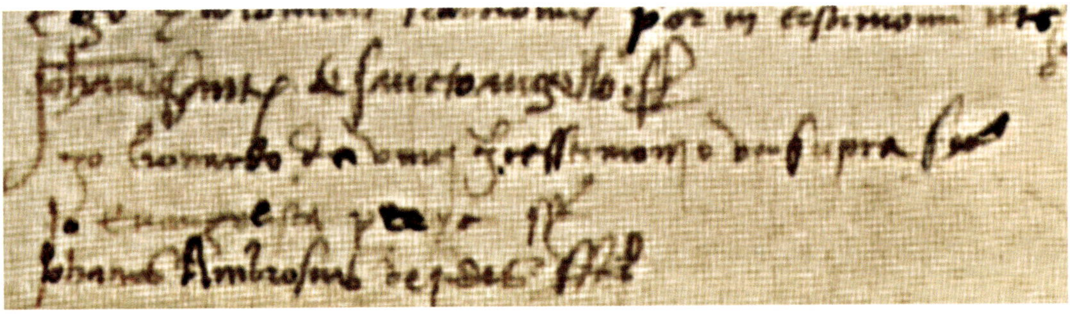

达·芬奇在《岩间圣母》的合同上的签名，日期是1483年4月25日。

（左上图）**达·芬奇手迹**，约1494年，局部。根据达·芬奇留下的众多笔迹判断，他应该是个左撇子。
（右上图）**达·芬奇手迹**，镜像字，Ilopanna/Annapoli（意为在那不勒斯），约1499—1500年，局部。
（下图）**1478年11月备忘录上的字迹**，局部，乌菲齐美术馆绘画与印刷品收藏室 。

《美杜莎》和早期佚作

达·芬奇在《论绘画》谈到创作虚拟生物的绘画经验，“人如果想要画一个完全由自己虚构的动物，比如一条蛇形的生物，那就让它有獒犬的头，猎兔狗的鼻子，狮子的睫毛，猫的眼睛，豪猪的耳朵”。瓦萨里在他的书中记录了一个生动的故事，这正是达·芬奇年轻时极为重要的一幅作品的创作缘起，这幅作品也许就是今天已经散佚的油画——《美杜莎》。

芬奇当地的一个农民一日里砍倒了一棵无花果树，并用它制成了一个圆盾，他持这面圆盾去找塞尔·皮耶罗，请他将这面圆盾带到佛罗伦萨，找个有名的工匠配上图案。皮耶罗应允后，就将圆盾带给了达·芬奇，让他在上面作画。

达·芬奇首先将圆盾烤成平面，并让车工将盾面收拾得光滑平整，随后在盾面上涂了一层石膏粉。正如他在《论绘画》中提到的那样，为了获得一种骇人的效果，他把蜥蜴、壁虎、蟋蟀、蝴蝶、蝗虫、蝙蝠和其他各种奇形怪状的动物收集在一起，将这些动物的不同部位拼接在一起，组成了一个面目狰狞的怪物。这个奇形怪状的怪物在盾面上仿佛是从石头缝里蹦出来一般，眼里喷射出愤怒的火焰，嘴里飞溅出毒液。

大功告成之后，塞尔·皮耶罗来到达·芬奇的住处取盾面。他进屋后一眼望去，在窗帘后面若隐若现的怪物吓了他一跳，惊魂甫定之后，他对儿子的构思连连称叹。

瓦萨里的这则故事真实性已经无从考证，他在讲述这则故事的时候，还一并讲述了《基督受洗》《亚当与夏娃》(已散佚)和《康乃馨圣母》，可以推断，这幅《美杜莎》一样的怪物应该就是在佛罗伦萨学徒时期创作的。在《论绘画》中达·芬奇还表示，“如果画家想画好地狱中的怪兽或魔鬼的话，一定要将其想象力发挥到极致”。

在达·芬奇的手稿中，他似乎有意向后人进一步揭示了自己在绘画上的师承：首

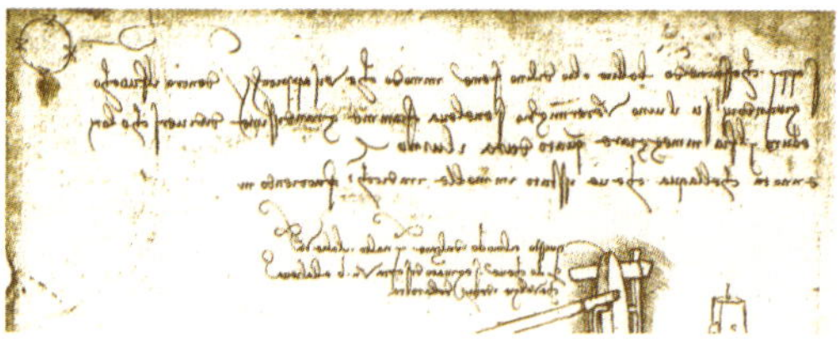

（左图）鲁本斯（Peter Paul Rubens）（1557—1640年），**美杜莎**，1618年，维也纳艺术史博物馆（Kunsthistorisches Museum）。
（下图）**大西洋古抄本**，如何通过不同的布料获得“不同颜色的伟大火焰”，约1478年，局部。
（右页）16世纪弗兰芒画派佚名画家所作的**美杜莎**，先前被认为是达·芬奇的作品，现藏于佛罗伦萨乌菲齐美术馆，局部。

先是乔托(约1267—1337年),他“并不满足于对自己的老师契马布艾的模仿,而是开始在岩石上画山羊,揣摩动物生动的造型与动作”;其次是马萨乔(1401—1428年),他彻底摆脱了晚期哥特式绘画的优雅风格和追求装饰的品位,将塑造真实形象和真实空间置于创作的首位,利用透视描绘建筑,利用明暗对比刻画躯体,自他开始,绘画借助科学的方法,在二维平面上创造出三维空间的现实世界的假象。达·芬奇表示,“在艺术衰落的年代,马萨乔没有像其他人那样模仿已经成就的作品,而是通过完美的作品,达到了前人没有达到的高度”(大西洋古抄本手稿)。从对前人的评价中,可以看出达·芬奇在艺术创作中的一种深刻的矛盾。1490年前后,他曾这么问自己:“到底哪一种才是更好的?是塑造新的,还是模仿古代作品?”在观摩过帕维亚的宏伟雕像雷吉梭利(Regisole)后,他自己给出了答案:“对古代作品的模仿,比起新事物的模仿要更加值得赞颂。”而在1510年,他在手稿中这么写道,“当风将衣服吹起的时候,希腊人和罗马人发现了人体四肢的美,这是应当效仿的”。

(上图以及左页)安东尼奥·德尔·波拉伊奥罗(Antonio del Pollaiolo)作品,**裸体男子的战斗**,约1470年,版画,全图与局部。

此外,十五世纪的许多其他伟大人物,从保罗·乌切罗(Paolo Uccello)到莱奥内·巴蒂斯塔·阿尔贝蒂(Leon Battista Alberti),都在绘画和其他方面影响着达·芬奇的创作。阿尔贝蒂是当时著名的人文主义学者,他与布鲁内莱斯基一样,强调数学对美学的作用,并认为绘画不仅仅是一种纯粹的技艺,更是智慧的集中体现。从安东尼奥·德尔·波拉伊奥罗(Antonio del Pollaiolo)身上,他学习了人体解剖方面的知识,对于天空的景观、空间中人物运动的动感表达等,也都有了更为深刻的体会。

此外,保罗·达尔·波佐·托斯卡内利(Paolo dal Pozzo Toscanelli, 1397—1482年)的名字也在大西洋古抄本手稿、阿伦代尔手稿中被多次提起,他是一名天文学家、数学家,瓦萨里称布鲁内莱斯基也曾向他学习几何学,正是这个托斯卡内利,激发了达·芬奇在科学上的兴趣。前人的高度,虚心求学的姿态,再加上卓越的天分,这一切都注定了达·芬奇将来在艺术上的高度,将注定超越他所学习过的每一个前辈。

1469—1481：在维罗奇奥的画室

（上图）波提切利，**圣奥古斯丁与科学仪器、书籍**，约1478年，湿壁画，佛罗伦萨万圣教堂，局部。
（下图）1457年的户籍册中**维罗奇奥的个人资料**，佛罗伦萨国家档案馆，局部。
（页脚）**达·芬奇在佛罗伦萨画家公会中的注册信息**，1469—1472年间，局部。

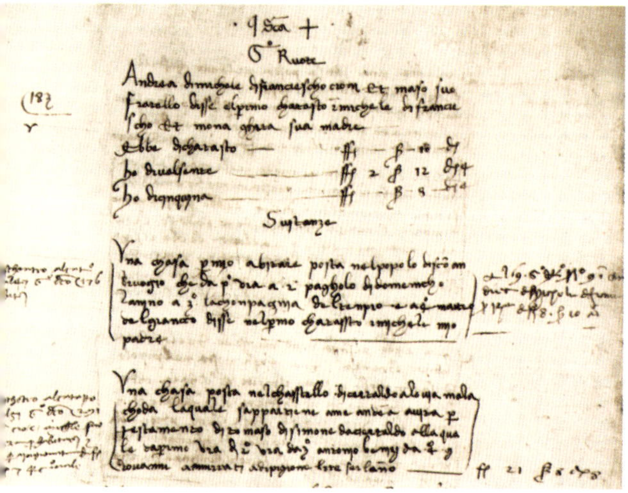

在达·芬奇14岁前后，祖父安东尼奥和继母先后去世。皮耶罗再娶之后，将儿子接到了佛罗伦萨。1466年，皮耶罗将他送到了安德雷亚·德尔·维罗奇奥的画室，正式开始了他的学徒生涯。瓦萨里在《名人传》中提到："尽管达·芬奇兴趣总是在变化，他却从来没有停止过画画和雕塑。塞尔·皮耶罗注意到了这一情况，看出了自己儿子的聪明才智，便将达·芬奇的画作给朋友安德雷亚·德尔·维罗奇奥看，请他评价一番，看看达·芬奇是否真的适合走绘画这条路。安德雷亚看到达·芬奇的作品后，连连称奇。在他的鼓励下，皮耶罗便将儿子送到了维罗奇奥的画坊，让他潜心学习。这也是达·芬奇一心向往的，他不仅学习绘画，更学习一切与绘画相关的有益知识。"

维罗奇奥是达·芬奇的父亲皮耶罗在佛罗伦萨的朋友。根据瓦萨里的描述，他是金银匠，是雕塑家、画家和音乐家，尤其在透视学上有很深的造诣，对机械装置也有相当的研究。他将几何知识完美地运用在形象的塑造中，为佛罗伦萨所作的大卫等身青铜雕（多纳泰罗以及之后的米开朗基罗都有同名作品），表现了一个半裸的少年插腰站立的姿态，少年大卫在维罗奇奥的刻刀下更具细腻

的写实主义倾向。1468年，根据布鲁内莱斯基的遗言，要在圣母百花大教堂的顶端放置一个巨大的圆球，这一困难的重任落在了维罗奇奥的身上，他"做了一个直径八英尺的巨球，置于一个雕球饰上，安放极为稳当，之后再在其上放置了一个十字架，同样也是万无一失，可谓巧夺天工，神乎其技。今天，人们仍然可以从下面进入铜球内部"。这一工程在达·芬奇1468年的笔记中仍有说明，他在手稿上绘制了多幅布鲁内莱斯基为大教堂所设计的机器的图片，可以想见，在维罗奇奥的画室里，从绘画到雕塑、从透视理论到机械理论，达·芬奇都受益匪浅。

1469年到1472年间，达·芬奇成为佛罗伦萨圣路加公会的注册画家，公会的名簿上称其是"莱奥纳多·迪·塞尔·皮耶罗·达·芬奇画家"（圣路加曾经画过圣母玛利亚，被视为是画家的守护神）。"圣路加公会"创建于十四世纪中期，这个组织比较松散，在公会注册并不具备门户之别。由于"圣路加公会"留下的资料并不完整，现存的资料显示，同一年注册的画家还有韦罗奇奥、波提切利、佩鲁吉诺、多梅尼科·吉兰达约、波莱沃洛兄弟和菲利波·利比。

（上图）**托比亚与大天使长**，被认为是波提奇尼（Botticini）在维罗奇奥画室时期的作品，约1467—1470年，佛罗伦萨乌菲齐美术馆，局部被认为可能有达·芬奇的手笔。
（右图）维罗奇奥作品，**大卫**，约1467—1471年，佛罗伦萨巴杰罗国家博物馆，局部被认为有达·芬奇的手笔。

关于机械与龙的习作，约1478年，佛罗伦萨乌菲齐美术馆。

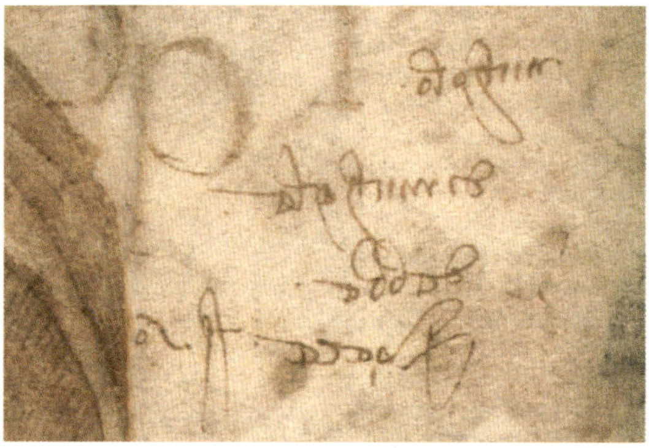

（左上图）**达·芬奇的镜像文字**，这是写给同在维罗奇奥画室学习的弗朗切斯科·迪·西蒙内（Francesco di Simone）的，约1472年，巴黎卢浮宫，RF453r。
（右上图）弗朗切斯科·迪·西蒙内，**栏杆**，约1472年，巴黎卢浮宫，RF453v。
（左下图）**栏杆局部**，习作，约1490年，大西洋古抄本，f.988a–v。

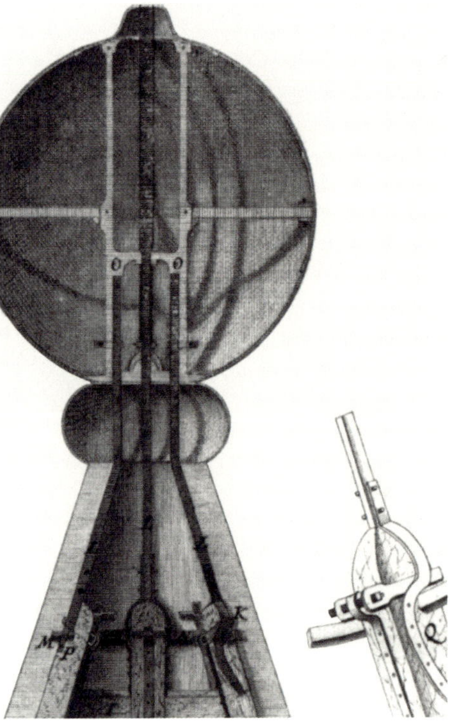

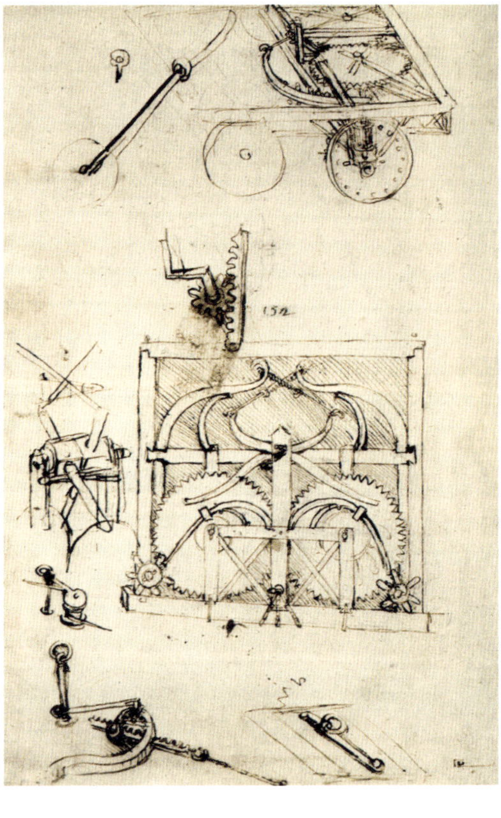

1420年，菲利普·布鲁内莱斯基被任命为圣母百花大教堂穹顶工程的总工程师，这一工程直到其1446年逝世时尚未结束。大教堂的穹顶高91米，最大的直径有45.52米，其穹顶在佛罗伦萨的任何一个角落均能看见。在穹顶的设计中，布鲁内莱斯基发挥了其天才的设计才华，解决了八角形建筑拱顶难题，在起重装置上也有突破前人的创新。他于1429年设计了一种提升机，其最高可到达距离地面100多米的空中，可提升重达2吨

（上图从左至右依次为）布鲁内莱斯基的所设计的**穹顶**，与维罗奇奥所安置的**巨大铜球**；贝尔南多·桑索尼·斯格利里（Bernando Sansoni Sgrilli）所作**大教堂顶部圆球**，雕塑，1733年。
（下图）**自动车**，约1478年，大西洋古抄本手稿，f. 812r，局部。

的重物，此外还配有3个粗细不同的轮轴，用以提升重物。当支架底部做圆周运动时，随着齿轮的咬合，水平轴开始转动，轴上的绳子由此开始提升重物，不同粗细的轮轴转动的速度也不同，较粗的轮轴负责提升较重的物体。这些充满灵感的设计在达·芬奇不同时期的手稿中都有所体现。

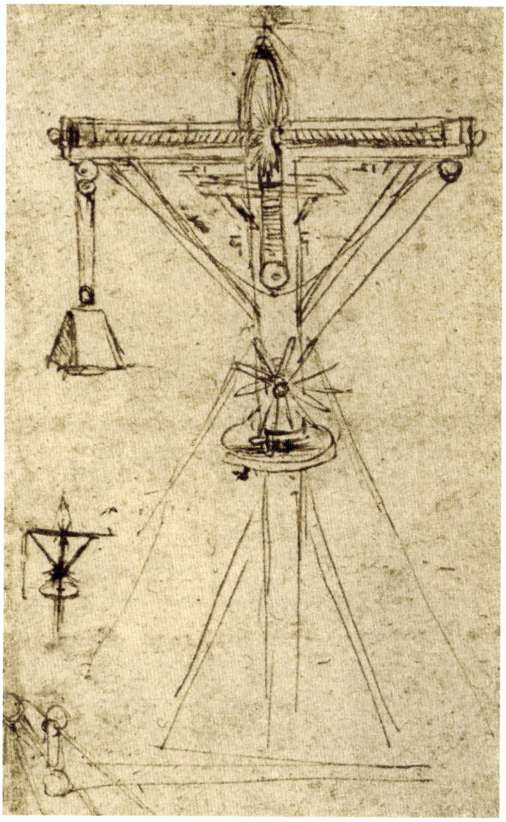

（上图）**操作简便的战车**，草图，约1478年，大西洋古抄本手稿， f. 105b-v，局部。
（左图）**布鲁内莱斯基所涉及的吊臂**，约1478年，大西洋古抄本手稿，f.105b-v，局部。
（下页）达·芬奇的学生所作草图，**布鲁内莱斯基式的读经台与移动战车**，十六世纪。

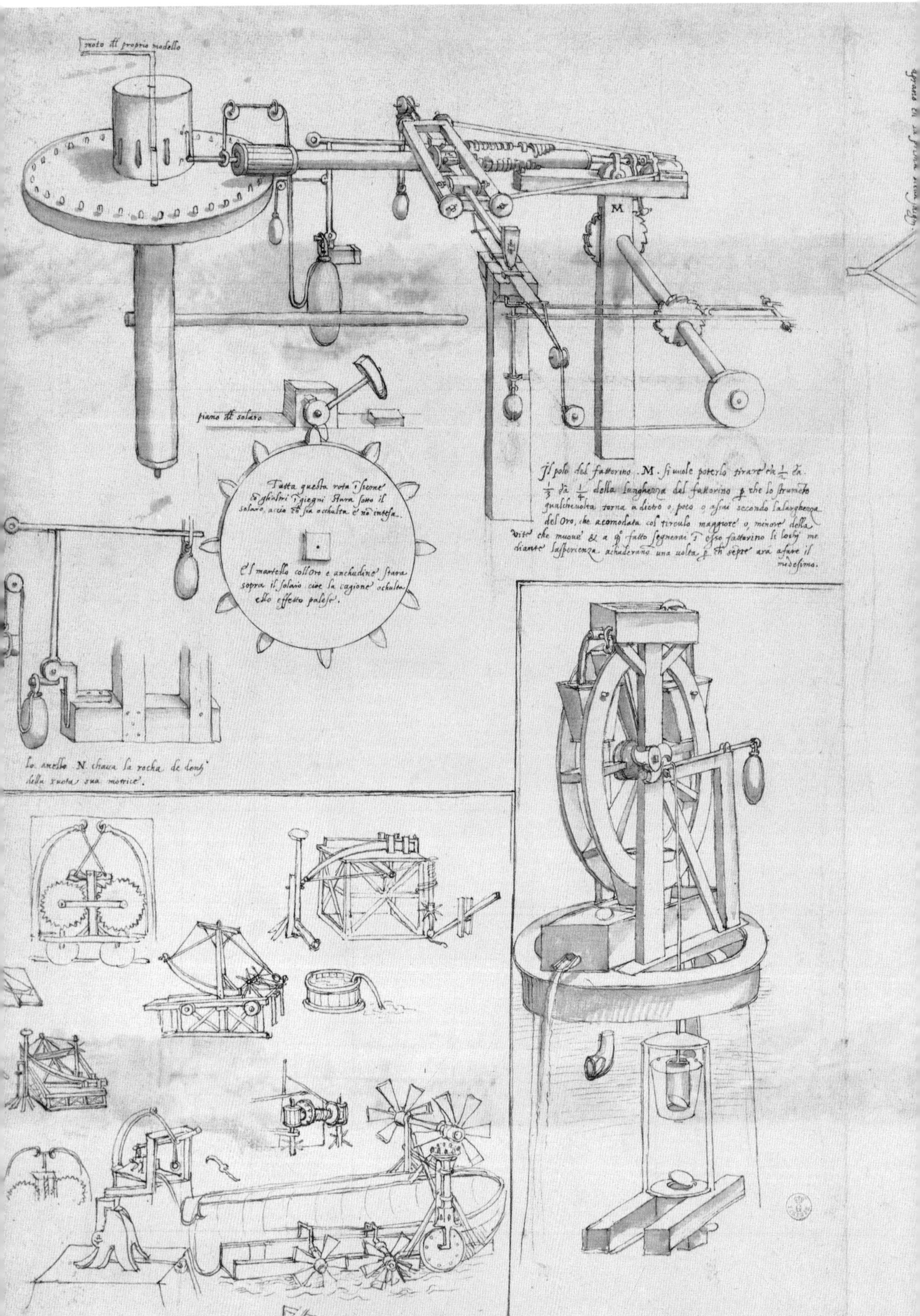

ruoto del proprio modello
piano del solaro
M
Tutta questa rota i sieme
co ghulitri i giegni stara sotto il
solaro, accio ch sia occhulta e no intesa.
El martello collOro e anchudine stara
sopra il solaro cioe la cagione ochulta
ello effetto palese.
Il polo del fattorino .M. si vuole poterlo tirare da 1/2 da
1/3 da 1/4 della lunghezza del fattorino p che lo strumeto
qualche volta torna a dietro o, poco o assai secondo la largheza
del Oro, che acomodata col tirculo maggiore o, minore della
vite che muove & a q° fatto segnerai i esso fattorino li lochi me
diante lasperienza achaderano una volta p ch sepre ara a fare il
medesimo.
Lo anello N. chiava la rocha de denti
della ruota sua motrice.

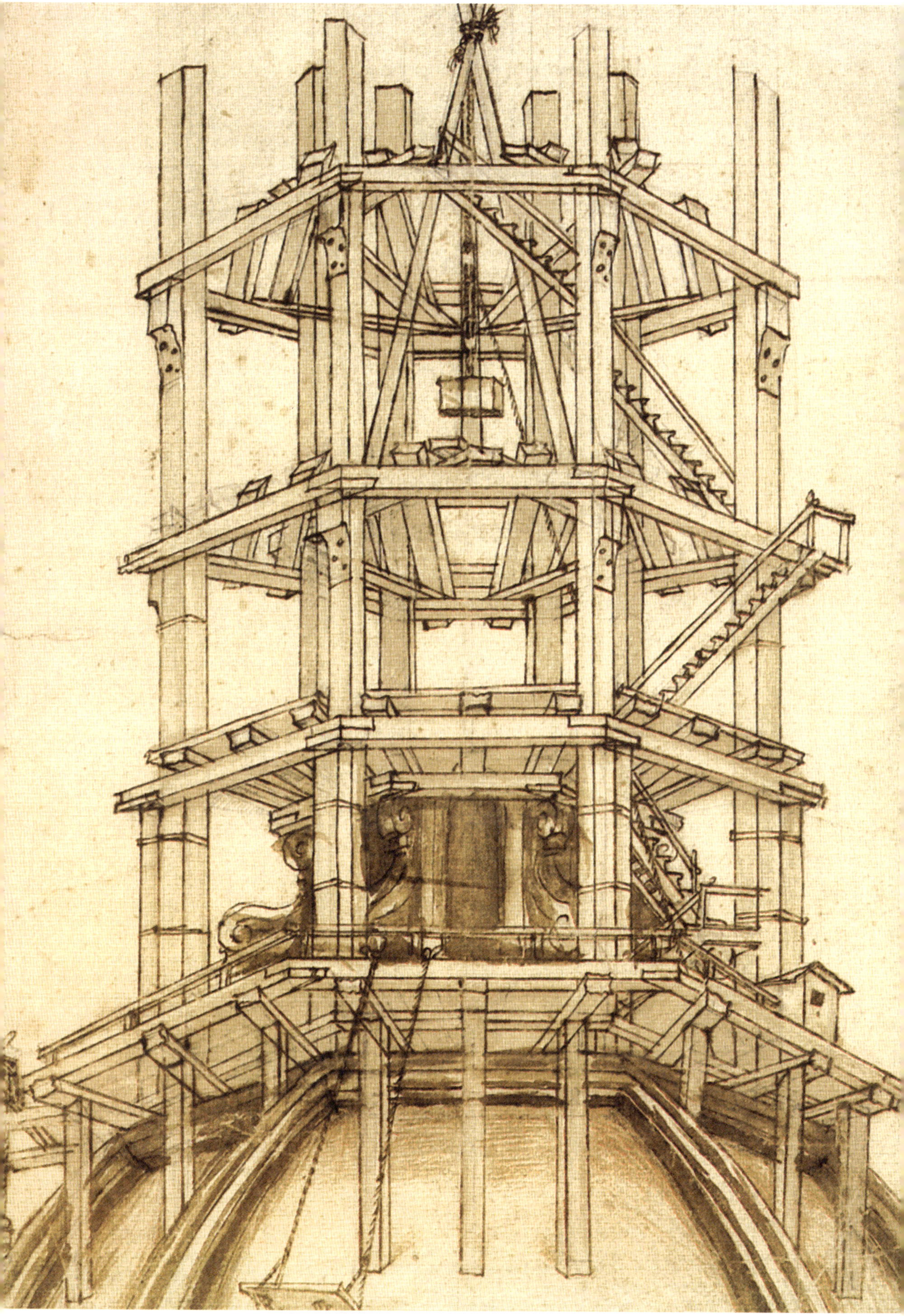

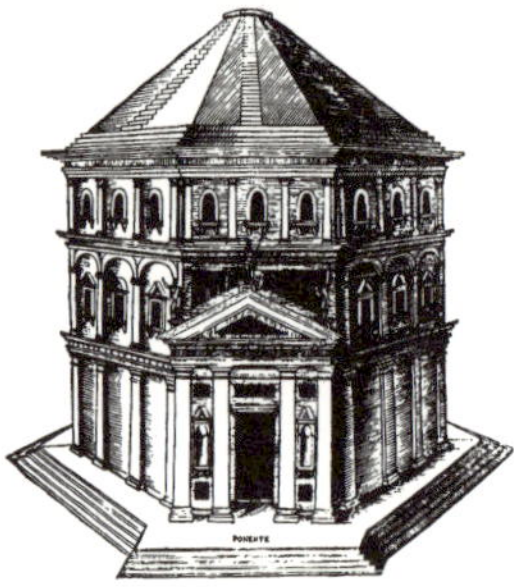

（上页）**佛罗伦萨主教堂穹顶灯塔的脚手架的设计草图**，被认为是杰拉尔多·美齐尼（Gherardo Mechini）所作，藏于佛罗伦萨乌菲齐美术馆绘画与印刷品收藏室。

（左上图）原先为**战神神庙的洗礼堂**，佛罗伦萨，1584年。

（下图）弗朗切斯科·格拉纳齐（Francesco Granacci），**洗礼堂的正面**，约1515年。

（右页）**衣褶**，习作，约1475年，罗马。

这段时间的达·芬奇的作品有一些不容易确定，在维罗奇奥的画室，许多画家往往一同合作创作油画，因此今天有许多作品很难判断达·芬奇是否参与其中，比如现藏于苏格兰国家美术馆的《路斯金圣母》、华盛顿美术馆的《德雷福斯圣母》等。

根据大卫·A. 布朗的猜测，达·芬奇应该参与到了现藏于伦敦国家美术馆的《托比亚与大天使长》的创作中。这幅作品中有一处非常神秘的细节，我们可以在画面的右侧清晰地看见一个人和一条狗，他们在看着天上的一个神秘飞行物。这也被后人认为，这幅作品是达·芬奇在暗示，他曾经看见过天外飞行物。

（上图与右页）维罗奇奥或达·芬奇作品，**托比亚与大天使长**，约1470年，伦敦国家美术馆，局部。

（下图）**基督降生**，佚名艺术家（或认为出自吉兰达约、波提切利之手），画中可见一个神秘飞行物。

（左上图）疑为维罗奇奥的作品，**路斯金圣母**，约1470—1475年，爱丁堡国家美术馆。

（右上图）疑为维罗奇奥或达·芬奇作品，**卡马尔多利圣母**，约1470—1473年，阿雷佐，瓦萨里故居。

（左下图）达·芬奇，**衣褶**，习作，约1470—1475年，巴黎卢浮宫。

（右下图）洛伦佐·迪·克莱迪（Lorenzo di Credi），**怀抱圣子的圣母**，习作，约1475—1480（？）年，伦敦大英博物馆。

（右页）**德雷福斯圣母（亦作石榴圣母）**，约1470—1475年，被认为是达·芬奇或洛伦佐·迪·克莱迪（Lorenzo di Credi）或维罗奇奥的作品，布面油画，15.7厘米×12.8厘米，华盛顿国家美术馆。

（左上图）**芬奇结**，1473年8月5日风景的背面。
（下图）**圣母子与两名天使**，约1473年，被认为是维罗奇奥或佩鲁吉诺的作品，此处为画中风景的局部或有达·芬奇的手笔，伦敦大英博物馆。

（右页）**1473年8月5日风景**，佛罗伦萨乌菲齐美术馆绘画与印刷品收藏室，局部。

维罗奇奥画室时期的代表作

《基督受洗》这幅作品现藏于乌菲齐美术馆，整幅画面充满戏剧性的张力。这幅作品的风景与天使可以确定是达·芬奇的手笔。瓦萨里称，这幅作品中，达·芬奇创作的跪着的天使是最出彩的部分，也正是这幅作品的创作，使得老师维罗奇奥决定不再画画，他起先吩咐由达·芬奇负责画左边手捧长袍的天使，但后来维罗奇奥“在自己画完了右边的天使之后，发现这个小孩子居然画得比自己还要高明”，巨大的刺激下，维罗奇奥感到蒙受了奇耻大辱，他从此封笔，“不再碰颜料”。多年后，达·芬奇自己的一句名言恰恰印证了这件事，“一个无法超越老师的学生是悲哀的”。事实上，这种说法是有失偏颇的。诚然，达·芬奇在人物表现的细微程度上似乎已经淋漓尽致，超越了老师，但是维罗奇奥笔下的基督与施洗约翰的形象同样富有雕塑感，这使得人物更具有震撼的表现力，与天使相比，并不逊色分毫。

《基督受洗》的每一个细节都反映了十五世纪下半叶佛罗伦萨作坊制作艺术品的特征。维罗奇奥在安排了画作的布局后，以蛋胶画了第一层的施洗约翰和右侧的风景后，将画面的其他部分委派弟子完成。在重画的时候，达·芬奇并未使用蛋胶，而是完全用油画颜料画了捧长袍的天使的近景，背景深处带有朦胧之感的风景画也是出自达·芬奇之手，因为画左边的风景与藏于乌菲齐美术馆的《1473年8月5日风景》（第61页）不仅创作时间吻合，在风格上也具有很高的相似度。

从天使那细腻而栩栩如生的表情可以看出，此时的达·芬奇在创作上笔法灵巧、高压，已经具有大师的气度。画作上方被认为是由第三者画的，与其他部分相比，落笔无力，没有个性。上方伸开的双手代表天主，双手之下有金色光芒，基督头顶上方则是从天而落的象征圣灵的鸽子——这些细节指向了画作的主题，圣父、圣子、圣灵的三位一体。波提切利被认为也参与了这幅作品的集体创作。

《圣母领报》同样是达·芬奇在维罗奇奥的画坊时期的初期代表作。这幅作品在1867年从佛罗伦萨郊外的奥利维托山上的圣巴尔托罗密欧教堂迁至乌菲齐美术馆之前，通常被认为是吉兰达约的杰作，也有人认为他应该是

（右图）**礼拜堂的天使**，习作，被认为是达·芬奇或是其徒弟的作品，都灵王家图书馆。

（右页）维罗奇奥、达·芬奇和其他合作者，**基督受洗**，布面胶画，180厘米×152厘米，佛罗伦萨乌菲齐美术馆（修复前）。

ECCE AGNIVS

由维罗奇奥本人进行构思，由达·芬奇及其他弟子合力完成的。但是这种说法也存在一些疑问，例如画面各部分虽然呈现了透视法，但比例并不十分协调。画面右侧的圣母面部表情安详，右手的小指头弯曲，这都是画坊主人维罗奇奥或其弟子模仿的特色，此外，手放在书架的边缘，也显得有些不自然，从空间的角度出发，这个位置并不十分合乎逻辑。事实上，与其说这些因素是一个画家功力短缺的表现，不如说，这是一个杰出的年轻画家在绘画技术上对画坊规则与风格的谨慎态度。

尽管有这些缺点，但这幅作品仍然瑕不掩瑜，它的过人之处也是显而易见的。这是一幅表现某一特定时刻的作品，它将一个过去从未见过的动作凸显了出来。从这个观点来看，圣母的手的姿势或者应该解释为一种与众不同的构思。这个姿势的特殊作用在于体现天使到来的时候，有风吹动了圣母正在阅读着的书，她这时候必须用手按住正在阅读的那一页。达·芬奇似乎是要刻意地用这种方式来强调圣母被打断的阅读状态。同时，他以圣母的左手表达欢迎或惊讶的姿势，以此来配合右手的姿势。同样，圣母所处的位置充满立体感，也是被画家精心安排的。一般认为，属于绘制这幅作品的衣褶习作有好多张，这些习作是用水彩画就的，使用介于灰色和棕色的颜色和制造明暗效果的白色，画在达·芬奇特制的麻质画布上。在维罗奇奥画坊期间，达·芬奇经常用这种麻质画

（左页）乌菲齐美术馆藏的**基督受洗**，局部（修复前）画中风景被认为出自达·芬奇之手。
（左上图）**利沃诺港口的素描**，约1475—1478年，大西洋古抄本手稿。
（右上图）维罗奇奥作品（或有达·芬奇的参与），**乔万尼·德·美第奇石棺**，佛罗伦萨圣洛伦佐教堂。
（右下图）多光谱成像技术下的**圣母领报**，其中可见作品在创作过程中的反复修改。

（第66—69页）**圣母领报**，达·芬奇（或有维罗奇奥画坊其他成员、多美尼克·吉兰达约的共同参与），修复前（第66—67页）与修复后（第68—69页），约1470—1475年，98厘米×217厘米，佛罗伦萨乌菲齐美术馆。

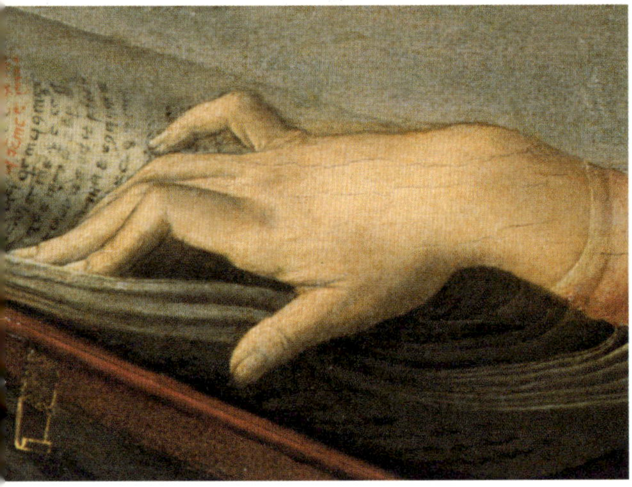

布进行服饰题材的练习。

圣母玛利亚是这幅画显然的中心，而画面左侧的领报天使则是画中场景的主角。绘画前准备性的衣袖习作与衣褶的习作完全不同，是用鹅毛笔蘸棕色墨水画成的，这种画法具有快速流畅的特点，令人想到收藏在乌菲齐美术馆中的1473年风景画习作。习作上的天使的衣袖与后来在画板上成型的衣袖不尽相同，却也有相似之处，其中展示出了一个重要

（左上图）**手持百合花的天使**，局部，这幅作品这一局部被认为有达·芬奇的手笔，伦敦国家美术馆。
（右上图）**百合花**，习作，约1472—1475年，温莎城堡皇家图书馆手稿，局部。
（左下图）**《圣母领报》中圣母的手部**。
（右页）**《圣母领报》中的天使**，局部，修复前。

的进展细节:天使加百列手臂部分的衣袖在习作中几乎是自然下垂,而在最终作品中,则是在身躯的一侧飘荡着,显示出达·芬奇捕捉到了天使从天上降下的那一瞬间,从而赋予这幅画更明确的动感。在当时的同类作品中,《圣母领报》一般都是静止不动的,而达·芬奇在画中则将这一瞬间的动作还原在世人面前,尤其是捕捉到了正在宁静中专心致志阅读的圣母因天使到来而感到困惑紧张的那一刹那。天使手持百合花,单膝跪地的形象十分精致,那百合花是这类画作中常见的素材,用来暗示绘画创作的城市是佛罗伦萨,而对草地上的其他花草则只是轻描淡写、点到为止,几乎只是在简单地暗示它们也存在而已。尽管如此,这些花草还是在提醒人们,天使向玛利亚报讯的时间——根据基督教教会礼仪,3月25日,一个春日,天使加百列向圣母显现,告知她将要诞下救世主。

(上图)**托比亚和大天使长**,局部,被认为是维罗奇奥和达·芬奇共同的作品,伦敦国家美术馆。
(右图)面部组图,右上图为**《圣母领报》中的圣母面部**,右中图是一个**年轻侍童的面部**,可以看到底部的图中,前两张面部高度吻合,几乎是1:1的重合。
(右页)**手部**,习作,约1475年,温莎城堡皇家图书馆手稿。

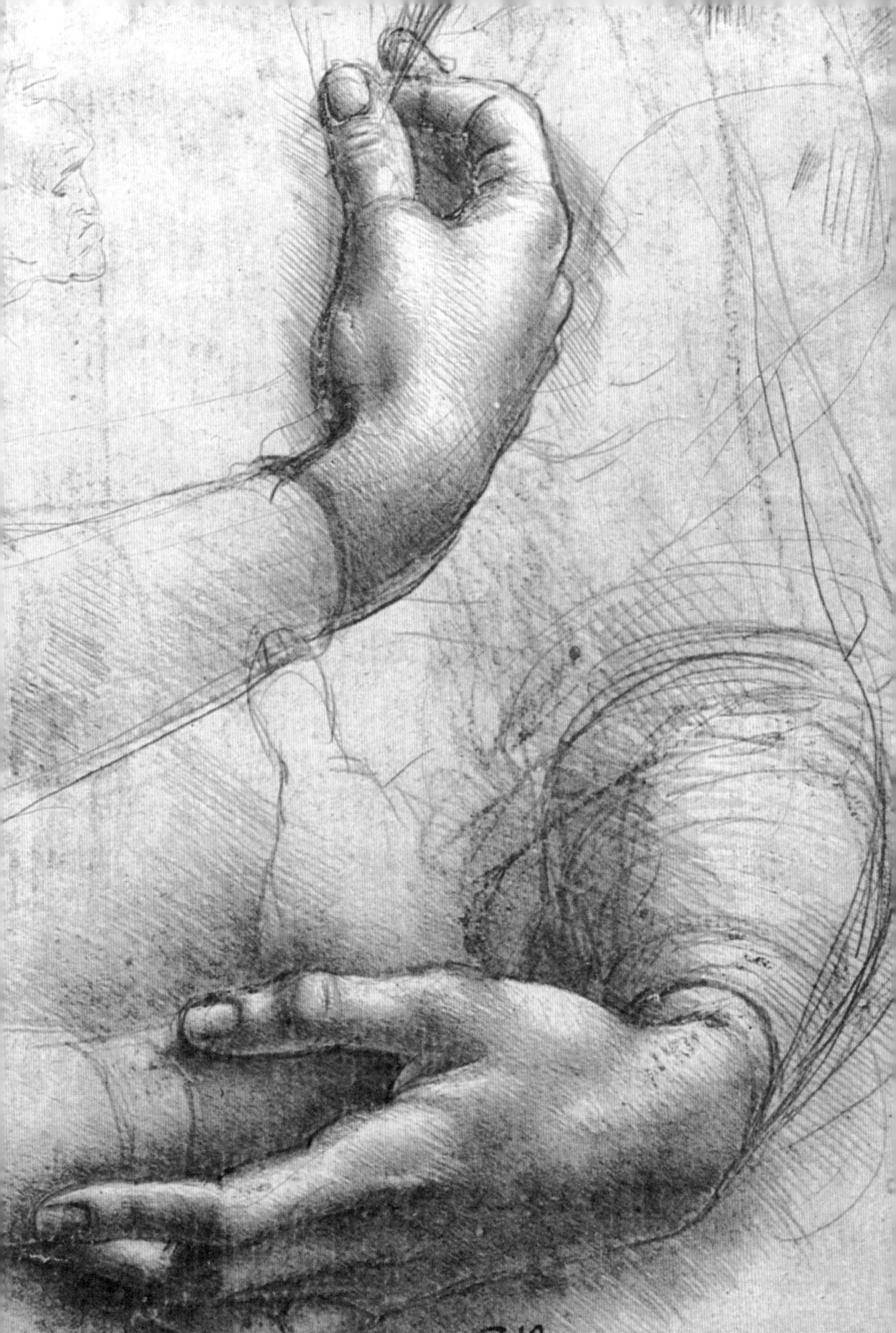

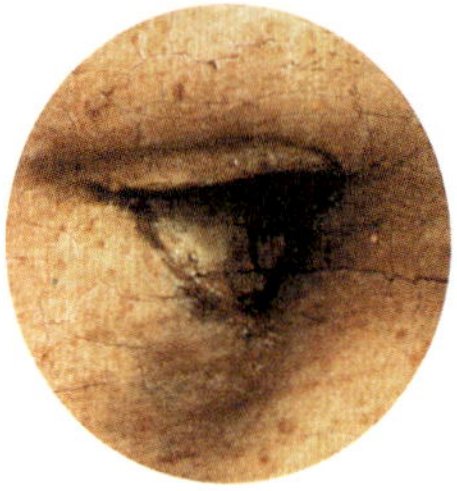

（左上图）**《圣母领报》中天使的眼睛细节，**其中达·芬奇的指纹清晰可见。
（右上图）在一幅解剖习作中显现的**达·芬奇的指纹细节**。
（左下图）通过科技手段对**达·芬奇的指纹**进行再现。
（本页居中图与右页）**《吉内弗拉·本齐肖像》中两处细节的指纹**（本页居中为头发与刺柏的针刺之间的指纹，右页为人物眼窝处的指纹，两处指纹均清晰可见）。

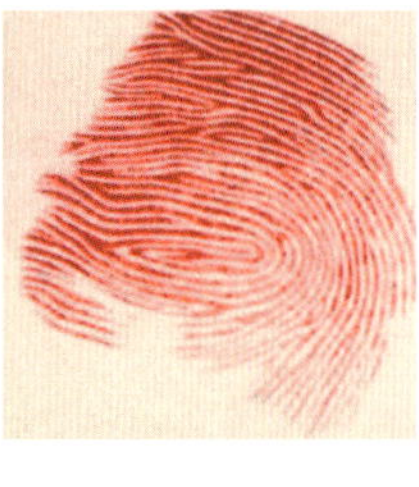

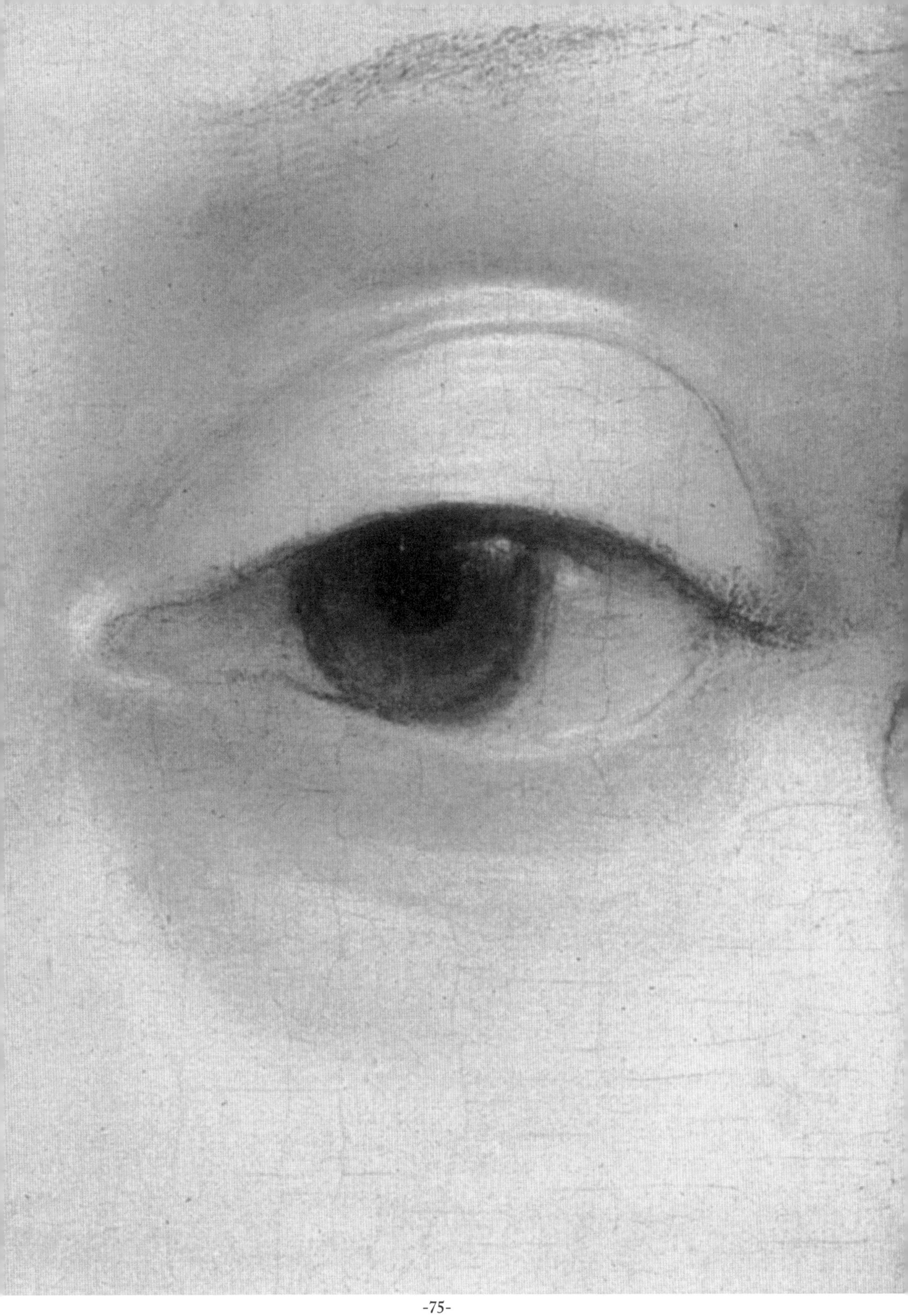

画面背景是港口的景象，停泊在港湾内的船只为作品添加了生气，这是达·芬奇所画唯一有生气的风景，也是他首次画空气。他赞同一个古老的概念，即大气在与地面的水接触后，会形成浓厚潮湿的水汽，从而影响眼睛观察物体的感觉。因此，画中远处的海景被一层稀薄的雾气所笼罩。画中的书架与基座的形状，灵感来自《皮耶罗·德·美第奇的坟墓》，那正是达·芬奇的老师维罗奇奥的作品。

整幅作品经过思索的简单布局，呈现出一种宁静开朗的气氛，其色彩柔和，洋溢着清新、自然的气息，人物之间的互动生动且富有戏剧化，将《受胎告知》的复杂情绪表达得充分而淋漓尽致。在《受胎告知》中，我们不难窥见包括达·芬奇日后作品中重现的各个层面：对建筑和叙事的兴趣、疑难的颜色和绘画的特殊技巧、与大自然的融合等。

《吉内弗拉·本齐肖像》（第79页）是达·芬奇在这一时期唯一的人物肖像。背景的刺柏丛（在北部方言中，刺柏的发音与吉内弗拉的发音相同），便是呼应画中人物的姓名。这幅小型肖像画中，各种不同的技术、风格与理念和谐共存：水胶的颜料混合油画颜料，人物面无表情，仪态庄重神秘，却十分逼真，给人一种局促、不稳定的感觉。画中的女子并没有背对着树，与山的背景显得有些脱离，她的嘴角紧抿着，目光忧郁，额头如大理石般饱满。画面从底部被截去一大部分，作品的比例由此被改变了，富有人情味的双手也由此不见。这幅作品失去的部分再未找到，而温莎城堡皇家图书馆馆藏的一幅手部习作（第73页）则被认定是这幅肖像散佚部分的习作。在这幅作品中，画面中光线与阴影的对比，赋予形象一种神秘的质感与深度，达·芬奇熟练地掌握了各种技法，通过晕涂法，造成了色域的渐次融合，其手法圆熟洗练，使人几乎难以察觉有任何线条掺杂其中。他对于光线和氛围的偏爱，尤其见于他的女性肖像画中。他画出明亮的光线和清晰的

（上图）《吉内弗拉·本齐肖像》背面多光谱成像技术下显现的字样，“VIRTUS ET HONOR”（拉丁文，美德与荣誉）。
（右页）《吉内弗拉·本齐肖像》背面的刺柏，棕榈叶。

VIRTVTEM FOR
MA DECORAT

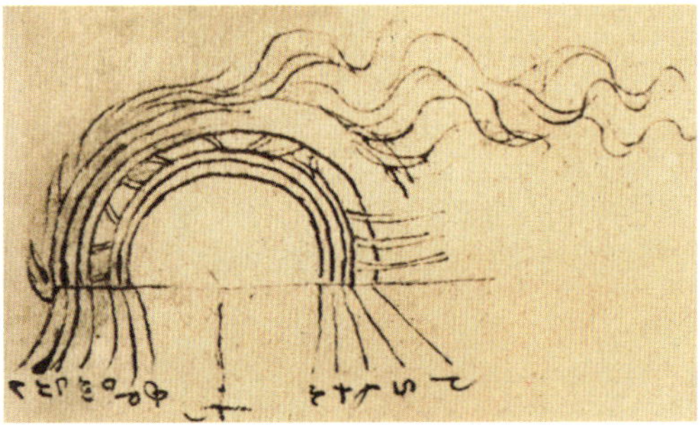

（左上图）**柔顺的洋葱般的头发**，约1493年，福斯特手稿III，f. 65b，局部。
（左下图）维罗奇奥（或与达·芬奇合作），**手持小花束的贵妇人**，约1475年，佛罗伦萨巴杰罗国家博物馆（Museo Nazionale del Bargello）。
（右上图）**藏于伦敦的《岩间圣母》的头发细节。**
（右下图）**《音乐家》中头发细节**。
（右页）**吉内弗拉·本齐肖像**，约1475年，木板胶画，38.5厘米×36.7厘米，华盛顿国家美术馆。

（左上图）**《广场上的圣母》中圣多纳托的头部**，习作，被认为是维罗奇奥或达·芬奇的作品，约1478年，私人收藏。
（右上图）**圣施洗约翰**，约1478年，温莎城堡皇家图书馆手稿。
（左下图）洛伦佐·迪·克雷迪（Lorenzo di Credi），维罗奇奥画室，**广场上的圣母**，1478—1485年，皮斯托亚主教堂。
（右页）**圣母的头部**，习作，也被认为是维罗奇奥或洛伦佐·迪·克雷迪的作品，乌菲齐美术馆绘画与印刷品收藏室。

（本页及右页）**圣母领报**，也被认为是洛伦佐·迪·克雷迪的作品，约1478年，布面胶画，16厘米×60厘米，巴黎卢浮宫。

（上图）维罗奇奥作品，**亚历山大大帝**，华盛顿国家美术馆。
（左图）**基督的半身像**，被认为是达·芬奇的雕塑作品，创作时间为1475年或1495年，私人收藏。
（右页）**雇佣兵队长的侧面像**，约1473—1477年，伦敦大英博物馆。

（上图）**维纳斯与爱神**，习作，被认为是达·芬奇与维罗奇奥（或洛伦佐·迪·克雷迪）的合作作品，约1475年，乌菲齐美术馆绘画与印刷品收藏室。

（右图）**《圣母领报》中的衣袖**，习作，牛津大学。

（右页）

图1. **天使**，被认为是达·芬奇的作品，约1472年，陶器。

图2. 洛伦佐·迪·克雷迪作品，**天使**。

图3. **胜利与幸运**，约1478—1480年，伦敦大英博物馆。

图4. **天使**，被认为是维罗奇奥或达·芬奇的作品，陶器，巴黎卢浮宫。

图1

图2

图3

图4

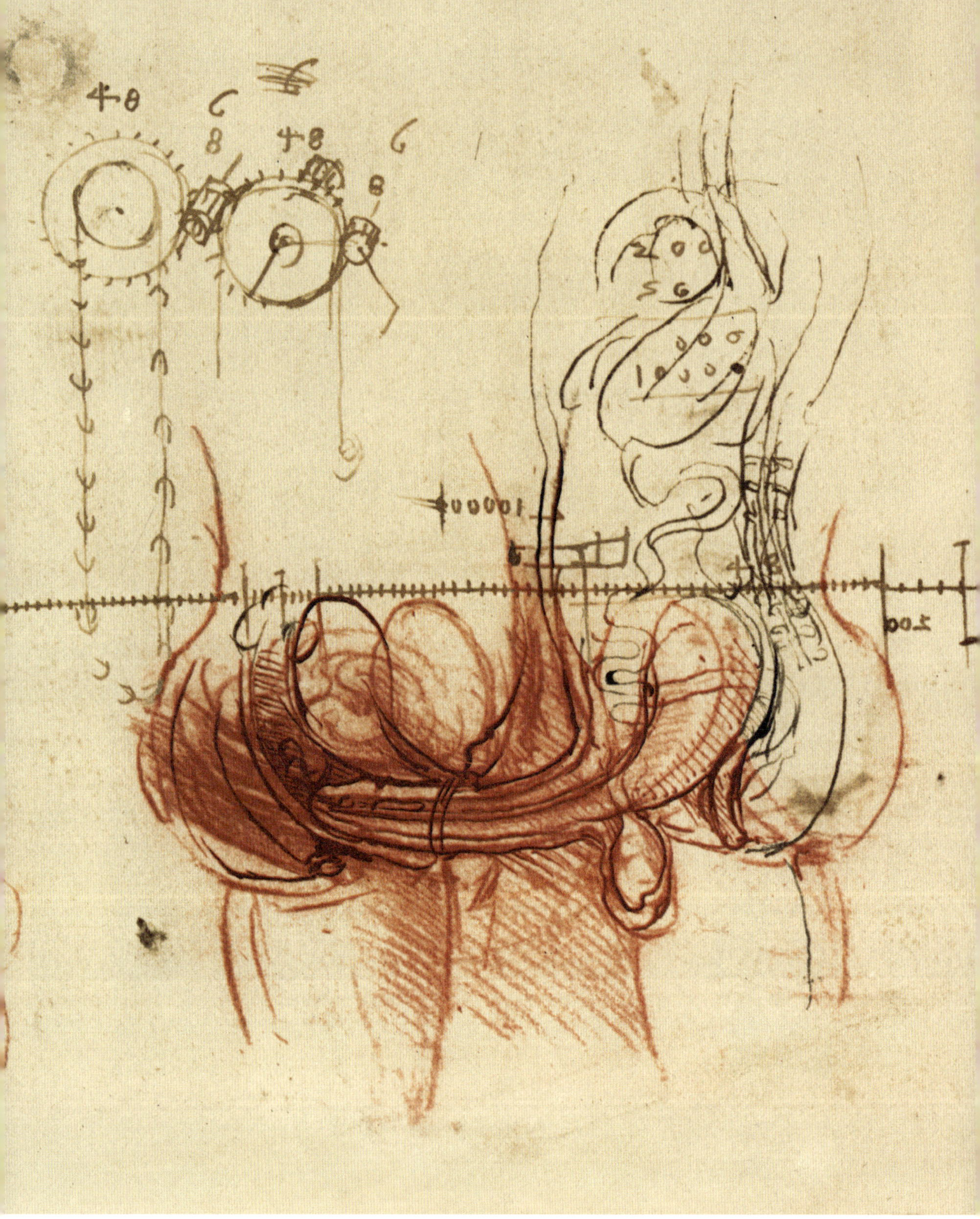

轮廓，随后使背景的阴影逐渐没入肖像的头部，把人物和背景联系在一起。在《圣母子与圣安娜》《蒙娜丽莎》《圣塞西莉亚》《抱银貂的女子》等作品中，都能够看到这种益发成熟的技艺。值得一提的是，在文艺复兴时期的艺术家或作家，往往在自己的作品中使用优雅的双关法，以一种微妙的方式提示作品的主题。

在维罗奇奥画室期间所创作的圣母子题材作品中，有一幅被认为极有可能出自达·芬奇之手，它就是《康乃馨圣母》(第94页)。画中的圣母具有苍白的北欧人的面孔，这无疑是维罗奇奥画室的风格。《康乃馨圣母》与《圣母领报》中的玛利亚有几分相似，她们都身着暗蓝色的衣服，衬以红色的衣袖，金色斗篷也几乎一样，尤其是圣母那枚发出黄宝石般的光泽的胸针，在帕诺瓦圣母、岩间圣母中都重复出现过(第119页)。

《帕诺瓦圣母》(又名《持鲜花的圣母》)被视为维罗奇奥画坊期间的另一幅具有里程碑意义的代表作。画中的圣母怀抱基督，神情轻松，洋溢着幸福，正手持鲜花与膝上白胖可爱的耶稣逗乐。《帕诺瓦圣母》中的女性形象不再是中世纪僵硬的神圣形象，而是一个世俗的母亲形象。画中处于深色的墙垣上的窗户，一方面暗示了画中的场景是在室内，一方面以窗外蔚蓝明亮的天空，取代了传统形象中圣母头顶上的圣光。这些特点，在达·芬奇以后的作品中还会不断出现。

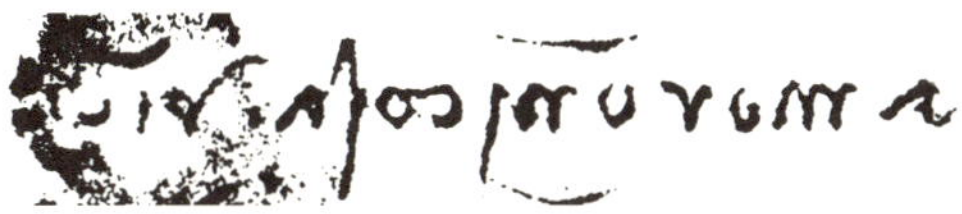

（左页）人体解剖习作，**性交**，约1492年，温莎城堡皇家图书馆手稿，编号19096r，局部。
（左上图）**奔跑中的爱人**，约1508年，大西洋古抄本手稿，编号f.534v，局部放大。
（右上图）**无意识元素的习作**（男性与女性），约1495年，马德里I手稿，编号f 118v，局部。
（右中图）**爱情无往不胜的字样**，大西洋古抄本手稿，编号f.945r，局部。
（右下图）**怀抱石柱的一对爱人**，约1490年，大西洋古抄本手稿，编号f. 269r，局部放大。

图1

图2

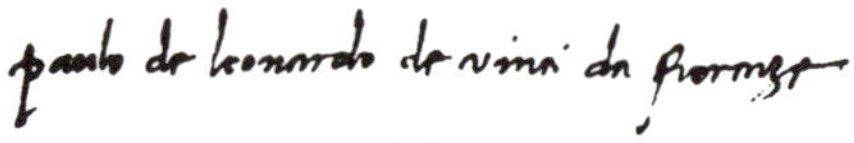

图3

图4

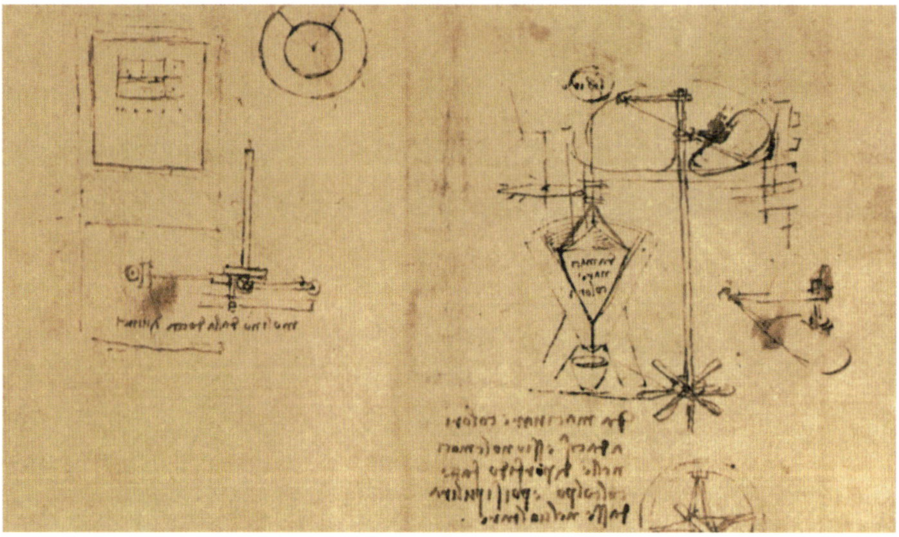

图5

（图1）达·芬奇所设计的**磨坊的风车，**约1478—1480年，大西洋古抄本手稿，编号f.1039r，局部。

（图2）塞尔·皮耶罗和弗朗切斯科·达·芬奇在芬奇镇磨坊改建合同中的字迹**私生子莱奥纳多**，1478年5月3日，局部。

（图3）**乔万尼·本提沃伊奥**（Giovanni Bentivoglio）**写给洛伦佐·德·美第奇的信**，字迹局部，提到了佛罗伦萨来的莱奥纳多·达·芬奇，藏于佛罗伦萨国家档案馆。

（图4）**洗澡的幼童**，约1482年，葡萄牙，波尔图大学美术系馆藏（Facultade de Belas Artes，Universidade de Porto）。

（图5）**芬奇的磨坊**，约1504年，大西洋古抄本手稿，编号f.765r。

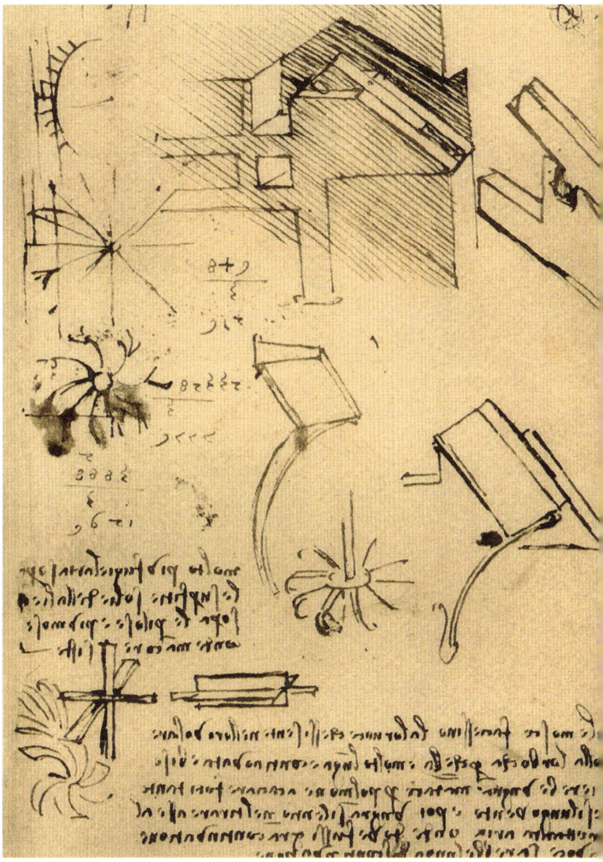

（右图）**扇叶习作，以及苍蝇飞行的笔记**，约1503年，阿伦代尔手稿，编号f.257r。

（左图）达·芬奇设计的**桨叶**，15世纪，铁与木，高220厘米，芬奇，达·芬奇理想博物馆。

天使敬拜，约1478年，威尼斯学院美术馆。

（上图）拉斐尔画室，**康乃馨圣母**，该画被认为是拉斐尔对达·芬奇的《帕诺瓦圣母》的模仿。私人收藏。

（下图）菲力皮诺·里皮（Filippino Lippi），**圣母子、天使和圣人**，约1478—1485年，局部，佛罗伦萨乌菲齐美术馆。

（第94页）维罗奇奥画室时期的达·芬奇，**康乃馨圣母，**约1472年，布面油画，62厘米×47.5厘米，慕尼黑老绘画陈列馆。
（第95页）**帕诺瓦圣母（又名“持鲜花的圣母”）**，约1478年，木板油画转为布面油画，48厘米×31厘米，圣彼得堡艾尔米塔什博物馆。
（第96页）维罗奇奥（也被认为可能是多美尼克·吉兰达约或达·芬奇的作品），**带有配饰的头部**，巴黎卢浮宫。
（第97页）**带有头饰的头部**，维罗奇奥，伦敦大英博物馆。
（本页上图）**慈爱圣母的习作**，约1478—1482年，伦敦大英博物馆。
（左图）**《圣母与猫》作品中与猫玩耍的孩童**，习作，1478—1480年，伦敦大英博物馆。
（右页）**圣母与猫**，习作，1478—1480年，伦敦大英博物馆。

B·M
1856.6.21.1

图1

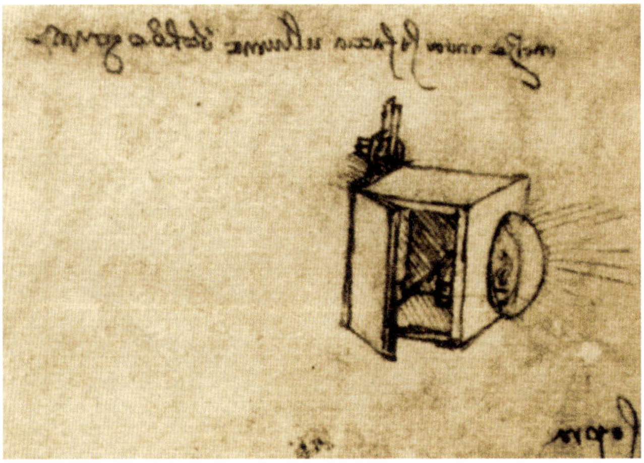

图2

图3

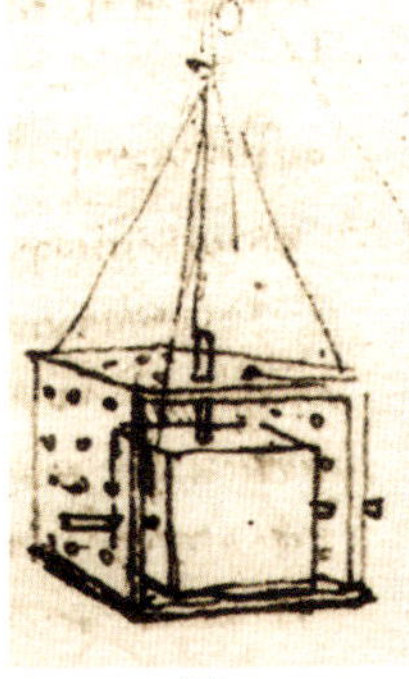

图4

（图1）丢勒（Albrecht Dürer），**透视**，版画，1538年。
（图2）达·芬奇笔记中对透视的描述，**通过什么方式才能让光线更亮呢？**大西洋古抄本手稿，编号f. 34r，约1480年，局部。
（图3）**透视成像**，约1480年，大西洋古抄本手稿，f.15r，局部。
（图4）**论高度**，约1492年，巴黎手稿Ms. A，编号f.43r，这就是今天的缩放仪的基本原理。

（左上图）**“奢华者”洛伦佐·美第奇的肖像**，约1485—1487年，温莎城堡皇家图书馆手稿。
（右图）**被处以绞刑的伯纳多德班·迪·班迪诺·巴隆切里**（Bernardo di Bandino Baroncelli），1479年，法国巴约讷博纳博物馆。1478年对于达·芬奇而言，是创作生涯中颇为重要的年份。在这一年他收到了第一份公开的订单，也在佛罗伦萨见证了帕齐家族叛乱的全过程，在手稿中他记叙了参加帕齐叛乱的巴隆切里被处以绞刑的场景。

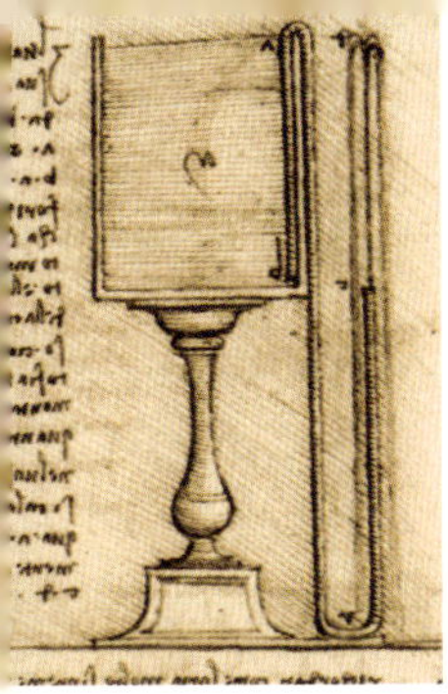

（左上图）**虹吸管**，约1495年，马德里手稿I，编号f. 115r，局部。

（右上图）**蒸汽机**，约1479年，大西洋古抄本手稿，编号f.1112v，局部，笔记中文字为“将水烧开，蒸汽将上升”。

（中图）**达·芬奇笔记中关于水蒸汽动力的旁注**，手稿。

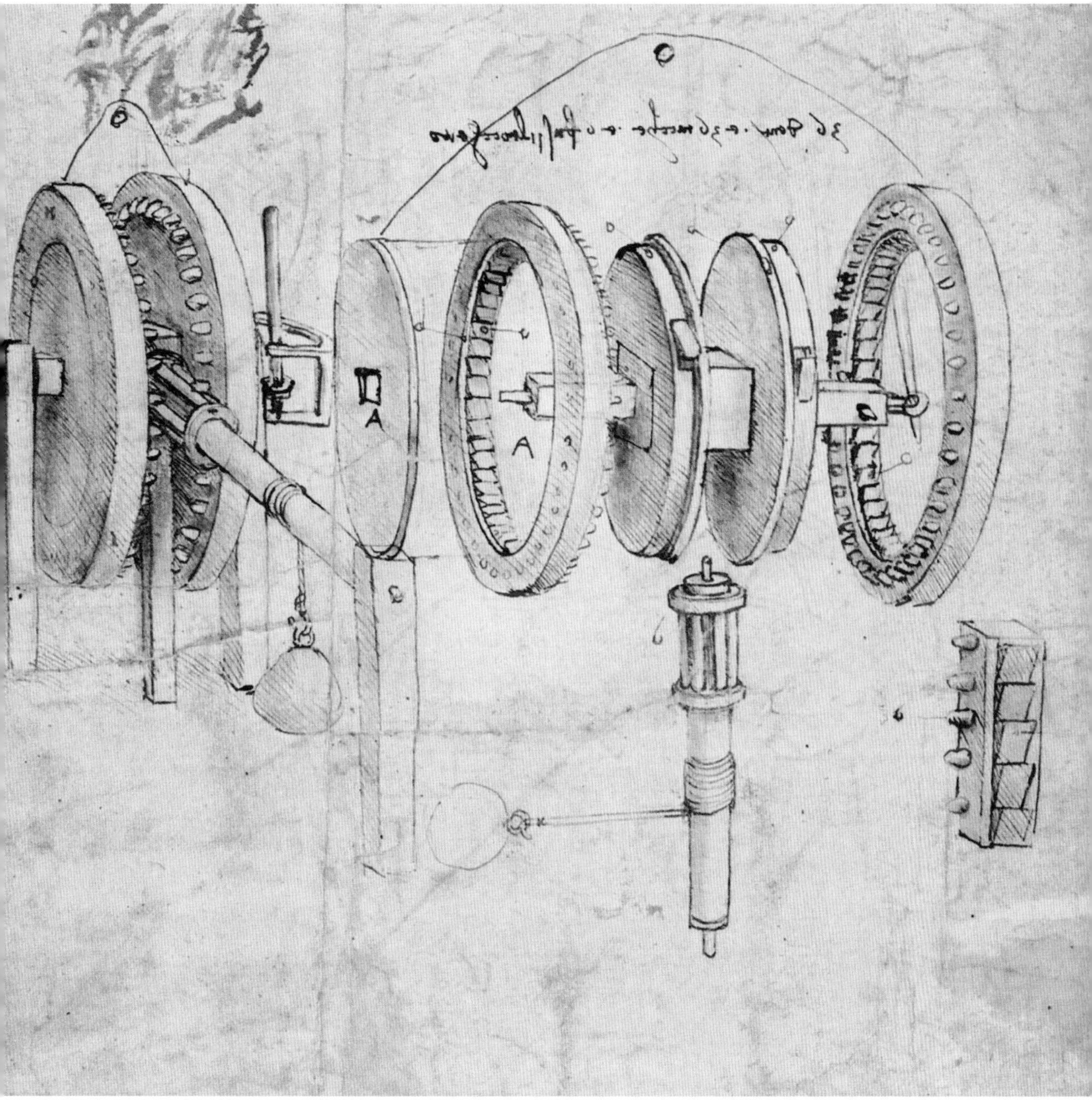

绞车与其配件，约1480年，大西洋古抄本手稿，
编号f. 30v，局部。

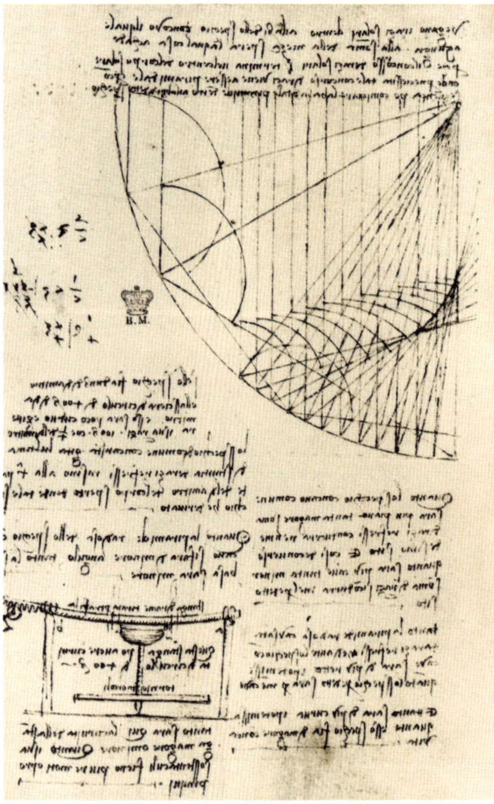

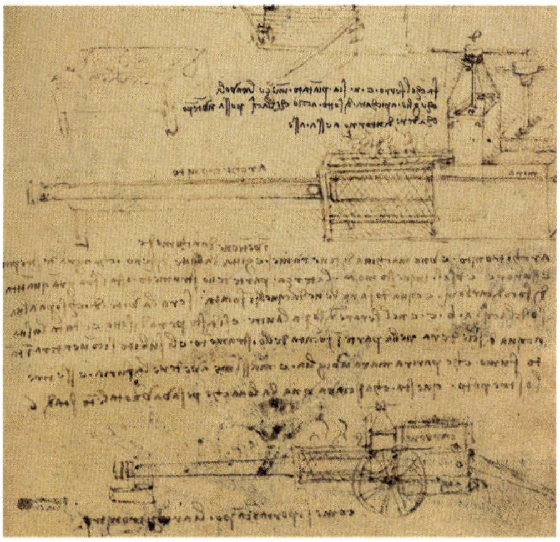

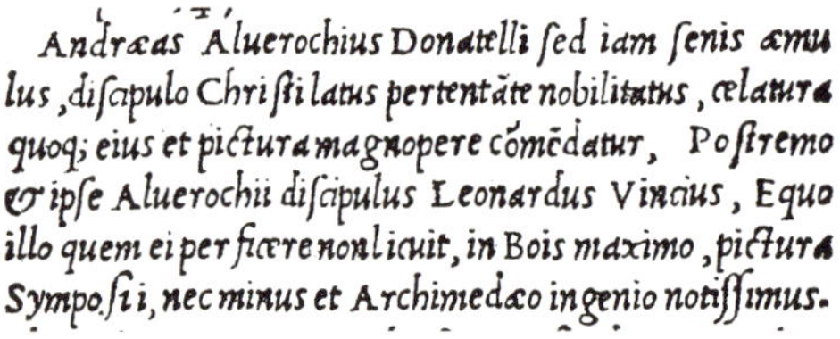

Andræas Aluerochius Donatelli sed iam senis æmu lus, discipulo Christi latus pertentāte nobilitatus, cælatura quoq; eius et pictura magnopere cōmēdatur, Postremo & ipse Aluerochii discipulus Leonardus Vincius, Equo illo quem ei perficere non licuit, in Bois maximo, pictura Symposii, nec minus et Archimedæo ingenio notissimus.

（左上图）**光路折射的研究**，约1515年，阿伦代尔手稿，编号f. 84v。

（右图）**蒸汽动力火炮原理图**，受阿基米德启发所作，约1487年，巴黎手稿Ms.B，编号f.33r，局部。

（左下图）在彭博尼奥·卡乌里科（Pomponio Gaurico）的《**论佛罗伦萨雕塑**》一书中提到了维罗奇奥和达·芬奇，1504年。

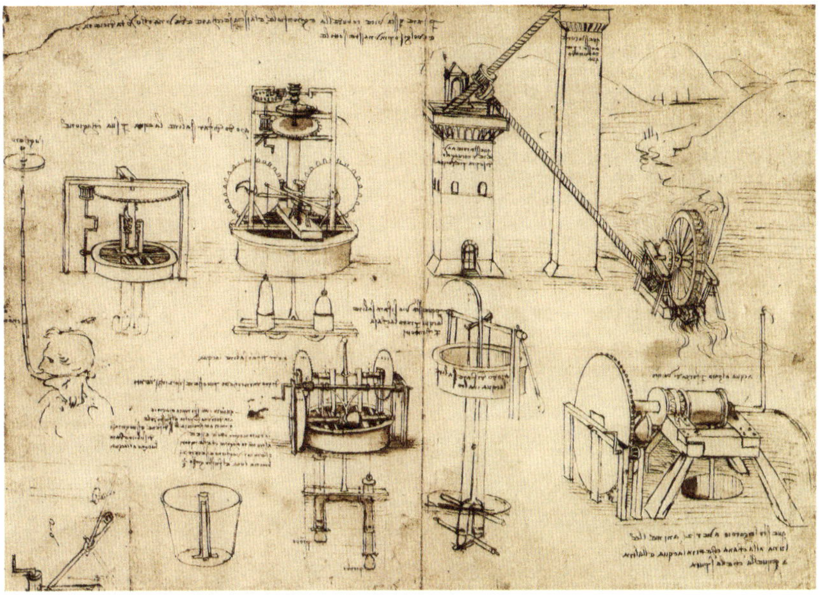

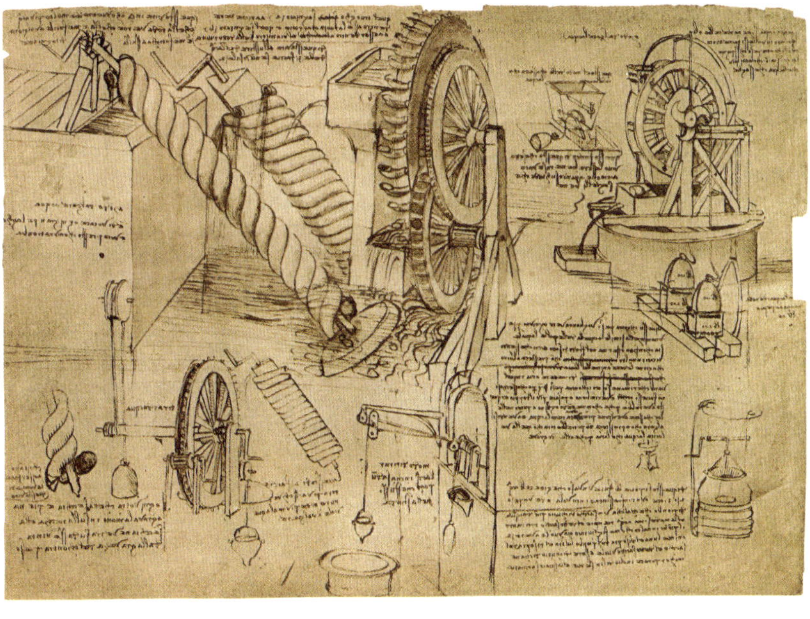

（上图）**受古代工匠的启发所作的水利工程设计**，约1480年，大西洋古抄本手稿，编号f.1069r。

（下图）受阿基米德启发所设计的**螺丝、车轮以及其他水利设施**，约1480年，大西洋古抄本手稿，编号f. 26v。

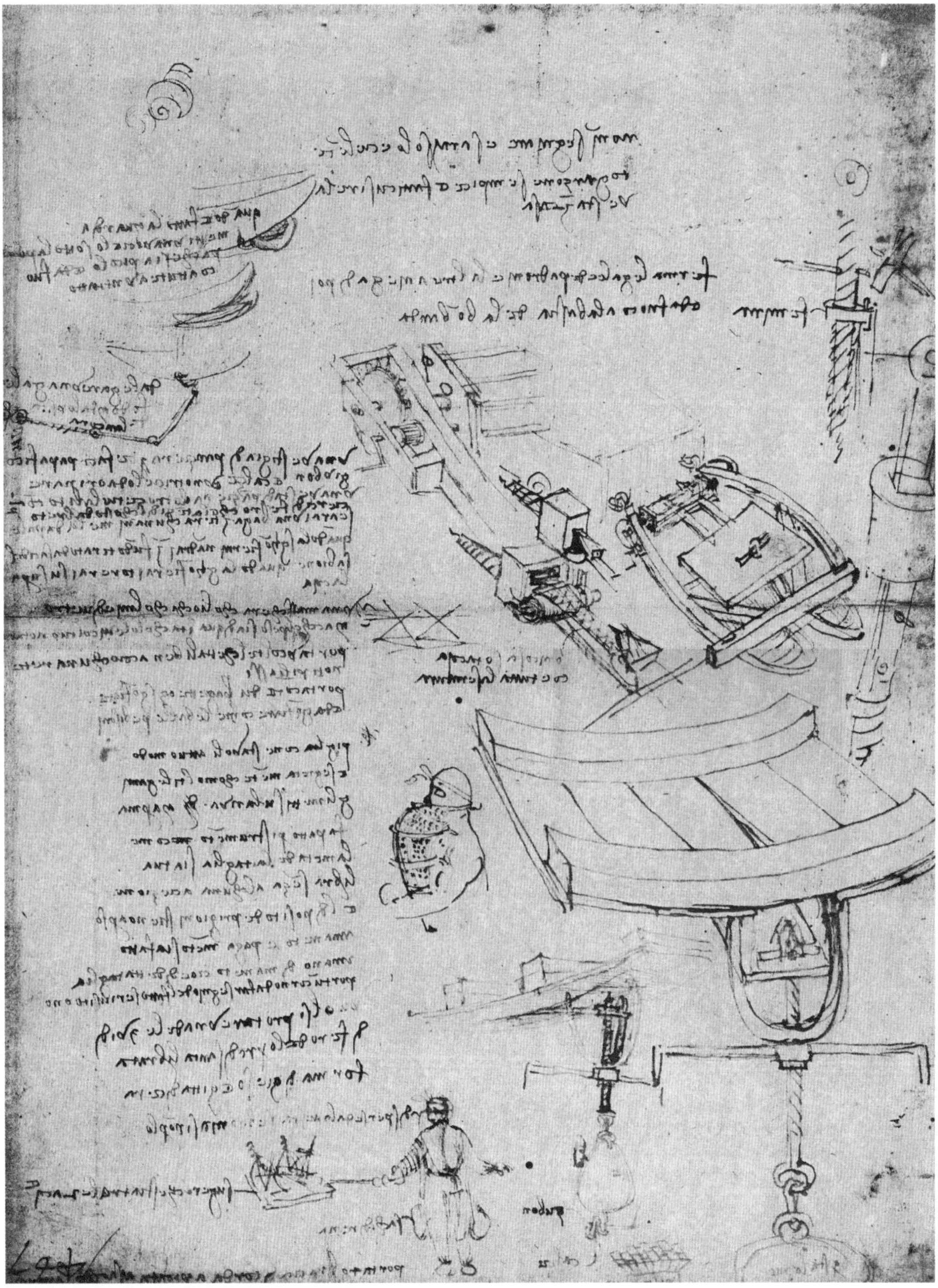

达·芬奇设计的潜水艇和潜水员服装，约1478—1487年间，大西洋古抄本手稿，f. 909v。

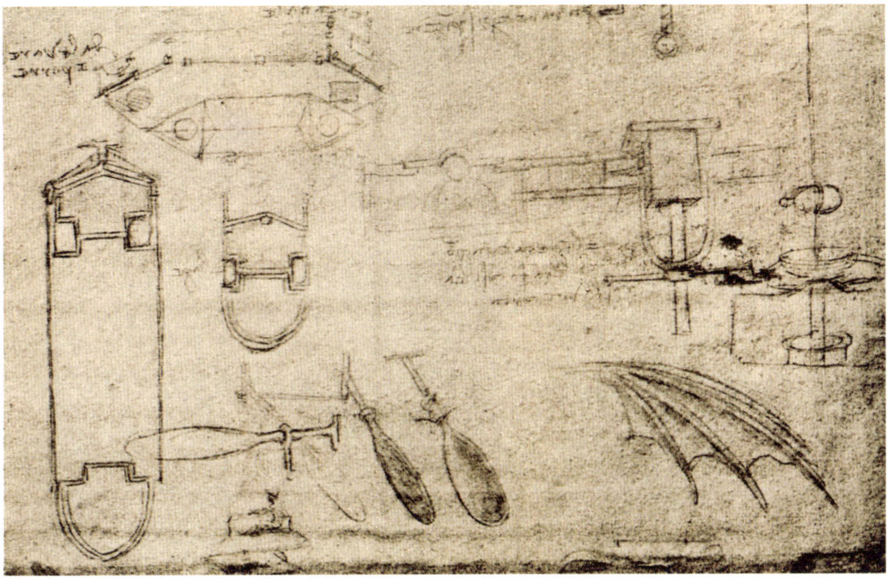

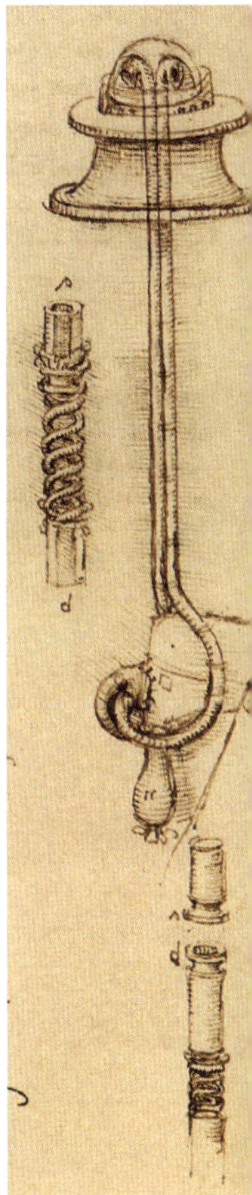

（从左至右顺时针方向依次为）**潜水艇的习作，**约1480年，大西洋古抄本手稿。
用于在海中游泳的手套和救生衣（用于在风暴中自救），约1487年，Ms. B手稿，f.81v。
水下呼吸器，阿伦代尔手稿，24v。
在水上行走的方法，约1480年，大西洋古抄本手稿，f. 26r。

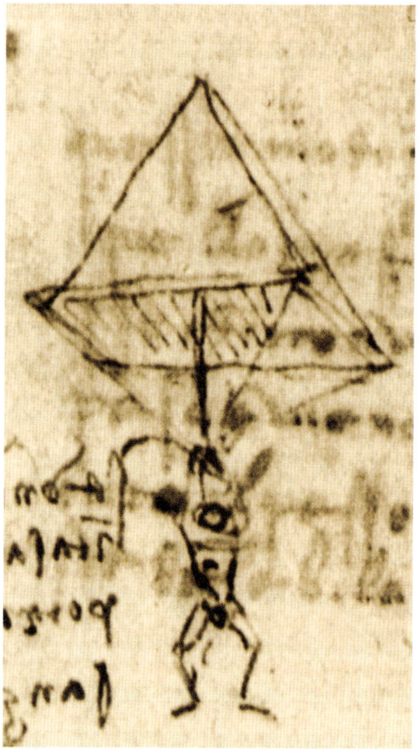

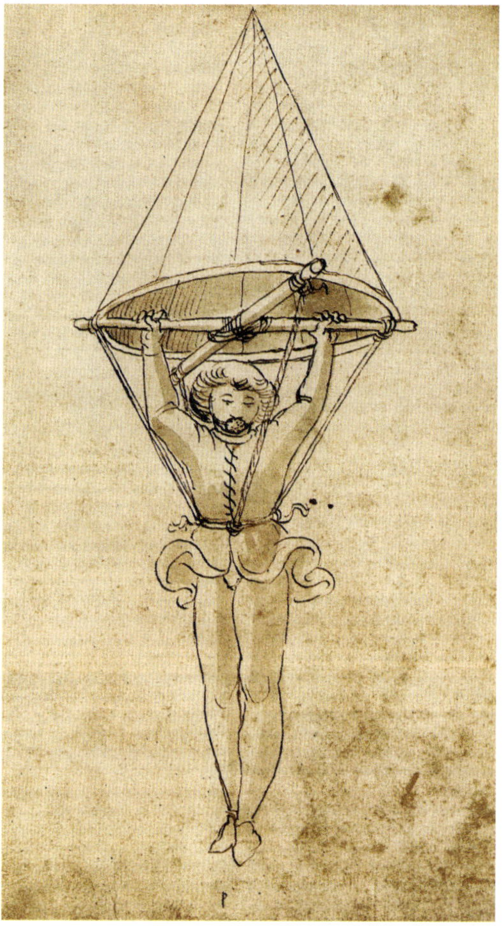

（左上图）**简笔小人**，约1500年，Ms手稿　L，编号f.59r，局部放大。

（左下图）十五世纪中叶的锡耶纳无名工匠设计的**降落伞**，Ms手稿. A34113，编号f. 200v，伦敦大英博物馆。

（右图）达·芬奇在手稿中提到了**降落伞的设计**，他写道，“如果一个人有一个麻制的缝隙全部缝合的帐篷，那帐篷有12意尺宽，12意尺长，那么，有了依靠这个帐篷，这个人可以从任意高度向下坠落，而且毫发无损”。

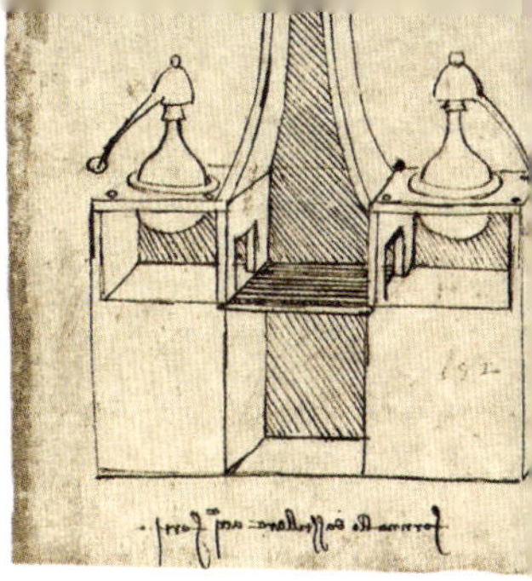

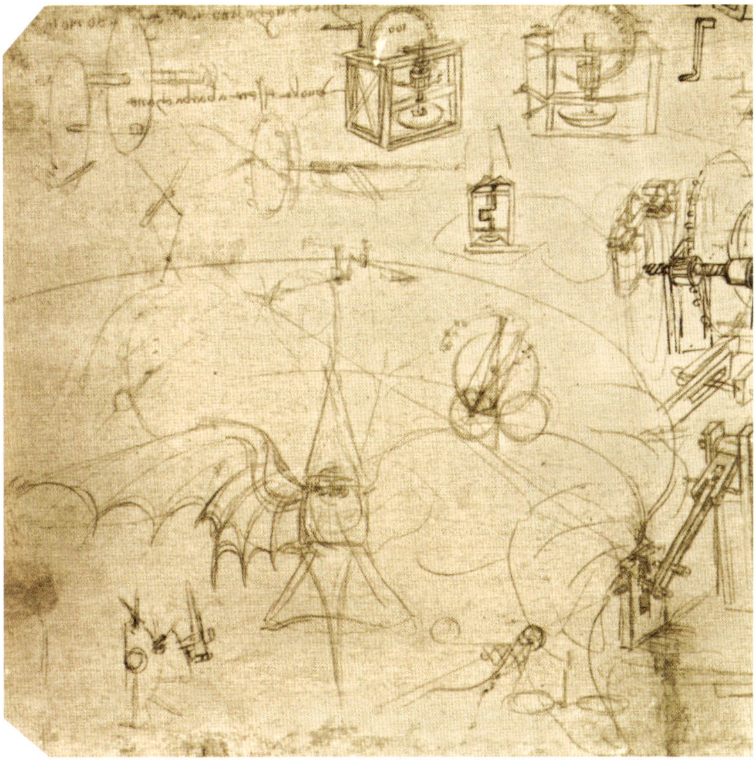

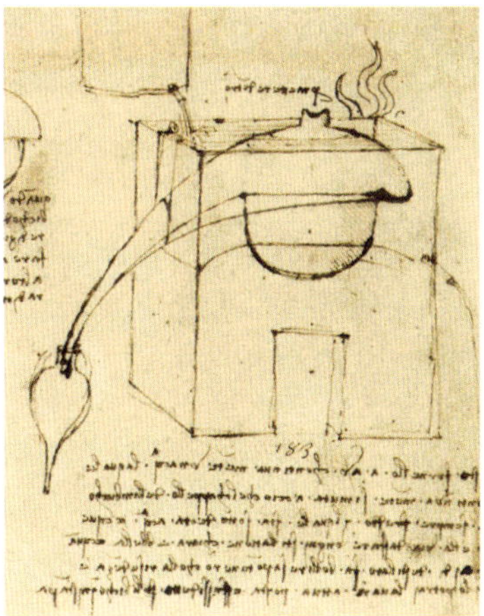

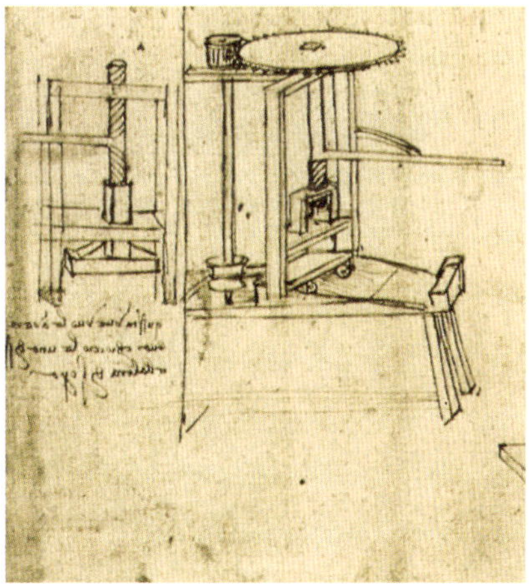

（右上图）**蒸馏炉**，约1480年，大西洋古抄本手稿，编号f. 912r。
（中图）**飞行器**，习作，约1480年，乌菲齐美术馆绘画与印刷品收藏室。
（下左图）**印刷机**，约1478—1482年，大西洋古抄本手稿，编号f. 995r。
（下右图）**将酒和水分离的蒸馏器**，约1490年，大西洋古抄本手稿，编号f.217。

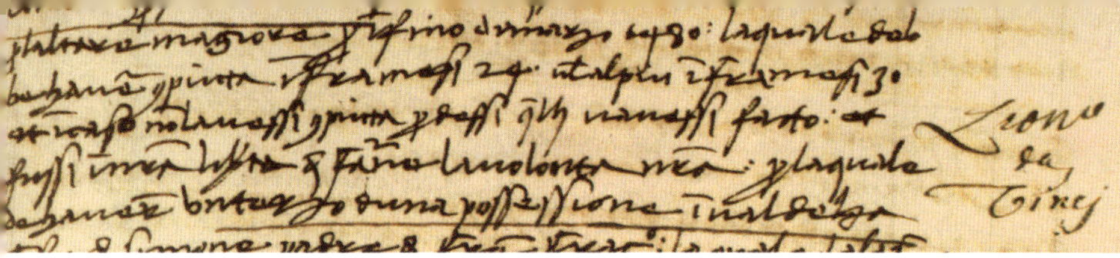

《三博士来朝》

1481年3月，达·芬奇接受佛罗伦萨圣多纳托的奥古斯丁修道院委托，为其创作一幅巨型油画。按照合同的规定，他本应该在24个月，顶多不超过30个月内完成作品交货，但事与愿违，这幅作品并未最终完成——这样的事情在他将来的创作中还会不断出现。据推测，他应该在1482年就离开佛罗伦萨前往米兰了。这幅画先在本齐的艺术收藏品中出现过，后来又为安东尼奥和朱力亚诺·德·美第奇所有，几经辗转后，1794年，这幅作品回到了乌菲齐美术馆。

关于圣经故事的传统绘画，被认为能够激起观画者的参与感。这幅作品表现了童贞女玛利亚生耶稣于马厩的故事，菲力皮诺·里皮也曾经创作过这一题材，在他的同名画作中，马厩下的圣母与圣子居于一侧，朝拜的人群排成长队；在波提切利的作品中，他将圣母子的位置放在了高处，面对着朝拜者，仿佛君主在接见臣民一般。在作品的叙述上，达·芬奇颠覆了当时同类题材的惯常处理方式，将圣母子从马厩这个常规的位置中解放出来，置于旷野的棕榈树下。另外，画中人物情绪的描绘也在此画中开创了先河。其中每一个人物的动作表情都流露出不同层次的反应。圣母左边留胡须的男子，弓着身子，想把自己所看到、但理智无法了解的现象看得更清楚些。后面那个男子的神情则完全不同，他正为所发生的事情心生感激，似乎对正在发生的事件有所领悟；附近那名身子转向别处的青年正因为眼前的情景而分心，他的视线和手都举向天空，似乎在寻求对眼前所见有所肯定的第三人。画面最右边的年轻人被认为是达·芬奇的自画像，画面中央的那棵树盘根错节，枝杈蜿蜒，几乎要碰到耶稣的脑袋。这里是对以赛亚的预言的呼应——“从耶西的树干必生出一根嫩芽，从他的根而出的枝条必结果子”。画面左侧背景中的房子已经破败不堪，象征着“大卫的房子”，或基督前破败不堪的世界，而随着基督的降生，大卫的事业——破败的石头建筑外面灌木丛生，而房子上有工人的形象，这些都是在暗示“大卫的房子”的修复，正是从基督的降生开始的。

达·芬奇在创作这幅作品之前，曾先后作了20张重要的笔记和两张绘画草图，这些

（左上图）《三博士来朝》的合同文本，佛罗伦萨，1481年7月，佛罗伦萨国家档案馆。
（下图）《三博士来朝》的较早习作，约1480—1482年，巴黎卢浮宫。

（上图）**三博士来朝**，习作，约1481年。
（下图）**《三博士来朝》的透视习作**，约1481年，乌菲齐美术馆绘画与印刷品收藏室。

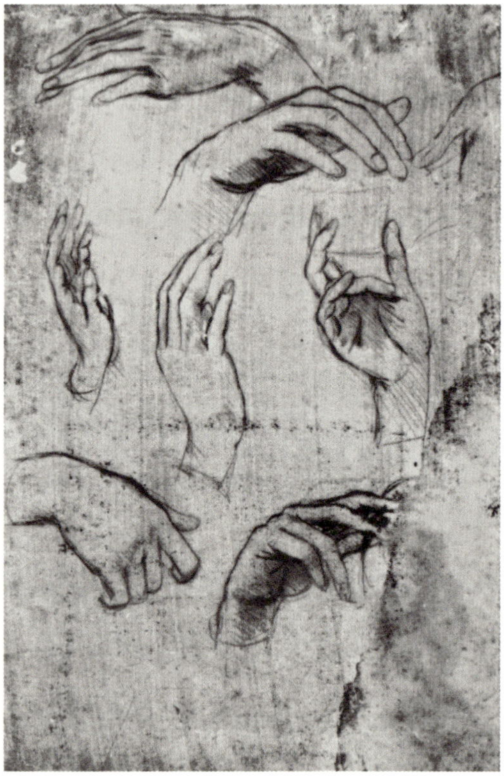

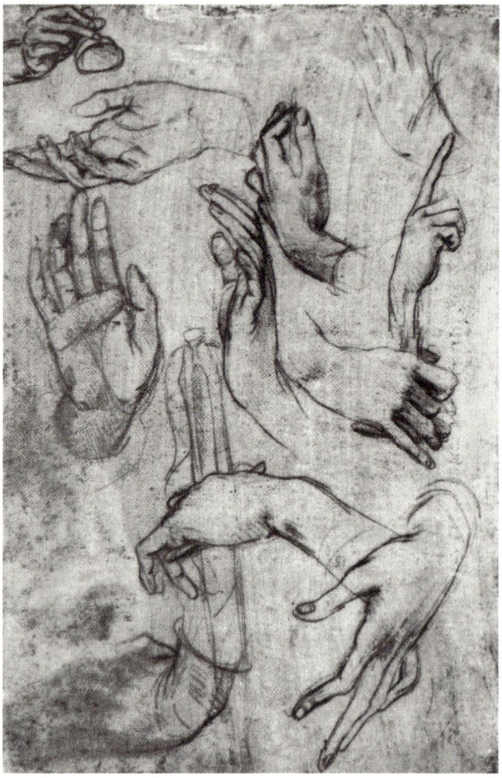

笔记和草图，以及作品中尚未完成的部分都表明，达·芬奇在创作中，除了建筑物外，不用纸板画草图，而是先将脑海中的构思以草图的形式进行体现，特别是收藏在乌菲齐美术馆的草图与卢浮宫馆藏的草图的对比，更加证明了达·芬奇在创作中，并不是一开始就确定了作品的结构，他绘画的方式是不断增添、重画、抹去，再即兴创作。画中的形象，连人物和马匹大约有六十多个，画上面房子的废墟表现出他精湛的透视技巧。

近年来，由马乌里奇奥·塞拉奇尼博士(Maurizio Seracini)领衔的一项研究表明，在这幅作品的颜料底层发现了达·芬奇的草稿真迹，更是可以看见底稿与最终作品之间存在的巨大差异，在底稿中清晰可见的骑士形象，在最终完稿的时候不见了踪影。一般认为，菲力皮诺·里皮在这幅作品合同签订

（左上图）**三博士来朝**，菲力浦·里皮（Filippo Lippi）作，1496年，258厘米×243厘米，佛罗伦萨乌菲齐美术馆。
（右图）**《三博士来朝》的手部习作**，约1481年，温莎城堡皇家图书馆手稿 12616。

三博士来朝，佛罗伦萨乌菲齐美术馆。

（第114—115页）**三博士来朝**，与马乌里奇奥·塞拉奇尼（Maurizio Seracini）研究中的多光谱成像技术下图层画面的对比。

的20年后，最终完成了这幅作品。塞拉奇尼据此推断，达·芬奇当时在不到一年的时间内就放弃了创作，也许是因为修道院对这幅表现耶稣诞生的作品中居然有骑士厮杀的场面感到不满，种种机缘巧合，成就了这幅作品今天呈现在世人面前的面貌。

《旷野中的圣哲罗姆》

圣哲罗姆生于340年前后，在罗马长大并学习教义，是著名的圣经学者。他将《圣经》翻译为拉丁语，是最有学问的古代学者之一，更是宗教与人文主义结合的象征。他在旷野中苦修的经历，是众多画家所钟爱的题材，马萨乔、皮耶罗·德拉·弗朗切斯卡、曼特尼亚、贝利尼和洛伦佐·洛托都曾经创作过同名题材的作品。

关于圣哲罗姆在旷野中的苦修，传说是这样的：年轻的圣哲罗姆在游历东方来到安提亚时，生了一场大病。病中他看到异象，有一个声音对他进行审判："不，你说的不是真的。你只是一个文人，你的财富在哪里，你的心也在哪里，你又怎么能说自己是基督徒呢？"病好之后，圣哲罗姆决心只身前往旷野，专心研习教义。旷野中的学习是一种苦修，传说中他曾为一只狮子拔去了掌中的刺，从此这只猛兽成为了他在旷野中的忠实伴侣。

（上图）在《圣哲罗姆》中达·芬奇留下了自己的**指纹**。
（右页）**圣哲罗姆**，约1482年，木板胶画，103厘米×73厘米，梵蒂冈美术馆。

达·芬奇的《圣哲罗姆》(也作《旷野中的圣哲罗姆》)所表现的正是苦修中的圣哲罗姆与狮子。

根据传说，从374年到378年，圣哲罗姆在旷野中共度过了5年的时间。那时候，他年仅三十岁出头，但是在几乎所有画作中，圣哲罗姆的形象都是老者，达·芬奇也不例外，画中的圣哲罗姆身体消瘦，并未蓄胡须，他的面容让人联想到古希腊的斯多葛派哲学家塞内加的半身塑像，这也许是达·芬奇在暗示圣哲罗姆天主教神父的身份之外的古文学者的身份。

画面中的圣哲罗姆眼眶深陷，瘦骨嶙峋，整个身体恰似一尊雕塑，与他棱角分明的线条相比，匍匐在他前方的猛兽反而显得温软而柔顺。那头狮子也许是首次走进绘画的狮子，在美第奇家族的动物园中，达·芬奇应该有机会近距离对这种猛兽进行细致的观察。圣人的头部、颈部、肩膀、前胸均裸露在外，肩膀上的肌腱紧绷，清晰可见，这显然是达·芬奇解剖学功底的显现。他的神情绝望，用石头敲自己的胸脯，他张大着嘴巴，向上天乞求慈悲，狮子也在吼叫着应和他。动物尾巴的

曲线大胆而精致，它和圣人苦修的动作搭配得很和谐，背景中的黑色岩石断裂的形状则像是一个巨大的十字架。

我们注意到，在《圣哲罗姆》中，圣哲罗姆与狮子的互动，重复出现了一种Z字形的构图——在《帕诺瓦圣母》中，圣母凝视着圣子，而圣子则注视着花朵，给观画人一种闯入私密空间的紧迫感。在手稿中，达·芬奇曾经这么描述如何表示“绝望”：“给失望者一把尖刀，让他用手撕破衣服，用另一只手撕扯伤口。”在这幅画作中，苦行者的眼神、手势和向天吁请的姿态，无不体现了人物内心的挣扎与冲突，正如达·芬奇在《论绘画》中所说：“绘画里最重要的问题，就是每一个人物的动作都应当表现它的精神状态，例如欲望、嘲笑、愤怒、怜悯等，在绘画里人物的动作在种种情形下都应当表现它们内心的意图。”画面中躺卧的猛兽、荒凉的背景，无不渗透着悲观主义与禁欲主义的基调，而画作的未完成状态，它的单色调，却也正好增添了这种浓郁的气氛。

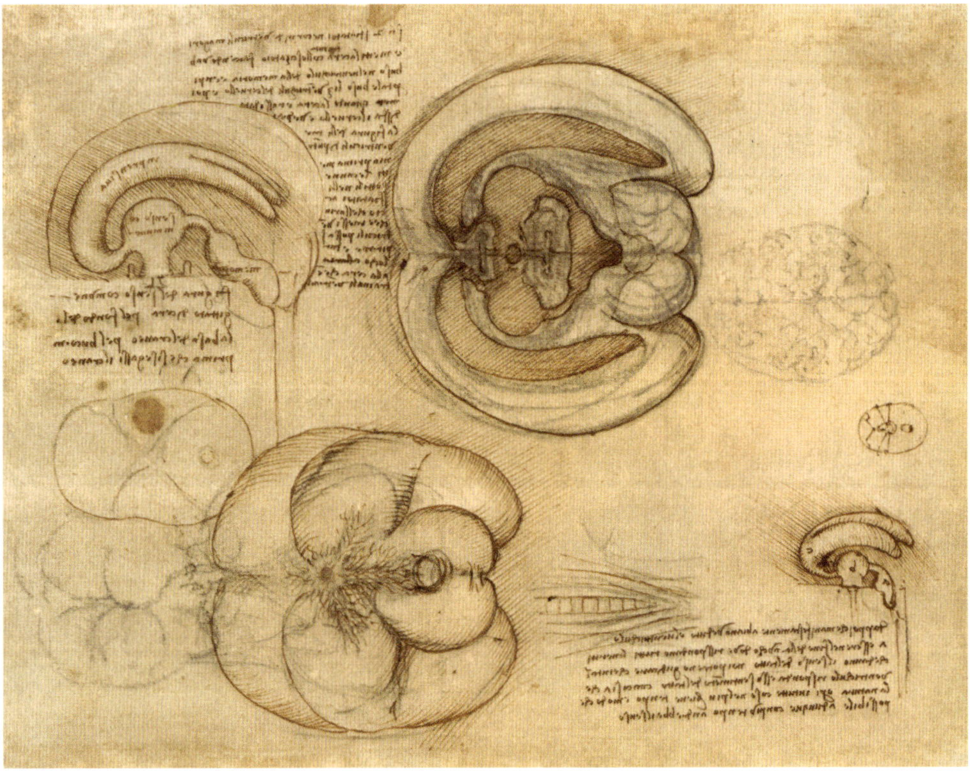

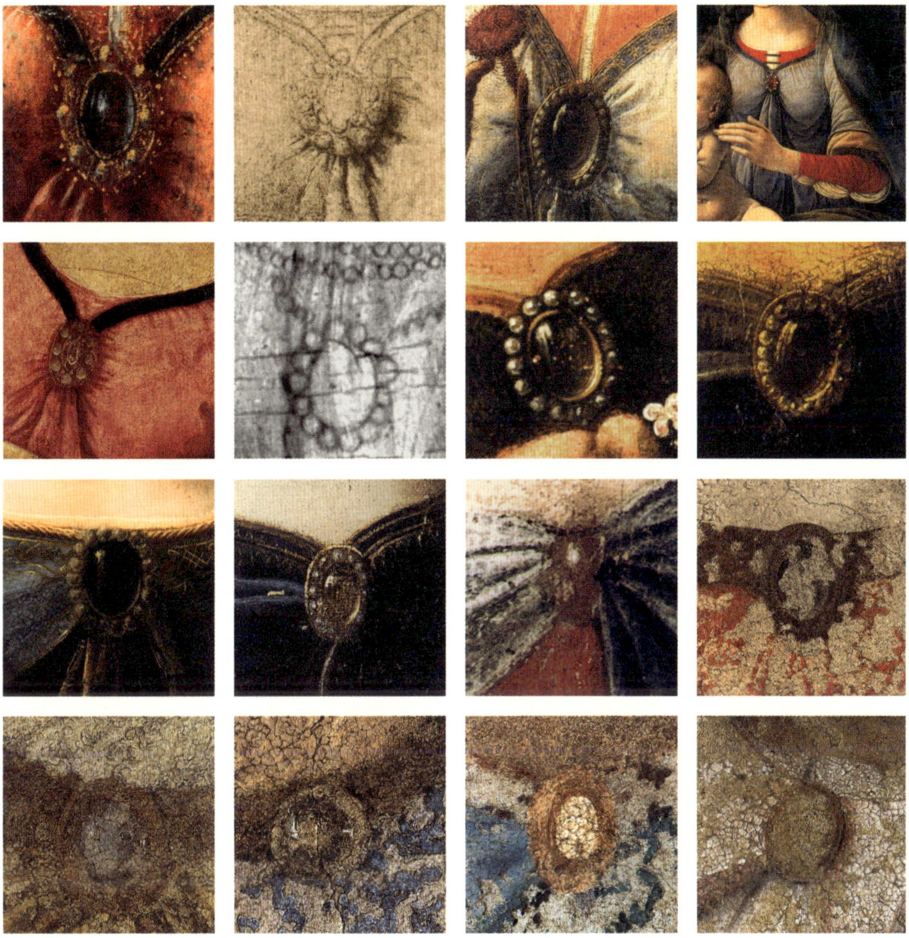

（左页）**脑部解剖研究**，约1508年，温莎城堡皇家图书馆手稿。
（本页从左至右，从上至下依次为）**德雷福斯圣母、克莱迪圣母、康乃馨圣母、广场上的圣母、卡马尔多利圣母、圣母领报中的圣母、帕诺瓦圣母**、卢浮宫馆藏**岩间圣母**、伦敦国家美术馆馆藏**岩间圣母**、瑞士Cheramy收藏的**岩间圣母、圣母的面容**（作品全貌见附录）中的圣母所佩戴的胸针，**最后的晚餐**中基督与使徒（圣安德烈、圣马太、圣西蒙）所佩戴的胸针。

1482—1499：在斯福尔扎家族治下的米兰

1482年，达·芬奇离开佛罗伦萨，前往米兰，他还随身携带了一把银制的里拉竖琴，那把里拉琴是洛伦佐·德·美第奇送给米兰大公路德维科·斯福尔扎的礼物。洛伦佐意在委派达·芬奇为自己的使者，以艺术为媒，借助美第奇家族之下的佛罗伦萨在艺术上的优势，与米兰结好。

此时的达·芬奇正逢事业上遭遇低谷。就在前一年，教皇西克斯图斯四世邀请佛罗伦萨绘画界的杰出人物前往梵蒂冈为其工作，波提切利、佩鲁吉诺、皮耶罗·科西莫、吉兰达约等人都受到了邀请，达·芬奇却不在其列。在当时的笔记中，他记下了这种怅然若失的情绪，他隐约感

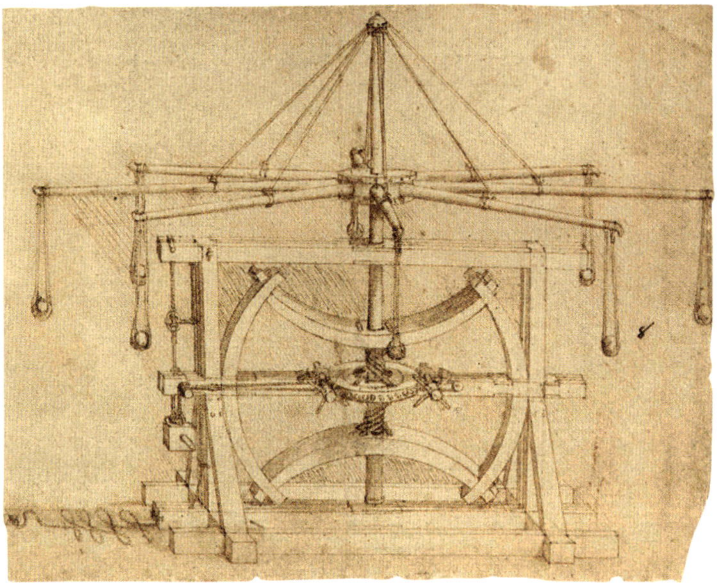

（左上图）斯福尔扎家族祭坛装饰画王座上的圣母与教会圣哲以及路德维科·斯福尔扎家族中的**"摩尔人"路德维科肖像**，约1494年，布雷拉美术馆。
（下图）**离心式投石器**，约1485年，大西洋古抄本手稿，编号f.159b-r。

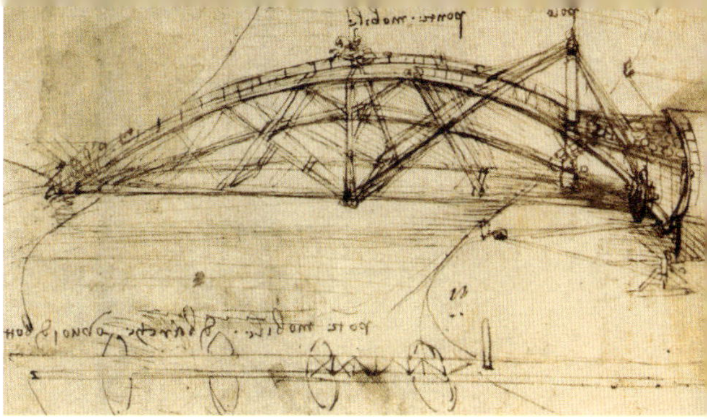

（从上至下）**吊桥**，约1488年，大西洋古抄本手稿，编号f. 855r。
镰刀车，约1490年，都灵王家图书馆。
建筑习作，约1487年，巴黎卢浮宫。

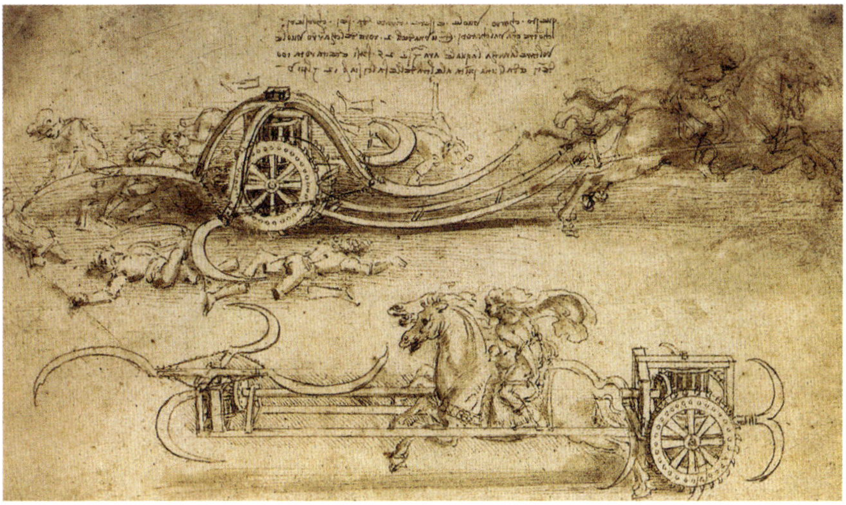

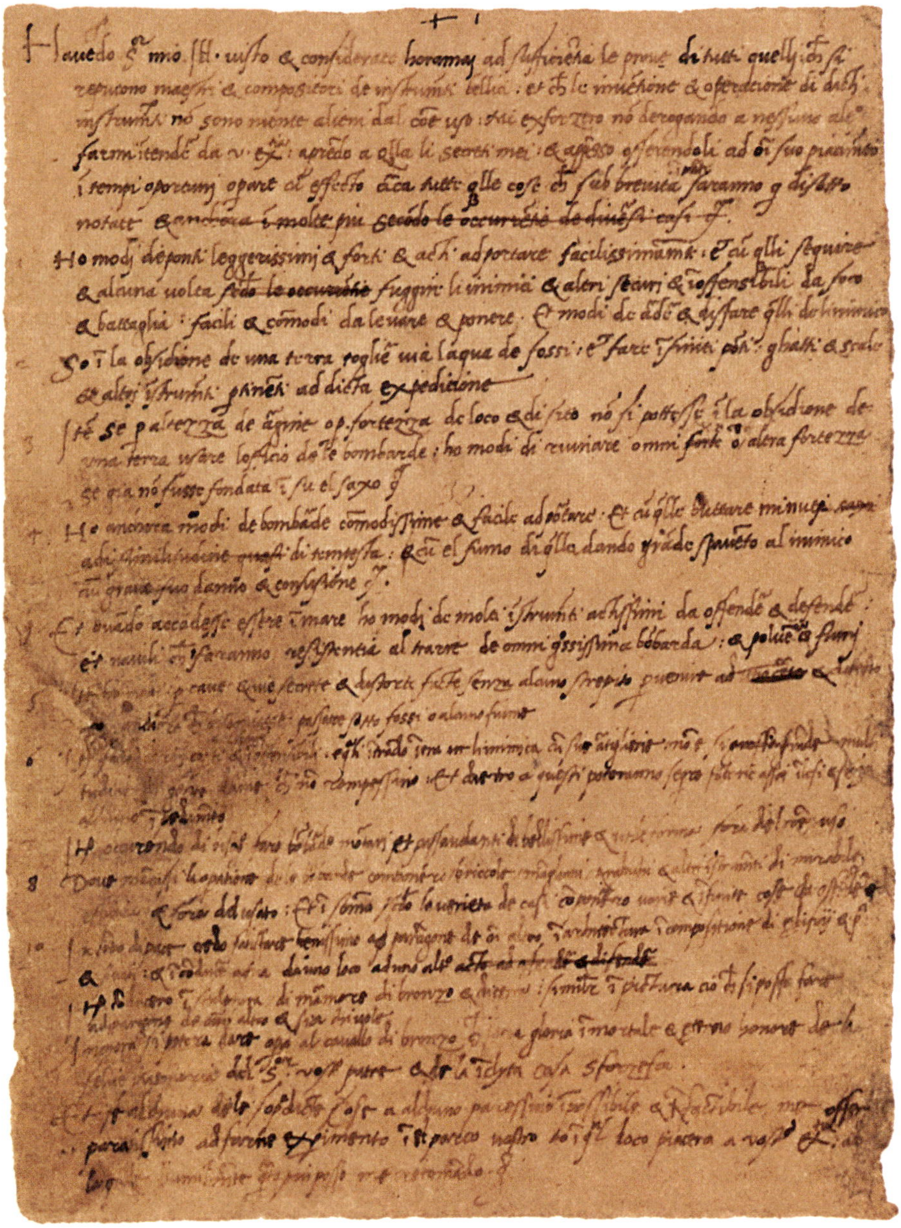

达·芬奇写给“摩尔人”路德维科·斯福尔扎的自荐信，约1482年，大西洋古抄本手稿，编号f.1082r。

到佛罗伦萨的人文主义氛围，尤其是新柏拉图主义，成为了束缚自己在艺术上发展的因素。而米兰所在的伦巴底成为了他此时衷心向往的城市，她经济上繁荣富庶，文化上结合了哥特与文艺复兴的新思潮，她的统治者，绰号“摩尔人”的路德维科·斯福尔扎也有意将米兰改造成意大利的雅典，使自己的家族与佛罗伦萨的美第奇家族、曼托瓦的贡扎加家族、费拉拉的埃斯特家族以及乌尔比诺的蒙特费尔特罗家族比肩。在这样的背景之下，达·芬奇来到米兰，希望自己在佛罗伦萨没能实现的理想，能够在此实现。

在路德维科的宫廷中，他表现出了高超的里拉琴演奏技艺，深得青睐，被誉为“佛罗伦萨的阿佩莱斯”。1482年，米兰与费拉拉交战，这场战争中，艺术方面取得的进步起到了微妙的影响，也许是在这场战争的启发下，达·芬奇向路德维科写了一封自荐信，信中这么写道：

1.本人可设计坚固或轻便耐用的桥梁，这种桥梁装卸方便，可用于野外追击敌军。

2.围城器械：当某地遭敌军围困之时，我所设计的器械可以及时排除战壕里的积水，我还精通建造各种桥梁、暗道以及阶梯，这些器械无不使用便捷。

3.我有妙计可攻取地势险要、易守难攻的要塞或建在岩石上的堡垒。

4.我还设计了能像暴雨般发射石块的大炮，这种大炮威力惊人，操作却很方便；大炮喷射的浓烟使敌人魂飞魄散，给予敌军重创。

（上图）**弩枪**，约1485—1490年，大西洋古抄本手稿，编号f.16r。
（下页）**炸药和子弹**，约1485—1490年，大西洋古抄本手稿，编号f.33r。

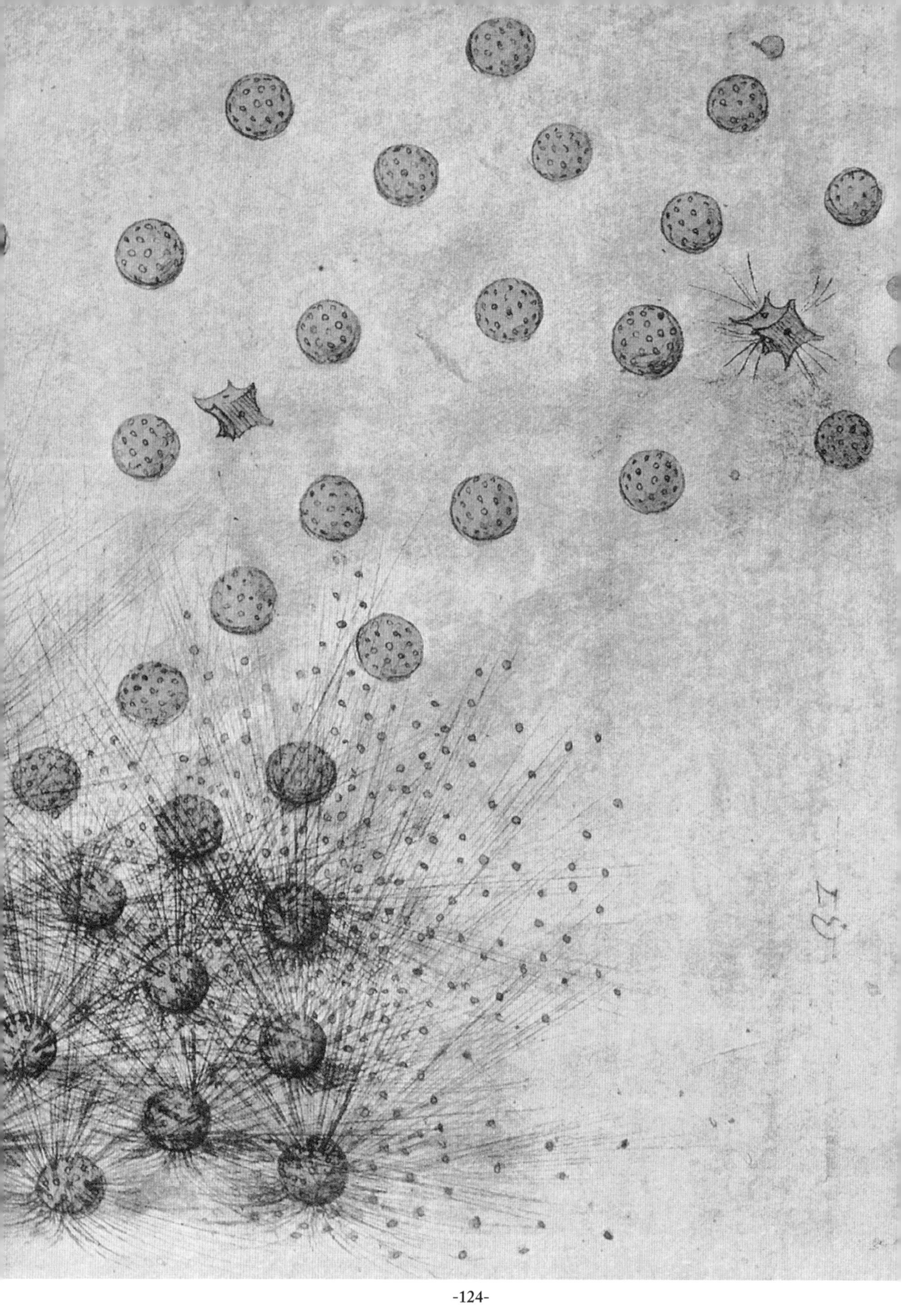

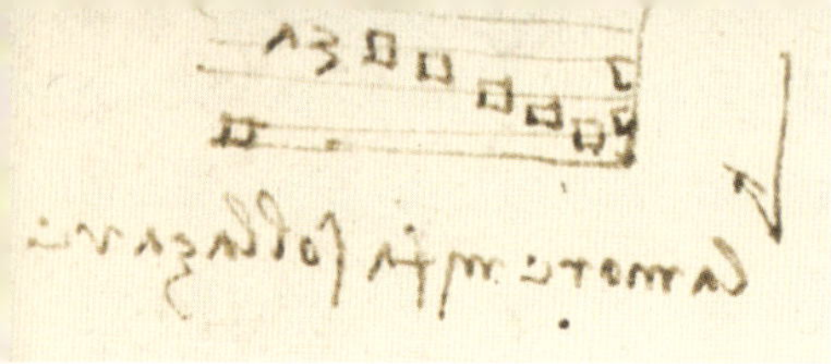

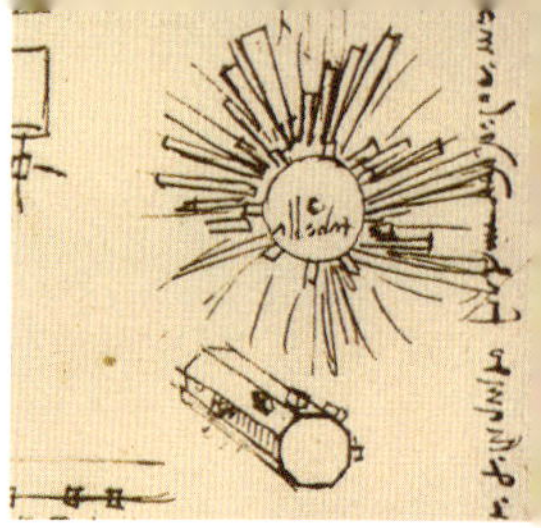

若有战事起于海上，我所设计的各种武器也可及时对外攻击，这些武器长于防守，可以抵御住最猛烈的炮火的攻击。

5.我可在战争中施以妙计，在江河底下挖掘蜿蜒的秘道，可以趁敌不备，悄无声响抵达指定方位。

6.我将制造装甲战车。这种战车安全牢固，任敌军多强大，都无法阻挡；另外，步兵在这种战车后面行军，亦会十分安全，万无一失。

7.我还可设计出大炮、迫击炮和其他各种轻便、易于装卸的轻武器，这些武器比现今使用的武器更为高效和新颖。

8.在火炮攻击无效的情况下，我还可设计出各种弩炮、投石机以及各种在围城战役中简便、高效的战争器械。总而言之，战争中的各种不同情形，我都有十足的信心应对。

9.海上作战，我能设计出高大的作战与防御武器，并制造出能发射各种炮弹的战船。

10.和平时期，我相信我能够胜任从公共建筑到个人住宅设计的所有工作。我能构建

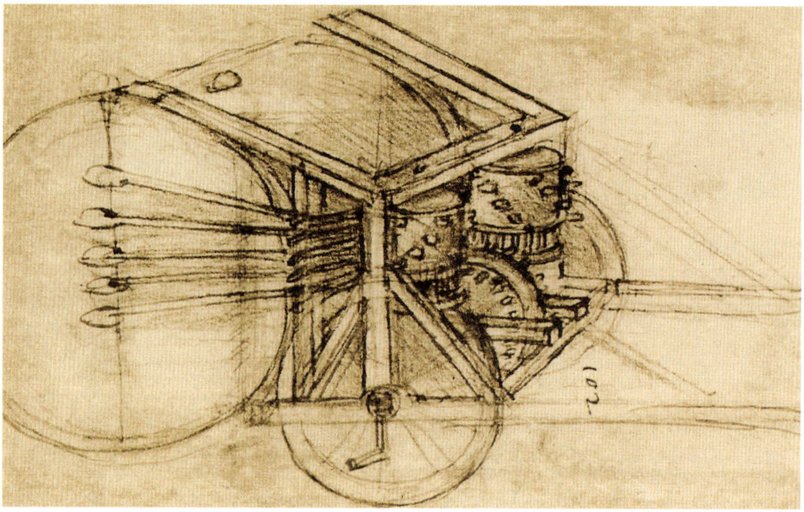

（左上图）**音乐抚慰我的心灵**，约1490年，温莎城堡皇家图书馆手稿，编号12692v。
（右上图）**音乐笔记**，约1506年，阿伦代尔手稿，编号f. 137v。
（中图）**机械鼓**（灵感来自阿拉伯乐器），约1495年，马德里手稿I，编号f. 160r。
（左下图）**自动敲打的鼓**，约1503年，大西洋古抄本手稿，编号f.847r。

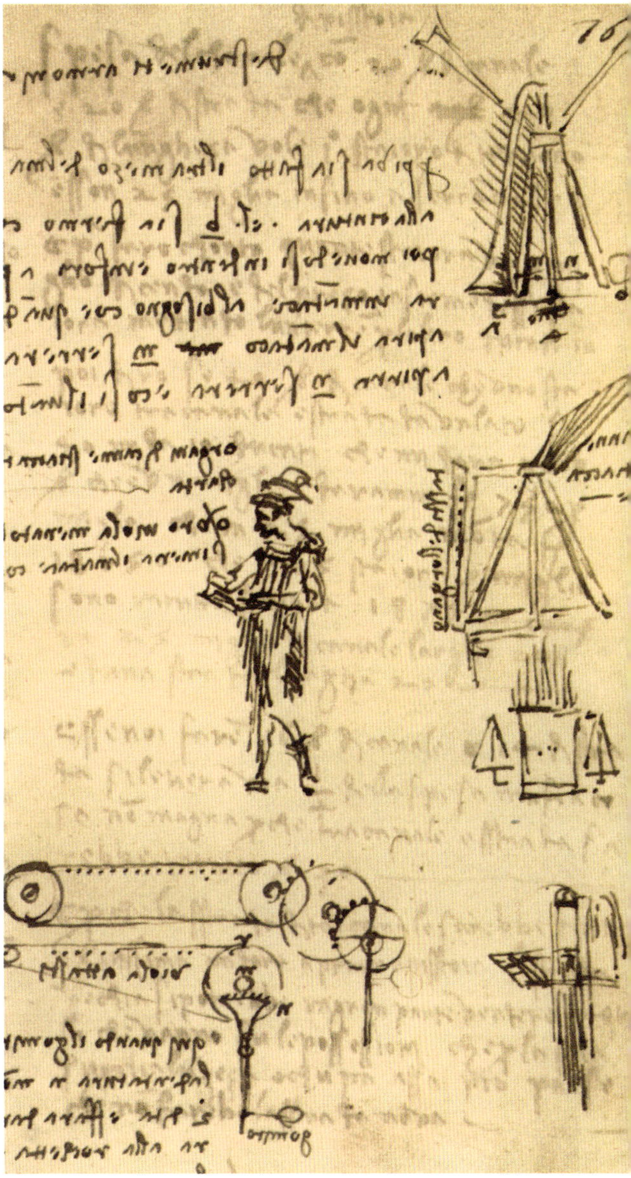

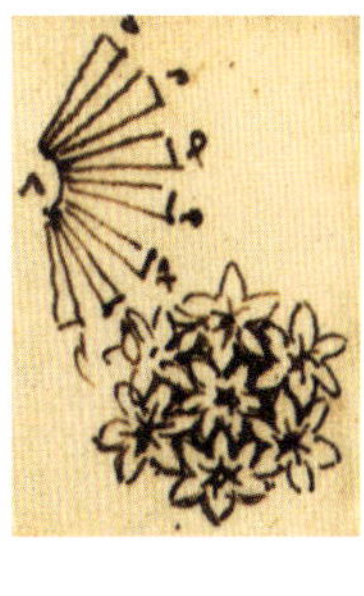

（左图从上至下依次为）**里拉琴**，Ms. B1手稿，约1508年。
达・芬奇理想博物馆**里拉琴的复制品**，材料为铜，Lorin Maazel收藏的一个样品。
带有级进滑音的长笛，约1498年，大西洋古抄本手稿编号f.1506以及达・芬奇理想博物馆的复制品。
（右上图）**达・芬奇音乐笔记**中的乐童、风笛、木制的管风琴的原理。
（右下图）**七种音符与七朵小花**（“声音随着距离拉长而变弱”），约1502年，Ms. L手稿，编号f.80r，局部。

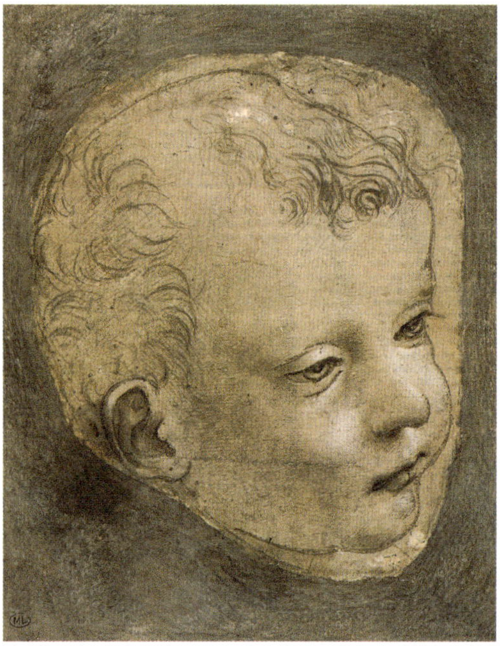

私人或公共建筑，设计城市内的水道，将水从一个地方引至另一处。

11.我能在大理石、青铜、黏土上雕刻，也精于绘画。我的艺术才能与任何艺术家相比都不逊色。

12.我还将设计出一座巨大的青铜战马，该作品将成为您和您的斯福尔扎家族不朽功勋的永恒见证。

在这封著名的自荐信中，达·芬奇描述了自己作为一名工程师在战争时期和在和平时期的主要责任。在这期间，他还与许多在路德维科宫廷内供职的大师们切磋学问。他曾向数学家卢卡·帕奇奥里学习数学问题，并为他的数学著作绘制了多幅插图。他表示“绕过数学的演示，没有任何一项人类的研究可以被称为真正的科学”。而帕奇奥里也在书中的题词里充分表达了自己对达·芬奇的敬仰，他称其为建筑师、工程师、发明家和艺术家。这一时期的手稿显示，达·芬奇对几何学、动力学、光学、飞行学、建筑学、军事工程等各个

（左图）**《岩间圣母》中童子耶稣的草图**。
（右上图）**慈爱的圣母**，约1480—1485年，温莎城堡皇家图书馆手稿，编号12560，局部放大。

（右图）**慈爱的圣母**，伦敦大英博物馆馆藏《岩间圣母》中被覆盖图层的草图。

方面都有广泛的兴趣与深入的研究。也正是在这一时期,《哺乳圣母》(也叫《丽塔圣母》)、《音乐家的肖像》、《岩间圣母》和《最后的晚餐》这些著名作品在达·芬奇笔下诞生了。

1483年至1508年间,达·芬奇在米兰共创作了两个版本的《岩间圣母》。其中一幅收藏于巴黎的卢浮宫,另一幅藏于伦敦的国家美术馆。根据一份历史资料的叙述,《岩间圣母》的合同于1483年4月25日签订,这份合同是最早能证明达·芬奇来到米兰的证据。然而,最终完成后的《岩间圣母》却偏离了合同的要求。依照合同的规定,圣母子身边应该围绕着许多天使和两名先知,每幅边画上要出现四个演奏乐器的天使。我们看见的是,除了圣母子之外,不论是馆藏于伦敦国家美术馆的《岩间圣母》,还是藏于卢浮宫的版本,都没有符合合同的规定,天使只出现了一个,而且形象与传统上也有所不同,达·芬奇似乎将天使的性别故意模糊了,而先知更是一个都没有,取而代之的是合同中没有出现的

（左图）耶稣，习作的局部，**带孔的草图**。
（右图）伦敦大英博物馆所藏**《岩间圣母》**红外线扫描下所现图层，局部，伦敦大英博物馆。

（下页）**岩间圣母**，约1483—1485年，木板油画，后移至布面，199厘米×122厘米，巴黎卢浮宫。

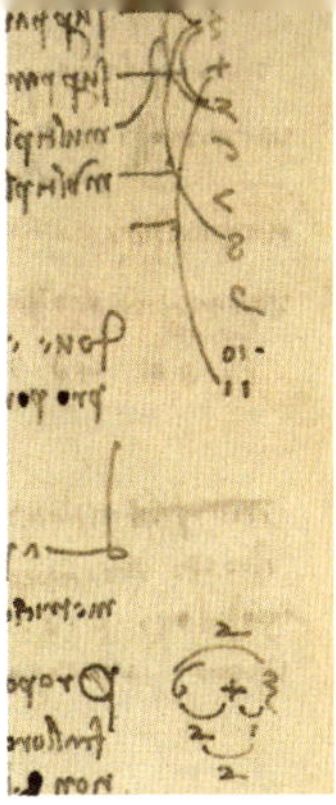

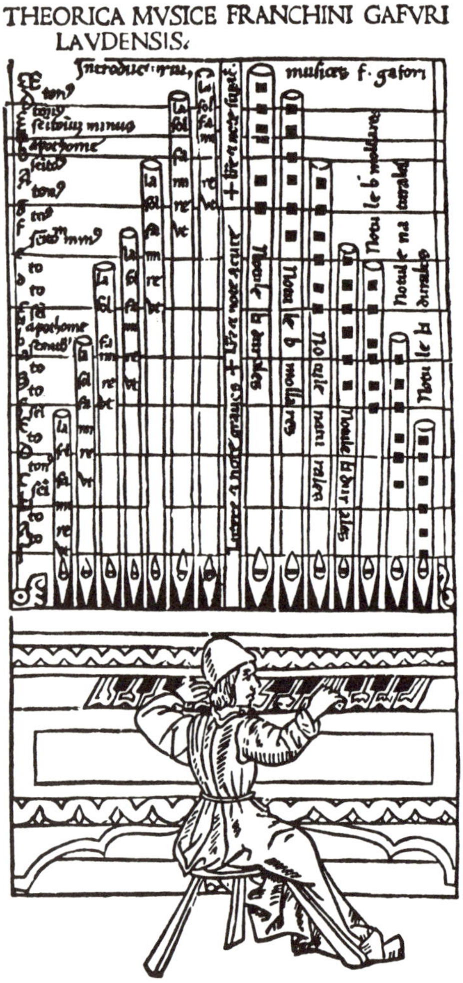

小圣约翰，这种做法在同类题材作品中非常罕有。

作品中达·芬奇首次成功地探讨了人与自然的融合，画中人物与景色的搭配十分和谐，呈现出一种梦境般的悠远意境，给人一种宁静祥和的感觉，人物与背景的微妙刻画，科学的写实与透视，缩形技巧的娴熟运用，都表示达·芬奇在处理逼真写实与艺术加工的关系上实现了新的突破，其通过语言的隐喻表达主题的技艺更为炉火纯青。

《岩间圣母》中既没有出现宝座，也没有具体建筑物的构架，只是通过岩洞本身来实现空间的参照。岩洞和消失在远处的群山表现了无穷无尽的地质世界，它们构成了神圣事件发生的背景，其中每一个动作都凝固下来，被达·芬奇精确地用画笔捕捉到。从岩洞望去，阳光穿过潮气和云雾照在远山上。地下泉水在攀藤植物和石松根上潺潺流淌。

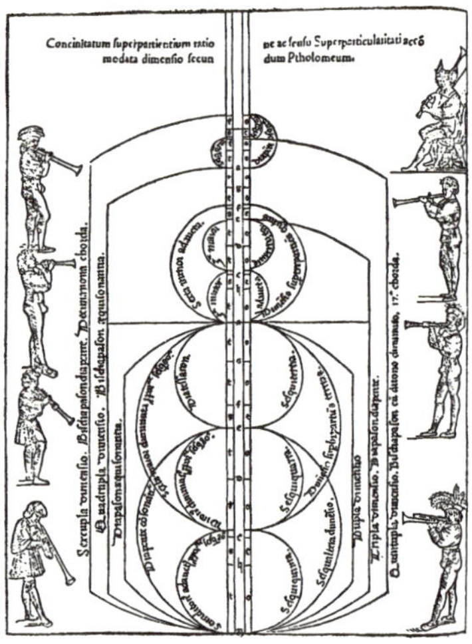

（上页）**岩间圣母**，达·芬奇与普雷迪斯兄弟（Predis）合作，约1493—1508年，木板油画，189.5厘米×120厘米，伦敦国家美术馆。
（左图）弗朗基诺·加甫里奥（Franchino Gaffurio）著，**音乐理论**，1492年12月15日米兰出版的扉页。
（右上图）**数字比例**，约1502年，马德里II手稿，f. 49r。
（右下图）弗朗基诺·加甫里奥（Franchino Gaffurio）著，**论音乐的和谐**，1518年。
（右页）**音乐家的肖像**，约1485—1487年，木板油画，43厘米×31厘米，米兰安布罗哲美术馆。

在朦胧的洞穴中，人物虽然被一团潮气所包围，然而在昏暗的岩石的反衬下，人体轮廓清晰可辨，人物轻柔、温存、纯真的神态得到了栩栩如生的凸显。

圣母居于图中央，右手扶持小圣约翰，左手下方坐着圣子，与耶稣身后的天使一并构成三角构图。优雅而恬静的形象与传统中的圣母大相径庭，其优雅并合乎理想美的容貌出自达·芬奇的匠心独运，这种富于神性的美同时洋溢着人情味。在圣母头部右侧的是耧斗菜(Colomba)，这是一种象征圣灵的鸽子(Colomba)的植物；圣母右手上方的植物名叫“蓬子菜”，传统上它象征着基督降生的马厩；而小基督脚下的植物名为“仙客来”，它心型的叶子象征基督之爱，而膝盖边上的则是象征美德的报春花。在画面中跪着的是小圣约翰，他脚下的植物是“莨菪”，这种植物在春天时会迅速生长，一般种在坟墓上面，自然，那是基督重生的象征。在岩洞的上方生长着“圣约翰花”，黄色花瓣上的点点红色，正是圣约翰殉道时留下的斑斑血迹。

长久以来，人们一直认为，藏于伦敦的作品是对卢浮宫版本的模仿，藏于温莎的一幅红粉笔画的可爱小孩侧面像(第128页)也提

(上图)**女人的侧面**，约1485年，温莎城堡皇家图书馆手稿，编号12505。
(下图)**“摩尔人”路德维科·斯福尔扎的妻子——贝雅特里奇·迪·埃斯特的侧面**，约1494年，米兰布雷拉美术馆。
(右页)**年轻贵妇人的侧面**，被认为是达·芬奇的作品，约1487年(1485—1490年)，332毫米×239毫米，私人收藏。

出了佐证。小孩的姿势与伦敦版本的小基督的姿势如出一辙，该素描的画风也是十五世纪九十年代中期的典型风格。总之，它的气息更为严肃一些，人物脸部发出一种苍白的光泽。与前一幅相比，整幅画给人一种单调、悲伤、孤单之美。如果巴黎那幅作品的色彩有些朦胧，那么伦敦这幅则具有更为鲜明的月光般的边线。后面这幅图中圣母头上还多了一个光环，看起来像是满足那个协会的死板要求，这在前面一幅以及达·芬奇在佛罗

（左上图）多美尼克·吉兰达约作品，**乔瓦娜·托娜布尼**（Giovanna Tornabuoni）**的肖像**，约1488年，马德里，提森·波涅米萨 (Thyssen-Bornemisza) 收藏。

（右上图）皮耶罗·迪·科西莫（Piero di Cosimo）作品，**克莱奥帕特拉**，约1483—1485年，巴黎香提伊城康德亲王博物馆藏。

（左下图）**佩戴珍珠发网的贵妇**，曾被认为是达·芬奇的作品，后来认为是安布罗奇奥·德·普雷迪斯（Ambrogio de Predis）的作品，约1485—1495年，米兰。

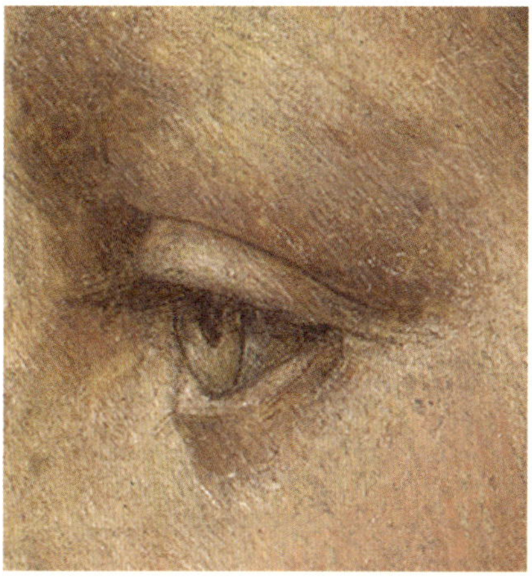

伦萨画过的所有圣母像中从未出现过。

在对伦敦馆藏《岩间圣母》进行红外线扫描后，人们惊讶地发现，在画中还藏着另一幅草图(第129页)，图中的圣母玛利亚双眼凝视地面，一手抚胸，一手向外伸展，右手几乎碰到了画面的边缘。这幅未完成的底稿中并

年轻贵妇人的侧面，被认为是达·芬奇的作品，约1487年，332毫米×239毫米，私人收藏（三处局部）。

没有耶稣的形象。据推测，1483年，达·芬奇首先作了卢浮宫版本的《岩间圣母》，其后他也许增加了价码，遭到拒绝后，他将这幅作品售予别家。几年后，原委托人要求达·芬奇归还这幅作品，于是便有了今天藏于伦敦国家美术馆的《岩间圣母》。

《音乐家的肖像》(第133页)是达·芬奇少数几幅在画架上创作的作品之一，也是他留下的唯一男性肖像画，它被视为十五世纪意大利伦巴第地区的第一幅新风格肖像画。最初，人们没有立刻认出这幅画的作者和画中人，一封十九世纪初的信更是将画中人指认为路德维科·斯福尔扎大公本人，还有人认为这幅画与《戴珍珠发网》的贵妇人是一对，而后者被认为是达·芬奇的作品，属于费德里科·波罗梅奥主教的收藏品。画中的贵妇是路德维科的妻子——贝雅特里奇·迪·埃斯特。1618年，主教将其收藏的一部分藏品赠与安布罗哲美术馆，当时，《音乐家的肖像》这幅作品并不在其中，直到1671年，这幅作品才在美术馆的名册中登记出现。1905年，路易吉·卡维纳吉(Luigi Cavenaghi)对该画进行了修复，在将这幅作品下方重画的部分抹去后，才发现画中人的手上拿着一张乐谱。从那时候起，人们便假定画中人是作曲家、达·芬奇的好友弗朗吉诺·加甫里奥(Franchino Gaffurio)；也有人认为画中人是若斯坎·德·普雷斯，他是法国音乐家，在米兰的宫廷中供职到1484年；或阿塔兰特·米廖洛蒂(Atalante Migliorotti)，他与达·芬奇一同到米兰，也是一名音乐家和歌手。

贵妇人的侧面、绘画工具和百花圣母的侧面，约1480年，伦敦大英博物馆。

《抱银貂的女子》

油画中出现银貂并不常见。在这里达·芬奇选用银貂有其特别用意。银貂(意大利语作ermellino)在意大利语化的希腊语中写作"galè"(读音为加莱),而画中女子,路德维科·斯福尔扎的情人塞西莉亚·加莱拉妮的姓读音与之相仿。

银貂具有这些含义,但这种动物还有一个更为特殊的含义:银貂也指路德维科本人。1488年,他被那不勒斯国王费兰特·迪·阿拉贡授予"银貂"修会的头衔。

达·芬奇的朋友——佛罗伦萨诗人贝林乔尼(Bernardo Bellincioni)在那些年里也和达·芬奇同在斯福尔扎家族做事,他曾将"摩尔人"路德维科描述成一只白色的银貂,并为这二人作诗赞美:

啊,善妒的大自然
他嫉妒达·芬奇为你的宠儿画像,
美丽的塞西莉亚,她那美丽眼眸
几乎让太阳都失去了光芒!

作品中的那只银貂眼神警惕,前腿肌肉发达,张开的爪子紧紧抓着少女的红色衣袖。跟达·芬奇其他作品一样,他将画中的象征含义表现得淋漓尽致,以至人们很容易就能联想到它指代何物。

1490年,年仅17岁的塞西莉亚就已经成为了路德维科·斯福尔扎的情妇。在1491年,他们的孩子诞生了,名叫凯撒,然而"摩尔人"路德维科却在之前娶了贝雅特里奇·迪·埃斯特。他并没有怠慢塞西莉亚,他于1492年将米兰北部萨拉诺区里的一块土地的封地赏赐给了这个年轻的母亲,并安排了她与路德维科·博加米尼伯爵的婚礼。

画面中的少女神情是严肃的,她拥有与之年龄不匹配的老成持重,她的衣饰紧紧地束缚着自己。在民间传说中,银貂又是纯洁的象征,人们认为它宁愿死去也不愿意自己雪白的皮毛受到玷污。剑桥菲茨威廉博物馆收藏着达·芬奇所描述的这则故事传说,更加表明他在这里选用银貂是有其深意的。

这幅作品于1876年在克拉科夫的恰尔托雷斯基博物馆里第一次被正式公开展出。然而直到二十世纪初,世人才相信这幅画出自达·芬奇之手,而画中少女就是贝林乔尼等人所赞誉的那位塞西莉亚·加莱拉妮。

(左上图)在《抱银貂的女子》中出现的**达·芬奇的指纹**。
(右图)**银貂**是纯洁的象征,因为人们认为它宁愿死去也不愿意自己雪白的皮毛被玷污。约1490年,剑桥大学菲茨威廉博物馆。
(下页)**抱银貂的女子**,修复后、修复中的面貌,木板油画,54.8厘米×40厘米,克拉科夫札托里斯基博物馆 。

（上图）安东内罗·达·梅西纳（Antonello da Messina），**青年男子的肖像**，1474年，柏林国家博物馆。
（右页）**拉·贝尔·费罗尼耶的肖像**（La Belle Ferroniere），木板油画，63厘米×45厘米，巴黎卢浮宫。

这一时期创作的另一幅作品《拉·贝尔·费罗尼耶的肖像》是另一幅重要的女性肖像作品。在这幅油画中，达·芬奇笔下女性形象中公式般的微笑消失了，人物的面部似有一种不易察觉的讥讽与轻蔑。如果说在《抱银貂的女子》中，达·芬奇刻画的是青春女性的秀美，那么在《拉·贝尔·费罗尼耶的肖像》中，他展示给世人的，则是一种罕见的性格美，他注意到了画中人那对有些斜视的眼睛，她丰满的胸部与衣服上光影的变化，在达·芬奇的肖像画中都是较为少见的。

《哺乳圣母》(也称《丽塔圣母》)的尺幅并不大。其构图与《帕诺瓦圣母》相似，但女性形象更为妩媚。整幅画面简洁生动，人物形象的明暗变化惟妙惟肖。画中的圣母形象丰满，洋溢着年轻母亲的爱子之情，她的表情自然恬静，正在为怀中的圣子哺乳，圣子吃奶的憨态被认为带有博尔特拉斐奥的特点。圣母子身后的窗外，群山在白云下蜿蜒伸展，类似的背景在达·芬奇之后的作品中还会反复出现。

《哺乳圣母》是另一幅达·芬奇伟大的作品。这幅画有许多出自文艺复兴时期著名画家的复制品，但是达·芬奇拥有一幅绘画底稿素描，明白无误地勾画出圣母头部，这幅底稿现存于法国卢浮宫，说明该画出自达·芬奇之手。但是，圣婴吮奶的憨态，确是达·芬奇学生博尔特拉斐奥(Boltraffio)的专利，所以有人认为，这幅画由达·芬奇开始，由他的学生完成。

（左图由上至下）**《哺乳圣母》中的耶稣**，习作，被认为是博尔特拉斐奥（Boltraffio）的作品，巴黎荷兰研究所。
《哺乳圣母》中衣服的衣褶，习作，被认为是马尔科·迪·奥吉奥诺（Marco d'Oggiono）的手笔，约1485年，柏林国家美术馆。
《哺乳圣母》中圣母的头部，习作，约1485年，法兰克福施特德尔美术馆。
（右上图）**女子头部**，习作，约1485年，巴黎卢浮宫。
（右页）**哺乳圣母（丽塔圣母）**，被认为是达·芬奇与其画坊弟子博尔特拉斐奥、马尔科·迪·奥吉奥诺（Marco d'Oggiono）的作品，1485年后完成，木板油画，43厘米×33厘米，圣彼得堡艾尔米塔什博物馆。

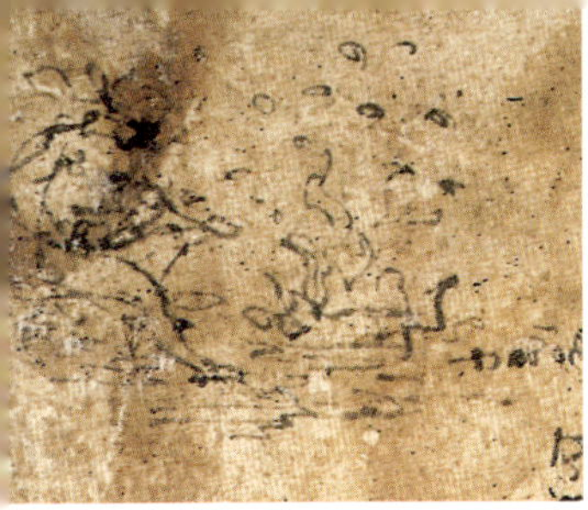

达·芬奇手稿中关于道德的隐喻

1479年黑死病在佛罗伦萨突然爆发，但几周之后慢慢平息下来。1485年，黑死病又来到了米兰，这次的恐怖疫情持续了三年；同年3月16日，日全食发生，达·芬奇在笔记中记述了自己透过一大张打满孔的纸观察日食的情形。这两个大事件自然将全欧洲都带入了深深的恐慌，正是在这一期间，达·芬奇创作了《岩间圣母》。也许与世隔绝的岩洞，正是上帝的子民寻求避难的一个象征。

这一时期，达·芬奇创作了一系列风格怪异的寓言式素描，并在其上写下旁注，藏于今天的牛津大学及大英博物馆。在一张素描中，有两名女子骑在一只巨大的蟾蜍上，分别代表“妒忌”与“忘恩负义”。死神被刻画成一个手持镰刀的骷髅，在两人后面紧追不放，这似乎是对当时的瘟疫场景的再现。在另一张素描上，“妒忌”被描绘成一个老妇人，瘦骨嶙峋，却戴着美貌的面具，骑在一个骷髅架上面。在旁注中他写道：

当美德降临在世间，嫉妒也随之而来，并总是对美德进行攻击；一旦躯体不再有阴影，那么便只有美德留下，不再心生嫉妒。嫉妒需要用向上天表达鄙视的手势来表现，因为如果她可以的话，她便会竭尽全力对付上帝，她的脸上带着代表公正的外表，眼睛里的棕榈枝和橄榄枝表现出她的眼睛分明受了伤。她的耳朵为月桂树枝或香桃木所伤，这象征着真理和胜利对她表示厌恶。她的舌头将吐出邪恶的话语，像那闪电霹雳一般。让她变得瘦弱，面容憔悴吧，那样她就会永远处于痛苦之中了！让她的心被大毒蛇吞噬吧，让那些利剑一般的话语令她胆战心惊！给她豹子的皮，因为豹子就是因为嫉妒而欺骗狮子，使她丧命。再拿一个花瓶给她！那花瓶里要装满鲜花、沙子、蝎子、蟾蜍和其他有毒的生物。让她就这么骑着死亡，可又因为嫉妒，她从不垂死，更从不对统治心生厌倦。那就给她套上马鞍，缴下她所有的武器，因为她的每一种武器都足以让她丧命。

在《愉悦与痛苦》中，两个脑袋和两对胳膊长在同一个身躯之上的形象象征着愉悦与痛苦的相随相伴。在旁注中，达·芬奇这么写道：“愉悦与痛苦是双胞胎，他们从来都是密

（左上图）**无知与真理之光**，约1485年，都灵皇家图书馆，局部。
（下图）**政治的隐喻**，约1485年，牛津大学基督堂学院，局部。

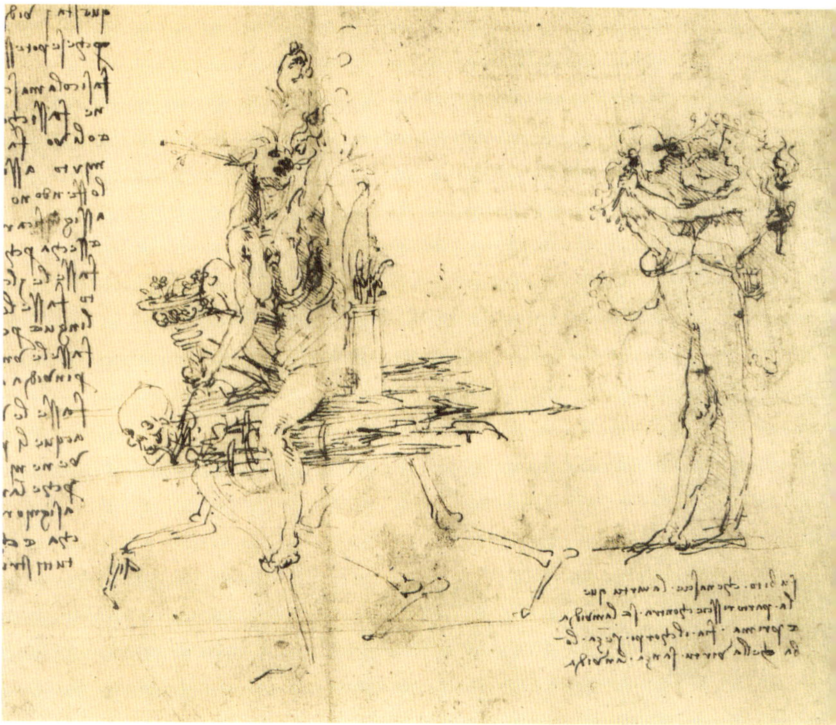

（上图）**面对死亡、忌妒、忘恩负义、傲慢和无知的命运，**约1485—1490年，伦敦大英博物馆，局部。

（下图）**忌妒与恶念，**约1485年，牛津大学基督堂学院，局部。

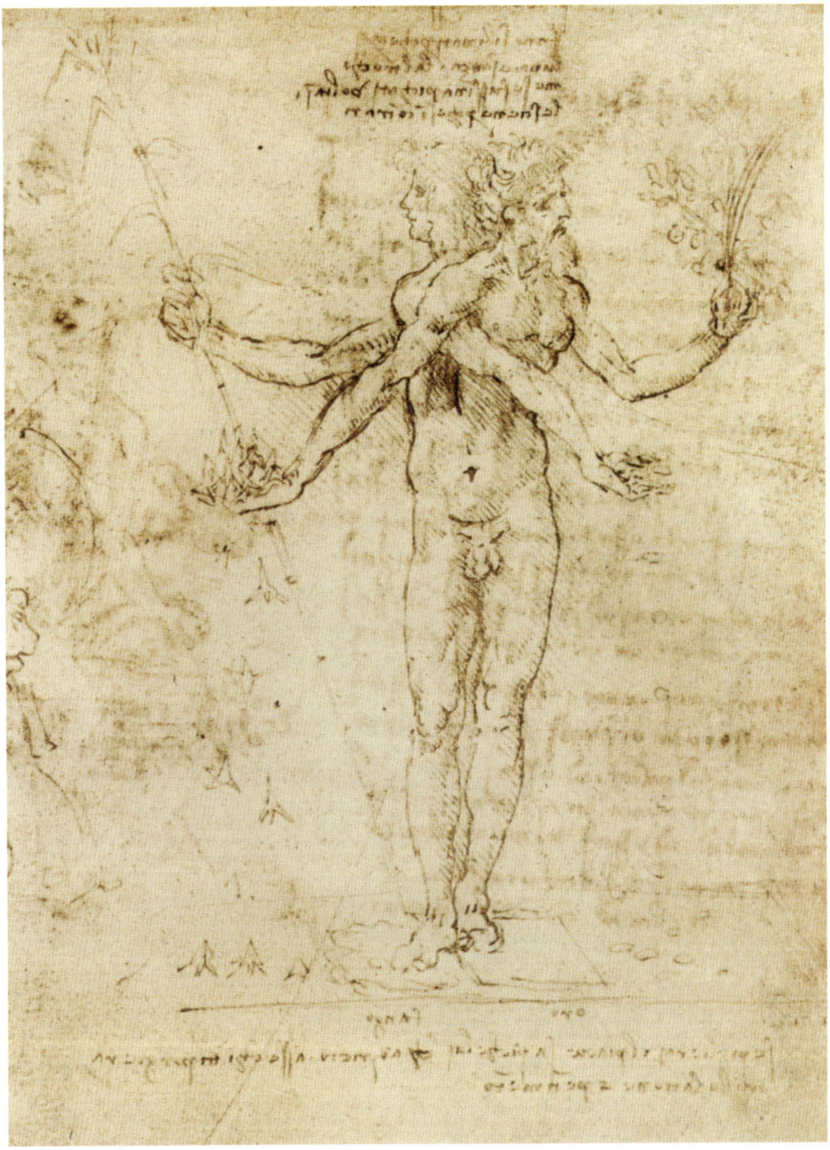

（左上图）**铁蒺藜象征痛苦**，特里维尔斯（Trivulziano）手稿，f. 53v，局部，“愉悦和痛苦是双胞胎，他们从来都是密不可分的”。

（下图）**愉悦与痛苦**，约1485年，牛津大学基督堂学院，局部。

不可分的。”“痛苦”是个蓄着胡须的老年人，他一手掉落象征痛苦的尖锐物体，另一只手则挥舞着一根树枝；而“愉悦”则留着长头发，他的动作与老人相似，一手落下一长串硬币，另一只手握着一根芦苇，达·芬奇对此的解释是，“他的右手拿着一根芦苇，右手没有什么用处，因此疲乏无力，而芦苇造成的伤口是有毒的。”

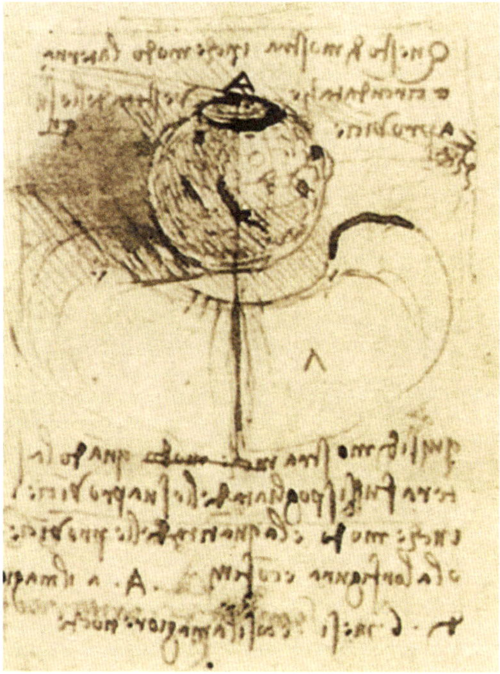

（左图）**地球**，约1490年，大西洋古抄本手稿，编号f. 521，局部。
（下图）**东方**，约1500年，大西洋古抄本手稿，编号f. 393r。

欧洲及伊比利亚半岛地图，对飞行的研究习作，约1496年，大西洋古抄本手稿，编号f.1106r，局部。

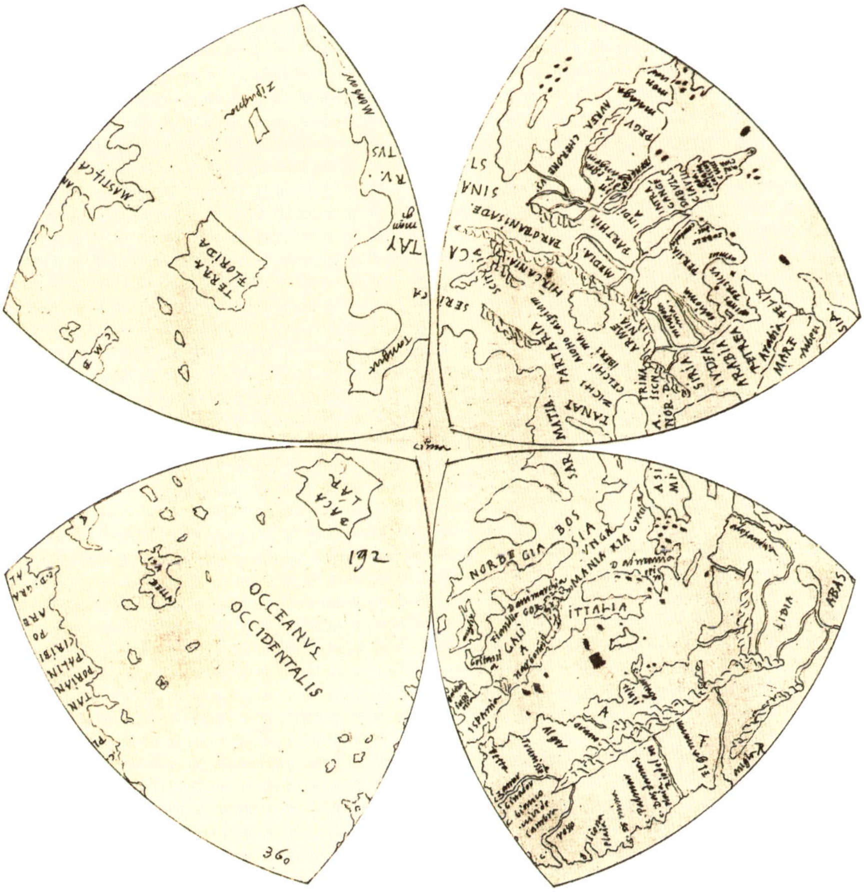

达·芬奇的学生作品，**世界地图北半球**，温莎城堡皇家图书馆手稿，编号01393。

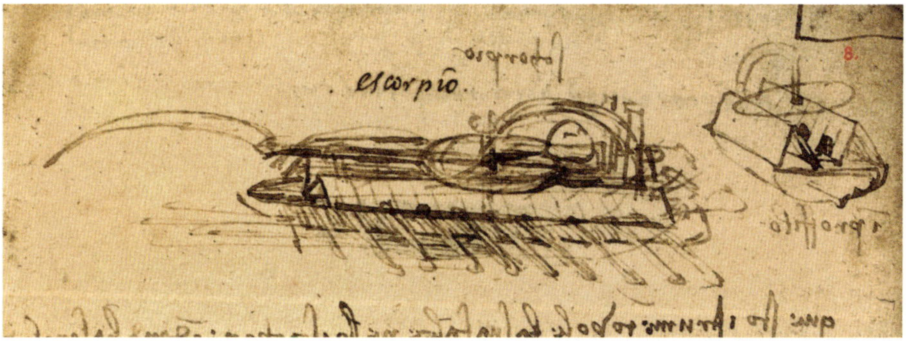

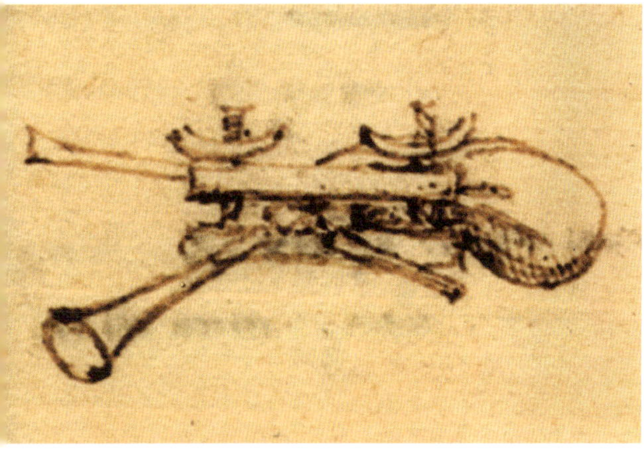

（上图）**蝎形船**，Ms手稿，B1，编号ex98r，约1487年，局部。
（下图）**风笛**，Ms手稿，M，编号f.4v，约1497年，局部。

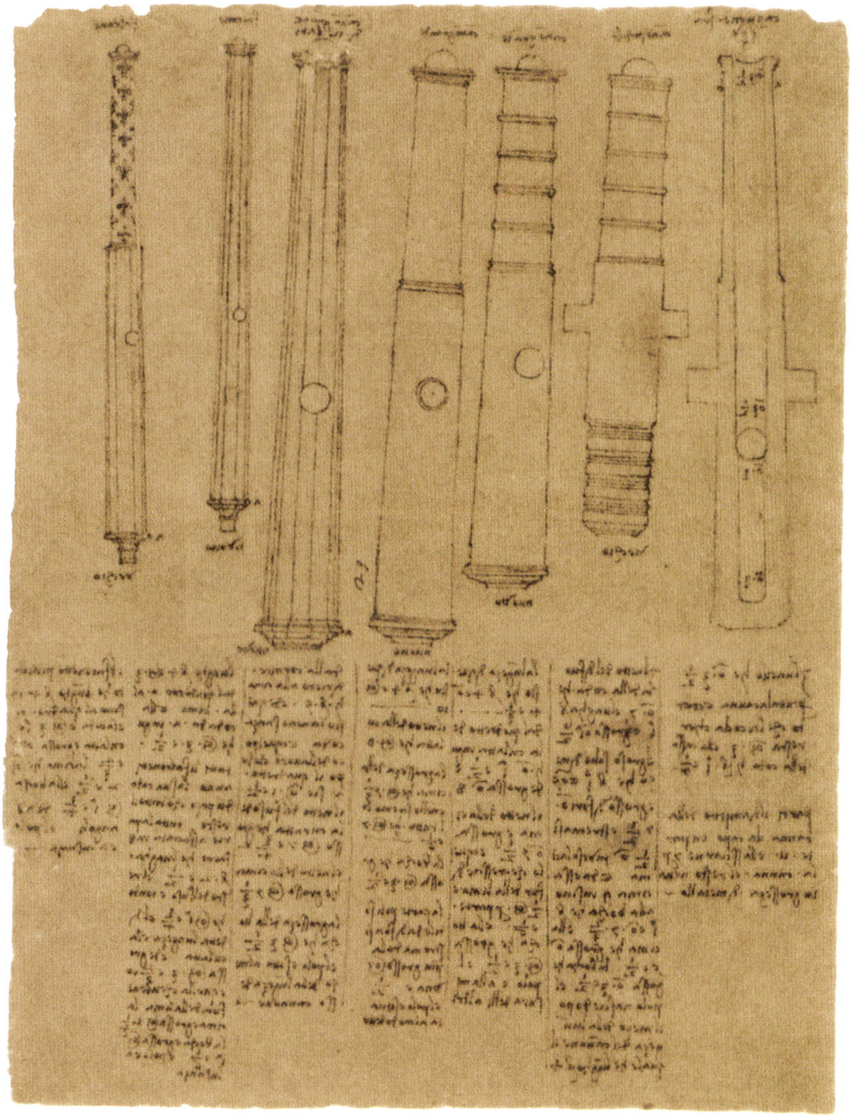

（右上图）**战车**，约1490年，伦敦大英博物馆，BB1030，局部。
（中图）**火炮图录**，约1513年，大西洋古抄本手稿，编号f. 62r。
（右下图）**马拉战车**，约1487年，Ms.B手稿，编号f.59r，局部。

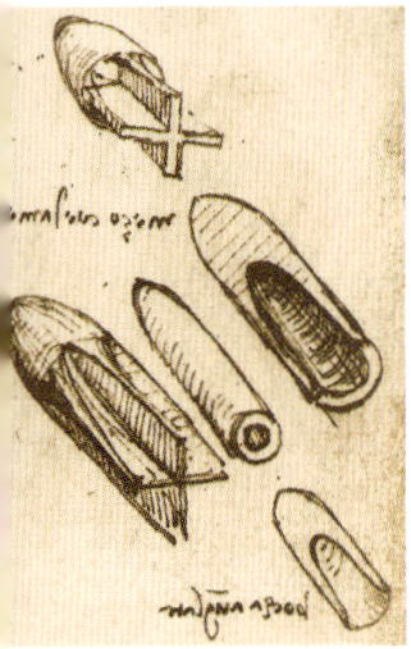

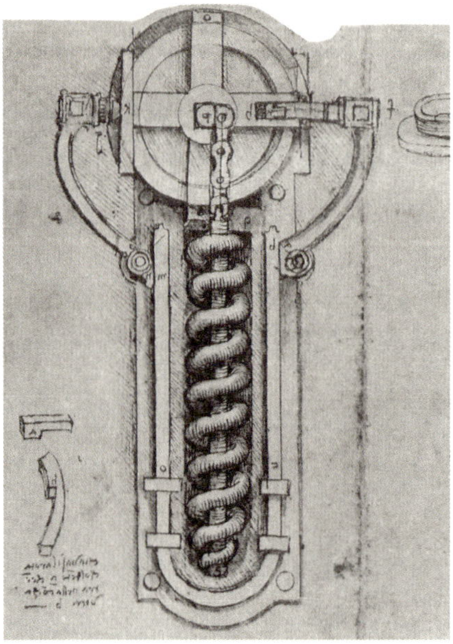

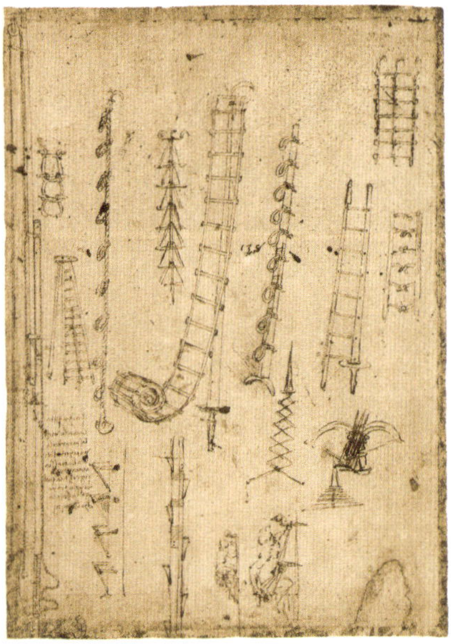

（左上图）**子弹**，约1485年，阿伦代尔手稿，编号f.54r，局部。
（居中左图）**火镰**，约1513年，大西洋古抄本手稿，编号f.158r，局部。
（居中右图）**云梯**，约1487年，大西洋古抄本手稿，编号f.868v。
（左下图）**装有巨大车轮的船**，大西洋古抄本手稿，编号f.172r。
（右页上图）**武器图谱**，约1487年，巴黎卢浮宫。
（右页下图）**可进行快速射击的巨大的弓**，草图，约1485—1488年，大西洋古抄本手稿，编号ff.1071r和ff.1070r。

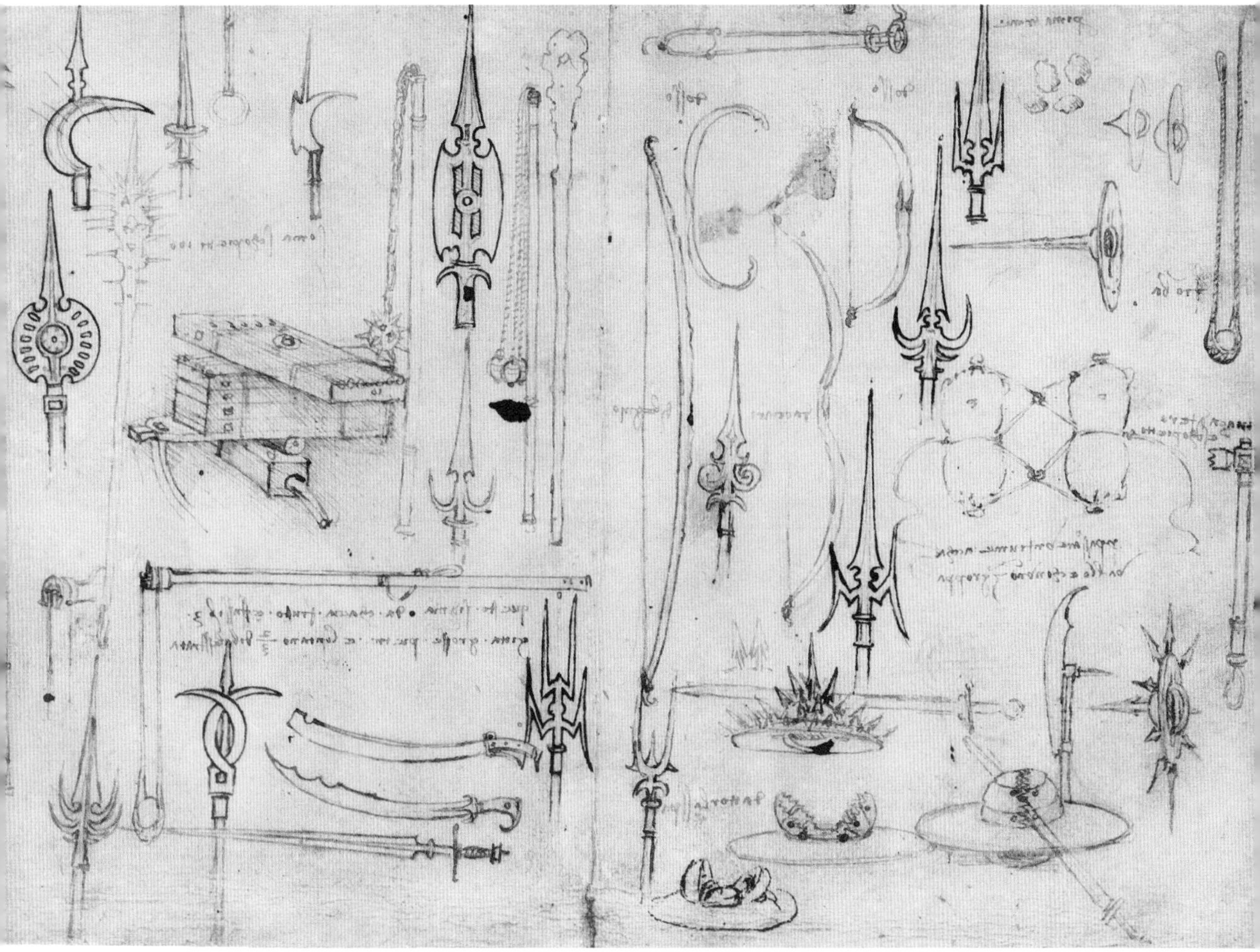

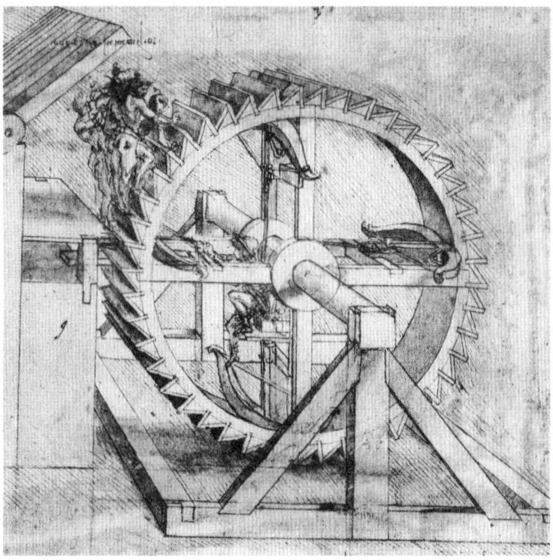

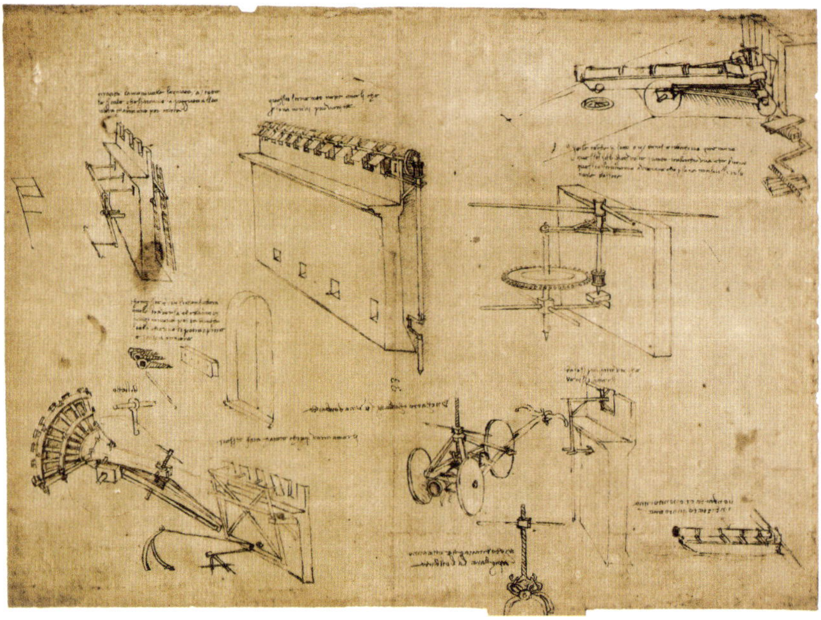

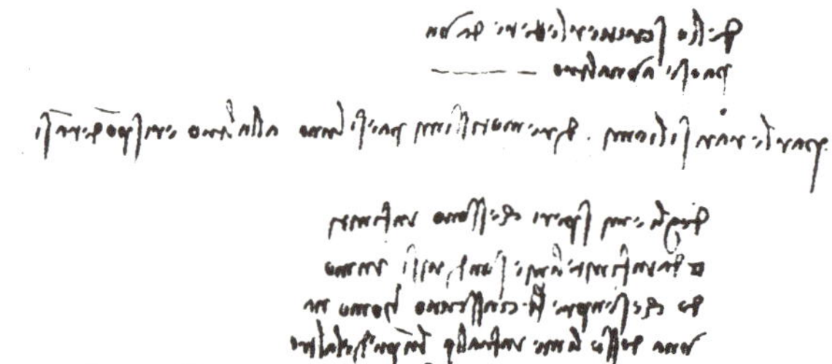

（上图）**通话机**（在大西洋手稿中，达·芬奇以城堡中间的通信点为信息中转站，对信息的远程传播进行了研究。这也展示这位天才在民用工程上的非凡远见），约1487年，Ms手稿，编号B. 23r，局部。

（中图）**城墙防御工事、火炮的装载、炸弹机关枪等兵械**，习作，约1482年，大西洋古抄本手稿，编号f. 94r。

（下图）**达·芬奇关于通讯技术的构想**，约1500年，大西洋古抄本手稿，编号f.1033v，局部。

理想城

在瘟疫袭来的米兰城，恐慌蔓延的速度比疾病更快，理想城的蓝图在这个时期显得更加具有现实意义。达·芬奇想象要由他来建造一座更加繁荣的城市，它具有合理的城市布局，对生活的各个方面，从奢华的宫殿，到城市的下水网道，都要求其兼具艺术的内涵和实用性。理想城的城市规划依据不是按照社会阶层，而是像解剖学一般，以全新的视角进行划分，从底层结构开始逐级往上，出于对古典建筑的青睐与向往，城市呈现出以教堂为中心，半圆形建筑、礼拜堂与柱廊、敞廊等复杂结构相对称的布局。在现存手稿中，他并未止步于抽象理论的提出，而是在公共空间、私人住宅、城市交通、公共卫生体系等各个方面都提出了具体而实用的设计方案，他的建筑草图十分细致，甚至包括带有通气孔的马厩。其城市规划的理念全然超越了自己所处的时代。

（右图）**庙宇**，习作，约1487年，Ms手稿，B.F.7v，局部。

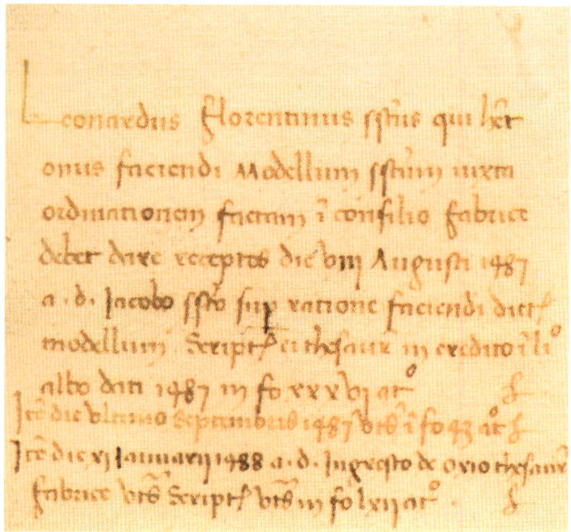

（上图）**敞廊、运河、走廊**，习作，约1487年，Ms手稿B，编号f.37v，局部。
（左下图）**理想城**，习作，约1487年，Ms手稿B，编号f.37r，局部。
（右下图）**佛罗伦萨人莱奥纳多字样**。
（右页）**理想城城市建筑的四幅草图**，约1487年，Ms手稿B，编号ff. 38r，18v，11v，36r。

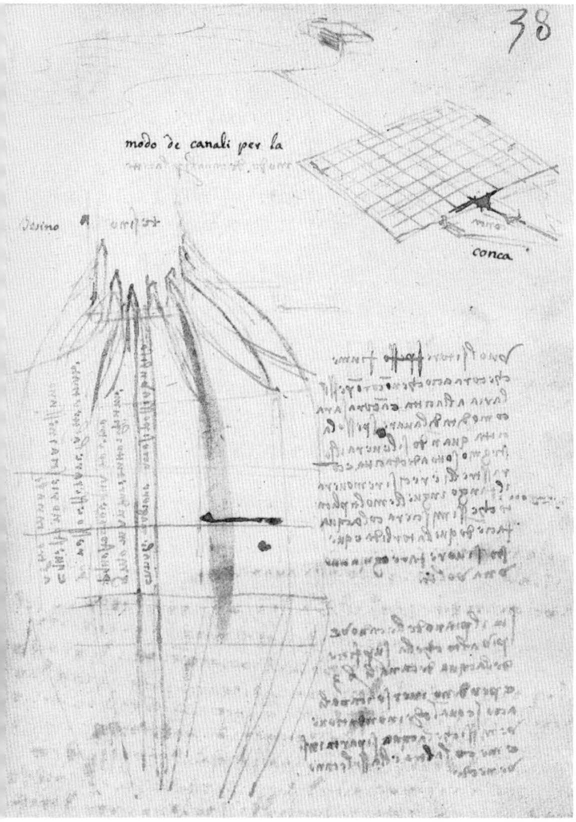
38
modo de canali per la
conca

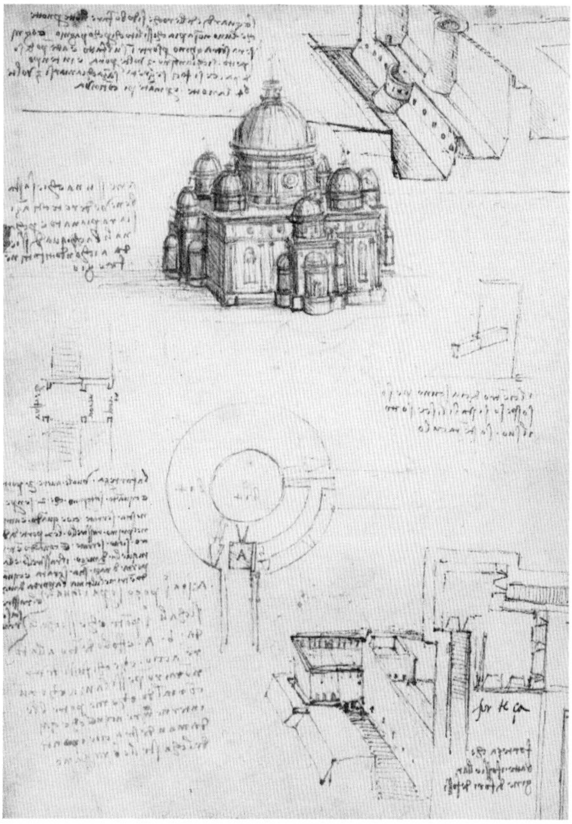

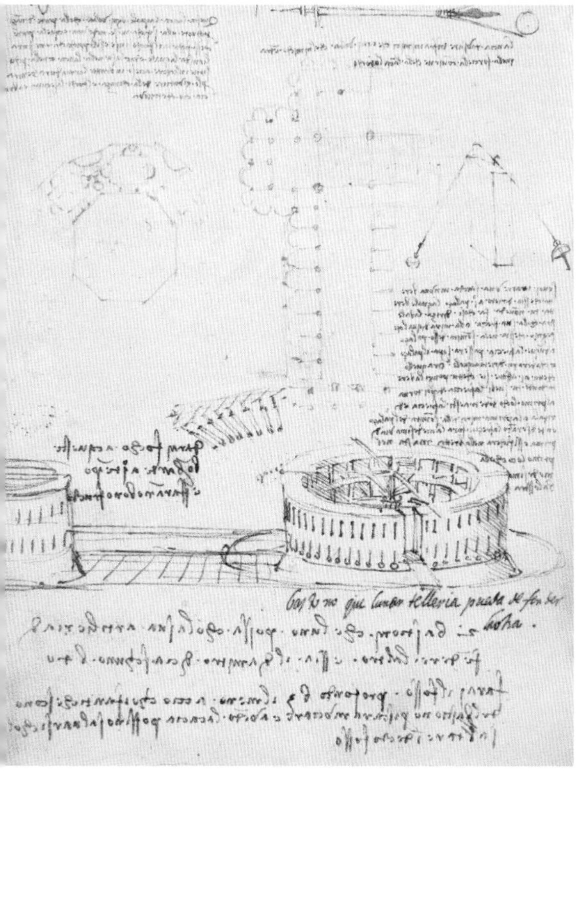

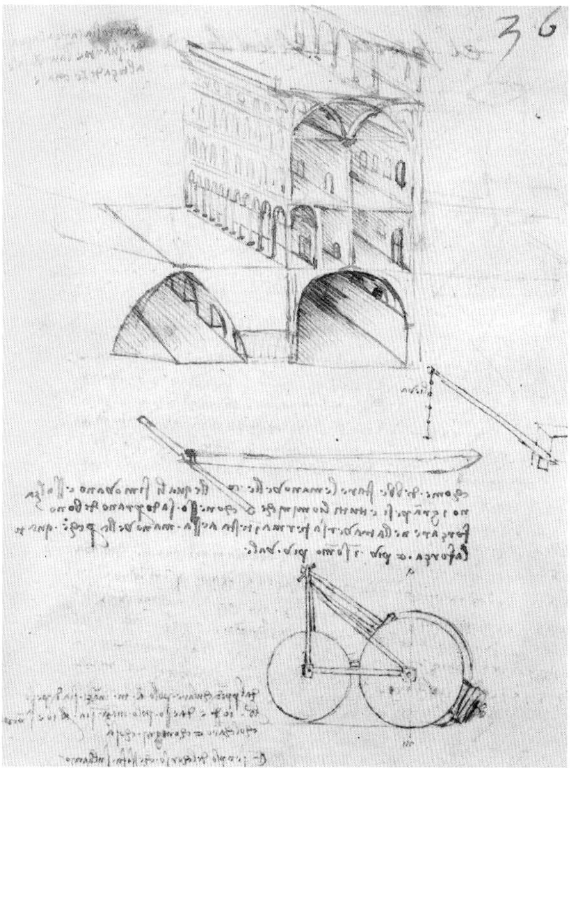
36

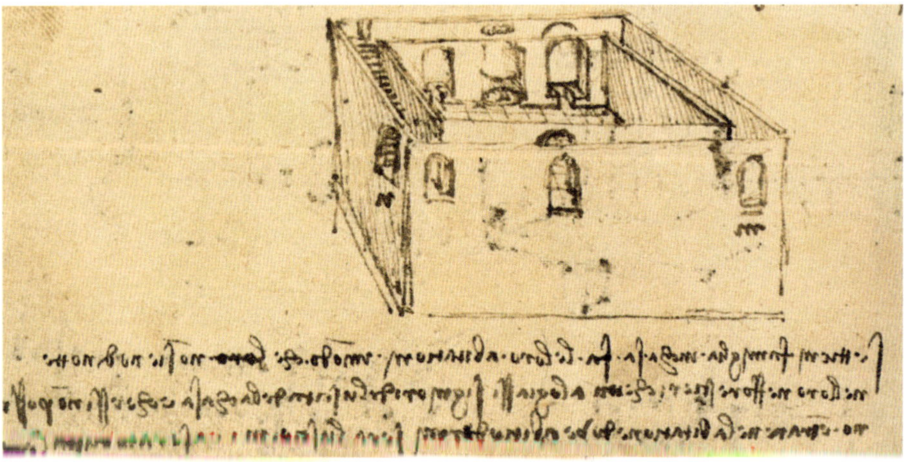

（上图）**可通航的运河与水上建筑**，约1487年，Ms手稿B，编号f. 37v，局部。
（中图）**住宅与保安系统**，约1487年，Ms手稿B，编号f.27v，局部。

（中左图）**米兰大教堂圆形顶建筑习作**，约1487—1490年，大西洋古抄本手稿，编号f.851r，局部。

（左下图）**理想城中建筑的双层台阶示意**，约1487年，Ms手稿B，编号f.15v，局部。手稿中达·芬奇注明“台阶cd向fg下降，并且fg以同样的方式向hk下降”。

（中右图）**建筑物中的水利永动装置的设想**，约1490年，大西洋古抄本手稿，编号f.179v。

（右下图）**理想城中多层建筑**，约1487年，Ms手稿B，编号f.16r。右上角图为达·芬奇理想博物馆的复制品。

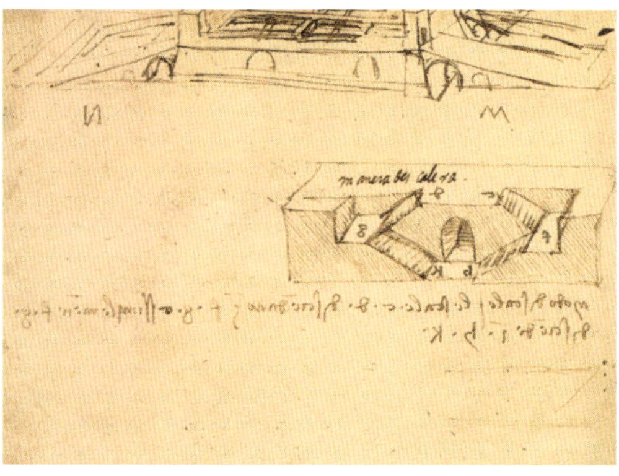

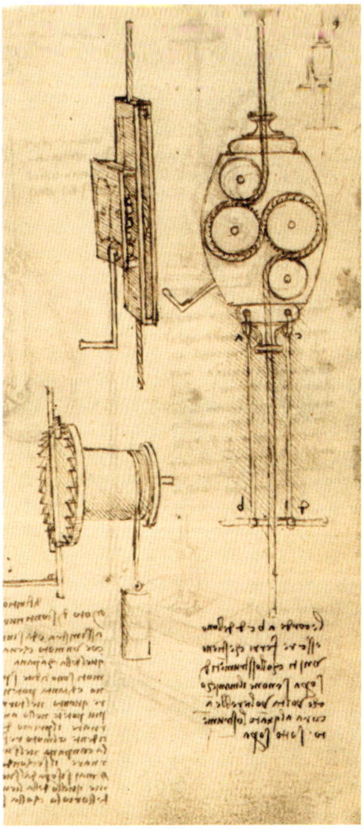

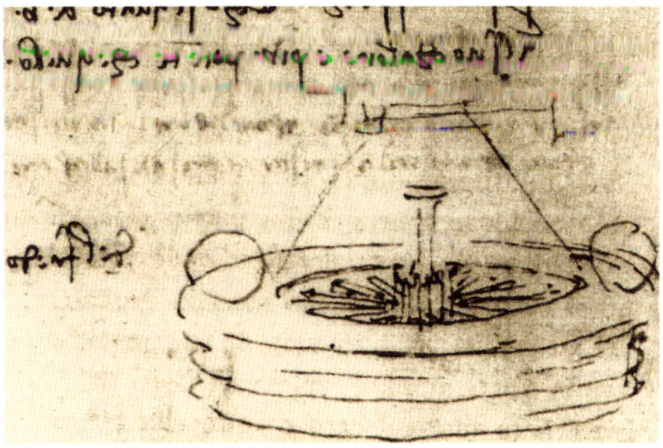

（左上图）**打孔器**，约1487年，Ms手稿B，编号f.14v，局部。
（右图）**制冷机**，习作，约1492年，Ms手稿A，编号f.20r，局部。
（左下图）**手动升降机**，习作，约1495年，马德里手稿I，编号f.9r，局部。

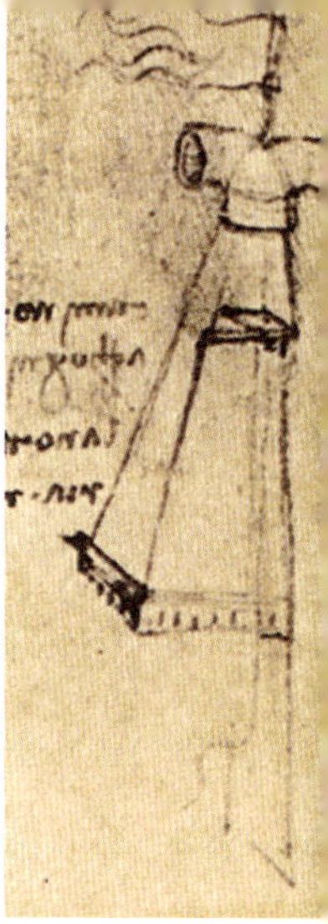

（左上角）**理疗椅**，复制品，约1493年，大西洋古抄本手稿，编号f. 794r。
（左下图）**自动补充燃料的壁炉**，约1487年，Ms手稿B，编号f.20r，局部。
（右上角）**防风壁炉**，约1487—1490年，大西洋古抄本手稿，编号f.1096r。
（右上图）**便携式土耳其浴座椅**，约1510年，温莎城堡皇家图书馆手稿，编号19079v，局部。
（右下图）**伊沙贝拉女公爵浴室中的壁炉**，约1499年，阿伦代尔手稿，编号f. 145v。

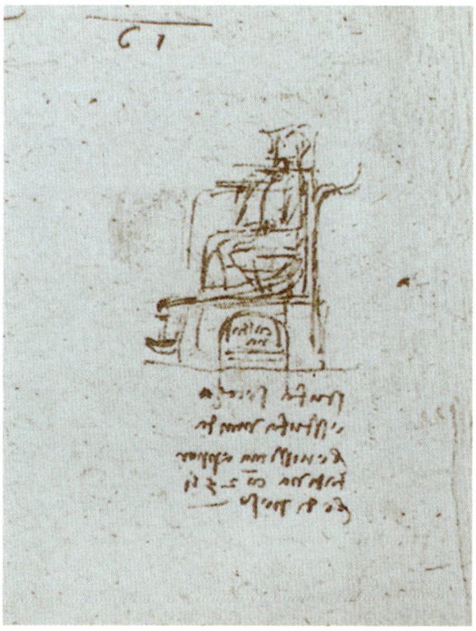

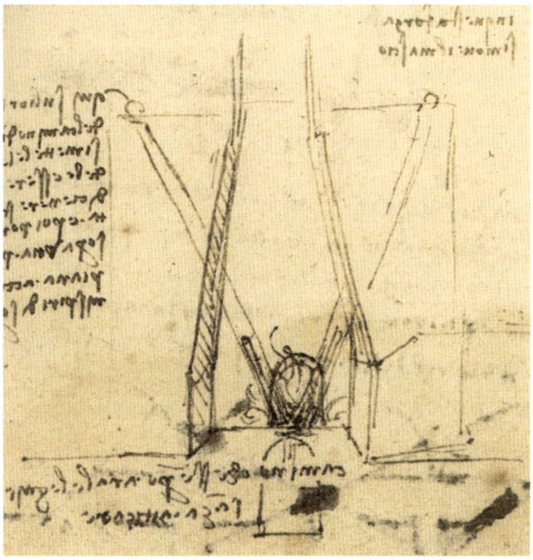

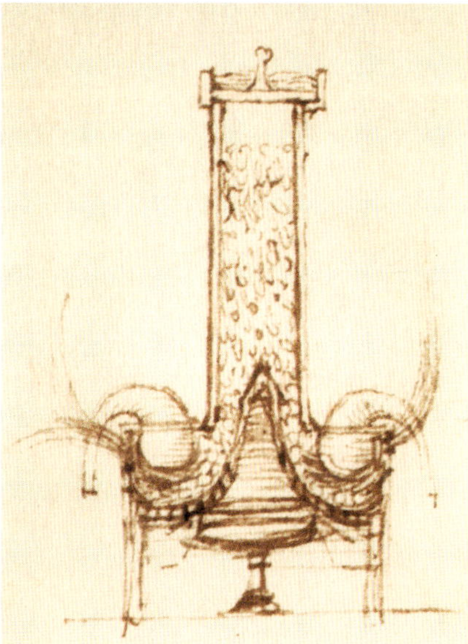

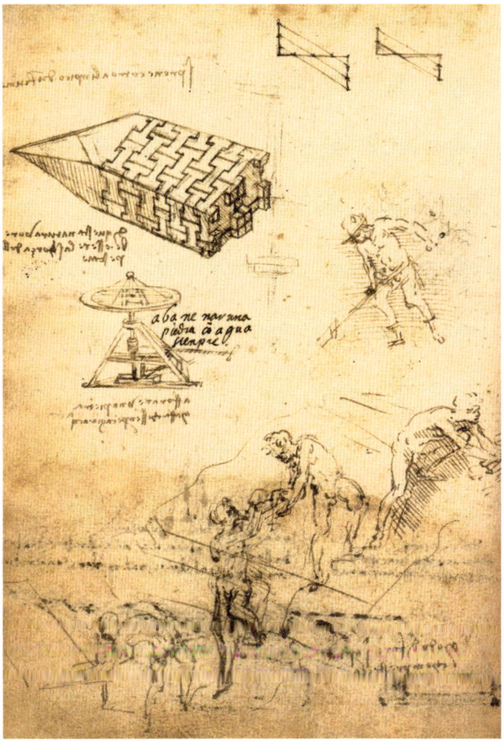

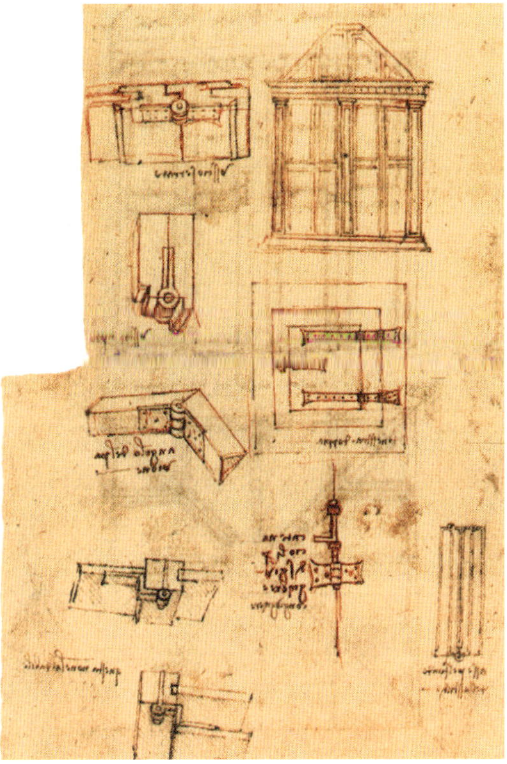

（从上至下顺时针方向依次为）用于阁楼、屋顶的**建筑新材料的构思**（粉笔、沥青等），约1490年，大西洋古抄本手稿，编号f.880r，局部。
海堤，设计草图，约1487年，Ms手稿B，编号f. 51v。
水中台阶，约1506—1508年，莱切斯特手稿，f.15B–22r。
可移动与拆卸的亭子，约1494年，大西洋古抄本手稿，编号f. 769v。

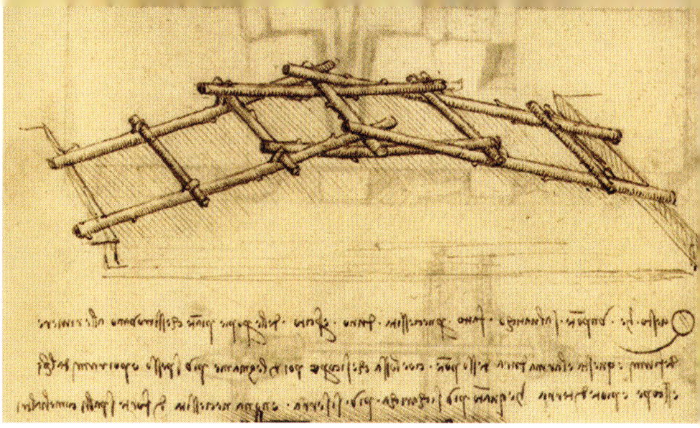

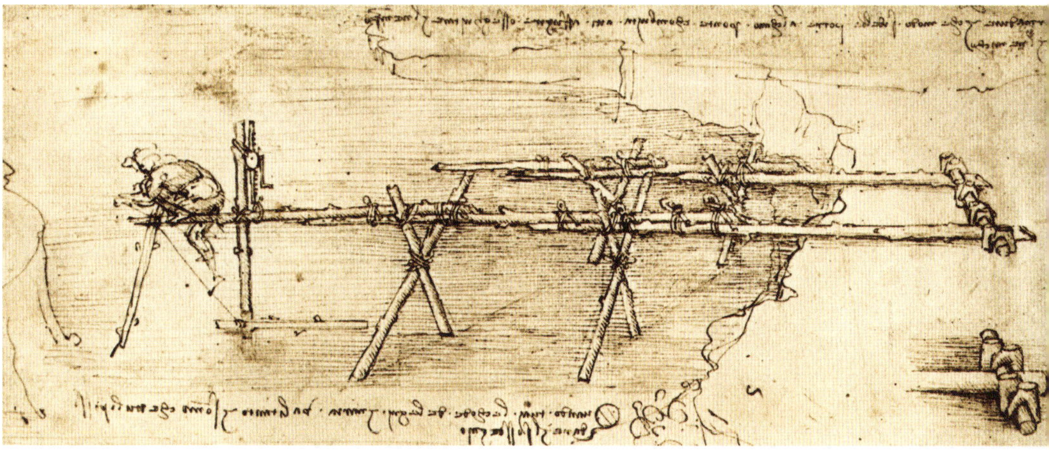

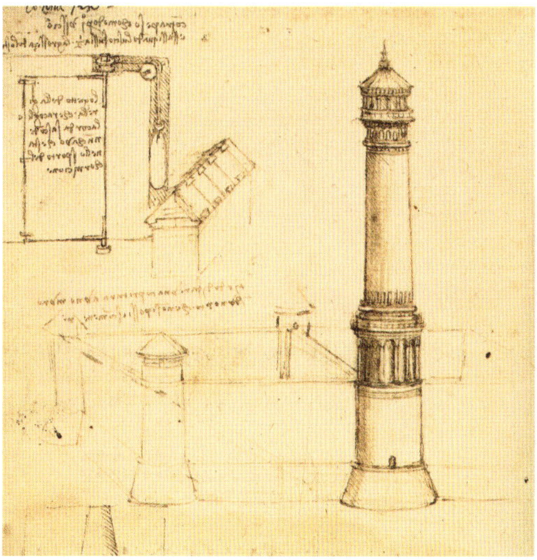

（从上至下依次为）**野外的简易桥梁**，约1495年，马德里手稿I，编号f.46r，局部。
桥梁，约1490年，大西洋古抄本手稿，编号f.55r，局部。
城堡上的瞭望塔，约1487年，Ms手稿B，编号f.23v，局部。

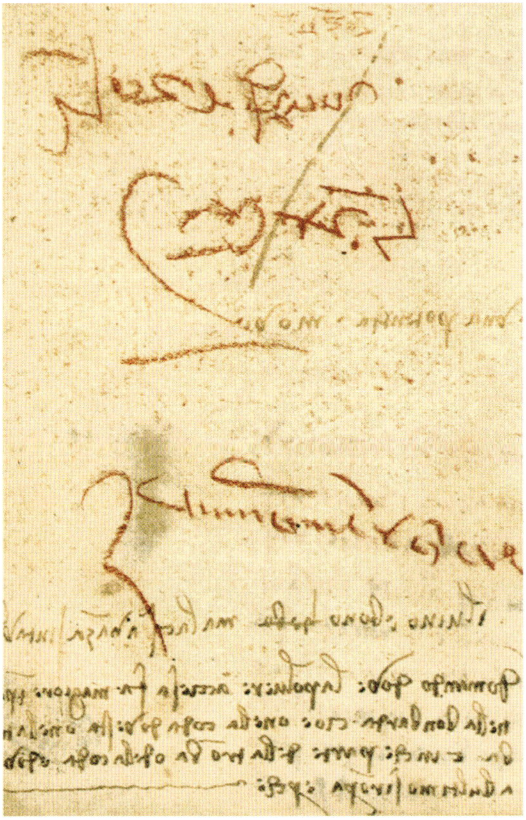

达·芬奇手稿中出现的土耳其语词汇，约1495—1497年，Ms手稿I，编号f. 74v。
（右页）**讽刺画与词汇表**，约1487—1490年，特里维尔斯（Trivulziano）手稿，编号f.30r。

（左上图）**丑陋的女公爵**，简笔讽刺画，贝内德托·帕斯托里尼（Benedetto Pastorini）根据达·芬奇的学生作品所创作的版画，1806年，芬奇，达·芬奇理想博物馆。
（左下图）**柴茨沃茨**（Chatsworth）**讽刺画**。
（右上图）**讽刺画人像与讽刺彼特拉克**，约1487—1490年，特里维尔斯（Trivulziano）手稿，编号f. 1v。
（右下图）**老者的头像**，局部，约1517年，私人收藏。
（右页）**滑稽的人像**，约1508年，私人收藏。

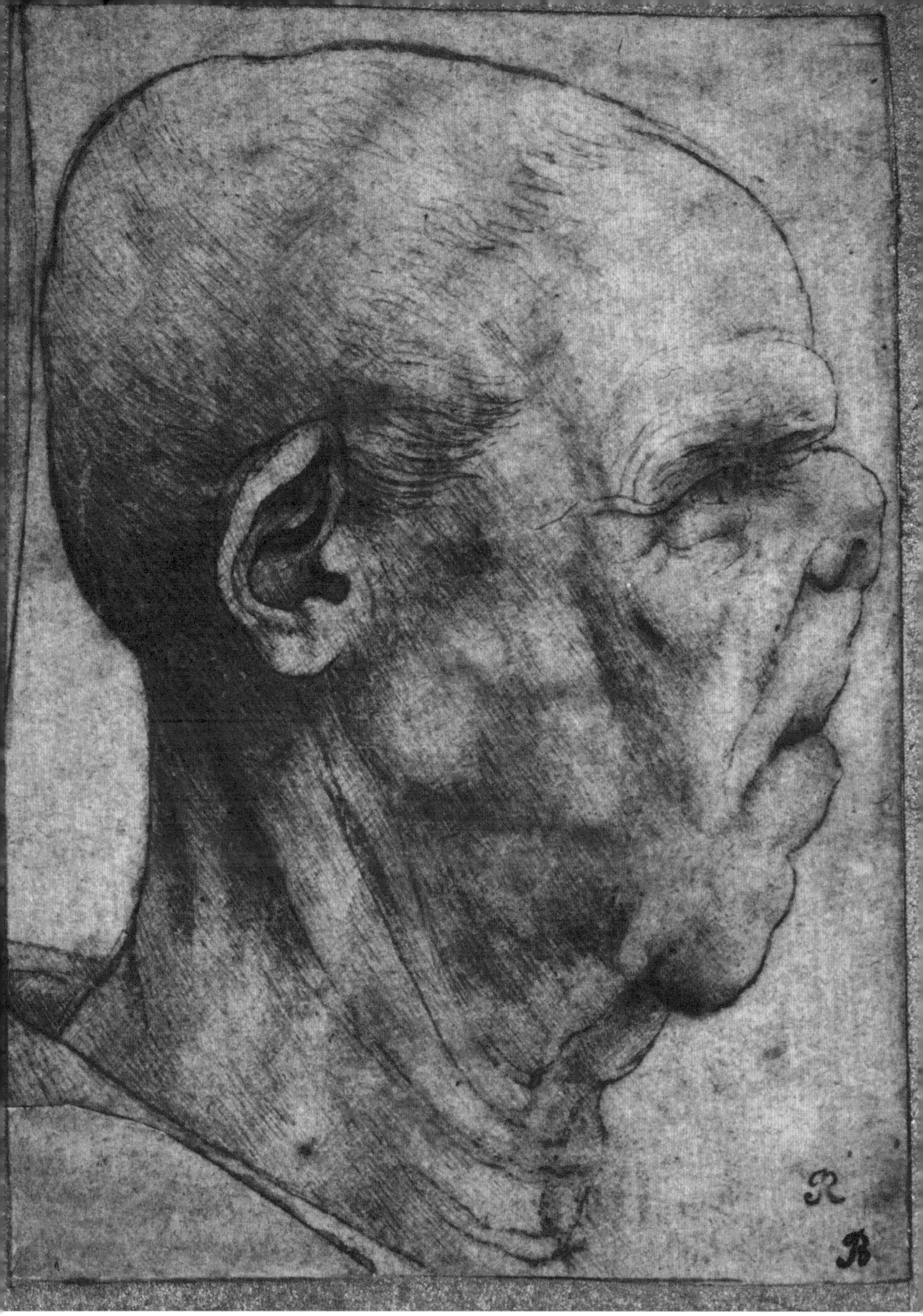

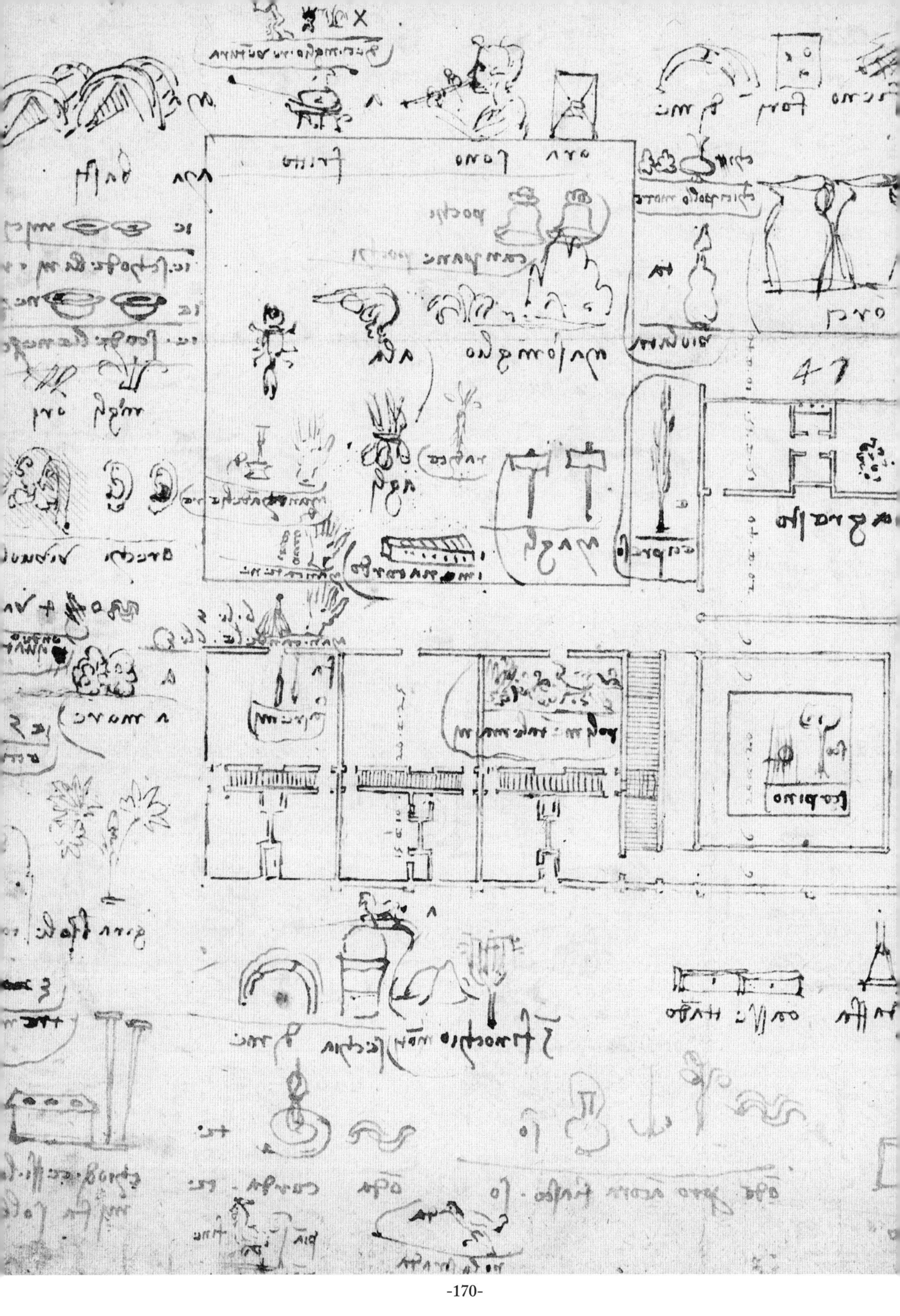

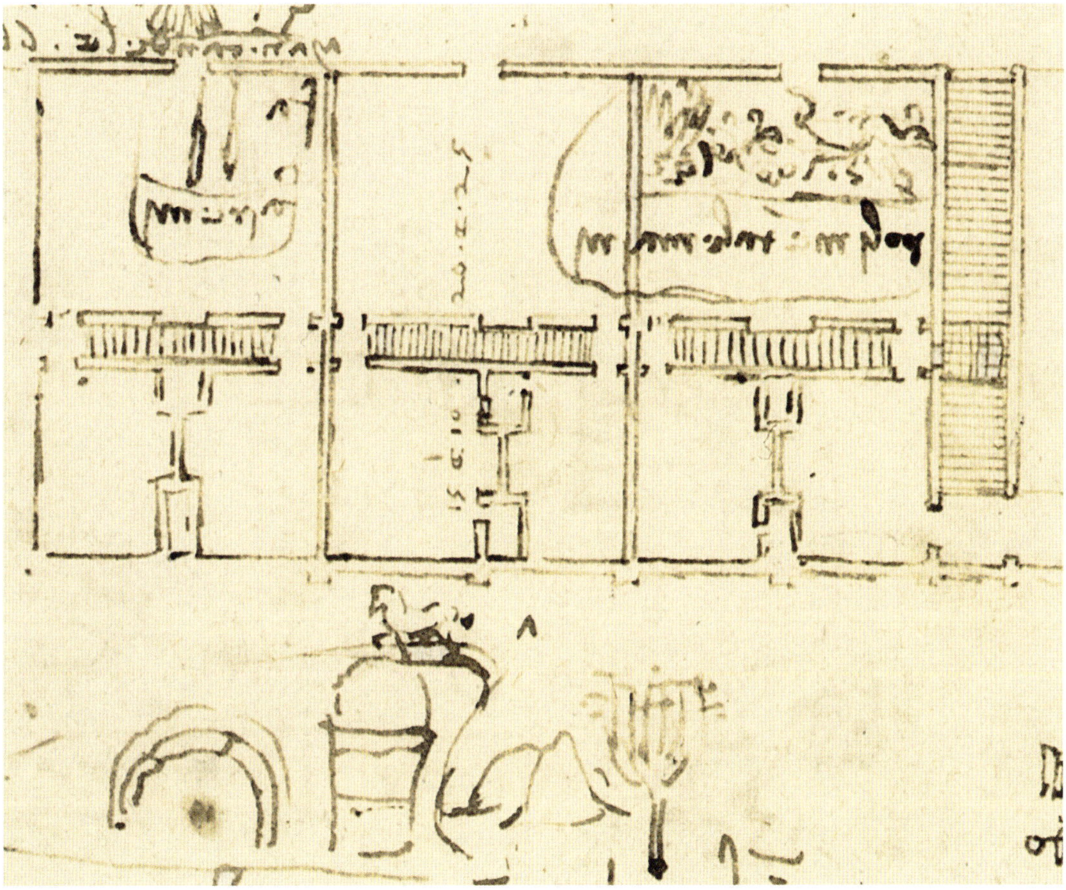

（左页）**建筑平面图中的谜语系列**，1490年，温莎城堡皇家图书馆手稿，编号12692r。
（本页）**谜语**，1490年，温莎城堡皇家图书馆手稿，编号12692r，局部。

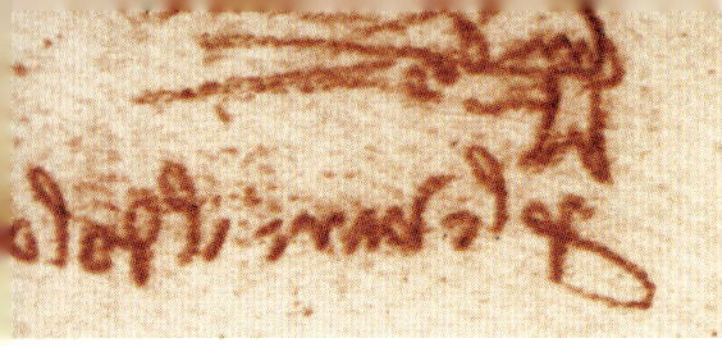

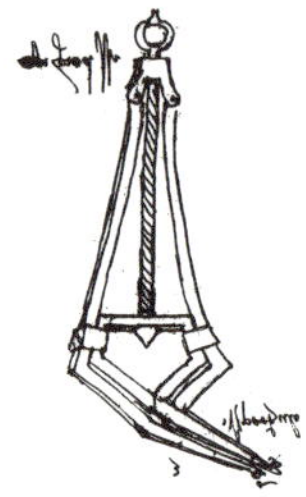

《维特鲁威人》

十五世纪八十年代末的素描与笔记是目前最早可以确定达·芬奇对解剖学产生兴趣的文献，现藏于温莎城堡皇家图书馆。对于达·芬奇来说，解剖活动既是科学研究的范畴，更与艺术领域有着密切的联系。事实上，在解剖学上，艺术与科学几乎毫无二致，他的人体解剖素描为揭示人体的比例、人体器官提供了全新的视角。自然，在当时进行这样的探索无疑是需要极大勇气的，传统禁忌与教条主义者的质疑始终伴随着这一科学实践。对于绘画创作来说，解剖学被认为是一门与几何学和数学类似的学科，“对于一名杰出的画家来说十分重要，正如一个优秀的语法学家应该知道一个词的拉丁文起源一样”。

今天藏于温莎城堡皇家图书馆的三页手稿中，达·芬奇留下了几幅人体头部的习作。这些解剖素描巧妙精致，阴影效果优美，同时有一种神秘的风格，其中的一幅男子面部素描，其中血管的脉络清晰可见(第173页左上图)；在安吉里之战为骑士所作的比例研究素描中(第174页)，达·芬奇在附注中对眼眶和颧骨的比例关系进行了细致的说明。

（从上至下顺时针方向依次为）
“为了减轻我的疼痛”：**牙医的钳子**，约1494年，Ms手稿H，f.52r，局部。
牵开器，约1480年，大西洋古抄本手稿，编号f. 1055r，局部。
牙齿与头骨，习作，约1489年，温莎城堡皇家图书馆手稿，19048v，局部。在附注中达·芬奇写道：“头的界限是十，也就是内部是五，外部也是五。外部主要指毛发、皮肤、肌肉、筋膜和骨骼；内部有硬脑膜、软脑膜，这里包含大脑、细脉网和枕骨，枕骨支撑了大脑的神经活动。”

在这些描述人体比例的手稿中，最著名的无疑是《维特鲁威人》，这是一幅钢笔素描画，人体主画了几个主要的部分，其中人体线条优美，轮廓清晰，肌肉紧绷而充满活力，眼眶深陷，目光犀利，头发卷曲，整个人体无论是处于哪种姿势，都达到了十分和谐的对称，可以说是达·芬奇对生物几何学对称概念的完美诠释。

在手稿的附注部分，达·芬奇对古罗马建筑家维特鲁威在公元前1世纪从建筑学的

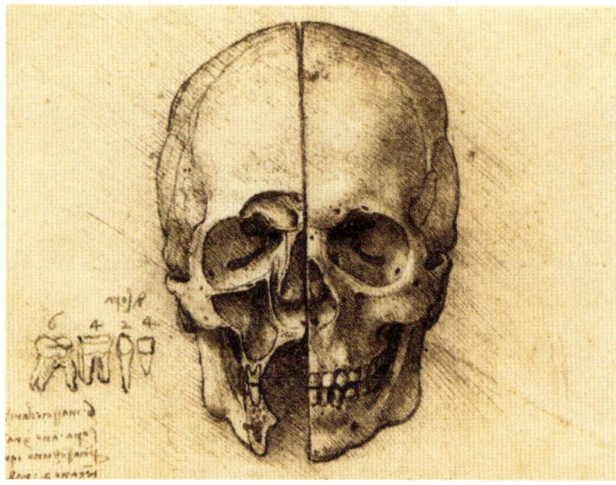

（下页由上至下顺时针方向依次为）
男子头部，其中面部血管清晰可见，约1490年，温莎城堡皇家图书馆手稿，10918r，局部。
男子头部（侧面），在手稿中达·芬奇写道：“如果你将一个洋葱头从中间剖开，你将会看见并能够数清楚围绕着洋葱头的中心有多少层果肉包裹。”约1490年，温莎城堡皇家图书馆手稿，12603r。
早期的人体解剖，习作，绘制时间应早于1489年，温莎城堡皇家图书馆手稿，12597r。在手稿中达·芬奇表示，“如果你想完整地了解人体的各个部位，从解剖学的角度出发，你就应该从不同的角度，从上到下，从里向外地了解人的身体，并寻找每一个部位的起源”。
人体，习作，约1488年，温莎城堡皇家图书馆手稿，12613r。达·芬奇指出，“当一个人双脚站立，手臂伸展，当手掌朝向地面时，相对于手掌朝天来说，手臂的长度会多少减少一些”。

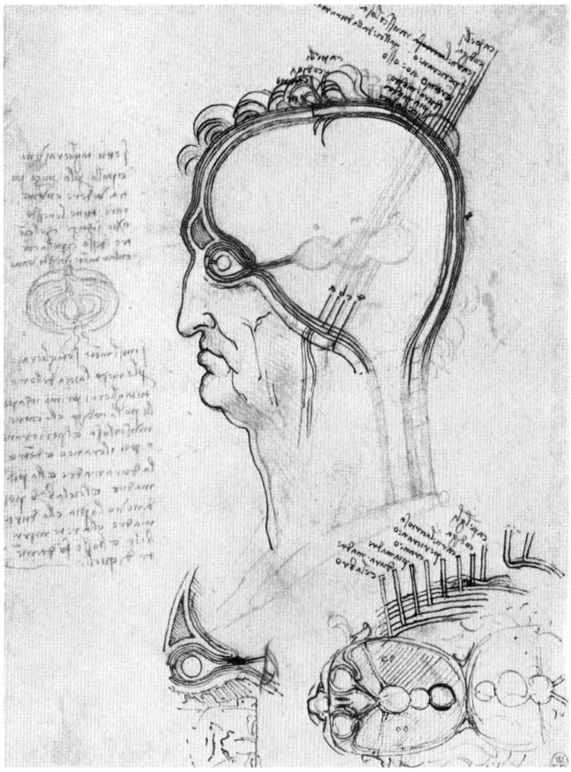

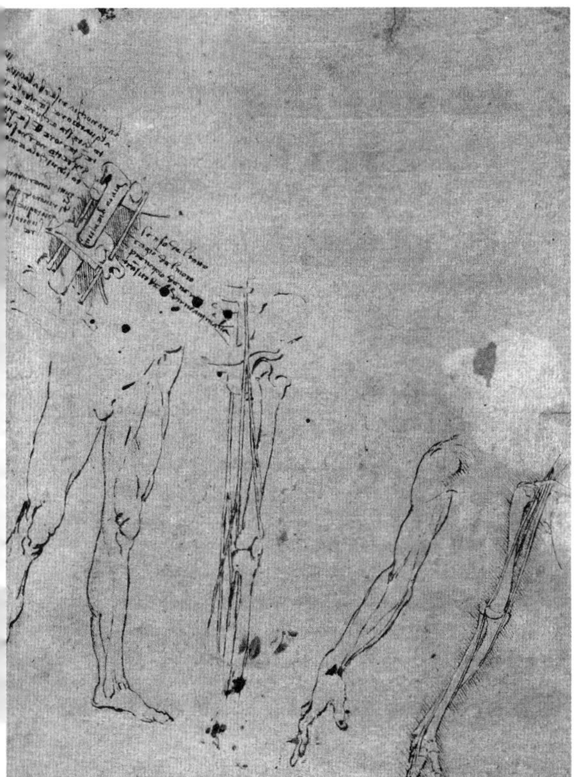

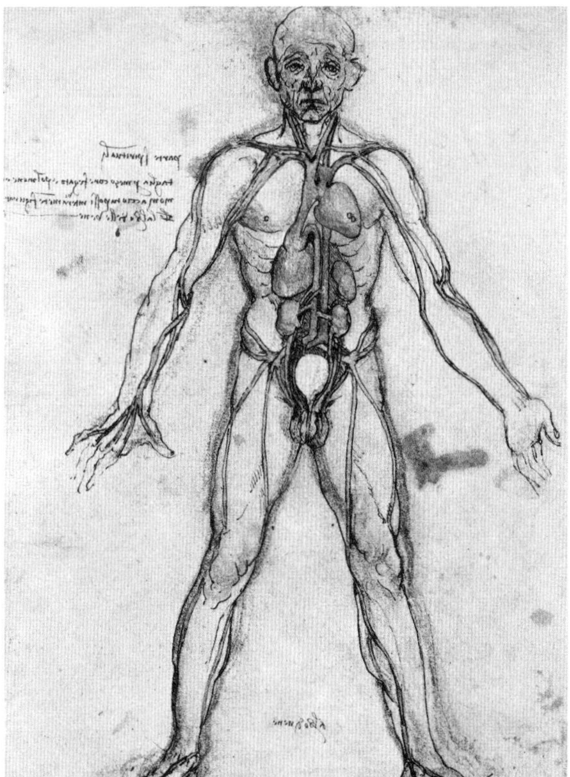

角度描述人体的理论进行了较为完整的论述:“大自然将人体的尺寸进行了如下的安排:四指为一掌,四掌为一足,六掌为一腕尺,人的身高为四腕尺,四腕尺合一步,二十四掌合全身。在建筑上,维特鲁威也使用了这样的丈量方法。如果你双腿跨开站立,身高自然降低十四分之一,举起双臂,直到中指的指尖与头顶平齐,四肢的末端组成一个外接圆,此时人体的肚脐恰好就在整个外接圆的圆心位置,而两腿以下的空间则构成一个等边三角形。而人平伸双臂时的宽度就是他的身高。”(达·芬奇在《维特鲁威人》手稿中的附注,第175页)

1487年,达·芬奇在设计图的基础上建造了米兰大教堂的木质模型。在手稿中他提到,建筑物是一个有生命的有机体,当它生病的时候,建筑师的身份正如一个医生一样。受到柏拉图的《蒂迈欧篇》以及托勒密的《宇宙志》的启发,他逐渐形成了将人体与宏观建筑统一起来的观点。在弗朗切斯科·迪·乔尔乔1490年的《建筑论》中,这种观点得到了继承和发扬。

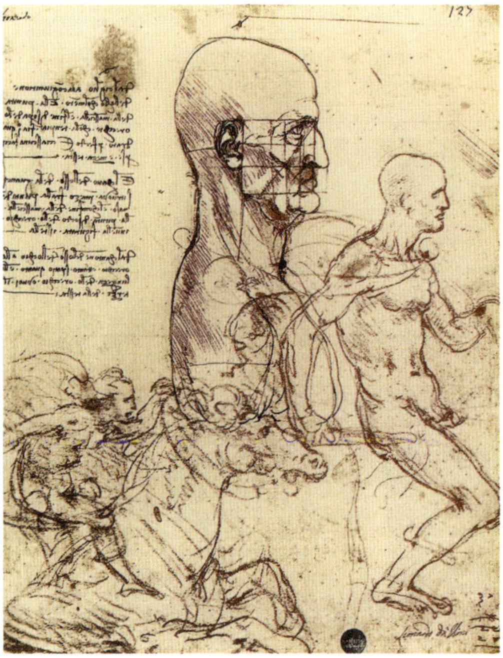

(上图)**关于比例的研究,《安吉里之战》中的骑士**,习作,约1503—1504年,威尼斯学院美术馆。在手稿的左侧,达·芬奇写下了他对人头部比例的观察:“从眉毛到下嘴唇和下巴的相交之处,额骨的两个角与太阳穴与耳朵相交的上角构成了一个完美正方形,且每一边均为头的一半;颧骨凹陷部分正好处于嘴唇和鼻子一半的距离,耳朵的下角位于颌骨的顶部;眼眶角到耳朵的距离与耳朵的长度近似相等,且与下颌到鼻子底部的距离相等。”

(右页)**维特鲁威人**,约1490年,威尼斯学院美术馆。

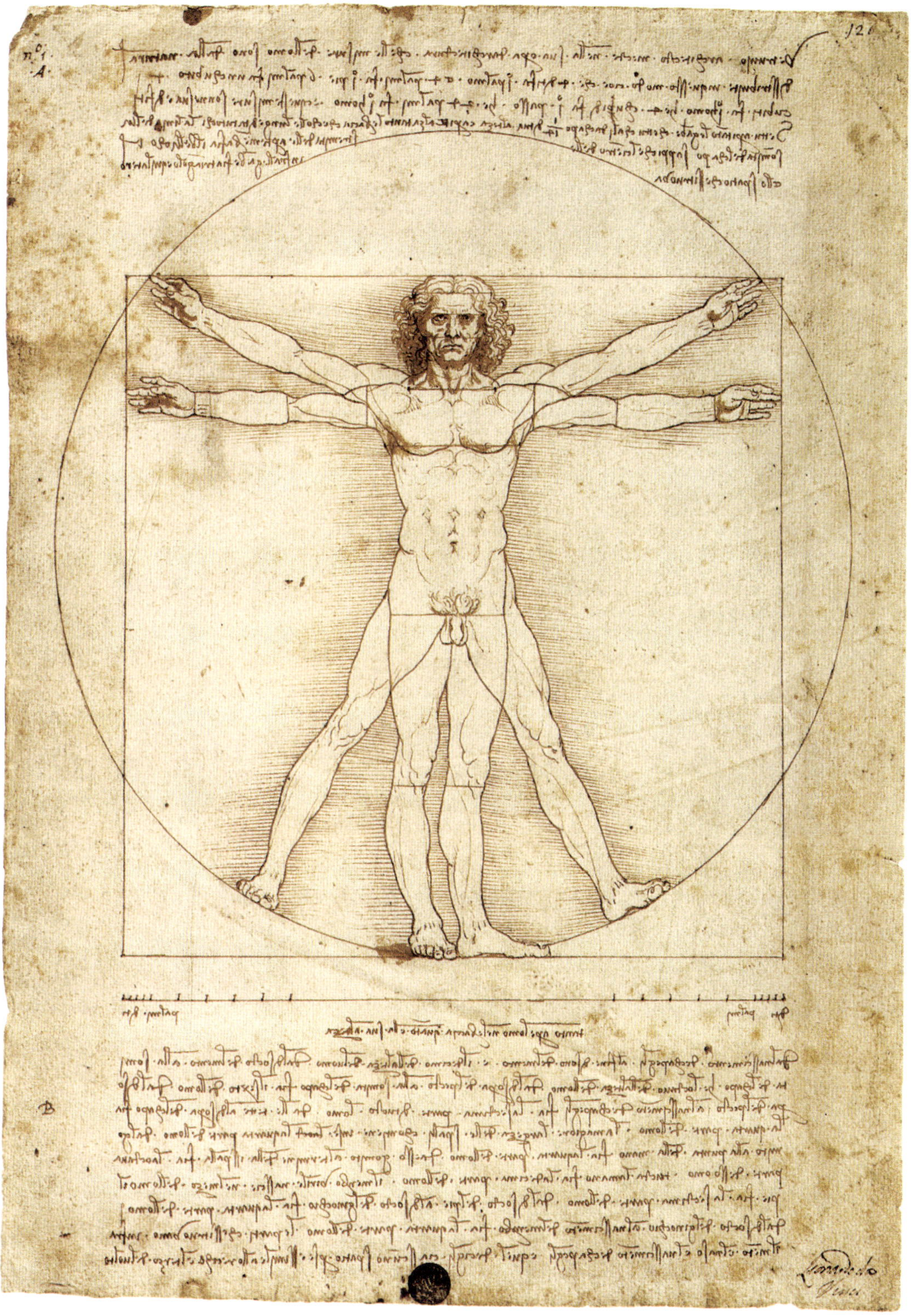

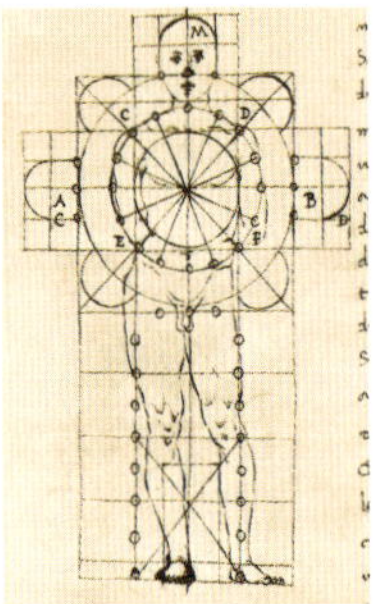
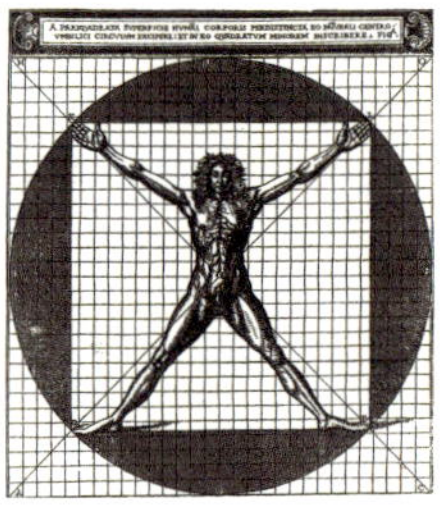
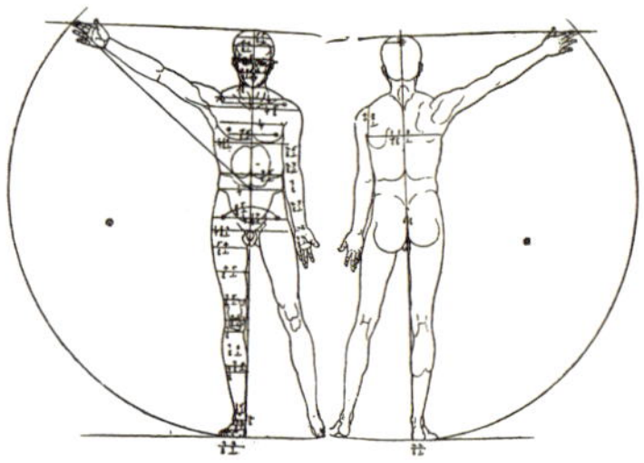
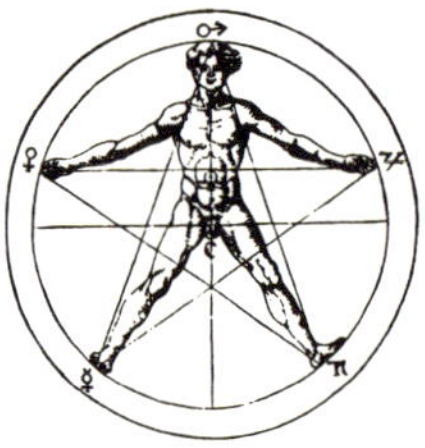

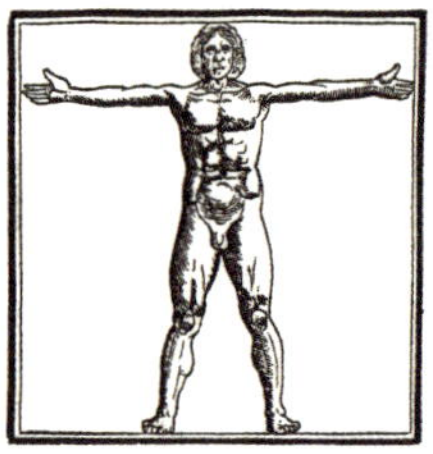
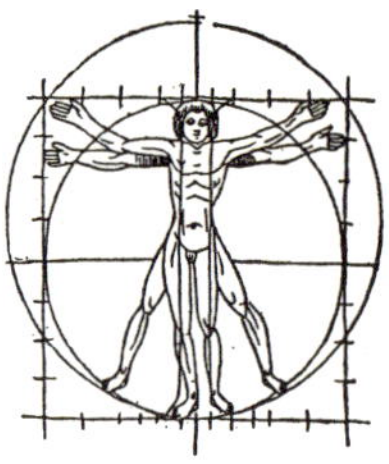
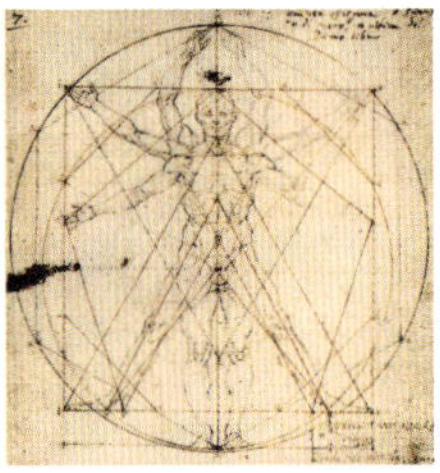

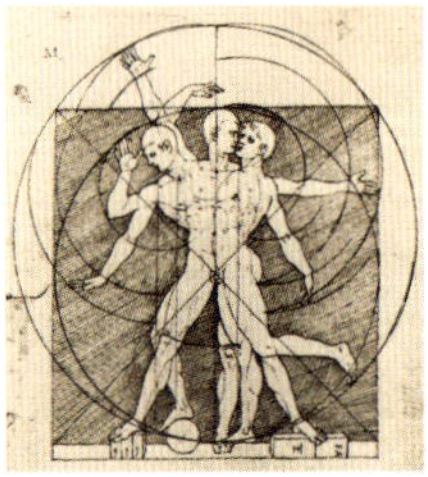

作于达·芬奇前后的不同版本的**《维特鲁威人》**，作者分别为弗朗切斯科·迪·乔尔乔（Francesco di Giorgio）、切萨里诺（Cesarino）、丢勒、阿格里帕（Henry Cornelius Agrippa von Nettesheim）、乔孔多（Fra Giocondo，两幅）、让·佩雷亚（Jean Perreal）、克里斯蒂安·惠更斯（Christiaan Huygens）、费伦佐拉（Agnolo Firenzuola）、埃涅阿·塞尔瓦基亚（Enea Salvaggia）。

1490年,一个名叫乔万尼·贾科莫(全名Gian Giacomo Caprotti da Oreno)的名字出现在他的笔记中。这个绰号叫萨莱(Salai)的男孩在他的手稿中曾多次出现,并在达·芬奇的交际圈中存在了二十八年,直到达·芬奇临终时,还将大笔遗产馈赠予这个男孩。在达·芬奇的画坊里,这个一向被怀疑是达·芬奇的同性伴侣的男孩身份也许要比其他弟子低一些。对达·芬奇来说,这个顽童无疑是一颗粗糙的钻石,他是一个无法无天的小恶魔。瓦萨里在《名人传》中这么描述萨莱的相貌:"他面目俊美,清秀标致,有着一头惹人

(从上至下依次为)**萨莱的侧面**,弗朗切斯科·巴尔托洛奇的版画作品,1796年,根据温莎城堡皇家图书馆手稿创作,芬奇,达·芬奇理想博物馆。
穿着盛装的少年,约1508年,大西洋古抄本手稿,编号f.166r,局部。
博尔特拉斐奥和马尔科·迪·奥齐奥诺,**基督复活与圣莱奥纳多和圣露琪亚**,1490年后,柏林国家博物馆。

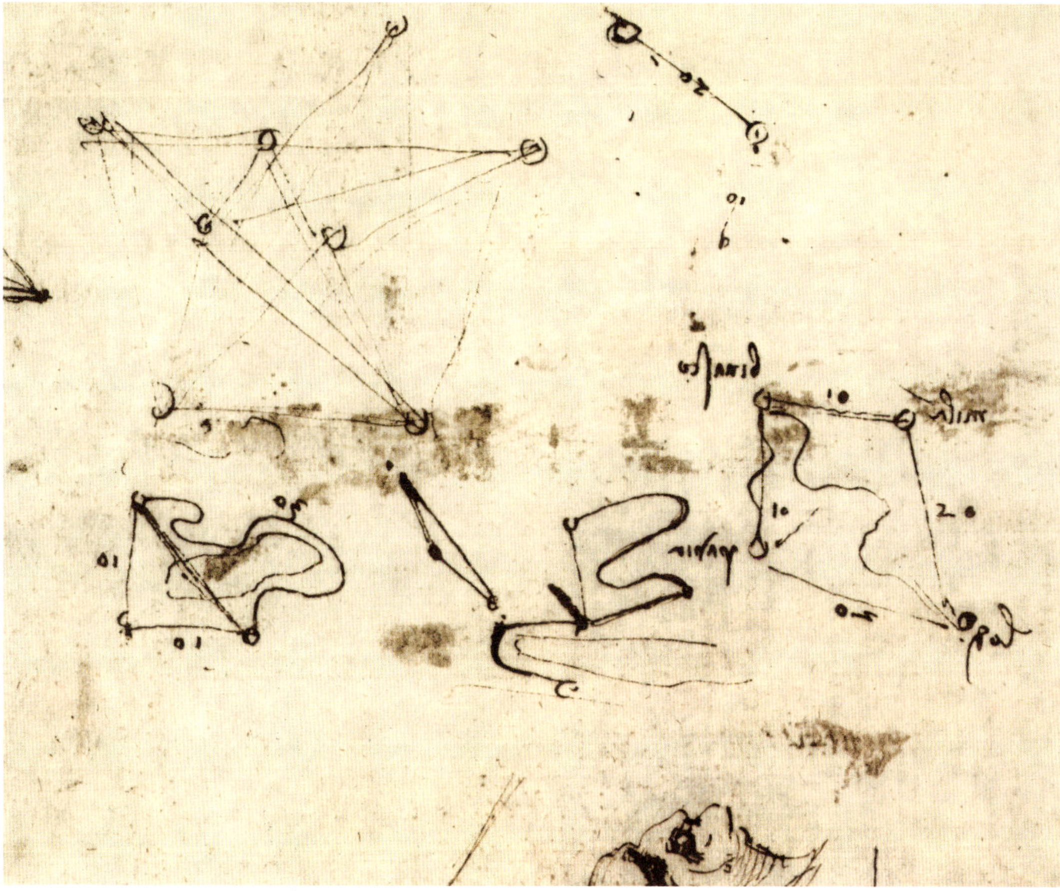

（左上图）**马拉火炮的旅行**，约1494年，Ms手稿H，f.130r，局部。

（上图）**地形素描，米兰、罗迪、帕维亚、比纳斯戈之间**，约1499年，大西洋古抄本手稿，编号f.608v，局部。

怜爱的小卷发。”而这个孩子的母亲，正好也叫凯瑟琳。从弗洛伊德的观点出发审视二人的关系，不难发现，在萨莱身上，达·芬奇也许找到了那个无法表现出来的自我，这种童年无意识的再现，也许是作为自己失去母爱的一种补偿。在今天藏于温莎城堡皇家图书馆的手稿中，我们可以看到这个谜一般的小恶魔清秀的侧面像。

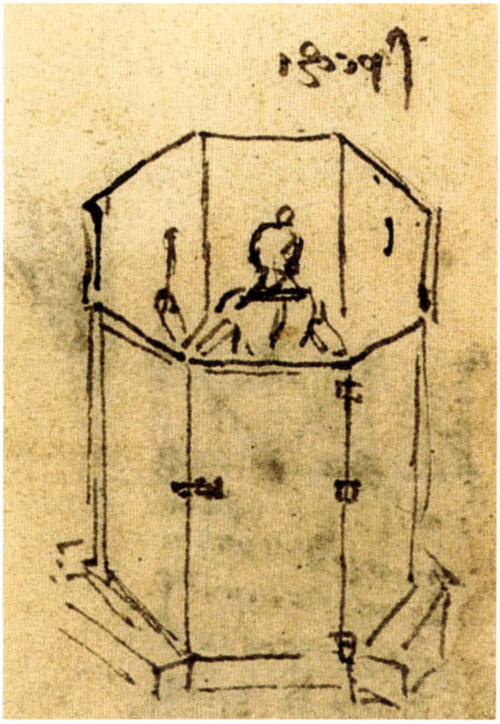

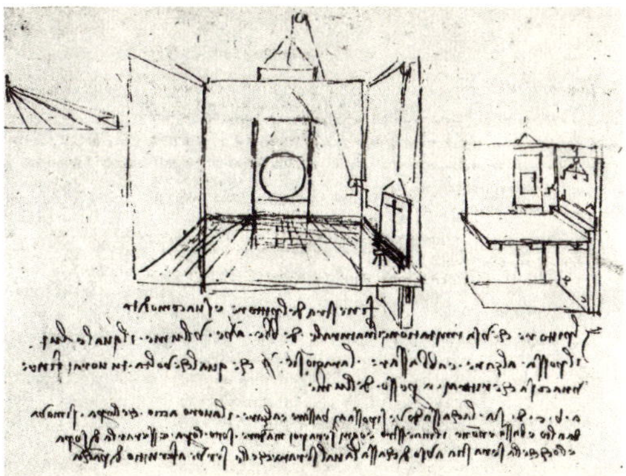

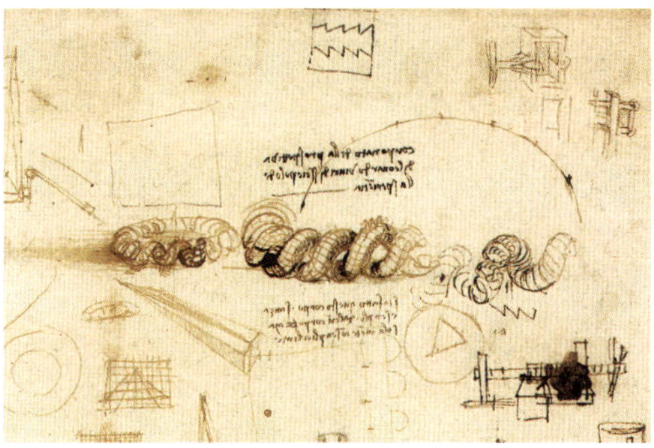

（从上至下依次为）**有镜子的房间**，约1487年，Ms手稿B，f.28r，局部。
画家画室中的自动装置，约1492年，Ms手稿A，f.84v。
在实验的信徒——达·芬奇的透视法下成形的物体，约1490年，大西洋古抄本手稿，编号f.520r，局部。

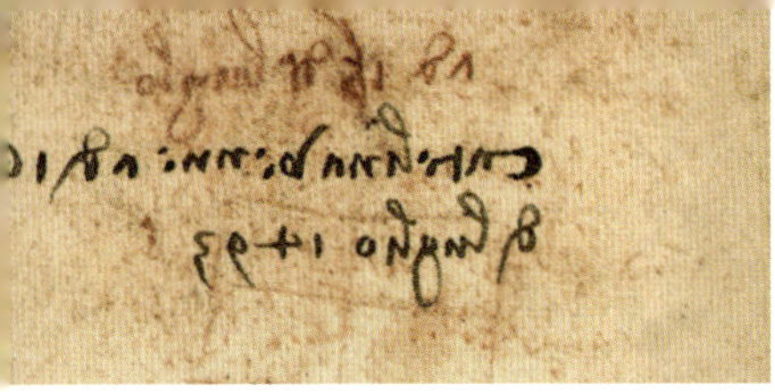

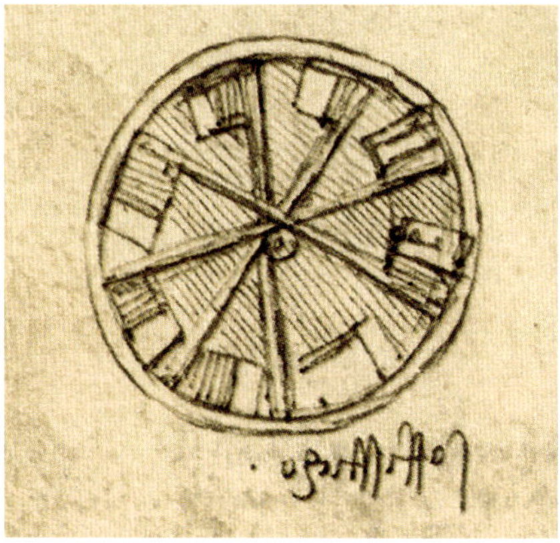

达·芬奇笔记中的凯瑟琳之谜

1493年,一个女性的名字在达·芬奇的家庭账本中出现。“7月16日,凯瑟琳到了。”虽然达·芬奇并未明指这个女人是谁,但是一般认为,似乎唯一合乎逻辑的解释,只能是他的生母——这个寡居的女人,在她的晚年与自己的孩子终于又团聚了。两年以后,凯瑟琳去世。在福斯特手稿中,达·芬奇记录下了自己母亲葬礼的账单:3磅蜡:27索尔多;棺材:8索尔多;棺罩:12索尔多;搬运和安放十字架的费用:4索尔多;搬运棺材:8索尔多;请4个牧师和4个神职人员:20索尔多;钟、书和纱布:2索尔多;请掘墓人:16索尔多;给老人:8索尔多;许可文书:1索尔多;请医生:5索尔多;糖和蜡烛:12索尔多。

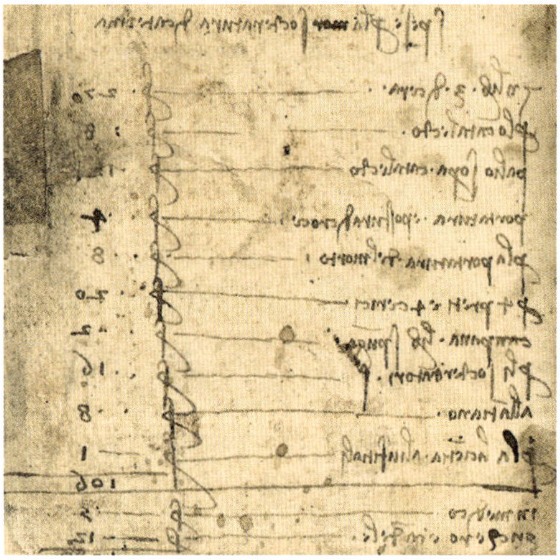

(左上图)**凯瑟琳到达米兰时,达·芬奇笔记中记录的文字**,1493年7月16日,福斯特手稿II,f.88r。

(右上图)**永动机**,习作,作品中有“精密”的字样,约1495年,马德里手稿I,f.79v,局部。

(下图)**凯瑟琳葬礼的花费**,约1494—1495年,福斯特手稿II,f.64v。

就在我们几乎可以认定这个出现在手稿中的女人就是达·芬奇的生母凯瑟琳时,新近在佛罗伦萨国家档案馆发现的一处档案又有了新发现。这份档案中似乎是指明了凯瑟琳的去世具体时间:1494年,6月26日,星期四,从佛罗伦萨来的凯瑟琳,去世,享年60岁,死于风寒。在1487年的地籍册中,达·芬奇的生母凯瑟琳的年龄登记为60岁,那么在1494年时,她应该已经67岁了。佛罗伦萨国家档案馆的记述与芬奇镇的记述出入竟有七年之多,这无疑为凯瑟琳这个神秘的女人身上再次披上了谜一般的面纱。在没有更具有说服力的文献被发现之前,这个名为凯瑟琳的女人带着她的秘密一起消失,或许我们永远无法得知她的真相。

“1490年,4月23日,我开始第一次使用这个笔记本。”这个笔记本就是今天的巴黎手稿C。这部被弗朗切斯科·梅尔兹称为“一本探讨光与影的书”中,达·芬奇以平行线表示光影细微而富有层次感的变化,旁注的文字简洁明了,其中还包括了许多其他领域(物理学、声学、文字游戏、水流)的笔记和图画。在巴黎手稿A中，我们发现了后来的《论绘画》的雏形。1498年，数学家卢卡·帕奇奥里在《论神圣的比例》一书中，以书信体的形式向达·芬奇致以敬意，称他已经完成了一本“关于绘画和人类运动的好书”，所指的也许正是这本著作。

在《绘画论》中，达·芬奇将绘画和诗歌、音乐、雕塑等艺术形式加以评比，表示绘画具

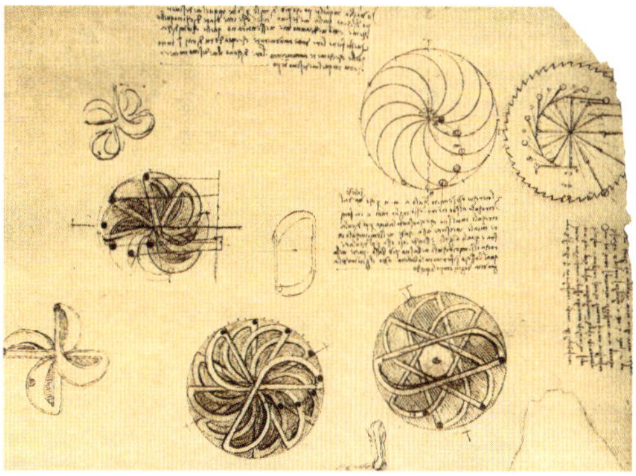

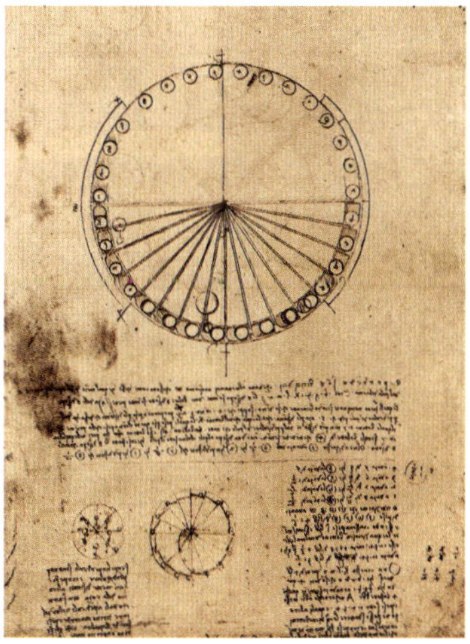

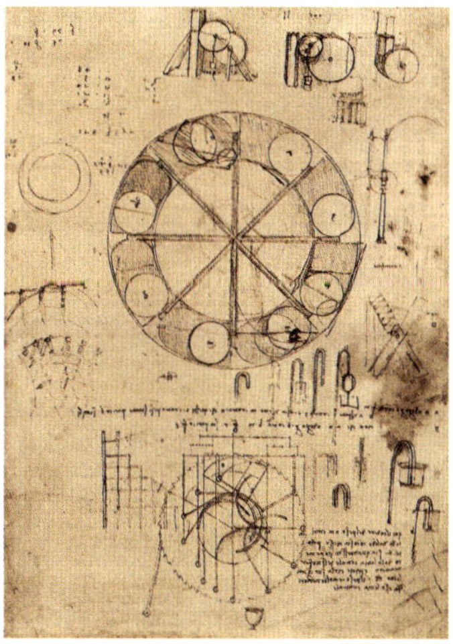

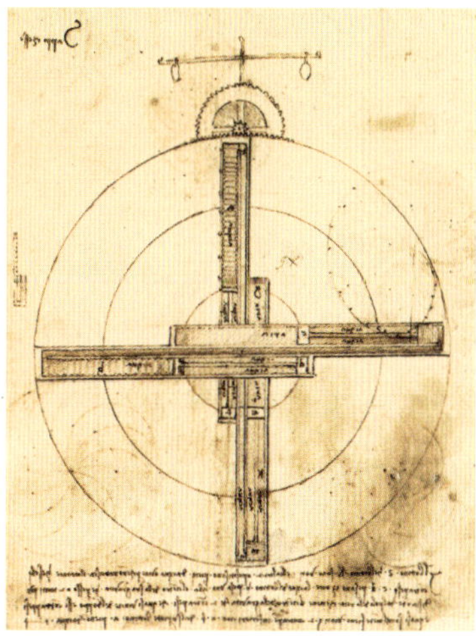

（上图与右下图）**永动机**，习作，约1493年，大西洋古抄本手稿，f.1062，局部。
（下图居中）**永动机**，习作，约1499—1500年，大西洋古抄本手稿，f.778r。
（下图居左）**永动机中不停转动的轮子**，习作，约1497—1500年，大西洋古抄本，f.778v。

备一门真正的科学所应具备的两个条件(以感性经验为基础,像数学那样可以进行严密论证),以人类的视觉为基础,以最精确的方式将形象传递给人的知觉,绝不是一种机械的手工劳动,而是"一门科学,是大自然合法的儿子"(达·芬奇进一步表示,为了准确起见,或者应该称绘画为大自然的孙子,因为一切可见的事物都是经由大自然生养,而这些

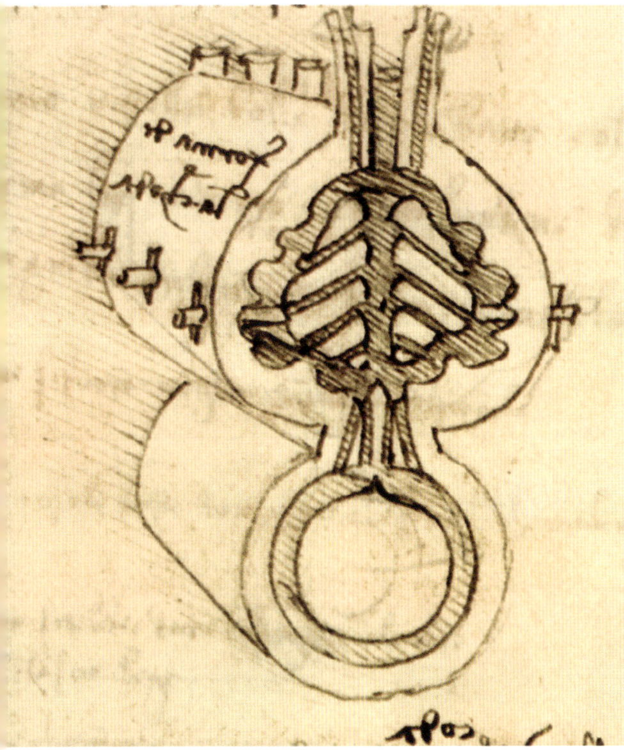

(由上至下顺时针方向依次为)
维罗奇奥作品,**巴尔多罗密欧·格莱奥尼(Bartolomeo Colleoni)纪念碑**。
多纳泰罗作品,**卡达梅拉塔(Gattamelata)纪念碑**,约1447—1453年,帕多瓦,圣人广场。
安东尼奥·本齐(Pollaiolo)作品,**弗朗切斯科·斯福尔扎纪念碑**,习作,纽约。
弗朗切斯科·斯福尔扎纪念碑,习作,温莎城堡皇家图书馆手稿,12358。
尾巴的造型(该草图为斯福尔扎骑马纪念碑浇筑模型),约1491年,马德里手稿II,f.145r,局部。
(右页)**斯福尔扎骑马雕塑——马头**,习作,约1493年,马德里手稿II,f.157r。

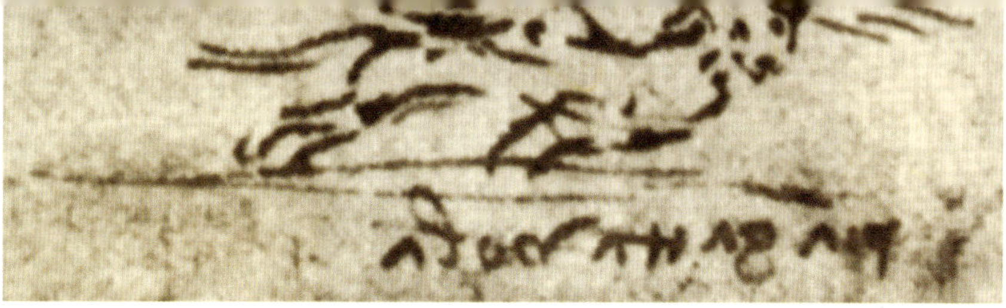

大自然的儿女又滋养了绘画艺术)。在达·芬奇眼中,画家是“人和万物的主人”,无论美丑,只要是画家心中想见的,他都可以通过画笔进行创造。

在论及画家的素养时,达·芬奇表示,高明的画家是能够用艺术的手段再现自然一切形态的能手,他的心应当像一面镜子,将自己转化为对象的颜色,并如实将其面前的物体所有的形象摄入其中;镜子是画家中的画家,在许多场合中,平面镜中反映的图像与绘画极为相似。他甚至还为画家提供了加强记忆力的练习——“我从亲身经验中发现,若在黑暗中躺在床上,回忆研究过的物体的轮廓,将会获益匪浅,有助于将事物印在脑海里。”

(从上至下顺时针方向依次为)
昆虫的习作,约1510年,Ms手稿G,f.64v。
长着翅膀的猫,约1490年,温莎城堡皇家图书馆手稿,12692r,局部。
大象,画面背景为佛罗伦萨乌菲齐美术馆馆藏《三博士朝拜》的底稿。
独角兽,牛津大学阿什莫尔博物馆。
小狗,约1494年,Ms手稿H,f.40v。

(右页左图从上至下)**向树林中俯冲的鸟,见于维罗奇奥作品《基督受洗》的画面右侧**,局部。
蝴蝶、飞鱼,蚂蚁与蝙蝠,习作。
狗的头部,约1495—1497年,Ms手稿I,f.48r,局部。
(右页右图从上至下)**鱼的细节**(见于波提切利《托比亚与大天使长》中),伦敦大英博物馆。
狗与猫的习作,伦敦大英博物馆。
高高跃起的马,素描,约1504年,温莎城堡皇家图书馆手稿,编号12336。

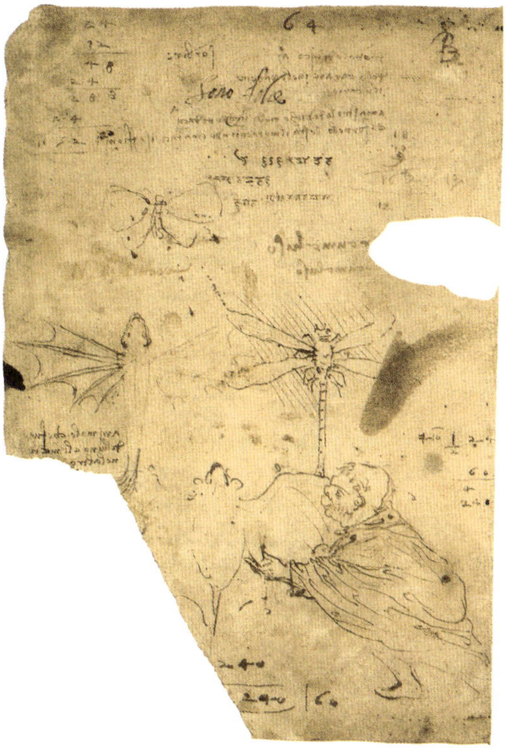

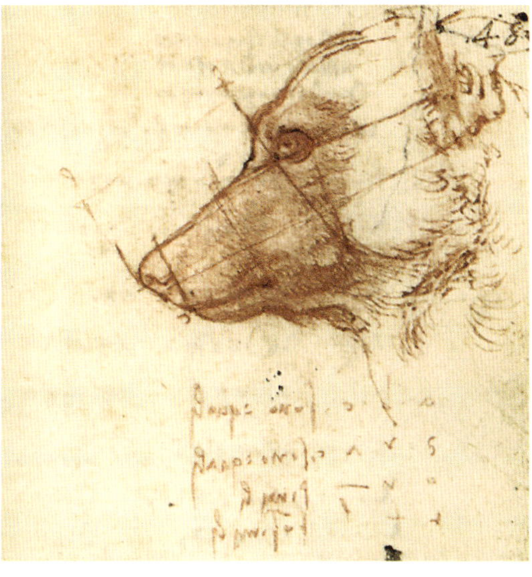

（左上图）**飞行器**，约1493年，大西洋古抄本手稿，f.846v，局部。
（中图）**达·芬奇设计的飞行器上的钉子**，约1487年，Ms手稿B，f.83v，局部。
（下图）**飞行器的双翼**，约1493年，大西洋古抄本手稿，f.844r。

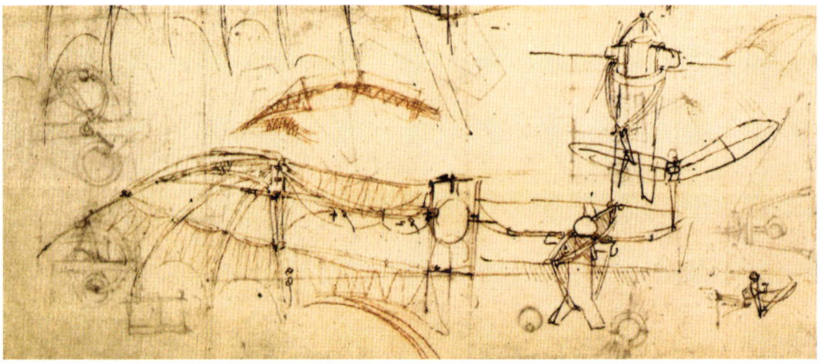

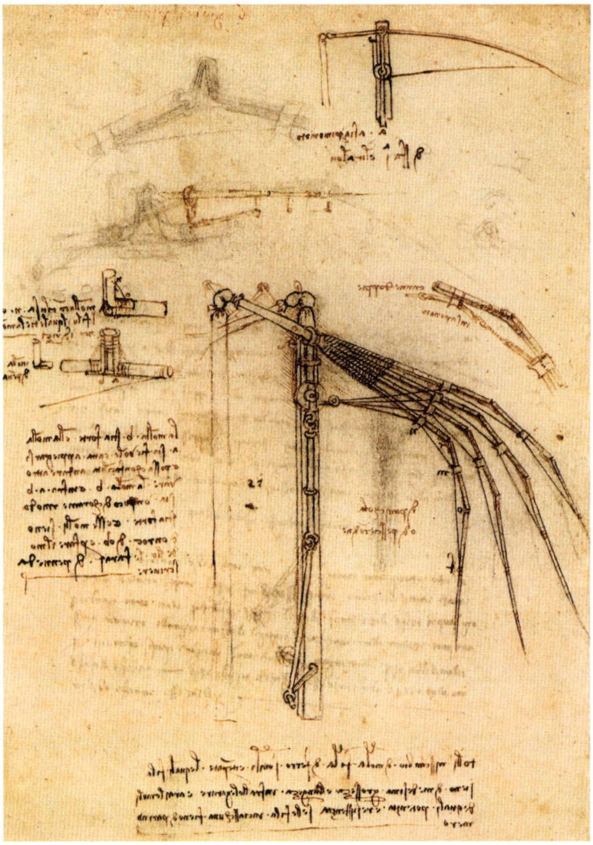

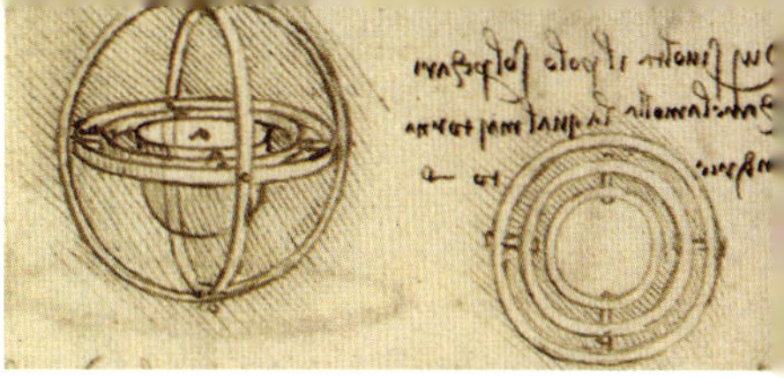

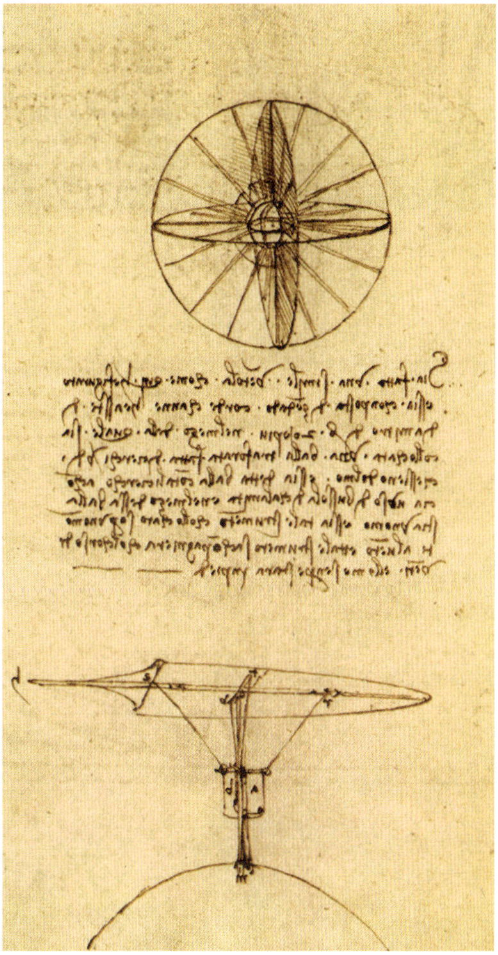

（左上图与右下图）藏于达·芬奇理想博物馆的**飞行器模型**，原设计出现在达·芬奇马德里手稿I，f.64r。
（右上图）**飞行器的操作杆**，约1495年，马德里手稿I，f.13v，局部。
（右中图）**飞行的球**，约1495年，马德里手稿I，f.64r。
（左下图）安德雷阿·阿尔齐亚蒂（Andrea Alciati），**飞行的巨大圆球笼罩下的拉奎拉**，1580年。

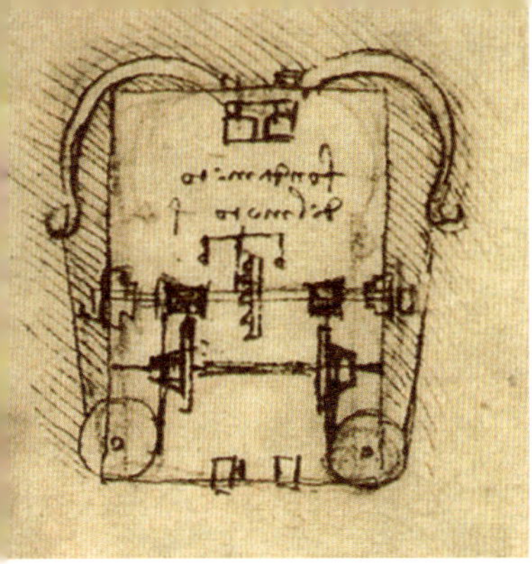

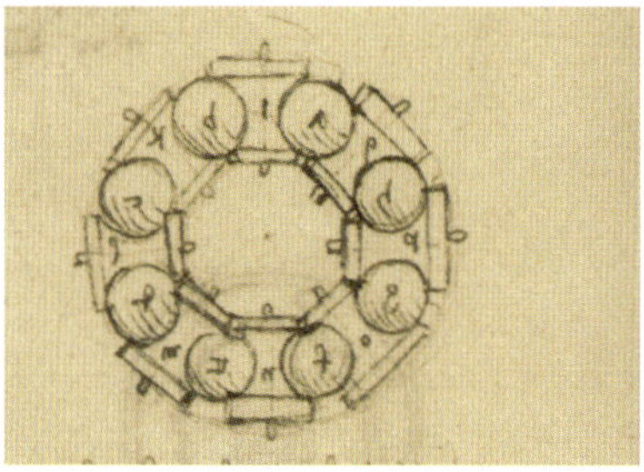

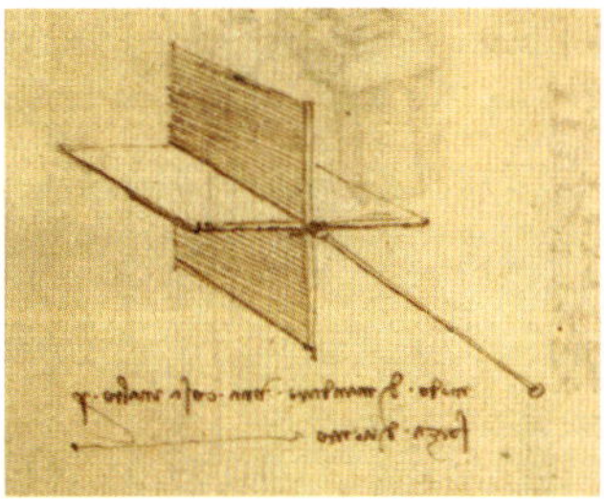

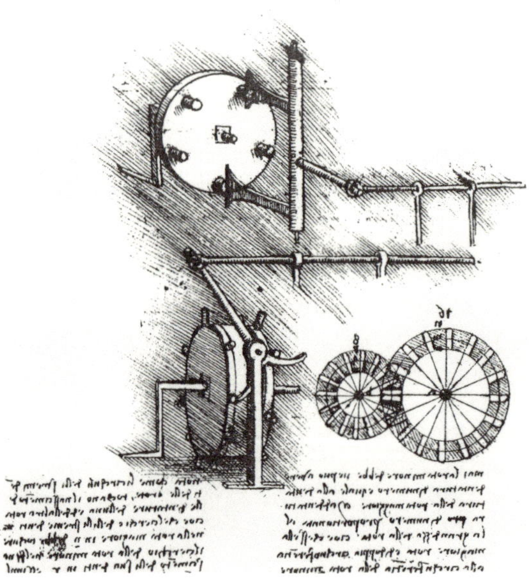

（左上图）**钟表原理**，用以解释“运动的原理”。
（右上图）**滚柱轴承**，约1495年，马德里手稿I，f.20。
（左图居中）**俯身的人体，利用腿部力量操作飞行器**，约1487年，Ms手稿B，f.79r。
（右下图）**齿轮传动装置**，约1495年，马德里手稿I。
（左下图）**利用风力的飞行装置**，约1495年，马德里手稿I，f.53v，局部。

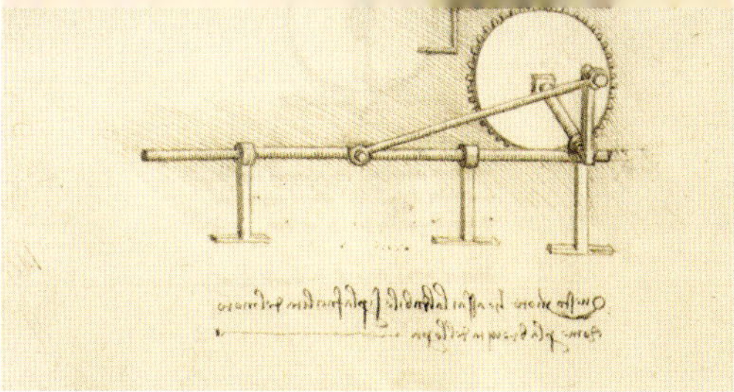

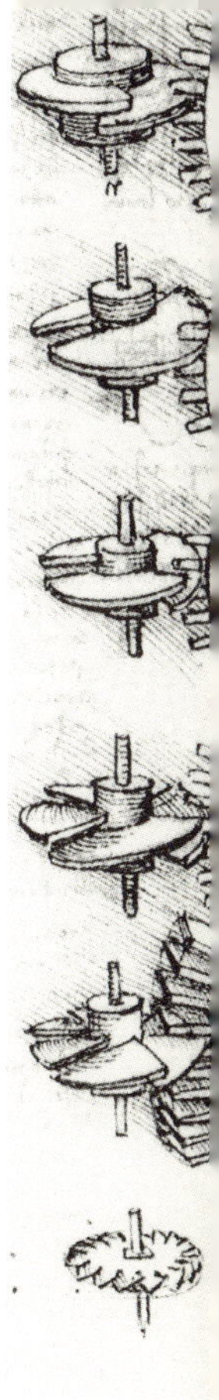

在《绘画论》中，达·芬奇引述了诗人对画家的攻击，诗人声称自己的科学包含发明与度量，即题材的发明与诗韵的斟酌形成了诗的基础，然后其他学科加以补充。达·芬奇对此的回答则是：绘画艺术作为一门科学，同样要求发明和度量，画的主题需要发明，而画的物体也需要精确的度量才能保证自然完美的比例。

作为画家的达·芬奇在为绘画艺术辩护的同时，提到了画家如何“进行发明”，而他本人也以其天才的发明创造超越了时代本身。在前文中已经提到，在维罗奇奥画坊中学习时期，达·芬奇就已经对机械世界的玄机着迷。在当时的佛罗伦萨，来自锡耶纳的工程师们设计了一种外形像船的河道淤泥挖掘机，还有一种可以快速行驶的桨叶船，这些都让达·芬奇倾心不已。

为了画出模具或者钟表最为复杂的地方，达·芬奇会像解剖试验一样研究其机械结构。他拆卸机械的每一部分，试图从个别中找出共性，对每一个运动都进行细致的观察，尽力描述出从静态结构到动态运动中的所有现象。在手稿中他展示出来的是科学的“绘画”，同时是绘画的“发明”。他曾做了几百处笔记和草图，仔细研究钟表和织布机的机械结构，在素描中他将飞行器加入发条装置的功能，证明了飞行系统的确可以由时钟的机械结构原理所发展而来；从鸟类飞行中，达·芬奇获得灵感，他想到空气与水应该一样具有浮力，在对鸟类飞行以及人类肌肉的细致研究基础上，他认为人类的力量足以模仿鸟类，并由此设计了飞行器的雏形。

这个天才的毕生都致力于研究精确的时间测量方式，他设计了沙漏计时器、复杂的水钟，以及沙漏计开船时间间隔等。在1478—1480年间，他还研究出了一套日晷仪，这一研究一直持续到他逝世之前。他将早期的研究成果加上新的想法，设计出了报时钟与闹钟，同时进行重力钟的研究；他还发展出一种特别的弹簧，改良了整速轮与轮环的动力系统。他的手稿中也反复出现他所热爱研究的天文钟的素描图。

此外，达·芬奇还将研究的目光投向了永动机(第181页)。他起初认为，可以利用格板的特殊形状，使右边的重球滚到比左边的重球离轮心更远些的地方。可是在具体试验中，他发现，本以为两边重球不均衡的作用下，会使轮子沿顺时针方向转动不息，但试验结果却是否定的。达·芬奇敏锐地认识到，永动机的研制成功是不可能的，在手稿中他为后人留下了这么一句话：“永动机的幻想者们！你们的追求中含有多少虚无飘渺的空想？还是加入那些妄想点石成金的队伍中吧！”

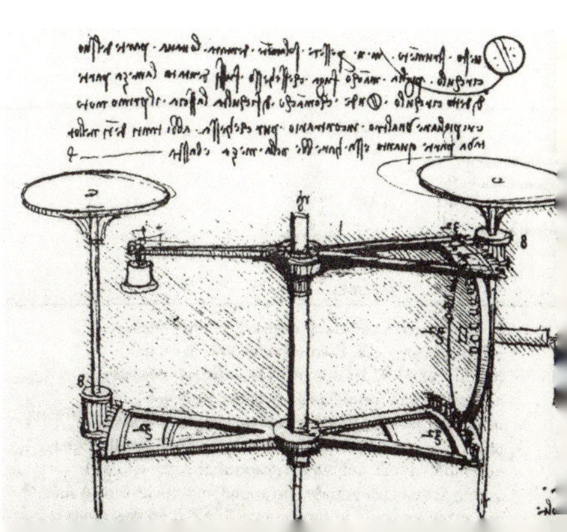

（左上图）**交替运动**，圆周运动与直线运动的习作，约1495年，马德里手稿I，f.28v。
（右上图）**齿轮**，习作，约1495年，马德里手稿I，f.119v，局部。
（右下图）**运动中的齿轮**，约1495年，马德里手稿I，f.21v，局部。

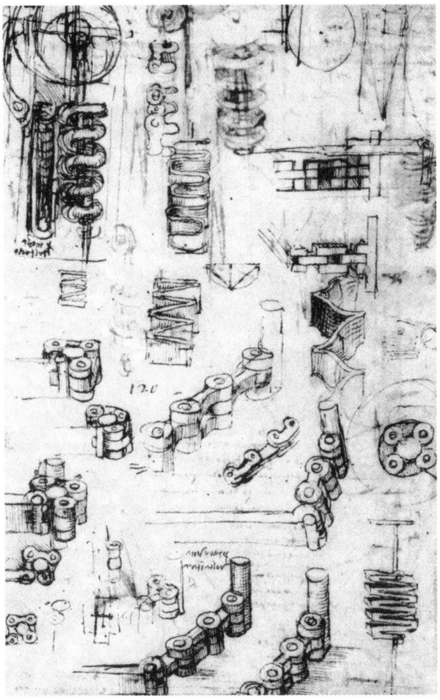

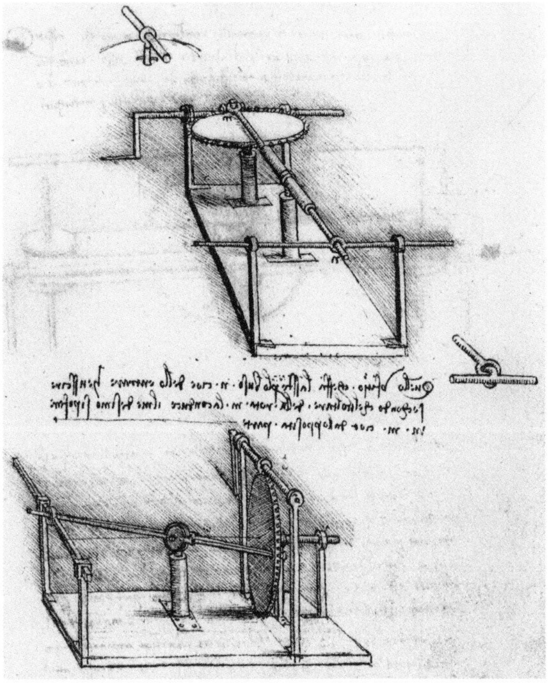

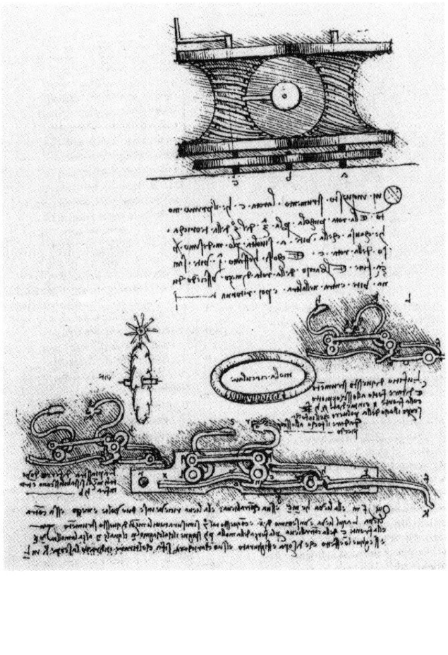

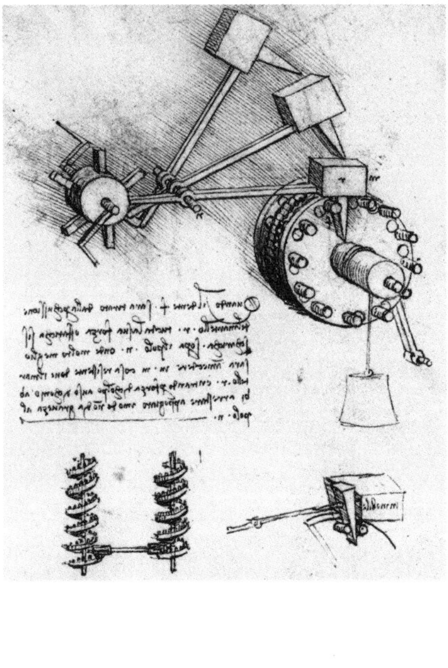

（上部从左到右）**齿轮传动装置、发条与运动的变化**，约1495年，马德里手稿I，局部。
（左下图）**没有末端的钉子**，以及手稿下半部分的**“用于引火的装置”**。
（右下图）**运动的传递**，约1495年，马德里手稿I，f.18v。

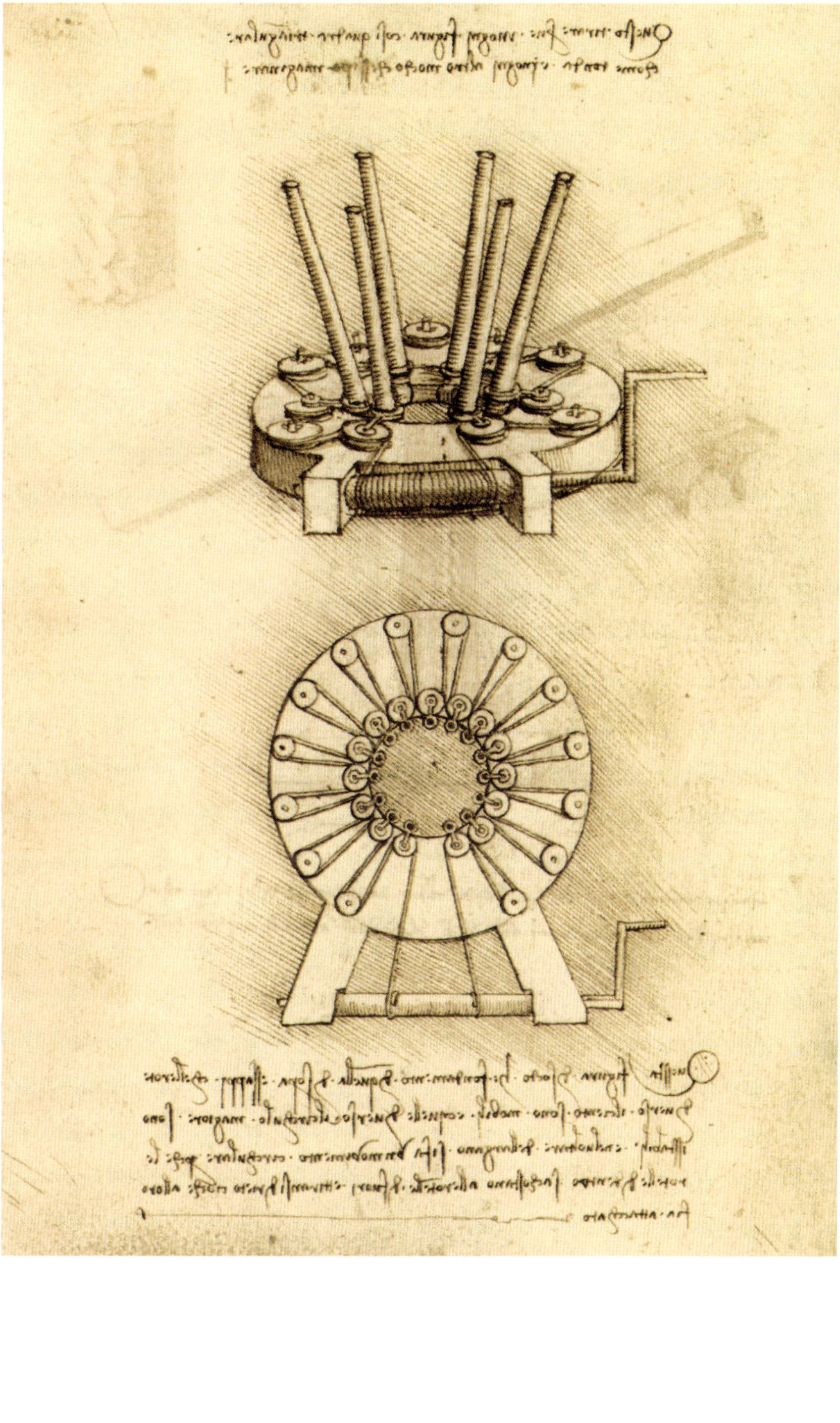

圆形链式绞盘，约1495年，马德里手稿I，f.44v。

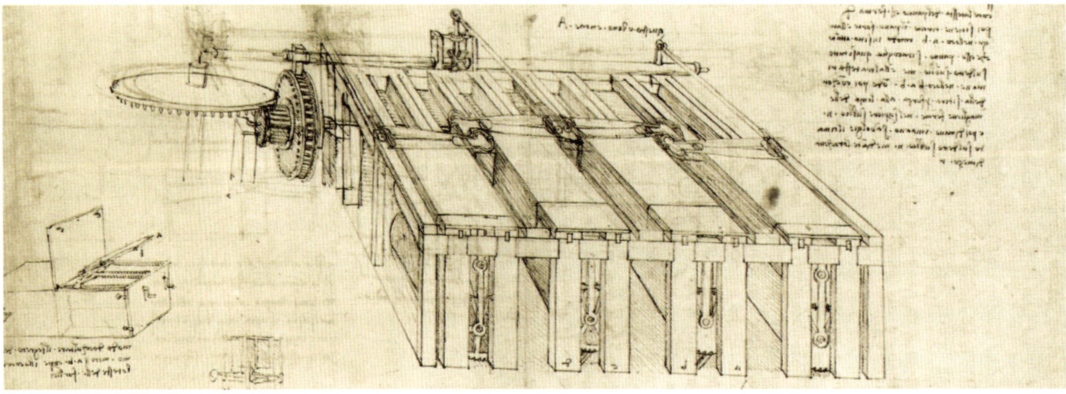

剪毛机，细节，旁注“用于隐藏秘密的方式”，约1495年，大西洋古抄本手稿，f.1105r。

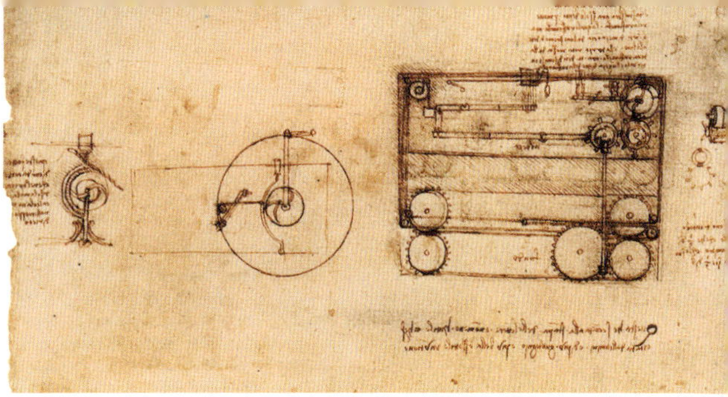

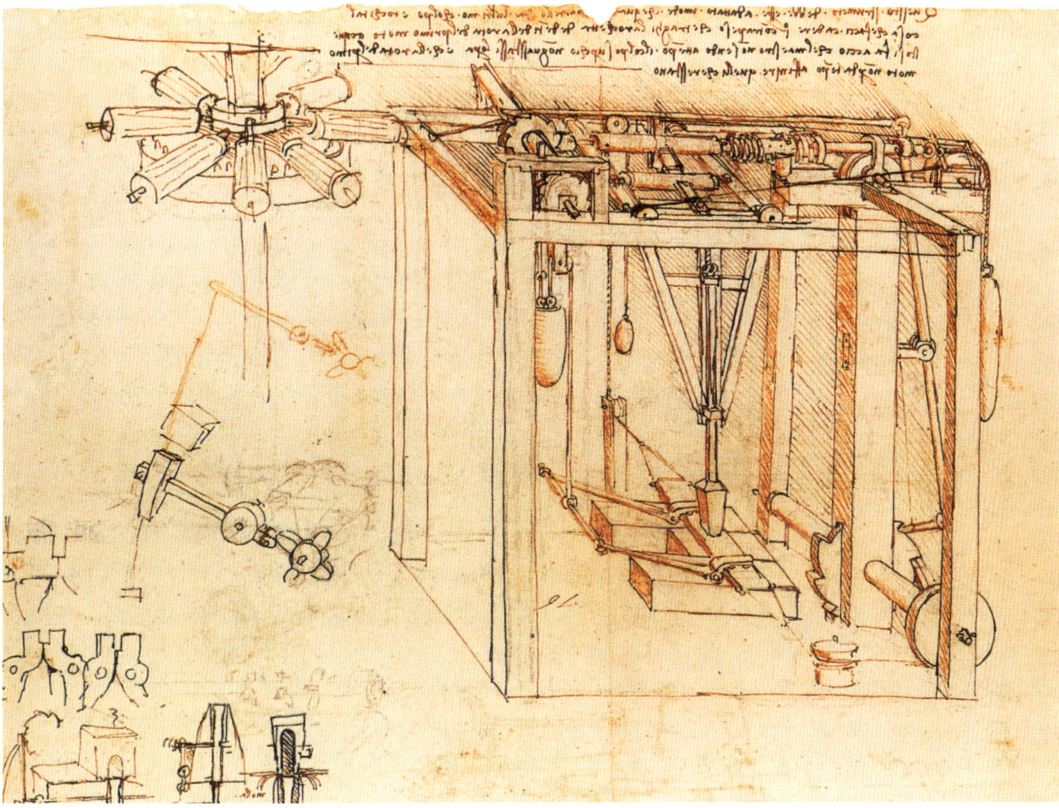

（右上图）**纺织机与小梭子的细节**，约1495年，大西洋古抄本手稿，f.985r。

（下图）**压制金箔的机器**，约1493—1495年，大西洋古抄本手稿，f. 29r。

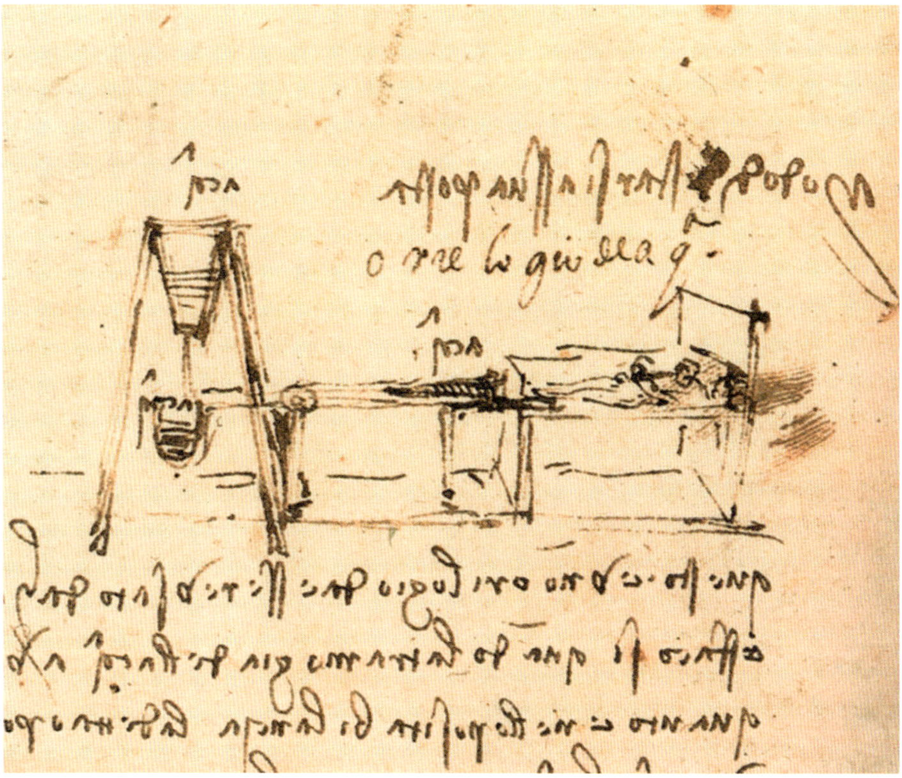

水动力闹钟，约1487年，Ms手稿B，f.20v，局部。

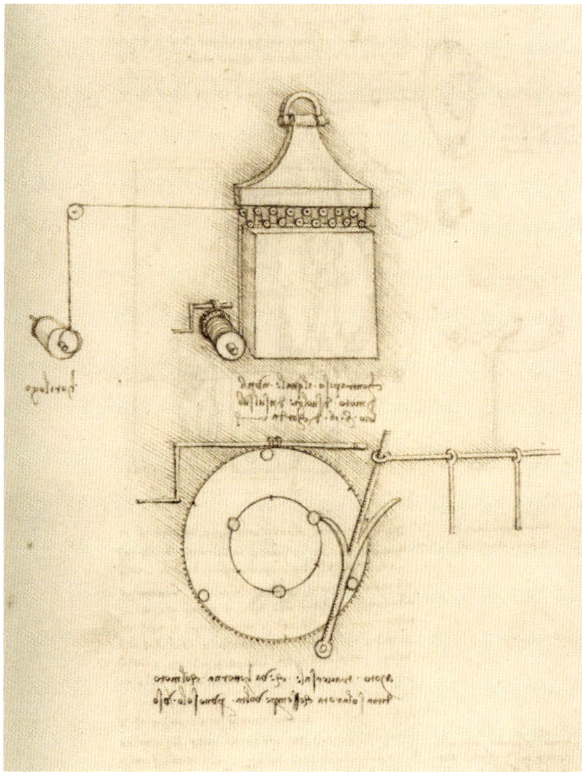

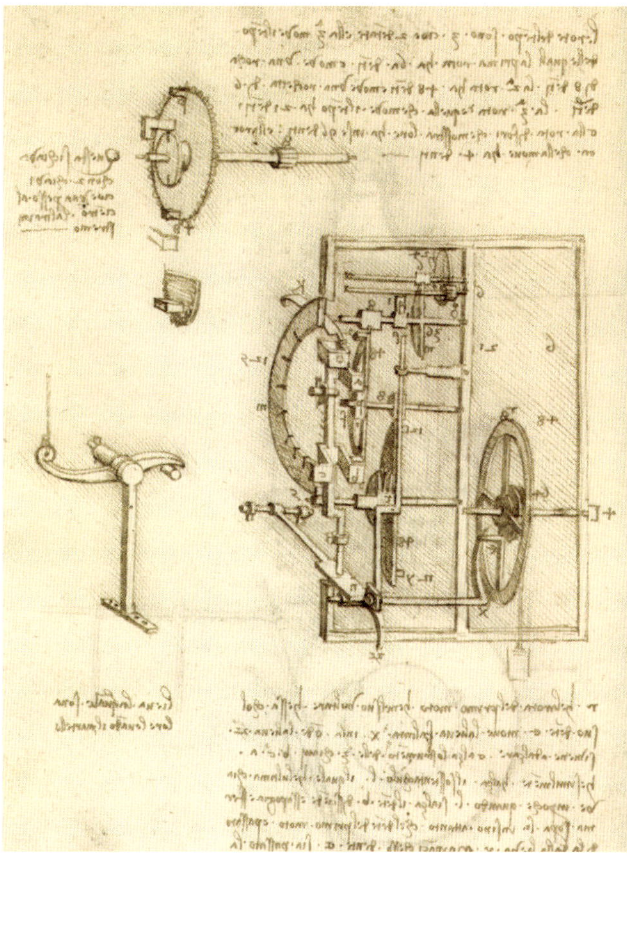

（上图）**砝码与横向运动**，约1495年，马德里手稿I，f.27r。
（下图）**有报时装置的钟表**，约1495年，马德里手稿I，f.27v。

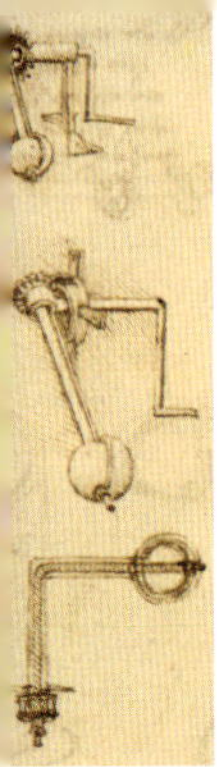

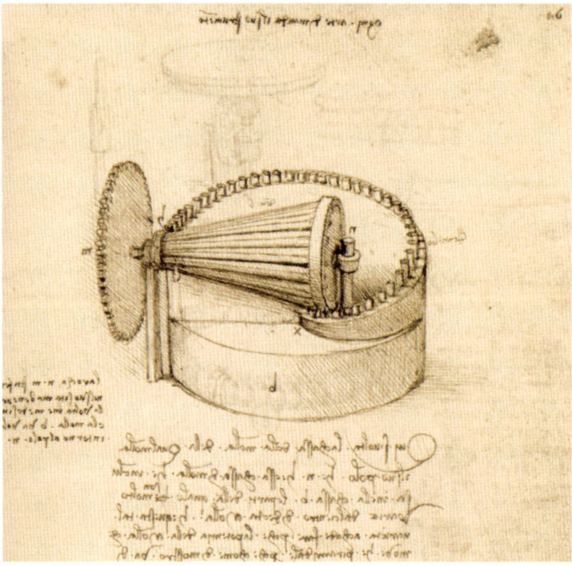

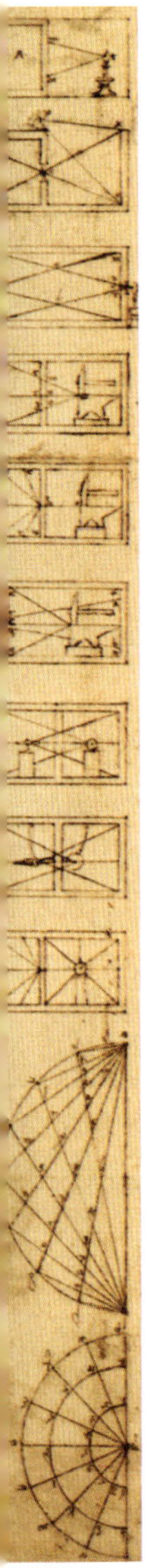

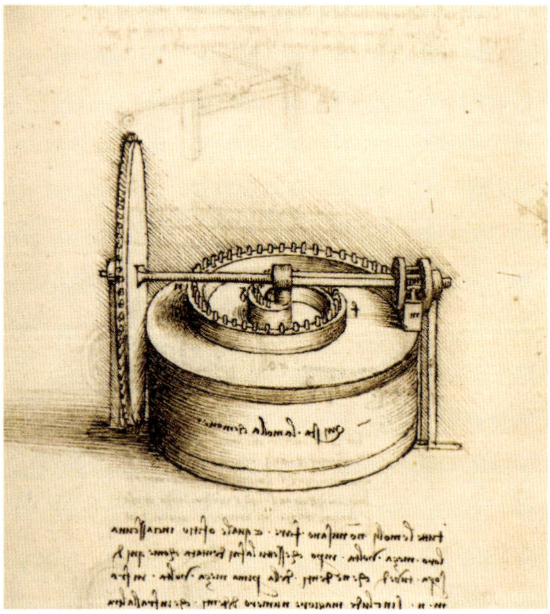

（左侧由上至下）**月亮钟**，约1495年，马德里手稿I，f.11r。
光学、声学、物理学、机械学与嗅觉实验的对比分析，约1490年，大西洋古抄本手稿，f.347r。
（右侧由上至下）**发条盒**，约1495年，马德里手稿I，f.16r。
“此处便是那个会动的发条”，约1495年，马德里手稿I，f.45r。
（右页）**钟内的发条**，“上部分装置显示齿轮如何围绕轴心旋转”，约1495年，马德里手稿I，f.45r。

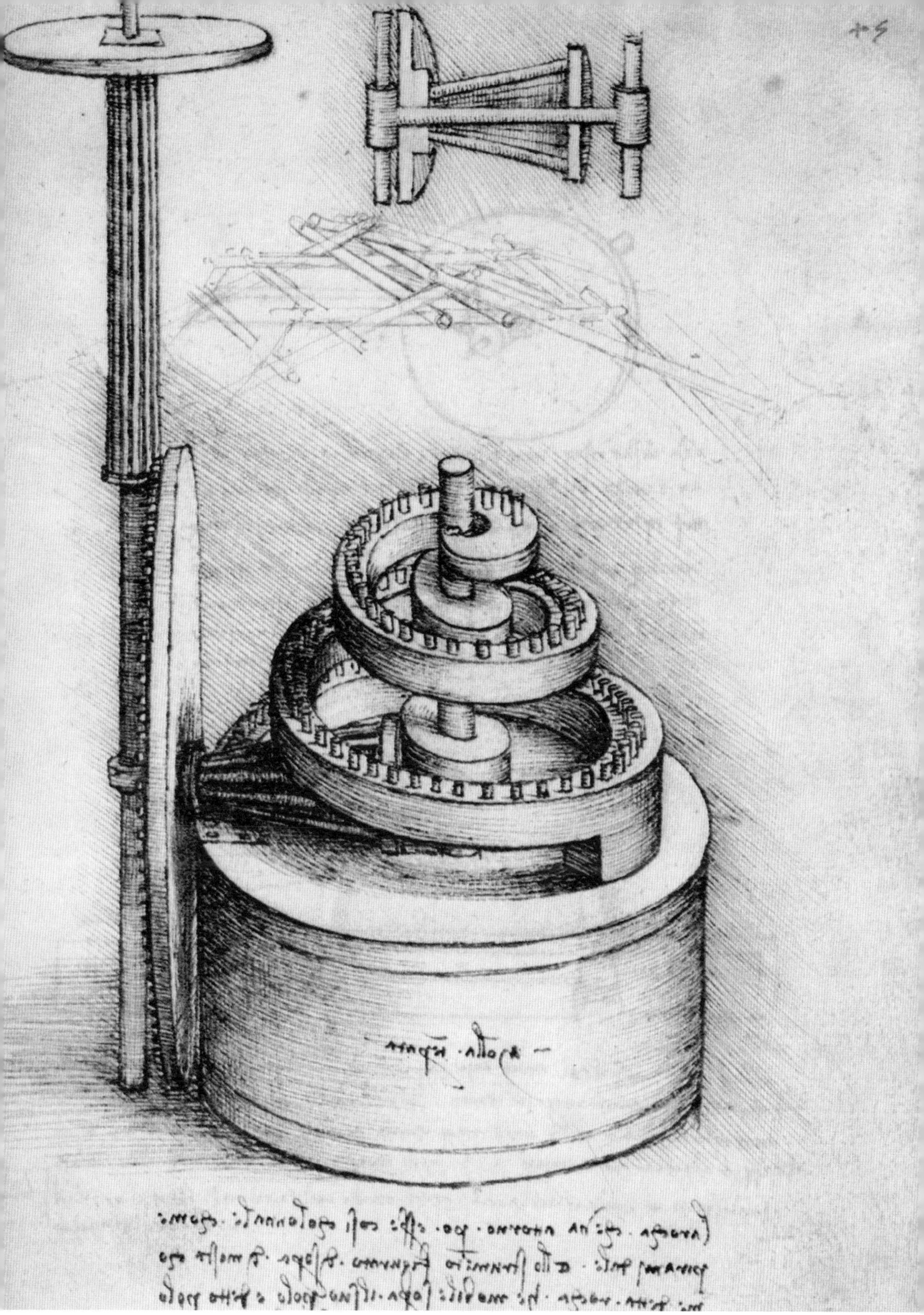

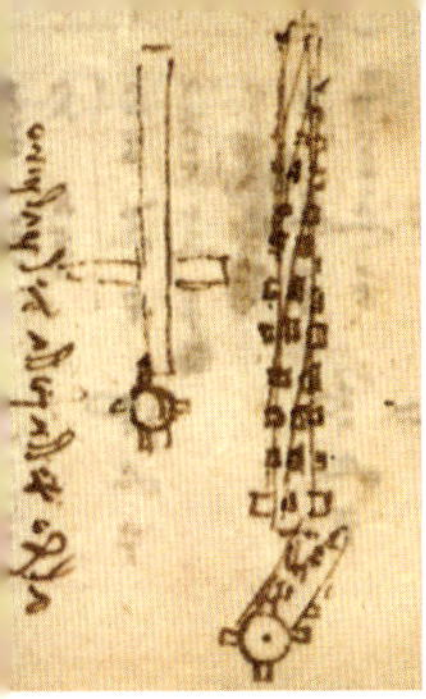

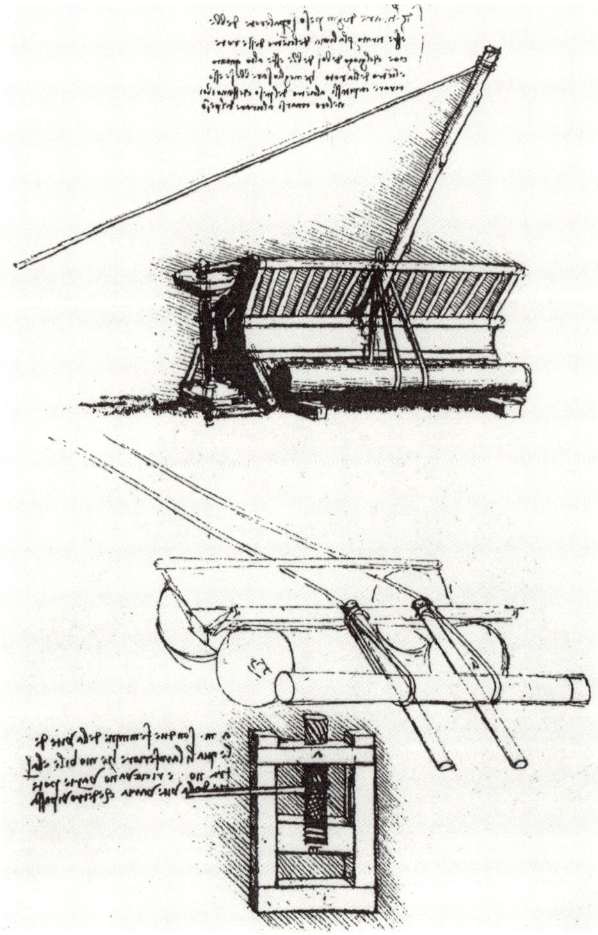

（左上图）**纸莎草，树叶可用于造纸的树**，约1499年，Ms手稿I，f.39v。

（中图）**搬运重物的器械**，习作，约1495年，马德里手稿I。

（左下图）**敲打麦垛的长棍**，达·芬奇理想博物馆复制。

（右页）**用于碾磨谷物并将麦麸分离出来的石磨**，约1495年，马德里手稿I，ff. 21v和22r。

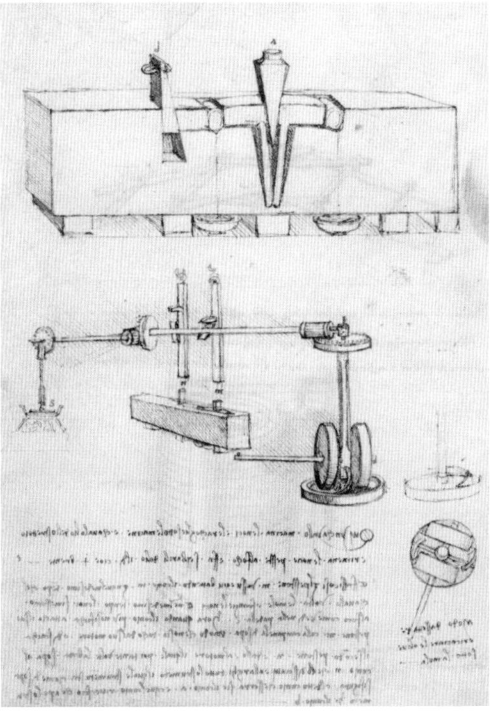

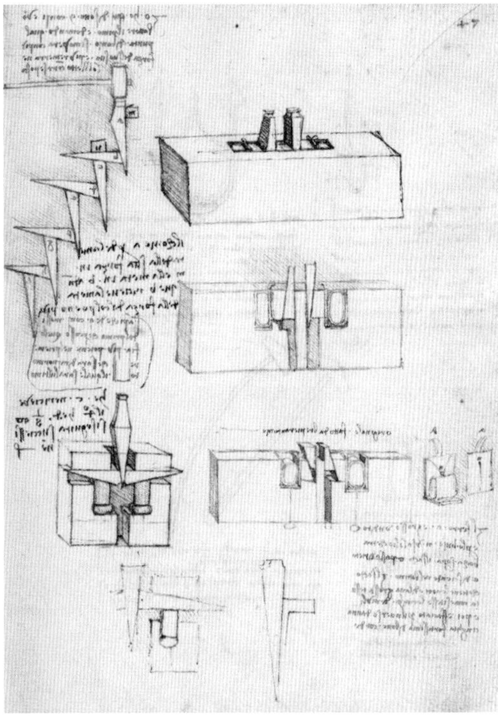

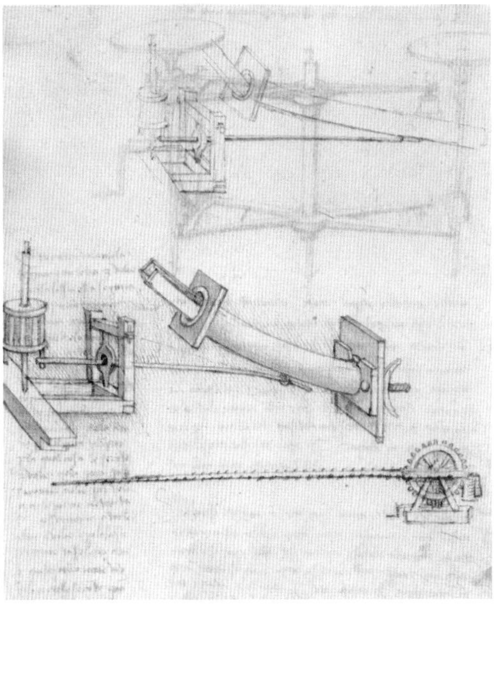

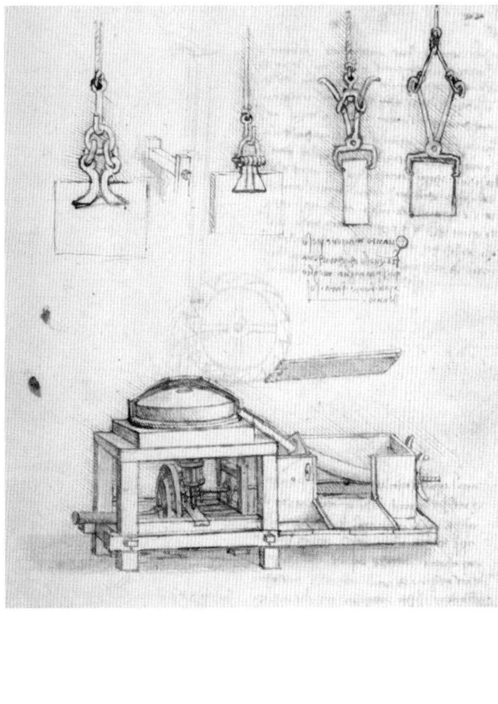

《最后的晚餐》

《岩间圣母》与《最后的晚餐》这两幅丰碑般的杰作，奠定了达·芬奇在美术史上的不朽地位。它们都是在斯福尔扎的宫廷中完成的。1495年，达·芬奇接受了公爵对圣母感恩教堂的订约，开始着手这幅作品的创作。圣母感恩教堂是一座砖墙建筑，圆顶为帐幕形的伦巴第风格，其餐厅是一间朴素的长方形厅堂，墙壁通体雪白，一条条深色的梁从这一端伸向那一端，《最后的晚餐》便成作于此。1498年，作品终于完成，这幅经历了四个年头创作的壁画，长910厘米，宽420厘米，从1478年就开始构思的草图来看，实际上历经了四十个年头的苦心探索，一经问世，便震惊了那个时代的所有艺术家。

画中所描绘的是《圣经》中记录的极为重要又充满戏剧性的一幕，在《新约》的“四福音书”中都能读到相关的描写。当基督和门徒在耶路撒冷庆祝逾越节时，他们最后一次同进晚餐。耶稣已经知道自己即将被捕，他对门徒说：“我实在告诉你们，你们中间有一个人要出卖我了。”门徒听到这句话十分震惊，每个人都问他：“主，是我么？”耶稣回答：“同我蘸手在盘子里的，就是他要出卖我。”出卖他的犹大问：“拉比，是我么？”耶稣回答：“你说的是。”对于犹大出卖耶稣的宗教情节，乔托、吉兰达约等画家都做过尝试，但似乎对自己的作品都不太满意。要在一刹那表现如此复杂而充满戏剧化的情节，的确是不容易的。

达·芬奇在作品叙述上捕捉到了戏剧张力最为饱满的一刻，将众门徒听到基督的话之后的第一反应完美地表现出来，画面流畅的布局围绕着基督进行。这幅作品首次将所有画中人全部面对画面之外，作品体现了达·芬奇在构图上的崭新理念，中世纪以来，相同题材的构图传统一向是将门徒沿着桌子呈呆板的直线安排座次，而在这里，达·芬奇将桌子横在画面的正前方，这个时候，桌子就不只是桌子，而是形成一道天然戏台的边缘，观众在这一边，而餐桌的另一边正在上演着一出戏，在

（左上图）**使徒马太**，修复中的最后的晚餐，局部。
（下图）**使徒犹大**，底稿，温莎城堡皇家图书馆手稿，12547。

最后的晚餐，修复前与修复后的局部。
（第202—203页）**最后的晚餐**，修复后。

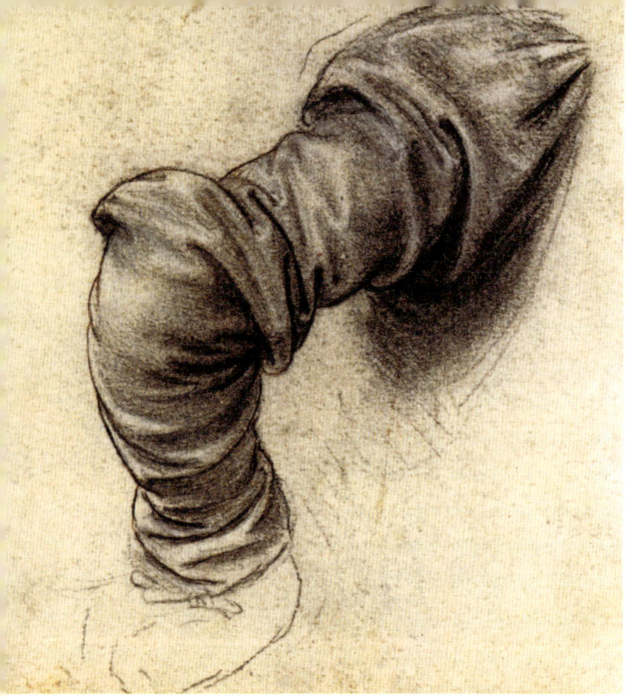

这出戏中，画家为我们呈现的则是波浪状的一群人。据推测，在佛罗伦萨，他应该已经观摩过安吉里柯修士、吉兰达约、安德雷亚·德尔·卡斯塔尼奥等人分别绘制的《最后的晚餐》，他成功地超越了前人，而事实上，在其后，也没有人能够再达到这幅作品所达到的高度。

为了创作这幅举世无双的作品，达·芬奇在正式动笔之前，对墙面进行了特殊的处理，他用掺合杜松漆和干燥油的黏土涂抹墙体，再以孔香、柏油和石膏附在其上。为了防止潮湿空气的侵蚀，他并没有用传统上湿壁画的水色，而是采用了自己独创的一种油色。在空间处理上，他巧妙地利用了餐厅壁面的空间和画面上被描绘出的空间互动的关系，使作品占据了墙壁较高的位置，再适当地安排画面的水平线，使观画者从视觉和心理上产生一种错觉感，仿佛自己不是身处圣母感恩教堂的餐厅，而是回到了画面主体发生的当场，目睹最后晚餐的真实场景。

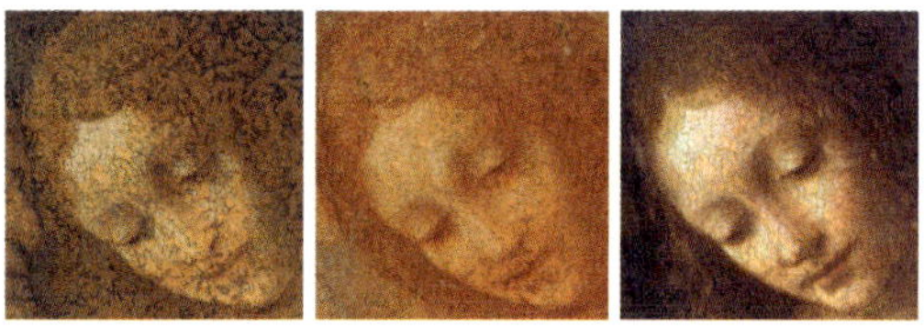

戏剧的本质是关键时刻的人物冲突，而《最后的晚餐》中所体现的正是连续动作在瞬间中戛然而止时人物内心世界的集中表现。画中人物从左至右依次为：巴多罗买（忍不住站起身来）、小雅各（向中间指去）、安德烈（摊开掌心，耸起肩膀）、犹大（不由自主地向后倾，左手在桌上张开，右手紧紧拽住他出卖耶稣所得的一袋金币）、彼得（右手握着一把餐刀，左手搭在约翰的肩上，那把餐刀暗示他在耶稣被捕之时挥舞着刀将士兵的耳朵割掉）、约翰（垂头丧气，靠着彼得，双目紧闭）、基督（双手摊开，头部微微左侧，显出无可挽回的悲悯神情）、多玛（竖起一个指头，似乎是在询问耶稣）、大雅各（表情严肃，低头沉思，摊开双臂）、腓力（站起身来，双手捂胸）、马太（手伸向基督的方向，似在与身边的人争论或传话）、达太（侧耳倾听西门说话）、西门（眉头紧锁，摊着双手）。在众位门徒中，唯一的一个反面人物便是犹大，他的重心与其他门徒不同，并不是指向画面中心的耶稣，而是身体本能地仰离，右手下意识地抓紧了钱袋，左手打翻了盐瓶。光线投射在他脸上的阴影，暴露了这个叛徒内心的丑恶。在温莎城堡皇家图书馆手稿中，有一张犹大的侧面习作（第200页），这是一个比魔鬼还要丑陋的人物，然而神情中仍然流露出某种懊悔和自我憎恶的意味，使这幅侧面像带有某种悲剧色彩。瓦萨里在《名人传》中曾

经提到一个趣闻：圣玛利亚感恩教堂修道院院长总是催促达·芬奇加快绘画的速度，并时常向公爵抱怨这位天才艺术家如何拖延时间。得知此事后，达·芬奇对路德维科说自己还在为找不到犹大的原型而感到焦躁。如果实在还是无法寻获这样阴险毒辣的面容，他会考虑用那个缺乏耐心的修道院院长的脸进行创作。

卢卡·帕奇奥里是最早评论这幅作品的人，1498年12月14日，他在《论神圣的比例》一书写的献辞中说道："在众门徒听到那个声音说出'有人背叛了我'的时候，我们很难想象他们当时的表情专注到什么程度。通过行为和手势，门徒们似乎在互相对话，一个人跟另一个人说，而那个人又跟旁边另一个人讲，都显得惊讶不已。就这样，我们的莱奥纳多用他那巧夺天工之手创造了这戏剧性的一刻。"

考虑到那个时候帕奇奥里与达·芬奇交往甚密，我们可以将这段评论认为是达·芬奇个人观点的反映，即，作品要凸显的，是画中每个众门徒的专注与惊异的程度，而每一个人的动作与神态的焦点，都在基督身上交织汇聚。作为构图自然中心的基督身着蓝色斗篷与红色长袍，以最富感染力的方式表现了他画面中压倒一切的地位，他身处明亮的门洞构成的背景上，同时是两边墙面边线和挂毯端线延伸的汇合点，在透视法和远近法的处理下，他成为了整个画面几何学意义上的中心，一切透视线都在他的头上集中，使整个画面呈现出一种神性的向心力。在被紧张和充满愤怒的门徒的包围中，基督沉静、安详，表现出一种肃静和不可侵犯的气度。从他背后，夕阳的余辉从餐厅正中央的窗外透进来，使得窗户上的弧形装饰线变成金色的光环。

在艺术史中，《最后的晚餐》与米开朗基罗的《末日审判》以及拉斐尔的《雅典学院》并称为文艺复兴盛期的三大杰作，而《最后的晚餐》更是被推崇为艺术的拱顶之石，是千古不朽的杰作。

（上页左上图）**圣彼得的手臂**，习作，约1495年，温莎城堡皇家图书馆手稿，12546。
（上页左下图）**《最后的晚餐》中的使徒约翰与《丽达与天鹅》中的丽达的面部高度吻合**，达·芬奇理想博物馆。
（本页上图）**《最后的晚餐》中人物的手部动作特写**。
（下图）达·芬奇学生的作品，已散佚，作品为**《最后的晚餐》中圣托马斯的左手**，习作，温莎城堡皇家图书馆手稿，12545。

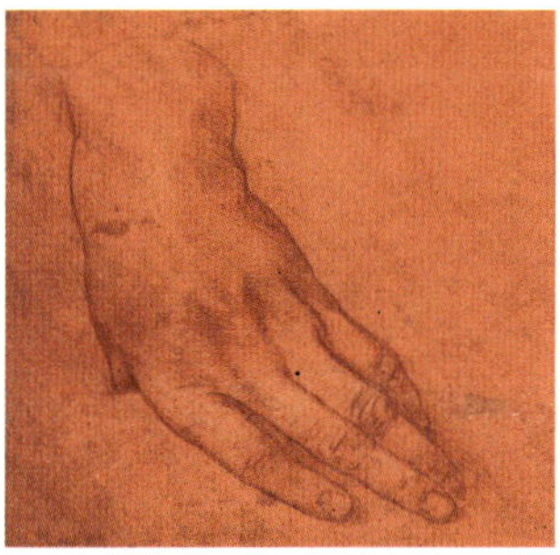

天轴大厅与达·芬奇学院

1497年1月2日，路德维科的妻子贝雅特里奇在怀孕几个月后，生下了一名死婴，这个没有来到世间的孩子同时也夺取了自己母亲年轻的生命。在他死后，路德维科变得虔诚起来，似乎是要用宗教的热诚来驱散丧妻的痛苦。然而这种痛苦毕竟是短暂的，诡谲多变的政治局势迫使他开始谋划新的合纵连横。从1498年4月起，他开始加强新的政治结盟，法国的查理八世因一个意外而去世，他的堂弟奥尔良的路易继承了王位，并声称作为自己的祖母瓦伦蒂娜·维斯孔蒂的继承人，他对米兰享有治权，准备入侵意大利。路德维科的斯福尔扎城堡又要开始张罗外交舞会，而进行房间装饰的重任又落到了达·芬奇的身上。

1901年，人们揭去覆盖在斯福尔扎城堡北塔大厅(天轴厅，Sala delle Asse)穹顶的石膏之后，达·芬奇所绘制的穹顶得以重见天日。这是个绿色的装饰画，大厅顶上刻着斯福尔扎家族的武器。大树干从树根盘结的岩石地层长出来，布满穹形大厅中，它们像柱子般竖起，粗大的树枝相接交错，遮住底部层叠的石块。从叶缝里透出天空的亮蓝色，以植物学家般的细心画出来的巨大树冠形成复杂的植物迷宫。在这纠缠不清的枝叶中间，隐

（由上至下顺时针方向依次是）
织物状的坠物，约1490年，先前藏于牛津大学基督堂学院，现已散佚。
天轴厅墙面，植物的根部与岩石，局部，米兰斯福尔扎城堡。
芬奇结，天轴厅墙面，约1498年，米兰斯福尔扎城堡，路加·贝尔特拉米（Luca Bertrami）作品。
三种结（阿拉伯式、凯尔特式和所罗门式），14世纪藏于牛津大学的一份手稿，现已散佚。
（右页）**天轴大厅的穹顶**，局部。

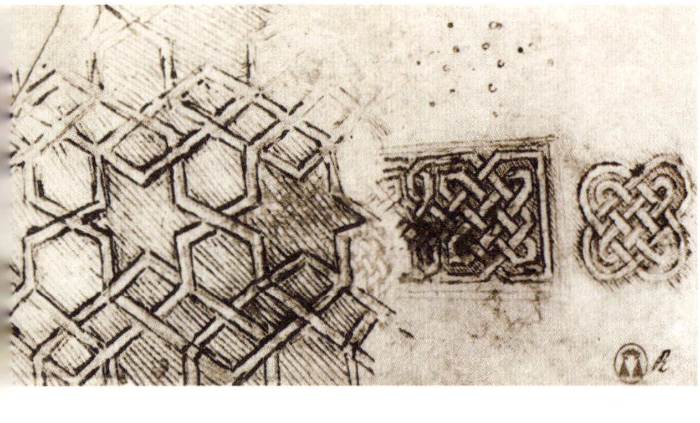

含着一种秩序，显示出有条不紊的构图，流露出和谐的韵律。这一韵律由一条蜿蜒曲折的、到处与枝叶缠在一起的金色绳子决定(或凸显)，人们看不到它和枝叶的尽头，它不停地伸展，从绿色的穹顶这一头伸展到另一头。

瓦萨里说：“达·芬奇花了不少时间画交织花体字，在一个圆圈内，一条带子有条理地从这一头绕到那一头。它们当中有一条非常美丽、非常复杂，它被雕了下来，还加上了他的签名：达·芬奇学院(Leonardus Vinci Accademia)。”一条无尽的白色线形成了复杂的绠带饰，以花环和涡形形状在黑色圆盘内部伸展。那圆盘是一系列由达·芬奇自己或别人根据他的图画刻的木板之一(现藏有六份，保留在安布罗哲美术馆)，所有木盘都带有这些字，可能拼法不同，比如Accademia Leonardi Vinci。它们让人误以为达·芬奇

（上图）阿诺·巴特利米（Aneau Barthelemy），**移情心理，**图诗，1564年。
（下图）**天轴厅穹顶**，局部，米兰斯福尔扎城堡。

领导着一间以佛罗伦萨的柏拉图学院为榜样的真正的学院。帕奇奥里在《论神圣的比例》前言中提到于1498年2月19日在斯福尔扎城堡举行了一次“出色的科学会考”，汇集了教会成员、神学家、“能干的建筑师和工程师、发明新事物的多产的发明家”。

帕奇奥里表示，在会考中，达·芬奇战胜了他们所有人。帕奇奥里只是提到了这么一次智力比赛，然而自他的文章开始，就形成了这样一个传说，吉洛拉莫·波尔斯耶利的《米兰的贵族》(1616年出版)就提到达·芬奇主持一个定期的聚会，人们天真地以为他会在聚会上主持辩论。1904年，约瑟芬·佩拉当甚至发表了一本小册子，题为《达·芬奇在他的米兰学院的最后一课》。他在书中假设刻了绠带饰的木板是师父给优秀学生的文凭或奖励，好学生中有画家吕尼(在1498年时约十岁)、洛马佐(也大不了多少)，古希腊语学者如查尔孔迪拉和拉斯卡里以及帕奇奥里本人……有关达·芬奇学院这一类的想法今天都被大家否定了，因为作为学校意义的“学院”(scuola)在下一个世纪才出现。至于绠带饰木刻的神秘作用——大家认为它是达·芬奇一个没有付梓的论文的卷首插图。“学院”也可能只是达·芬奇画室的美称，在这种情况下，它就只是供销售的木刻装饰的习作而已(销售给刺绣工、首饰工、镶嵌工)，由师傅带领的团队进行的话，那就必须放上品牌了。

（左两幅图）**达·芬奇学院的象征**，约1498年。
（右上图）**达·芬奇手迹**，约1495—1497年，大西洋古抄本手稿，编号f.887v，局部。

.EVCLIDES.

负起让自然低头、使之转向和改正、控制它的任务。从前达·芬奇害怕在恐怖的黑夜中到深不可测的岩洞里冒险，而阿斯大厅那些光亮的、被降伏的欣欣向荣的繁茂枝叶好像表示他已永远或暂时地战胜了他心里的魔鬼。

刻在一个圆形内的“达·芬奇花式”就如天轴大厅里混杂在繁茂枝叶中的饰带装饰画，与达·芬奇这位科学家和哲学家当时的根本状况相符。人们可以把它们当作哥特教堂的装饰，同时它又具有象征意义：象征无限和团结。它们宣告一条涉及万物的规则。达·芬奇画在墙基的树根纠结着岩石，搞乱了岩石的排列；饱含树汁的树干被迫冲向天空，它的繁枝茂叶纠缠在一起如同迷宫；但生活中的错综复杂挡不住要考虑大自然所服膺的比例，借助于——如果可以这么说的话——耐心编结的绳结，艺术家和学者们肩

（上页）佚名艺术家作品（被认为是雅格布·德·巴巴里或圭杜巴尔多·达·蒙特菲特罗的作品），**卢卡·帕奇奥里修士与其弟子（局部）**，约1495年，那不勒斯卡波迪蒙蒂博物馆。
（左上图）**威尼斯圣马可大教堂的地板上的图案**，被认为是保罗·乌切罗（Paolo Uccello）的作品。
（右下图）帕奇奥里著《论神圣的比例》中的**180边形**。

（从上至下顺时针方向依次为）**字谜**“i´aroccharo”，约1490年，温莎城堡皇家图书馆手稿，12692v，局部。
帕奇奥里所著的《论神圣的比例》中提到的**32面体**，由20个六面体和12个五边形组成，各个不同，却同时由180个完全相同的元素构成。
乔万尼·达·维罗纳（Giovanni da Verona，约1457—1525年）修士作品，**多面体与衣橱**，维罗纳圣玛利亚教堂。
神奇的立方体，根据MsB手稿中的设计进行复制，约1487年，达·芬奇理想博物馆。

（右页从上至下顺时针方向依次为）**当时社会上流行的各种游戏**（数字游戏、猜谜、神奇方格游戏等），约1480—1482年，大西洋古抄本手稿，编号f.958r。
卢卡·帕奇奥里（Luca Pacioli），**著作《论象棋》**（*De Ludo Scachorum*）。
封面，约1496—1500年，意大利格里齐亚，克罗尼尼·克隆伯格（Coronini Cronberg）基金会，
比例与比例关系的树状结构，约1503—1505年，马德里手稿II，f. 78r。

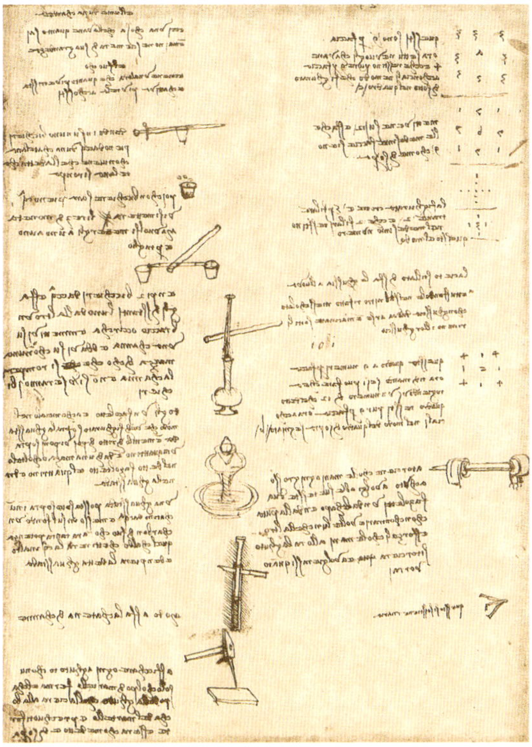

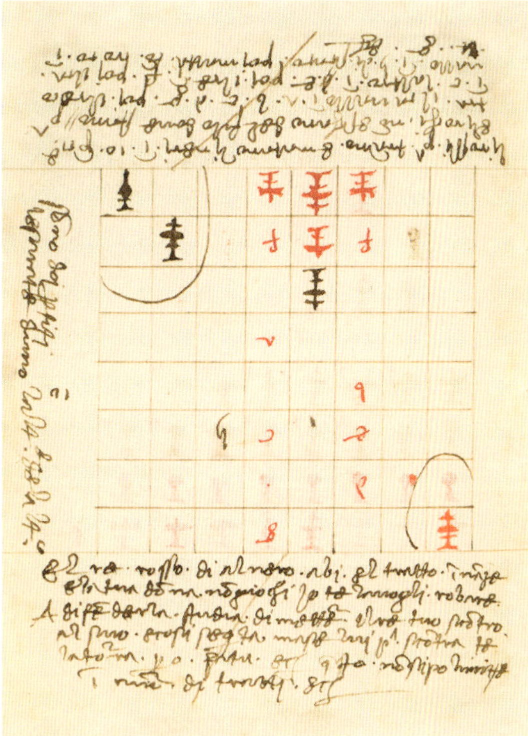

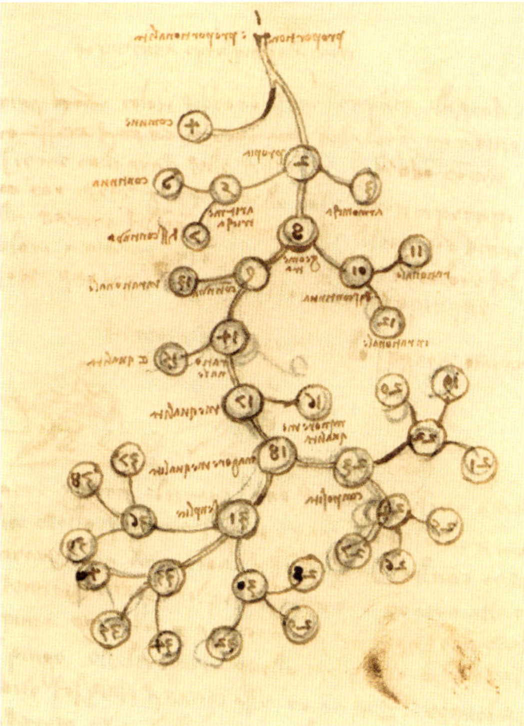

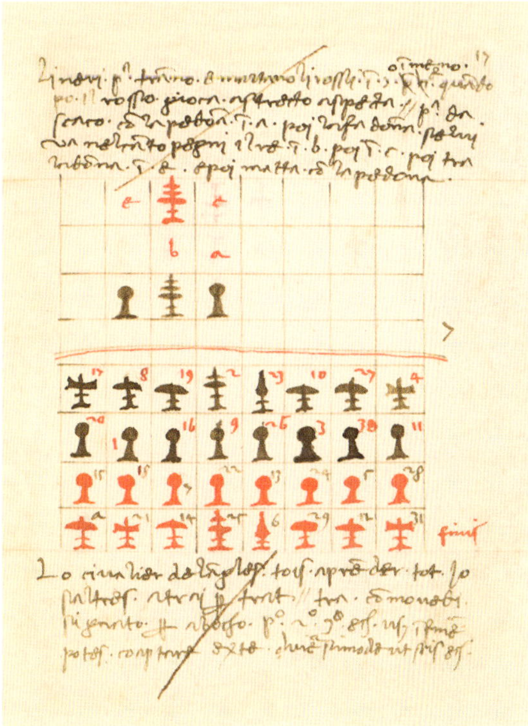

1499—1506：旅途与创作

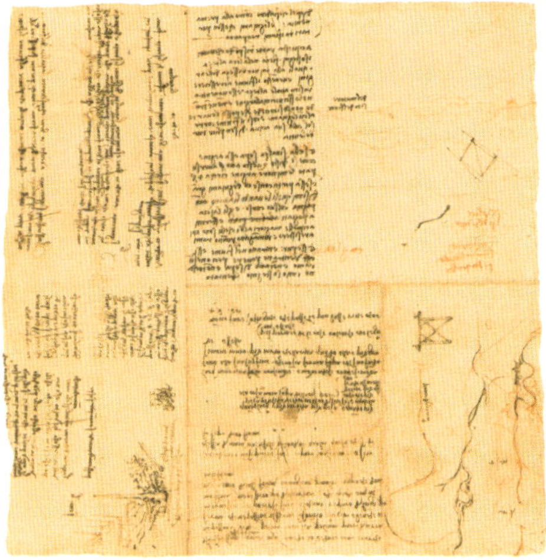

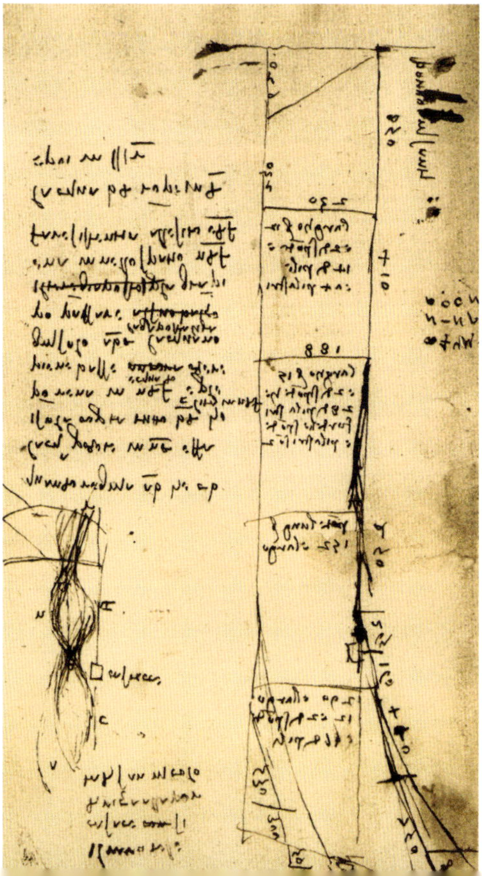

1499年，法国国王路易十二的军队攻陷米兰，10月6日，路易十二以胜利者的姿态入城。路德维科·斯福尔扎的许多宠臣都已经逃离了这座城市。这时的达·芬奇仍然显得有些犹豫不决。德·理尼伯爵(Louis de Ligny)也许劝他为法国人服务，法国人需要借助他了解托斯卡纳的军事工事，他们准备继续挥师南下，直取那不勒斯。达·芬奇如何答复德·理尼伯爵的，我们已经无从得知，只能从他的一篇内容古怪的备忘录中获取支离破碎的一些信息，并进行合理的推断。他在一篇有关旅行的准备事项中，提到了伯爵的名字，其中有几处是镜像文字。他表示，自己将去找ingil (即Ligny，理尼)，并告诉他自己将在amor(即罗马，Roma)恭候他的大驾，并随后再与他前往ilopan(那不勒斯，Napoli)。

这份备忘录今天被称为《德·理尼备忘录》，其中告诉我们达·芬奇在离开米兰之前的各项准备工作。他请求法国人保留路德维科赠予自己的葡萄园，并在解决好了遗留在米兰

（左上图）在温莎城堡皇家图书馆手稿12685中的**佛罗伦萨**。

（右图由上至下）上呈威尼斯参议院关于抵御突厥人进攻的报告中的**地形标注**，约1504年，阿伦代尔手稿，f. 273v。

（右页）**德·理尼**（Louis de Ligny）**备忘录**，约1500年，大西洋古抄本手稿，f. 669v。

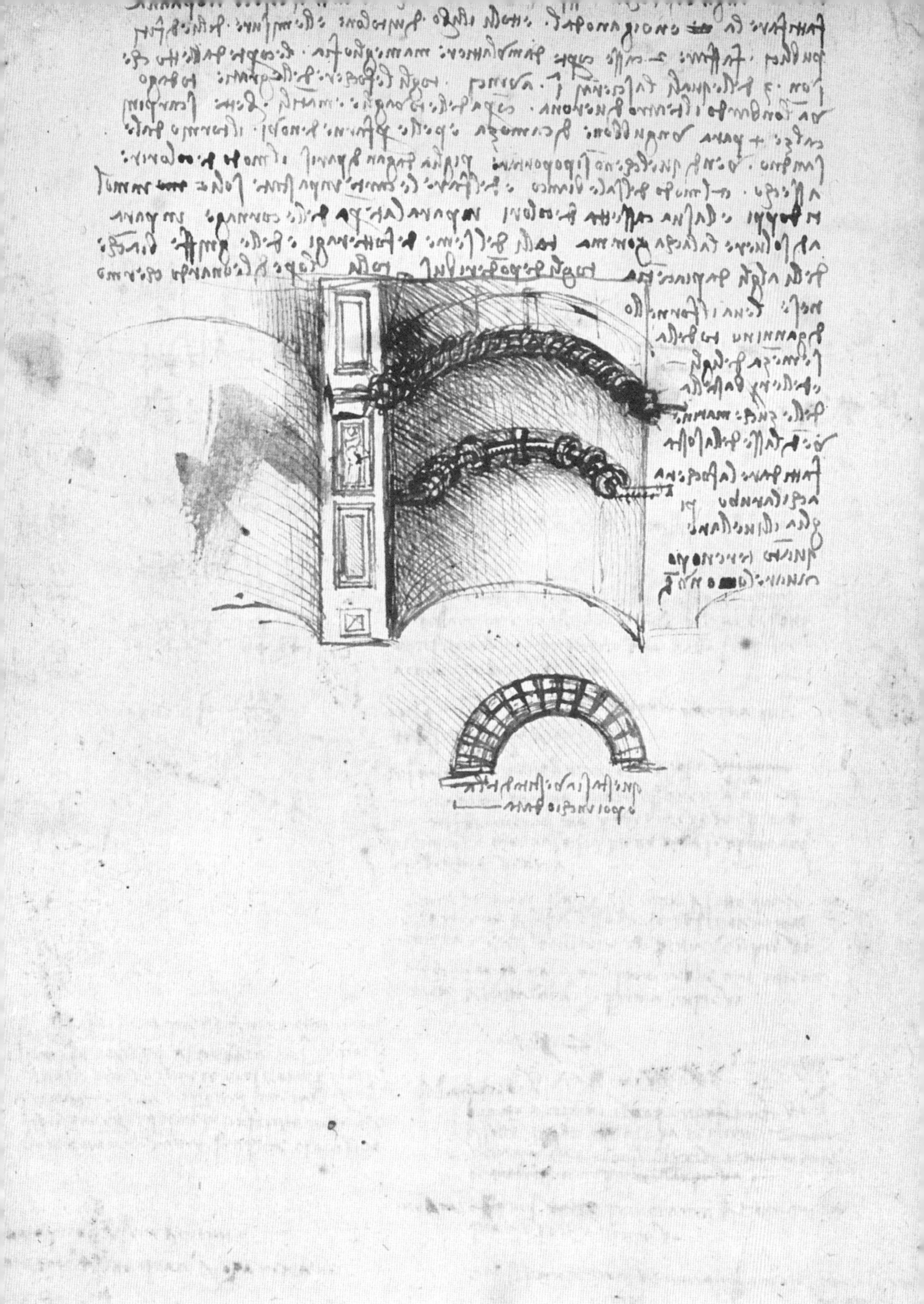

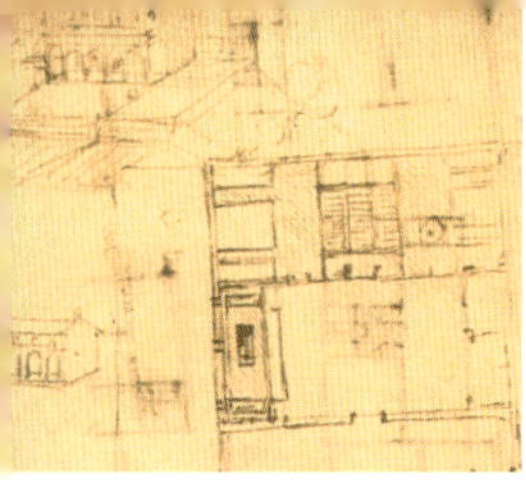

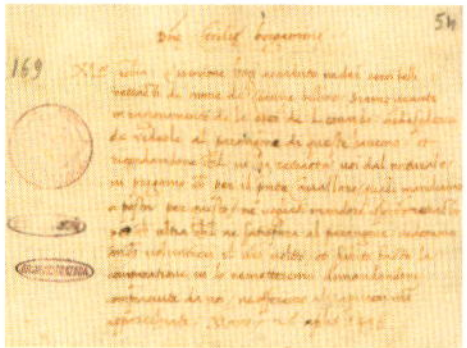

的私人事务后，1499年底与卢卡·帕奇奥里一道离开了米兰，开始了未来几年的旅途。在这期间他途经曼托瓦、威尼斯，最终回到了托斯卡纳。

在曼托瓦，达·芬奇并未滞留，虽然在这里他会得到最热情的接待：路德维科的妻子贝雅特里奇的姐姐——曼托瓦的伊莎贝拉·德·埃斯特，早先就请求过达·芬奇为其创作一幅肖像画。这个拥有权势的女人以其勇气、智慧、博学和不俗的品位受到了众多艺术家的追捧。但达·芬奇很快就发觉，伊莎贝拉是个刁钻、蛮横的女人，她一心只想让画家为其创作歌功颂德的作品。达·芬奇不好推辞伊莎贝拉的请求，他用黑石和红粉笔、用浅色笔触和彩色粉笔创作了她的侧面像(第217页)。其后，他只是含糊地应付着伊莎贝拉，离开了曼托瓦，动身前往威尼斯。

1500年初，达·芬奇到达威尼斯，这一年的4月，路德维科被法国人活捉，并解往巴黎。达·芬奇在手稿中写道，“大公失去了国家、私人财产和自由；他所赞助的许多艺术工程都没有完成”。八年之后，路德维科，这位达·芬奇命中的贵人，终于在监禁中郁郁死去。

1501年3月，曼托瓦的伊莎贝拉·德·埃斯特又写信给皮耶特罗·达·诺维纳拉修士，信中她请这位修士为自己打听达·芬奇的现状。几天之后，1501年4月8日，诺维纳拉答复道，达·芬奇已经开始了《圣母子、圣安娜与羔羊》的创作的草图(第219页)。这样的解释显然不可能令伊莎贝拉满意。在之后的信中，诺维纳拉几次改变了说法，其中提到画家在完成给法国国王的宠臣弗洛利蒙·罗伯尔特的画《纺纱圣母》(第220、221页)之前，无力进行其他任何作品的创作。

1499年，达·芬奇或许是经由德·理尼伯爵的介绍，在米兰结识了切萨雷·博尔吉亚(第222页)，他认为这正是自己理想的赞助人。切萨雷是教皇亚历山大六世的私生子，年仅十六岁就成为了主教，二十二岁脱离宗教。他身上集中了文艺复兴时期的所有缺陷——残酷、狡猾奸诈、大逆不道、淫荡好色，甚至与自己的亲妹妹乱伦，却又行事果断，英勇无畏。也许是因为二人同是私生子，却又凭着自己的努力成功，二人一见如故，互相欣赏。艺术家需要有这样的人来保护，一个有魄力同时手握实权的人——心理分析家说，这就是达·芬奇生父皮耶罗的形象。在切萨雷身边，达·芬奇还结识了一个佛罗伦萨人，他又瘦又矮，眼睛里总是闪着狡黠的冷光，薄

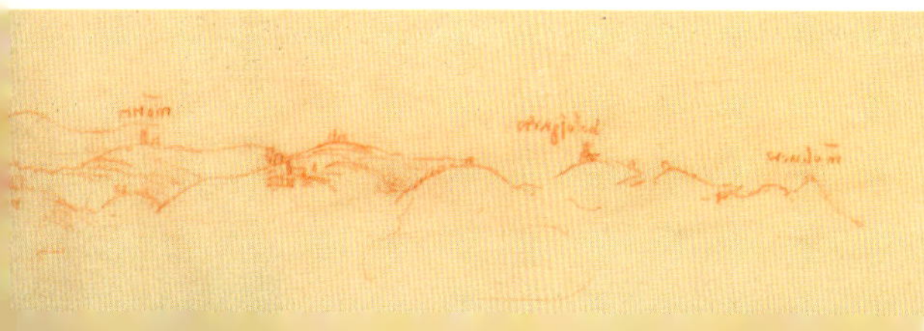

（由上至下顺时针方向依次为）
倾斜的建筑物，约1503—1506年，大西洋古抄本手稿，f. 592r，局部。
伊莎贝拉·德·埃斯特（Isabella d'Este）**写给塞西莉亚女士（即《抱银貂的女子》中路德维科的情妇）的信**，1498年4月26日，曼托瓦国家博物馆，局部。
安杰罗·德尔·托瓦伊亚（Angelo del Tovaglia）**致伊莎贝拉·德·埃斯特的信**，1504年5月27日，在信中她提到了她已经说服达·芬奇为自己创作童子耶稣的形象，ASMN，局部。
佛罗伦萨周边的群山，约1503—1504年，马德里手稿II，f. 17v。
（右页）**伊莎贝拉·德·埃斯特的侧身肖像**，草图，63厘米×46厘米，约1499—1500年，巴黎卢浮宫。

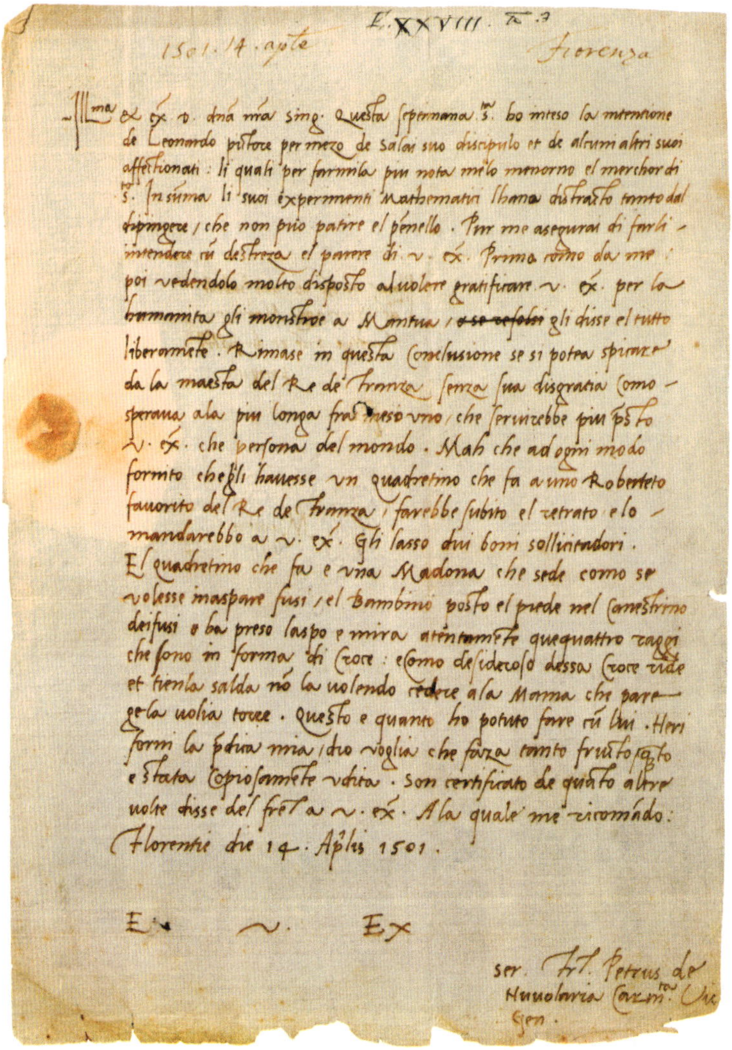

E.XXVIII.

1501.14.aple Fiorenza

Ill.ma et ex. v. dna mia sing. Questa septimana s. ho inteso la intentione de Leonardo pittore per mezo de Salai suo discipulo et de alcuni altri suoi affectionati: li quali per farmila piu nota mi lo menorno el merchor di s. In suma li suoi experimenti mathematici lhanno distracto tanto dal dipingere, che non puo patire el penello. Pur me asegurai di farli intendere cu destreza el parere di v. ex. prima como da me: poi vedendolo molto disposto al volere gratificare v. ex. per la humanita gli monstroe a Mantua, gli disse el tutto liberamente. Rimase in questa conclusione se si potea spiccare da la maesta del Re de franza senza sua disgratia como sperava ala piu longa fra meso uno, che serviria piu presto v. ex. che persona del mondo. Ma che ad ogni modo fornito chegli havesse un quadretino che fa a uno Roberteto favorito del Re de franza, farebbe subito el retrato e lo mandarebbo a v. ex. Gli lasso dui boni sollicitadori. El quadretino che fa e una Madona che sede como se volesse inaspare fusi, el Bambino posto el piede nel canestrino dei fusi e ha preso laspo e mira atentamente que quattro raggi che sono in forma di croce: e como desideroso dessa croce ride et tienla salda no la volendo cedere ala Mama che pare gela volia torre. Questo e quanto ho potuto fare cu lui. Heri fornii la predica mia, dio voglia che faza tanto frutto quanto e stata copiosamente udita. Son certificato de quanto altre volte disse del fre a v. ex. Ala quale me ricomando: Florentie die 14. Aplis 1501.

E. v. Ex

ser. Frl. Petrus de Nuvolaria Carm. Vic. Gen.

（左上图）**与羔羊玩耍的童年耶稣**，习作，约1501年（魏玛手稿），美国加州马里布盖提博物馆。

（中图）**皮耶特罗·达·诺维纳拉**（Pietro da Novellara）**致伊莎贝拉·德·埃斯特的信**，1501年4月14日，纽约，私人收藏。

圣母子、圣安娜与羔羊，习作，约1501年，威尼斯学院美术馆藏。

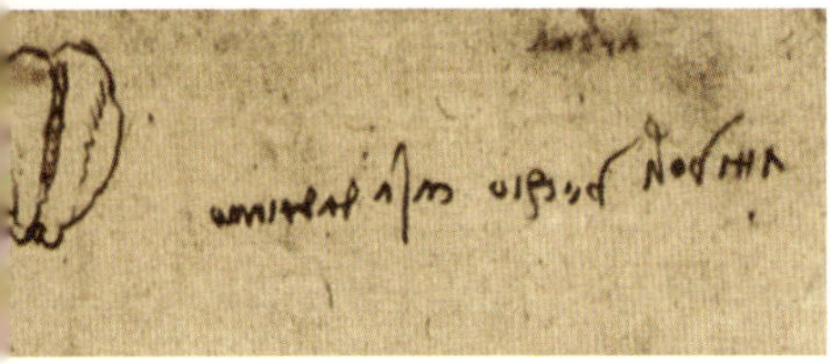

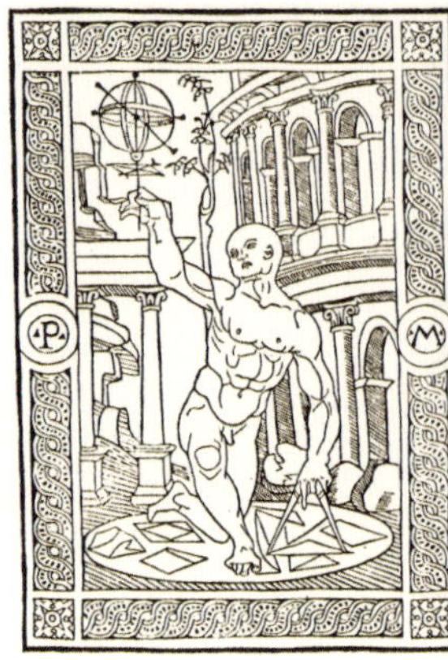

（左上图）**在罗马，在古老的蒂沃里……**，约1500年，大西洋古抄本手稿，f.618v，局部。
（左下图）**《纺纱圣母》中幼儿学步的场景**，由达·芬奇与其助手创作。
达·芬奇设计的**幼儿学步车**，由达·芬奇理想博物馆复制。
（右上图）佚名艺术家作品，**古罗马古董**，木版画，约1496—1498年，被认为是布拉曼提诺（Bramantino）或泽纳雷（Zenale）的作品。

（中间与右页）**纺纱圣母**的两个版本，被认为是达·芬奇与其学生的作品，1500年后，木板油画，48.3厘米×36.9厘米；木板油画，后移至布面，最后又移至木板，50.2厘米×36.4厘米。

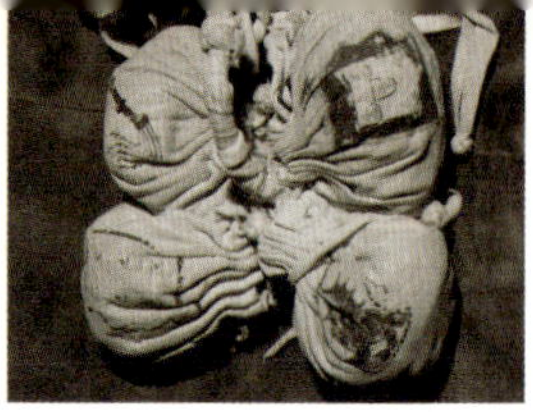

薄的嘴唇——他就是尼科洛·马基雅维利(第222页),佛罗伦萨共和国的书记官。他被佛罗伦萨共和国以观察员和调停人的身份派往罗马涅,并不像是谈判代表——这是一个喜欢行动,热衷于谈判、提建议、出谋献策的人,切萨雷·博尔吉亚正是他书写《君主论》的动力。这位思想被严重扭曲的天才在《佛罗伦萨史》中用数页篇幅叙述了对达·芬奇的个人回忆。他们的关系后来变得更加密切。

在切萨雷身边的达·芬奇并没有过问军事,他只是绘制工程图、地图和修筑工事:他或多或少曾经参与的唯一一次行动是攻占波尔戈·圣·塞普尔克洛——据圭恰迪尼所说,这场战争没有流血,而是以“和解”的方式告终。然而那些促使瓦伦蒂诺公爵(即切萨雷·博尔吉亚)前进的屠杀和谋杀呢?达·芬奇不可能不知道众所周知的一些事情,例如罗马涅的守城官瑞米罗·德尔·奥尔柯的遭遇:切萨雷命他“千方百计”地在这块被占领的土地上强行执行命令,大家知道这样的命令会带来怎样的极端行动,而瑞米罗以可怕的效率执行了切萨雷的命令。社会秩序“正常化”后,切萨雷明知此人已经为万人憎恨,便一心想以他做替罪羊。他在一次盛宴后的清晨,把奥尔柯押解到切斯纳的“广场中央,用木砧和血淋淋的刀把他砍为两截”,以此安抚百姓,为自己开脱,说明城中的残虐罪不在自己,“而在执行者的恶劣天性”——而切萨雷已经英明地还众人以正义。马基雅维利在《君主论》一书对此事进行了详细的描述,他对切萨雷的所为表示赞同,并声称“人民对此满意而且惊诧”。达·芬奇没有表态,而事实上,在他的笔记中,没有一处提及对这位新雇主所作所为的个人评价。

1502年夏初,达·芬奇开始行使他的军事工程师的职能。从他的笔记本里可以看到他几乎是寸步不离地跟着切萨雷。7月,他的身影在皮翁比诺、在托斯卡纳的海岸出现,一边忙于修筑堡垒,并给沼泽排水,然后他到锡耶纳考察钟的报时,在阿雷佐绘制地区地图。这一期间,达·芬奇也许还目睹了托斯卡纳地区的暴动。

8月18日,切萨雷·博尔吉亚从帕维亚给达·芬奇寄去通行证:

致所有副长官、城堡主、总管、雇佣军队长、军官、士兵和臣民们:持有此文件者乃是我们卓越而著名的建筑师和总工程师达·芬奇,他负责检查考察我们国家各个地方的军事工程,我们根据他的指示和实际需要对各地工程进行维修和保养,你们若见此文件,我命令你们必须给予通行,无须对他及他的随行人员强制缴纳任何公共捐税,应当友好地接待他们,让他们测量和检查一切他们认为有必要的地方。所经各处均应对工程师的工作加以配合,不得有所延误。我们希望,全国一切工程中的每个工程师都要和他商量,按他的指示办事,任何人不得擅自行事,否则必定严惩不殆。

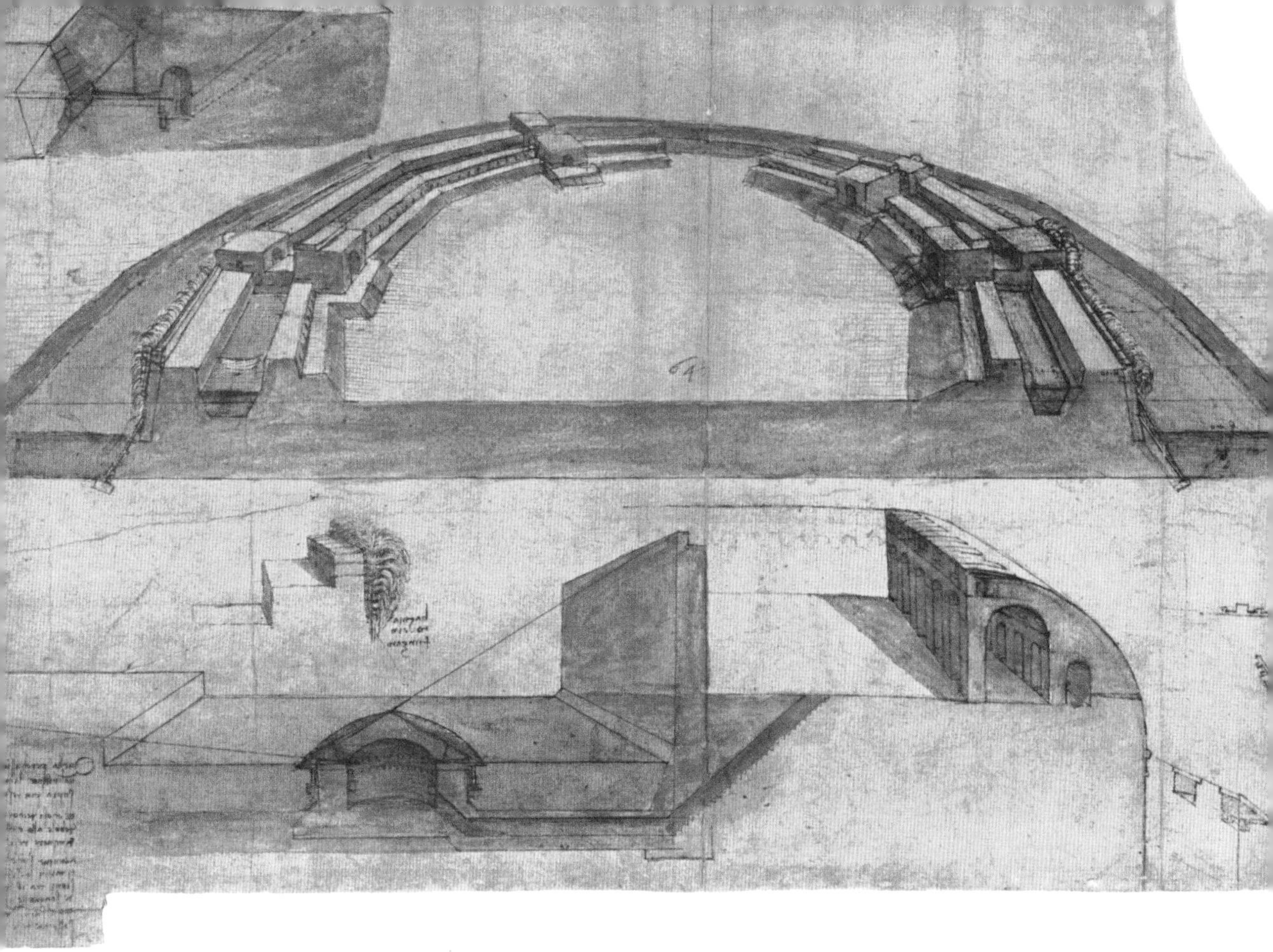

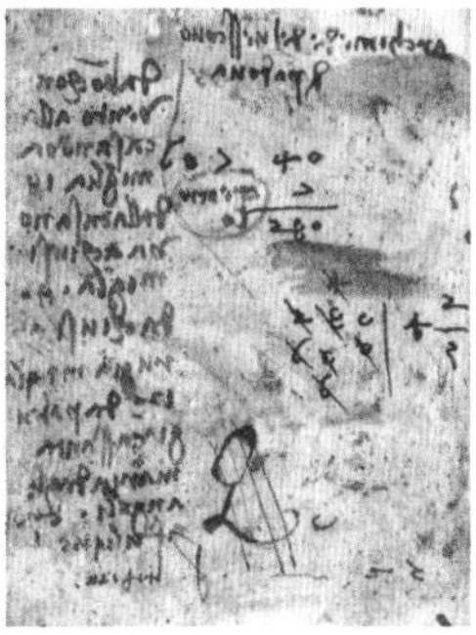 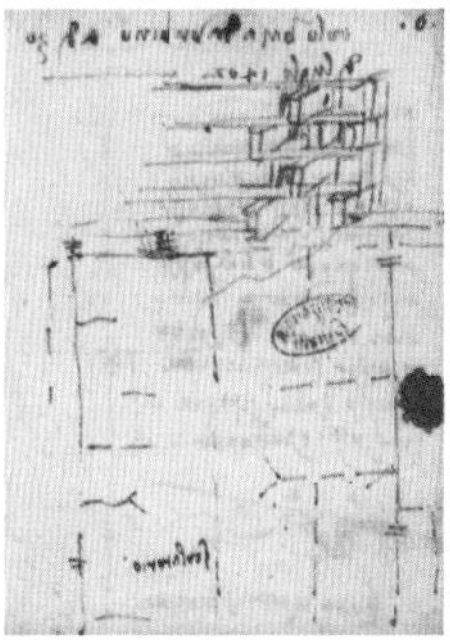 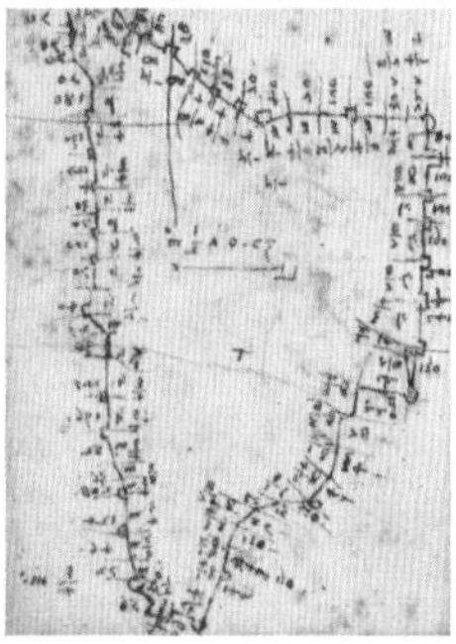 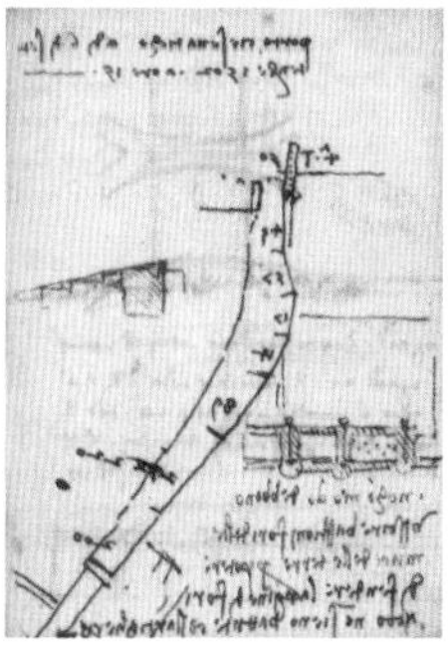

（左页由上至下顺时针顺序依次为）**切萨雷·博尔吉亚致达·芬奇的通行证**，1502年，瓦普里奥·迪·阿达（Vaprio d'Adda），梅尔兹别墅。
切萨雷·博尔吉亚（Cesare Borgia）的肖像，1575年。
选举袋，15世纪在芬奇以及在佛罗伦萨选举行政人员所用。

尼科洛·马基雅维利（Niccolo' Macchiavelli）的肖像，1575年，佛罗伦萨国家档案馆。
（本页上图）**城堡防御工事**，约1502—1504年，大西洋古抄本手稿，f. 116r。
（下图由左至右）Ms手稿L，四页，日期为1502年，那时候达·芬奇正在从伯恩孔文托（Buonconvento）旅行至弗利尼奥（Foligno）、乌尔比诺等地。

达·芬奇无疑得到了切萨雷的绝对重用，他的笔记中有零零星星的活动记录：在切斯纳和切斯纳提科门的民用工程，在地图的边上他写到蓄水池(第223页)；9月6日早上9点钟他突然想到了保护炮火攻击下的堡垒；他指出挖沟的工人如何以金字塔形集中在一起。有时候他会在乡间散步，并对当地的民俗民风感兴趣，他在思考一种新型磨坊——风磨(第228页)。风磨的设计很像半个世纪之后建造的荷兰磨坊。同年10月12日，切萨雷·博尔吉亚率领军队洗劫了乌尔比诺城附近的弗索姆布洛涅小城，然后占领了在伊莫拉的冬季宿营地，并立刻将达·芬奇召到伊莫拉，他急需在那里建筑堡垒。达·芬奇对于筑城给了一些指导，他绘制了一幅彩色的、非常精致的城市圆形平面图(第223页)，他也许还趁此机会发明了绘制地图的独特方法和专门工具。

（上图）**托斯卡纳、瓦莱·迪·齐亚那等地鸟瞰**，约1502年，温莎城堡皇家图书馆手稿，12278。

（右页）**托斯卡纳一带的水文地理地图**，约1502年，31.7厘米×44.9厘米，温莎城堡皇家图书馆手稿，12277。该地图的比例尺约为1：500000。

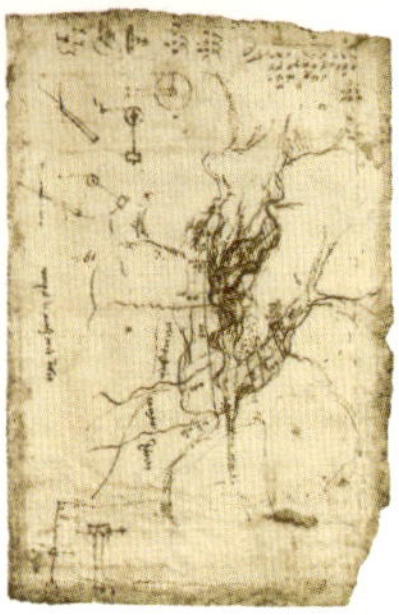

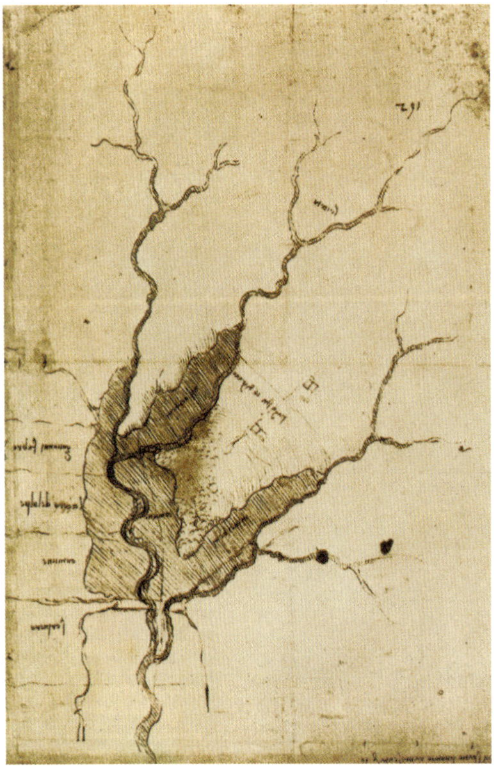

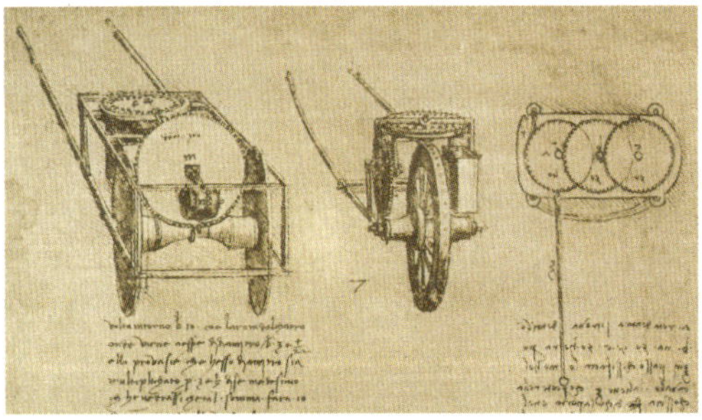

在博尔吉亚的宫廷中，有许多外国的使节或代表，其中奥斯曼帝国的使臣也在其中。达·芬奇从他们那儿得知苏丹巴贾泽正在寻找能在金角河（Corno d'Oro）上建桥的工程师，他要把伊斯坦布尔和佩拉连接起来。挥金如土的土耳其人显然是艺术家最理想的雇主，已经有许多艺术家捷足先登了。在罗马涅（Romagna）旅行期间，达·芬奇似乎已经对当地正在施工的卡斯特尔·德尔·利奥桥进行了研究；在这个模型的基础上，他画了一座大桥的简图，线条很工细，具有惊人的现代感，桥孔长达240米。随后，他写信给苏丹，介绍了自己的设计。1952年，在伊斯坦布尔的托普卡匹档案馆里发现了这封信的土耳其文版本，署名是"一位名叫达·芬奇的异教徒"。在这封阿拉伯化的信件里，有大量对上帝的祈祷，艺术家在心中还表示自己能建风磨，能制造抽干底舱的自动化泵，而且能"花费很少的钱"就建造大桥，连接欧洲和亚洲大陆。由于翻译的问题，这份文件与原文有些许出入，但达·芬奇真的曾动过念头，要把他的才华献给土耳其苏丹宫廷。而且也不仅仅是他一个人试图冒这个险。从瓦萨里那儿我们知道，米开朗基罗在几年之后由于与教皇不和，也自我推荐要建金角河桥。而达·芬奇呢，他的计划似乎没有得到苏丹的顾问们的重视——总之这件事没有了后文。

（由上至下依次为）**芬奇湖**，两份习作，作于约1503年，大西洋古抄本手稿，f.952r；温莎城堡皇家图书馆手稿，12675r。
丈量仪的三幅习作，约1503—1504年，大西洋古抄本手稿，f. 1r。
装有里程表的战车。

1503年3月，达·芬奇回到佛罗伦萨，他从新圣母玛利亚医院取出一些钱，没有往里面存钱。看来他在罗马涅失去了工作。在笔记中他也并没有说明自己是何时离开切萨雷的(一月份可能还一同在罗马涅)，更没有写明是什么原因使他离开了这位主人：是因为他预感到切萨雷的末日不远才决定离开他吗？还是因为切萨雷不再需要他而解雇了他？或如一般所认为的，因为切萨雷嗜血的性格(达·芬奇至少知道切萨雷的一次谋杀：罗佐·维特利，切萨雷曾向他索求过阿基米德的草稿)使他心生反感而选择了离开？

1503年初的笔记本丝毫没有提及这些问题。在他留下的所有文字中，唯一提到切萨雷的是，一份没有日期的备忘录的开头(备忘录里面记着靴子、他的朋友们、留在海关的箱子、研磨器、绳结、一个裸体的人、一个四方形、要寄走的口袋、一副眼镜——视力的下降让他不得不戴上眼镜)，接着便是一个极简单的问题："瓦伦蒂诺在哪儿呢？"这是一个没有

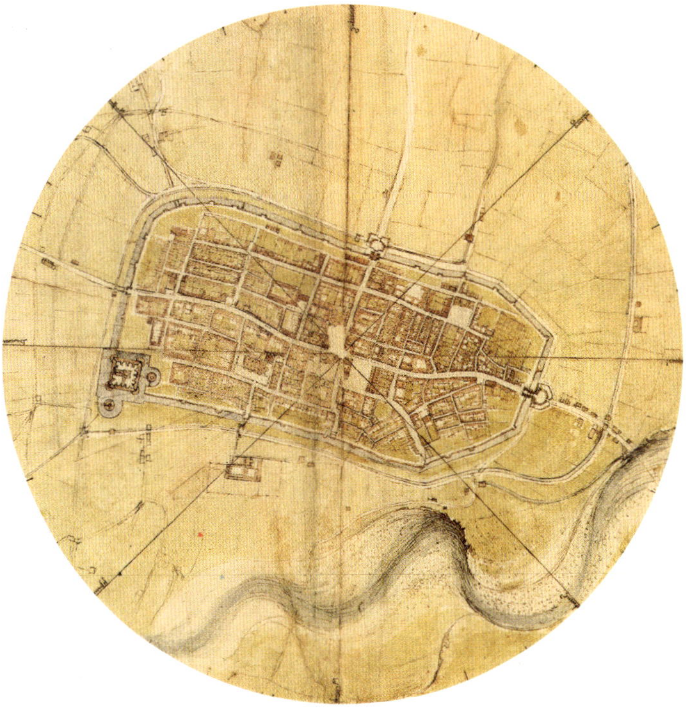

伊莫拉地图，约1502年，温莎城堡皇家图书馆手稿，12284。

回答的问题。然而我们只要看看他在以后几个月里的基本活动，就会发现那是他对军事工程师生涯的修整的开始：在夏天，他会去开挖一条渠道，这条渠道也许能结束一场战争；从十月开始，他将开始绘制一幅反映战争恐惧的大型壁画。这两件事情好像都得益于马基雅维利的参与。

这场战争在佛罗伦萨与比萨之间展开。比萨曾经是佛罗伦萨的附庸国，但利用1494年法国在意大利的第一次远征而得到了独立。佛罗伦萨共和国不论付出多大的牺牲也要夺回这城市，因为它是托斯卡纳的主要港口。佛罗伦萨动用了大军，租了船力图阻止热那亚人从海上供应粮草给反叛中的比萨。他还安排了士兵进驻农村，禁止农民为第二年的粮食播种。然而尽管被封锁，被饥饿困扰，比萨人就是不投降。由于在罗马涅积累了丰富的经验，达·芬奇也是被咨询有关围城问题的工程师当中的一员。6月，他跑遍了整个地区，画了详细的地图。也许他向佛罗伦萨政府提出改变阿诺河河道的建议，让它流经比萨前面，以断水和封锁港口来夺城(第223页)，如此一来，大军将兵不血刃而攻下比萨——总之他向马基雅维利提出了这样的计划，而马基雅维利又满腔热情地向当局建议这计划。工

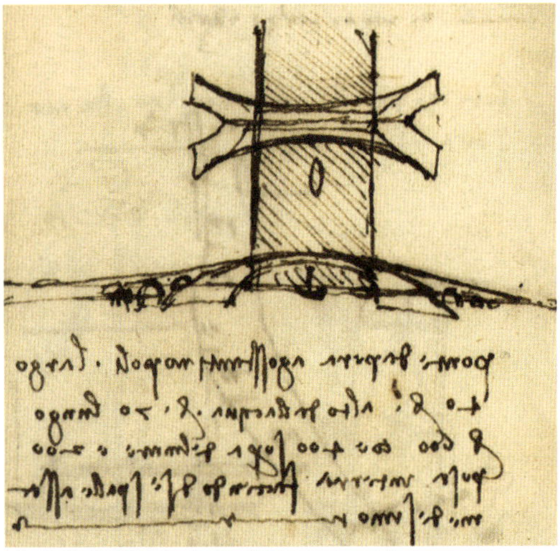

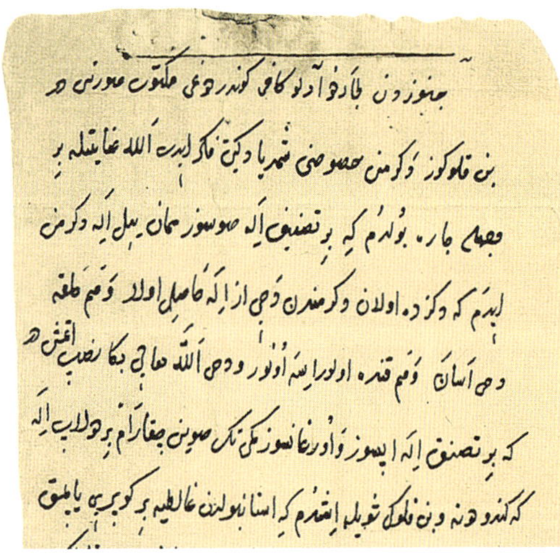

（由上至下依次为）**风磨**，约1502—1503年，马德里手稿II，f.55v。
金角河（Corno d'Oro）大桥设计图与达·芬奇理想博物馆的复制品，约1502年，Ms手稿L，f. 65v，局部。
1502年7月3日的信，在信中达·芬奇提到了风磨与金角河（Corno d'Oro）大桥的设计。伊斯坦布尔，托普卡匹（Topkapi）档案馆。

程将在1503年8月动工。

然而，这项工程却遇到了许多没预想到的困难。因为工钱不能及时发放，劳动力不足，成千士兵只能仅仅保护民工不被比萨人攻击。河水奔涌而至，致使一些工程前功尽弃，引水渠的堤坝在第一次水流冲击下就崩塌了。将军们非常不满，威胁说要辞职。于是又雇佣新的工人、工头，还有两名伦巴第的水利工程师。尽管耗资巨大，但工期还是大大地耽搁了。江河水位继续升高，而水流却不流入新的河床，六个月之后，工程还没完成一半，公众舆论不耐烦了，马基雅维利对议会的恳求不起作用，这个项目最终在一片倒彩声中半途而废。

正当挖土工人努力弄干比萨河时，达·芬奇继续在这一地区进行考察，这一时期的笔记中充满了许多地图和地形图，作为军事工程师的达·芬奇仍然首先是一名艺术家，在他看来，战争只是次要的事故，它是可悲的，并且是可以避免的；不管结果如何，战争最终产生的协议只是一种短暂的妥协，并不能解决长远问题。在达·芬奇看来，要结束或避免战争，唯有找到唯一明智、长久的办法——让每个人都能从中获益；在他看来，这才是铲除战争根源的所在。

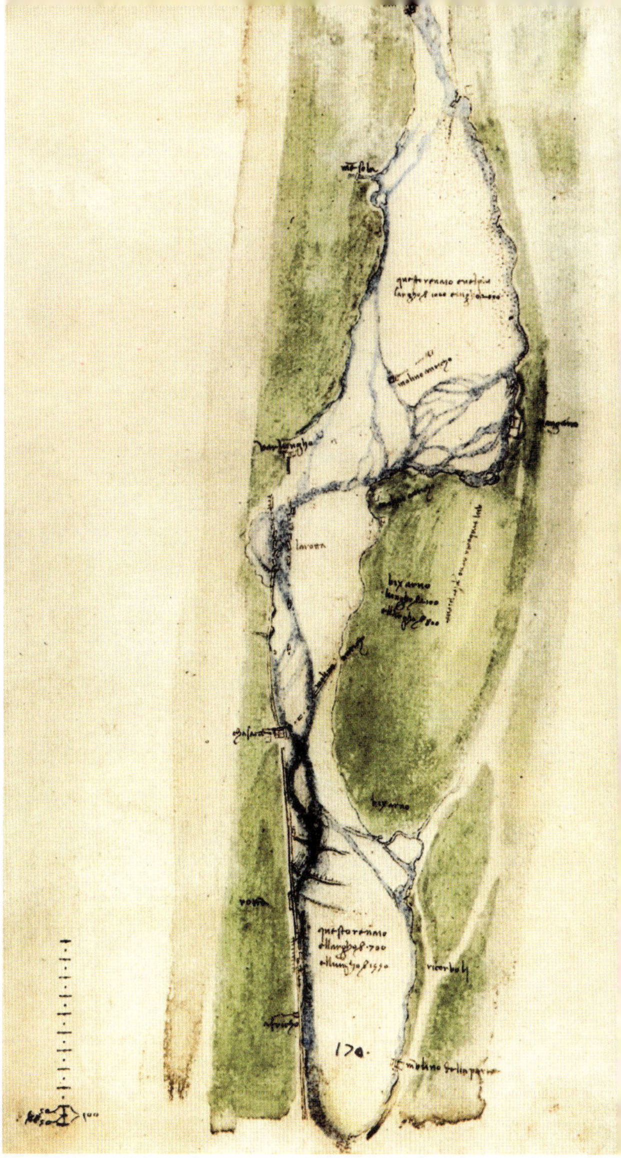

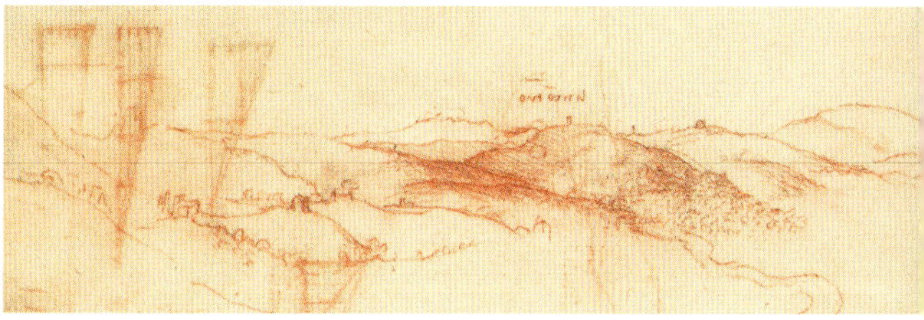

（上图）**流经佛罗伦萨群山的阿诺河**，习作，约1503—1505年，温莎城堡皇家图书馆手稿，12679。
（下图）**佛罗伦萨附近的山脉**，约1503—1504年，马德里手稿II，f.17r，局部。

堤坝通航原理示意图，约1495年，大西洋古抄本手稿，f.90v，局部。

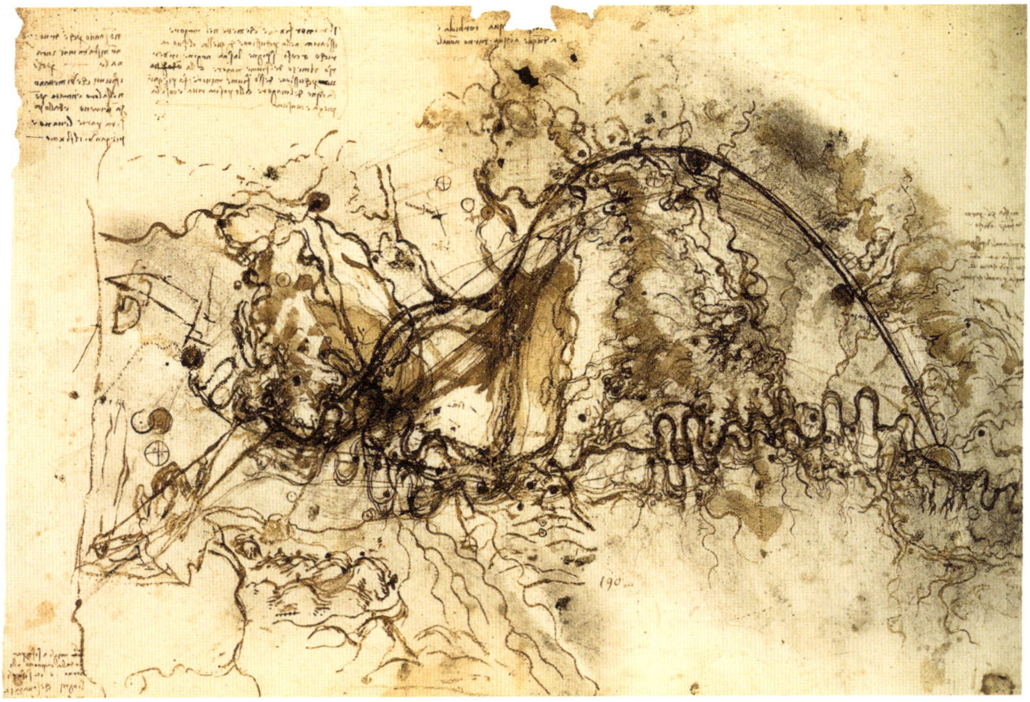

（上图）建成由**佛罗伦萨到维克皮萨诺（Vicopisano）之间的运河**后，阿诺河将流经普拉多、皮斯托亚、塞拉瓦莱等地，约1503年，温莎城堡皇家图书馆手稿，12279。
（下图）**有多道阀门、水位可控的运河**，约1495年，大西洋古抄本手稿，f.126v，局部。

托斯卡纳西北部地图，约1503年，比例尺约为1：160000和1：190000之间，温莎城堡皇家图书馆手稿，12685。

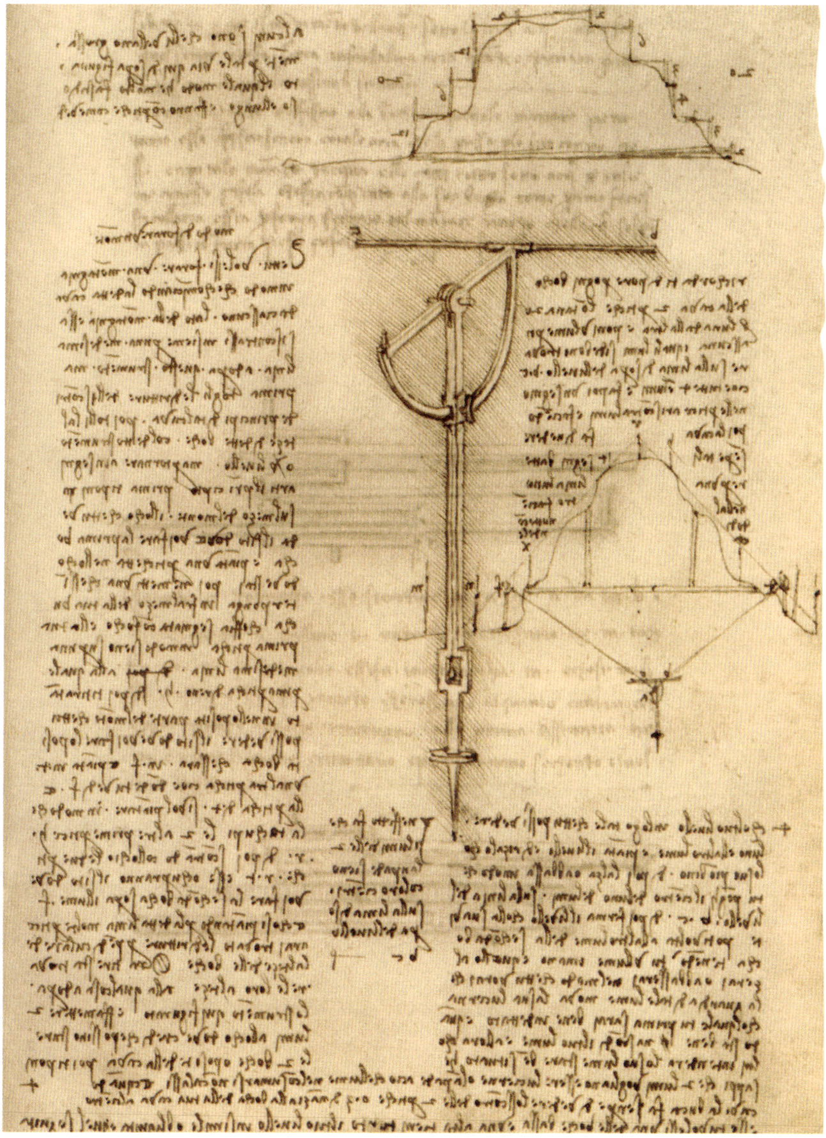

打通山体的方法，约1495年，马德里手稿I，f.111r。

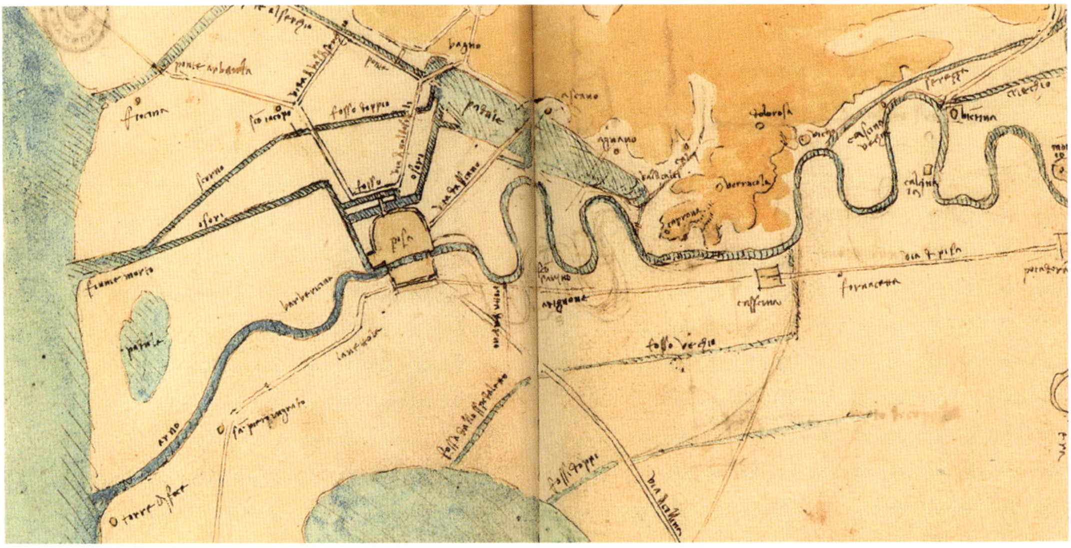

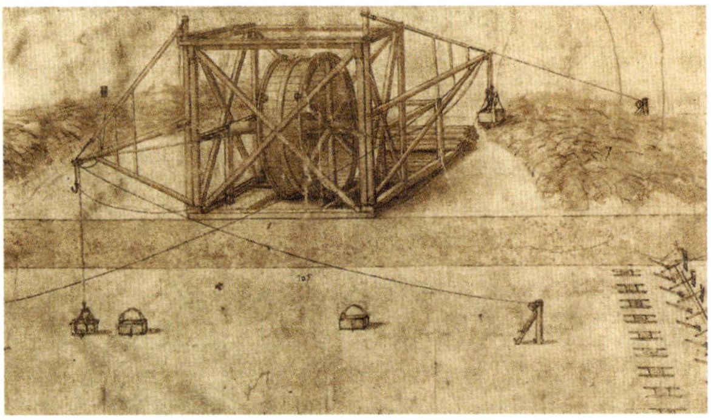

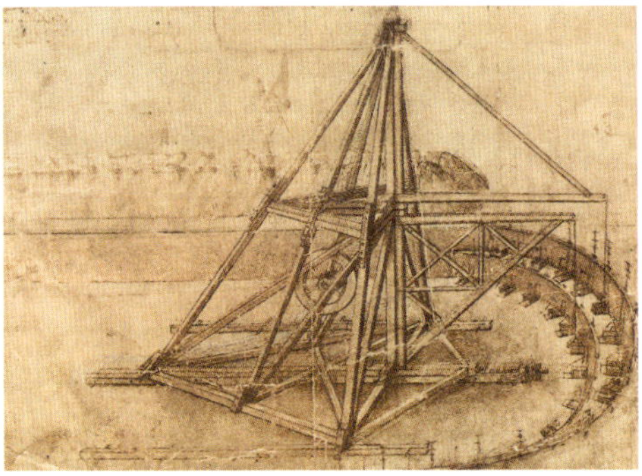

（上图）**引阿诺河的河水到北萨的山间**，约1504年，马德里手稿Ⅱ，f. 52v与f. 53r，局部。

（下图）**挖运河的两种大型机器的比照习作**（左图为传统机器，右图为达·芬奇改良后更为便利的机器），约1503年，大西洋古抄本手稿，ff.3r与f. 4r。

托斯卡纳西部地区鸟类的飞行路线，途中为坎皮伊亚（Campiglia）到圣文森佐（San Vincenzo）以及周边的城市比萨；本页这幅图中值得注意的是，达·芬奇并没有反向书写。

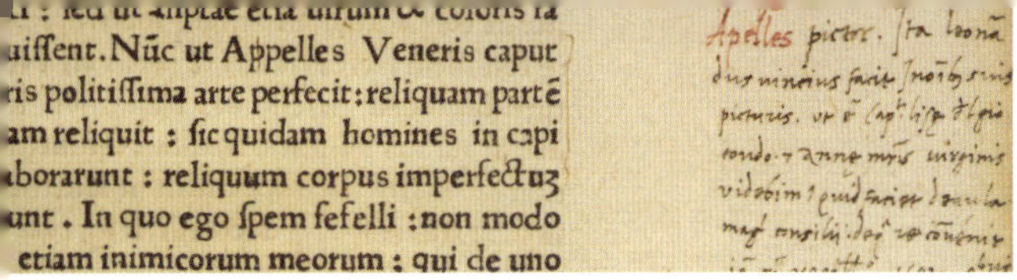
uissent. Nūc ut Appelles Veneris caput
ris politissima arte perfecit: reliquam partē
am reliquit: sic quidam homines in capi
borarunt: reliquum corpus imperfectū
unt. In quo ego spem fefelli: non modo
etiam inimicorum meorum: qui de uno

（左上图）**亚美利戈·维斯普奇**（Amerigo Vespucci）**的旁注**，其中提及了《圣安娜》《蒙娜丽莎》与《安吉里之战》三幅作品的创作，1503年，海德堡大学图书馆，局部。
（左下图）多美尼克·吉兰达约，双手的位置与蒙娜丽莎相似的人物造型，此为**圣施洗约翰的诞生**的局部，约1486—1490年，佛罗伦萨新圣母教堂。
（右下图）洛伦佐·迪·克雷迪，**阳台上的贵妇人肖像（或为凯瑟琳·斯福尔扎）**，约1485年，弗利美术馆。

（左上图）卢浮宫馆藏**蒙娜丽莎的面部**。
（右上图）**怀抱独角兽的贵妇人**，拉斐尔（？），罗马波尔盖塞美术馆。
（左下图）拉斐尔，**阳台上的贵妇人的肖像**，草图，巴黎卢浮宫。
（右下图）拉斐尔，**玛达勒娜·多尼的肖像**，约1506年，佛罗伦萨帕拉蒂纳美术馆。

《安吉里之战》

1503年8月，教皇亚历山大六世去世。此后，他的儿子、瓦伦蒂诺公爵切萨雷·博尔吉亚的命运也急转直下，并终于在1507年冬天，死于一场混乱之中。比萨战争还在继续。

在这一年，佛罗伦萨的执政皮耶特罗·索德里尼邀请达·芬奇回到佛罗伦萨，为其制造围城工具。1503年10月，达·芬奇在行会以佛罗伦萨画家的身份再次登记，开始描画战争场面。市政议会向他下订单，希望这份订单将大师的声名与城市的荣光连在一起。瓦萨里城，他们请他在市政议会大厅，也就是被称为旧宫(维奇奥宫，Palazzo Vecchio)的五百人大厅的一面墙上描绘该城的一段光荣历史。这间大厅长53米，宽22米，还正在施工。他们在新圣母玛利亚给达·芬奇和他的学生准备了套房，他用来作了工场。10月24日，画家拿到了套房的钥匙。这幅名为《安吉里之战》的巨作将花费他将近三年时间。在这三年期间，他还经历了一次丧事，他曾经满怀新的希望，却也经历了许多失望。

市政议会大厅的建造是由萨伏那罗拉决定的，象征着胜利的共和国。墙壁的布置充满爱国主义的激情，上面挂着武器。安吉里之战发生在1440年，佛罗伦萨在与米兰的战争中，取得了胜利。我们不知道是谁选择了这主题，但在达·芬奇笔记本里的详细战斗过程好像是由马基雅维利的一名秘书——阿戈斯蒂诺·维斯普奇写的。

对于战斗场面的表现，达·芬奇有自己的构思。早在1490年前后，他便在笔记中留下了这样的文字：

首先是炮火、战马以及士兵战斗时扬起的滚滚烟尘，被炮火映红的脸，人物和空气，火枪手和他们旁边的人。随着炮火的熄灭，火光也在变暗。密集的箭矢四处乱飞，火枪手的子弹划过一道道烟火……画上跌倒在血泊中的士兵，四周是黏稠的土地，你可以看得见战马和士兵践踏的痕迹，马拖着它死去的主人，在灰尘和泥泞中，尸横遍野。战败者面容苍白，显得很疲惫，眉头紧锁，额头布满痛苦的皱纹……溃退的军士吼叫着，张大着嘴巴。在战士脚边画上各种武器——折断的盾

（左上图与左下图）达·芬奇在《多利亚》（Tavola Doria）中的**指纹**。
（右上图）**安吉里之战**，达·芬奇原作，鲁本斯的版画作品，约1660年，芬奇，达·芬奇理想博物馆。
（右页）**多利亚**，被认为是达·芬奇为了《安吉里之战》所作的习作，或被认为是一幅质量较高的复制品，86厘米×115厘米，私人收藏。

牌、矛、剑把，等等。垂死者龇牙咧嘴，翻着白眼，双手痛苦地抚着身躯和伤腿。你可以画一个被缴械的惊呆的士兵正和敌人撕扯，进行着你死我活的搏斗。没有了骑兵的战马在敌阵狂奔，马鬃在风中飘拂，铁蹄践踏着人群。或几个倒在地上的残废士兵，被盾牌压着，敌人正对他施以致命的打击。还有一队士兵在马的尸体上互殴。好些胜利者离开了战斗，从混乱的场面中逃出来，用手抹着被尘土蒙住的眼睛和满是泥垢的脸……千万注意，画面中没有一处地方是没被践踏和沾上了血迹的。

《安吉里之战》的第一批画稿，展示了非常真实的战争场面，人与马的隐约影子在尘土和硝烟中相持不下，各种描绘混战的笔触与线条纠缠在一起，隐约之中有一个步兵在挥舞着斧头，两个士兵拼死扭打在一起，地上横躺着马尸。在这混乱的群体中，达·芬奇不放弃最初的描画疯狂混战的构思，他摸索着开始构思起整幅图来——中心主题和四周

的要素。在壁画中间，他安排了旋风般的骑兵，为了夺取军旗而战(所画旋风得益于他对水和风暴的研究)；四下里，在这大漩涡的威力影响下，几百士兵，不管是骑马的还是徒步的，全都发了疯似的撕扯扭打，相互残杀着。不幸的是，仅凭这些描述，或是达·芬奇的几幅草图(收藏在温莎城堡和大英博物馆)以及米开朗基罗和拉斐尔的壁画部分，我们只能获得一个比较模糊的概念。从某种方式上说，画家再次采用了二十年前在《三博士来朝》中的办法。

1504年2月，达·芬奇向细木工订购了被瓦萨里称为“很灵巧”的器械——配备了甲板的活动脚手架，拉紧时便上升，放松时便下降。有了它，画家可以很方便地创作《安吉里之战》的大幅草图，此画长20米、宽8米，这是别人向他订制的最重要的油画作品。

这幅画的中心主题是夺取军旗，这段场景既不见于维斯普齐的描述，也没有在马基雅维利的叙述中出现，它完全是达·芬奇天马行空的想象，他在经过长时间的构思与无数草图的准备后，决定描绘战争中最为紧张，也是最为残酷的时刻——夺旗之战。画面中心是四个骑士在为争夺一面军旗而厮杀，长旗杆已经被折断，旗面也已经不再完整，只剩下一断杆尖头在迎风招展。有五只手都在抓住旗杆拼命抢夺，另一些手则在挥舞着刀剑，在空中互砍。马上的骑士张着大口，脸孔像

（本页两幅图）可能是拉斐尔所创作的**发出怒吼的人物头部**，有时也被认为是达·芬奇的作品，牛津大学阿什莫尔博物馆。

（第240—241页）**《安吉里之战》中发出怒吼的人物头部**，约1503—1504年，布达佩斯国家博物馆。

（上图）与米开朗基罗风格类似的艺术家以及拉斐尔所创作的**发出怒吼的人物头像**，牛津大学阿什莫尔博物馆，局部。

（下图）亚里斯多德·达·桑加罗（Aristotele da Sangallo），**卡西那之战的摹本**，原作为米开朗基罗所作，约1542年，诺福克，胡克海姆（Holkham）展厅。

是他们的黄铜胸甲上的神话怪物的嘴脸一般，马蹄下的血泊里，一个人揪着另一个人的头发，将他的脑袋往地上死命地砸。这种天马行空的想象，一瞬间凸显了主题，而夺旗之战更是正好呼应了佛罗伦萨市议会的要求，对爱国主义进行了完美的突出。瓦萨里在《名人传》中表示，这幅画一经面世，便因为充溢其中的可敬思想，而被视为是具有教育意义的作品。不过，虽然达·芬奇在作品中体现了雇主的要求，在《安吉里之战》中，还是能看到一些与当权者多少有些相违背的观点——作品在歌颂爱国主义之余，并没有宣扬战争的正义性，达·芬奇直接将战争的残酷称为“兽性的疯狂”，在瓦萨里看来，在这幅作品中，“疯狂、仇恨、愤怒在人和马的身上一样得到了体现”。艺术历史中没有一幅油画能像《安吉里之战》一样强烈、可怕、震撼

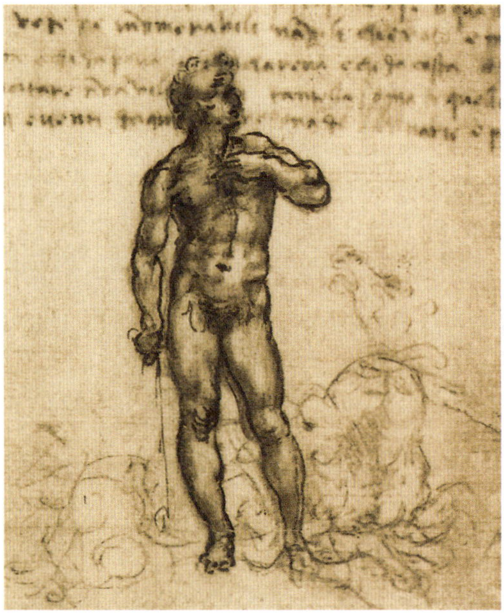

人心，达·芬奇再一次触碰到了观者的心灵，撼动人心，使他们陷入沉思。他想要通过自己的壁画让人们感受到他心中的恐慌。

1503年夏，他的父亲皮耶罗先生去世了——似乎是因衰老无疾而终。达·芬奇在他的笔记本里有两处提到此事(第245页)，重复说了两次去世的时间，使用的也是几乎相同的词句。在那本留在大英博物馆的草稿本

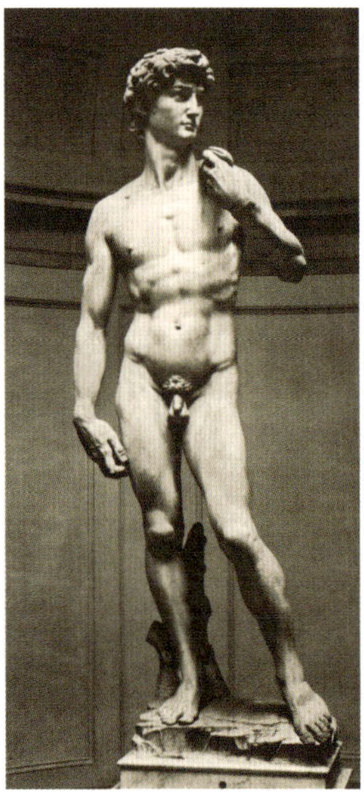
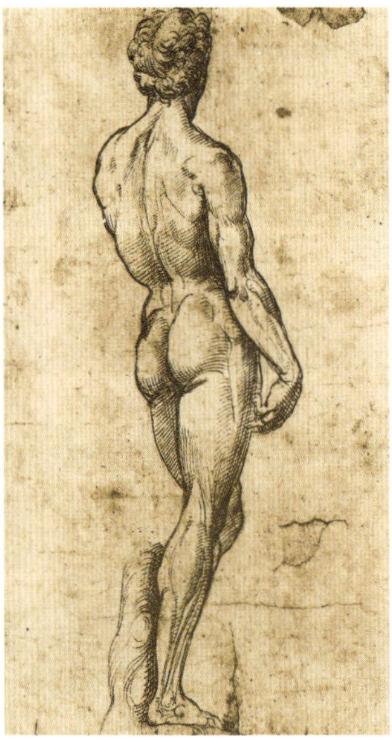

（从上至下顺时针顺序依次为）**米开朗基罗肖像**，有所保留地认为是詹姆斯·贝克（James Beck）的作品，或是米开朗基罗的自画像，或认为是特里布罗（Tribolo）或皮耶里诺·达·芬奇（Pierino da Vinci）的作品，私人收藏。2005年在达·芬奇理想博物馆首次面世。
多美尼克·吉兰达约，**斯比尼的长凳**（达·芬奇与米开朗基罗争论的地方），1485年，佛罗伦萨，圣三一教堂。
姿势与大卫相仿的**赫拉克利斯**，约1501—1504年，佛罗伦萨学院美术馆。
拉斐尔，**对米开朗基罗的《大卫》的临摹**，约1507年，伦敦大英博物馆。

里，他写道：“1504年7月9日，星期三，我的父亲、波德斯塔宫的公证人皮耶罗·达·芬奇去世——七点钟，享年八十岁，身后留下十男二女。”在大西洋古抄本手稿中，他写道：“1504年7月9日星期三，7点，皮耶罗·达·芬奇去世——星期三，将近七点。”这一有点奇怪的重复，似乎是担心自己会忘记，表明了他激动难抑的心情。他记错了父亲的年龄，他的父亲去世时是七十八岁而不是八十岁，而他重复两遍的“星期三”，事实上应该是“星期二”，这些也许暗示了他心中的困惑。他对父亲的感情一定是强烈矛盾的。

我们很难评价这次丧事对他的影响，再加上此时发生了另一件令他沮丧的事：倒不是他们把装饰市政议会大厅的任务交给了另一位艺术家，而是他得知自己作画墙壁的对面一堵墙已经交给米开朗基罗来负责。当时的米开朗基罗只有二十九岁，年轻气盛，他给吉兰达约做过不到一年的徒弟，基本上是在伟大的洛伦佐宫殿中磨练技艺，无论在佛罗伦萨还是在罗马都已享有盛名。他的保护人是佛罗伦萨的执政索德里尼，他是佛罗伦萨绘画和雕塑的新星：他将在这面墙上绘制与达·芬奇的作品大小相仿的壁画《卡西那之战》(第243页)。他并没有描绘战争最激烈的时刻，而是选取了战斗即将开始的时刻。画面上是在阿诺河上洗澡的士兵，他们听到军营中突然响起的战斗号角，纷纷从水中跑出来，匆忙中准备穿衣迎战。士兵里有的在岸上伸手拽还在水中的同伴，有的拼命往岸

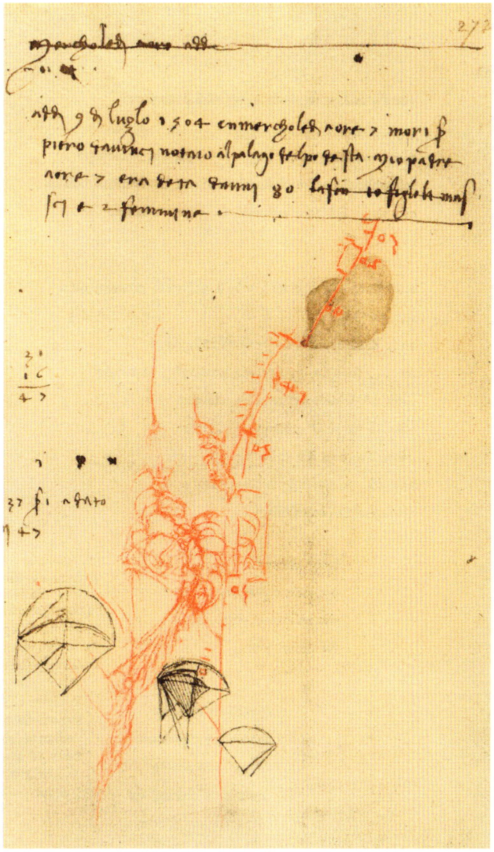

达·芬奇手稿，内容是关于父亲去世的回忆、计算、几何图形与丈量，1504年。

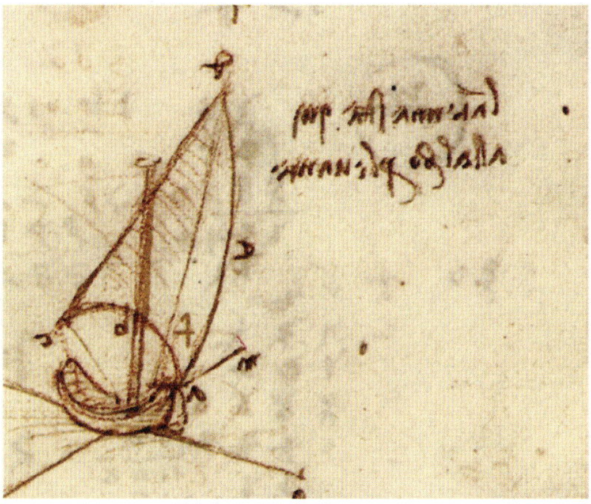

上爬。他们或者已经穿好了衣服，或者已经手拿武器，还有的顾不上赤身裸体，直接就投入了战斗。这些动作、姿态和表情各异的士兵形象，表现了一种紧张但是振奋高涨的士气，而画面中雄壮强健的男性裸体，亦是慷慨豪迈的英雄主义的直接表达。

达·芬奇和米开朗基罗将各自的草图公布于世的时候，那种热闹的场面是可想而知的。市民们乐于将这种艺术的角逐解读为政治的对决，他们宣布，米开朗基罗是代表共和国反对美第奇家族的，而达·芬奇则是美第奇家族的代言人。经过这么一番解读，艺术上的比赛沦为另一种性质的攻击。

在艺术史中很难想象还会有两个人像他们那样水火不容。他们拥有自己的拥护者，他们互相攻击，仿佛达·芬奇与米开朗基罗天生便是注定要成为对手一般。他们的第一次见面大概是在1504年2月，当时他和波提切利、柯罗纳卡、安德烈亚·德拉·罗比亚等人一道，被邀请组成委员会负责决定如何安置米开朗基罗的《大卫》雕像。整座城市为此展开了热烈的争论，有人因此还被石头砸伤。达·芬奇与大多数人一样，倾向于把它安放在室内，以避免恶劣天气的损坏。米开朗基罗却希望他的《大卫》(第244页)享受到广场自由的阳光，一心坚持要将大卫摆在市政议会宫前面的好位置。他终于如愿以偿了，但也因此与除了自己之外的所有人结下了矛盾的种子。

事实上，今天的我们不妨这么说，在达·芬奇那里，生命神秘的光芒在阴暗的内部空间中被压缩，而其悲剧性的伟大则在米

（上图）**帆船**，马德里手稿II，f. 35r，局部。

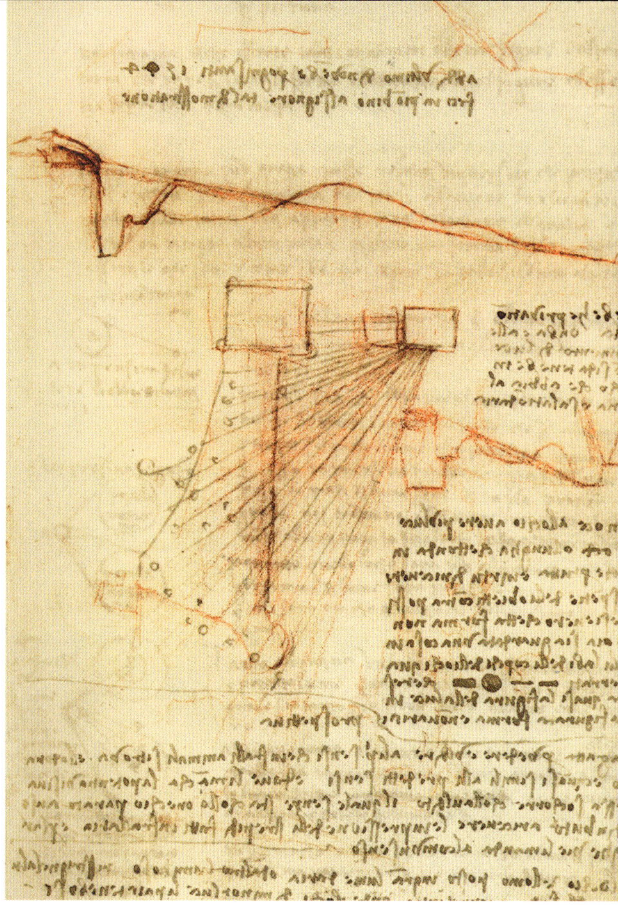

开朗基罗的笔下得到了释放；画家达·芬奇追求画作的深刻，而雕塑家米开朗基罗则更擅长把宏伟的大理石从被囚禁的气魄中解放出来。二者不仅在对艺术的不同追求上有所不同，他们的气质、信仰甚至长相有天壤之别。米开朗基罗出生在中产阶级家庭，具有贵族的抱负，他说他的祖先原是卡诺萨伯爵。他特立独行、恃才傲物，长得却是不好恭维，他虎背熊腰、五短身材，却又机敏活跃、言行粗犷，他的目光和他的《大卫》一样傲慢，他自认为人们“疯狂、凶恶”，而他自己的气量却很小、不能容人、睚眦必报、易怒暴躁，不论谁与他共事，都难免要起一番争执，为了将自己的观点强加给别人，他不惜与任何人闹翻。此外，米开朗基罗受到萨沃纳罗拉的巨大影响，一心服膺并追随他的教义，陶醉和痛苦轮

（从上至下顺时针顺序依次为）**皮翁比诺（Piombino）的工事**。1504年，马德里手稿II，f.25r。

圣母玛利亚山上的要塞，约1504年，马德里手稿II，f.37r。

风与浪，船与陆地，约1504年，马德里手稿II，f.41r，局部。

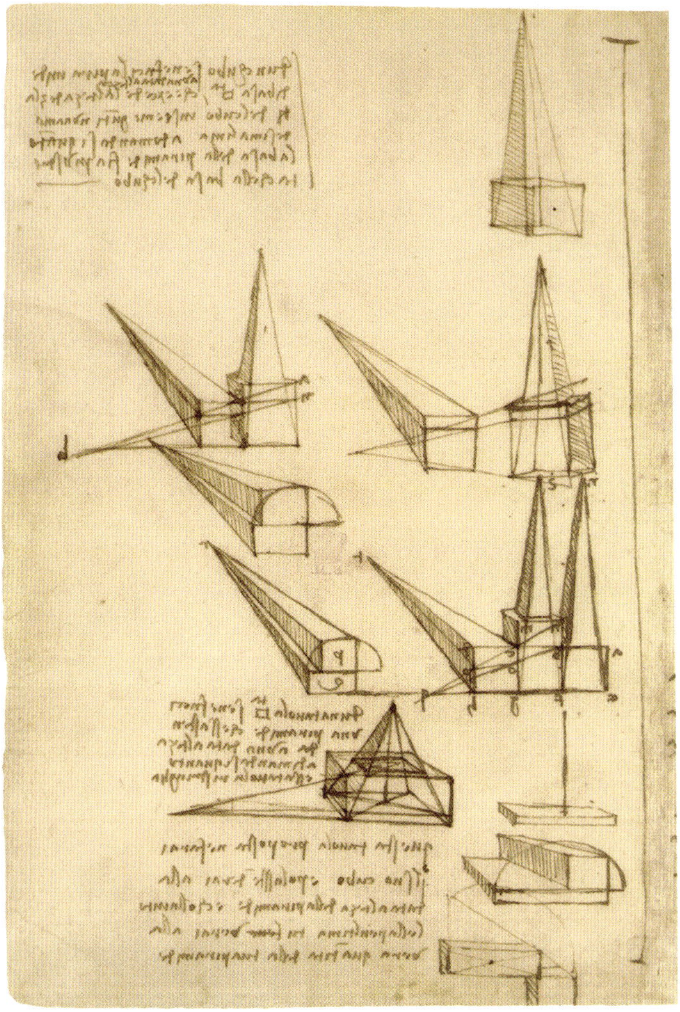

（上图）**马的腾跃**，习作，马德里手稿II，f. 118r，局部。
（下图）**金字塔与平行六面体的比例研究**，约1505年，阿伦代尔手稿，f. 182v。

（右页）**军事建筑**，习作，也许是指皮翁比诺（Piombino）的工事，约1503—1504年，大西洋古抄本手稿，ff.120v 与212v。

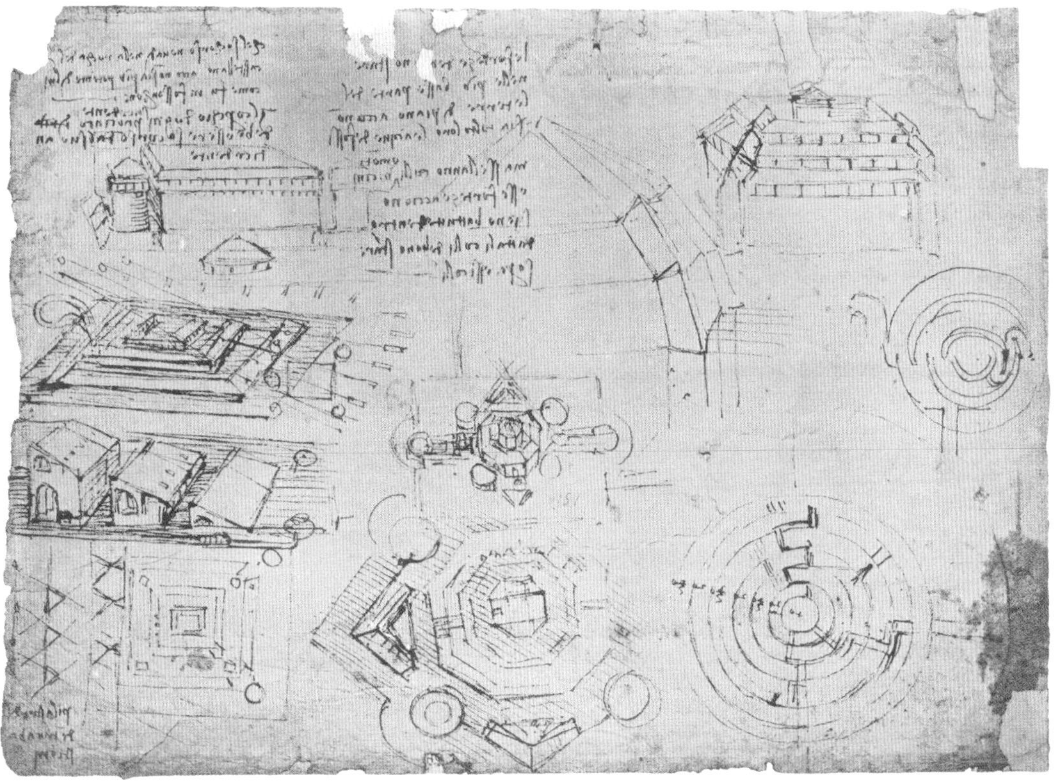

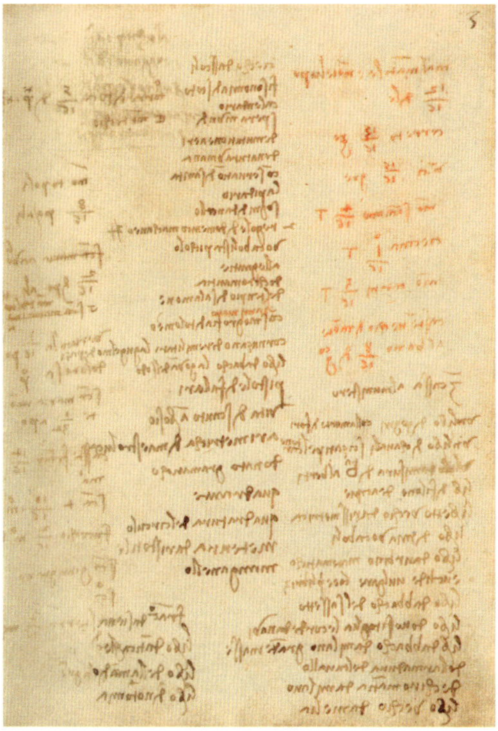

番折磨他。他写道:“忧郁就是我的快乐。”他很有钱,但仍过着苦行者的生活,吃穿都像行乞僧人,做事像苦役犯;他从不脱下他的狗皮靴;他不洗脸;他可以躺在尘埃中,呆在他的作品旁,每天只要一块面包和一壶酒就够了。正是这么一个分裂的米开朗基罗,他怎能不嫉妒和讨厌达·芬奇的魅力、文雅、精细、亲切温和以及广泛的涉猎,尤其是达·芬奇对宗教信条的怀疑,更是让虔诚的自己感到无法容忍。

然而,他们对彼此的艺术才华却是极为看重的,米开朗基罗临摹了《安吉里之战》的片段,达·芬奇也在画纸的一角画了《大卫》不朽的轮廓,达·芬奇甚至向人表示:“我最近看到了他的战士沐浴的画稿,我几乎都不敢相信自己的眼睛!没有人能想得到他的艺术到达了什么境界!我知道,他今天不仅已经与我匹敌了,他甚至已经强过我了。”尽管在艺术上也许他们惺惺相惜,但这两个气质几乎相反的人,产生直接的摩擦,在当时的佛罗伦萨几乎是不可避免的。

一次偶然的相遇、一个文学问题引发了他们最著名的一次正面冲突。一日,达·芬奇与几个画家经过圣三一广场,被几个人给

(从上至下依次为)**阿尔巴诺山、比萨山和福尔特拉山(Volterra)之间的距离与书单**,约1503年,马德里手稿II,f.3r.125–07,马德里手稿I,111r。
弗朗切斯科·迪·乔尔乔·马尔蒂尼所著**《论建筑》中有达·芬奇的旁注**,约1477—1484年,佛罗伦萨BML。

拦住，请他谈一谈自己对但丁的某几句诗句的看法，当时正好米开朗基罗也在广场上。也许是出于不耐烦，也许是出于好意的谦虚，达·芬奇指着远处的米开朗基罗说：“他就是米开朗基罗，你们何不去问问他？”没想到这句话刺激了米开朗基罗易怒的神经，他觉得自己受到了讽刺与侮辱，便生气地说道：“你自己去解释吧！你做了巨马的模型却不能把它铸成铜马，放弃了铜马，你不羞愧吗？”然后他转身就走。在雕塑家的顶撞之下，达·芬奇呆住了，一时间无言以对，只好离开了，米开朗基罗还在远处喊道：“这群笨蛋米兰人信任过你吗？”(第244页右上图)

面对米开朗基罗的攻击，达·芬奇深感痛苦，在笔记中他这么写道：“正如衣服能抵御寒冷，耐心才能带你面对不公平的待遇。天气越冷，你就得穿得越暖和，才不会受冻。同样道理，若是别人对你越不公平，你越要耐心，他们就不会伤你的心。”然而，米开朗基罗的攻击却总是在他的心中挥之不去，是的，过去多少次他在试用新笔时苦涩地在笔记本里写道：“告诉我，我没完成过什么作品？”“告诉我，我完成过什么吗？”

为了保存这幅《安吉里之战》，达·芬奇还是选用了自己认为比较可靠的“油色”。在工作完成一半时，他便在面前用盆燃起一把大火，试图将颜色更快地融入石灰之中。但是他很快就发现，热力实际上只能达到图画下面的部分，上面热力达不到的地方，漆和颜料并没有干。如此一来，在壁画还没有画成的时候，画面就已经开始败坏了。我们今天能看到的，只是鲁本斯的摹本和达·芬奇本人的草图与素描了。1506年5月，他放弃了壁画，回到米兰。

也许，唯一可以安慰达·芬奇的就是，米开朗基罗也没有画完他的油画《卡西那之战》。我们今天看到的，是达·桑加罗的临摹。在他完成草图之后，教皇尤里乌斯二世向他下了订单，要他前往罗马为自己修建陵墓，并绘制西斯廷礼拜堂的壁画。

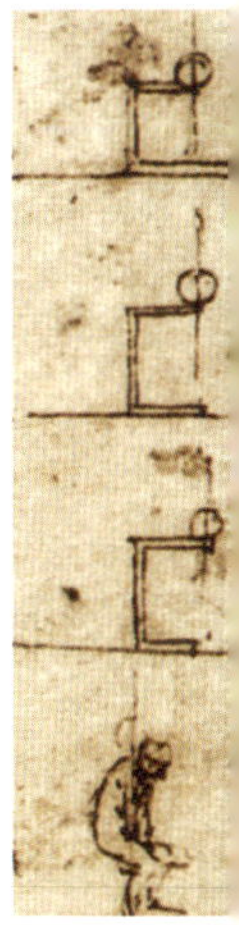

今天，米开朗基罗的草图和达·芬奇油画某些片段分别在教皇大厅和市政大厅长期展出，在当时它们是“世界的学校”：人们从意大利各地跑到佛罗伦萨，一睹大师名作的风采，这两幅作品将直接导致古典主义和巴洛克风格的产生。在十六世纪初，还有许多艺术家在这百合花之城的街道上相遇，除了达·芬奇和米开朗基罗，1505年，我们还可以见到波提切利、佩鲁贾、菲力皮诺·里皮、洛伦佐·迪·克列迪、皮耶罗·迪·科西莫、安德烈亚·德尔·萨尔托、巴乔·德拉·波尔塔、两个桑加罗、柯罗纳卡和一个来自乌尔比诺的二十岁小伙子——据瓦萨里所说，达·芬奇的风格一下子就给他留下了极深的印象，

（从上至下依次为）**跳过障碍的人**，约1506年，温莎城堡皇家图书馆手稿，19038，局部。
运动员做运动或玩球、举重，简笔画，约1497年，大西洋古抄本手稿，f. 966r，两处局部。
用球棒击球的运动员，简笔画，约1508年，温莎城堡皇家图书馆手稿，19149，局部。

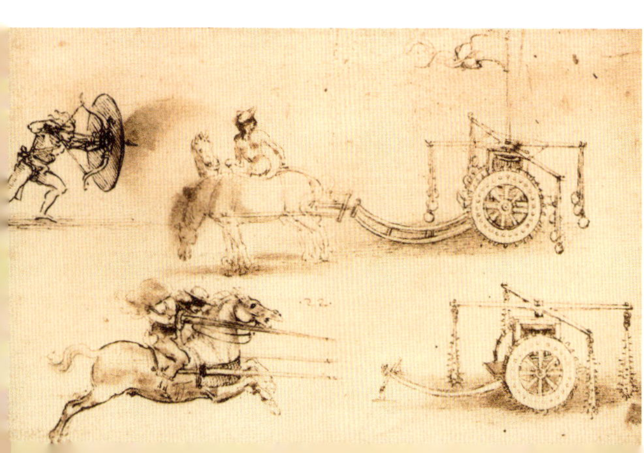

（从上至下依次为）**人体运动**，约1504年。

与战车对抗的马上弓箭手，约1484年，温莎城堡皇家图书馆手稿，12653。

（下页从上至下）**运动员、撑杆跳高选手、齿轮、《圣母领报》中的天使、马**。约1504年，温莎城堡皇家图书馆手稿，12328。

高举火把的骑士，约1482年，巴黎卢浮宫，局部。

他努力忘掉他以前学过的、试图模仿的一切——他就是拉斐尔，佩鲁吉诺以前的学生。这样的景象的确难得一见：在佛罗伦萨，群星璀璨，光芒夺目。而在众多天才人物面前，米开朗基罗的赤裸战士和达·芬奇的疯狂马群在比武场上对峙着，它们曾经不分胜负，以后也难分伯仲，特别是，“不论是古人还是今人，面对这两幅作品，都是不可能超越的”。

在1505年3月和4月间，在佛罗伦萨附近的菲耶索莱，达·芬奇继续自己的飞行之梦。他刻苦钻研鸟的飞翔，在新的笔记本上记录它们起飞的情况，看它们是在飞行，还是在风中打转，它们在飞行的不同阶段拍击翅膀。他庆幸自己发现了其中的奥秘，这个奥秘使他也能在天空中飞翔，他以为自己达到了目的。在笔记本封面的内页上，在家庭开支账目和一幅建筑图下面，他写了一句奇怪的预言：“大鸟的第一次飞翔，令整个世界目瞪口呆；在它的出生地，记载着它永恒的声名。”在另一页纸上还写着：“那座以大鸟命名的山上，那只誉满全球的鸟儿在奋翅飞翔。”

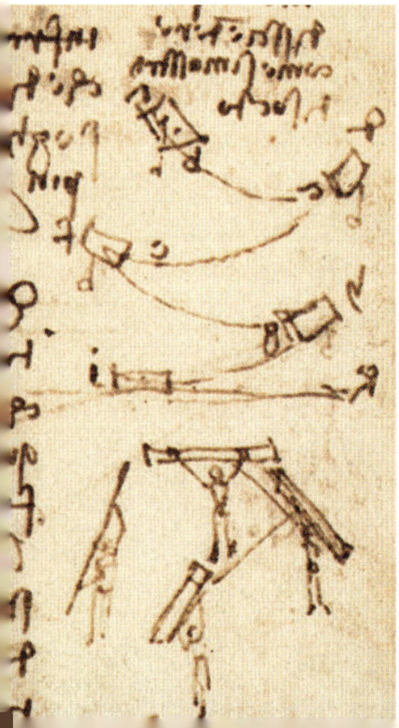

（从上至下顺时针方向）**脚着空气囊的人**，素描简笔画，约1505年，鸟类的飞行手稿，f. 16r，局部。
重心的研究，约1505年，鸟类的飞行手稿，f.15v，局部。
下落的木板的轨迹与操纵木板的人，习作，约1505—1510年，Ms手稿G，f. 74r，局部。
（右页）**鸟类飞行的轨迹**，约1505—1510年，Ms手稿G。

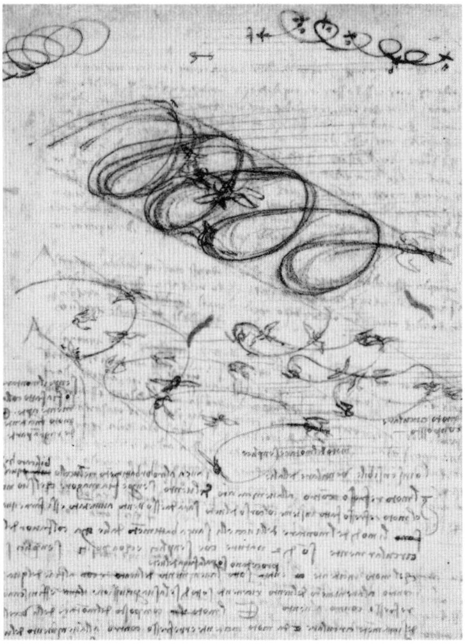

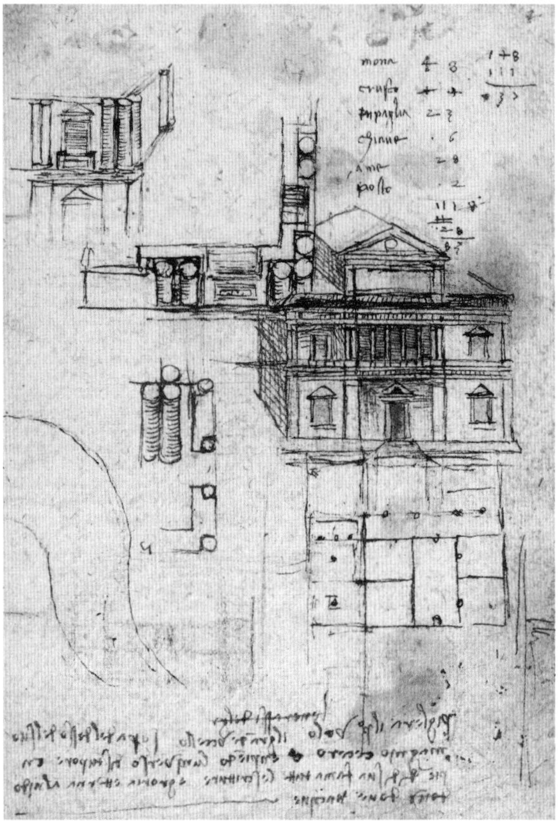

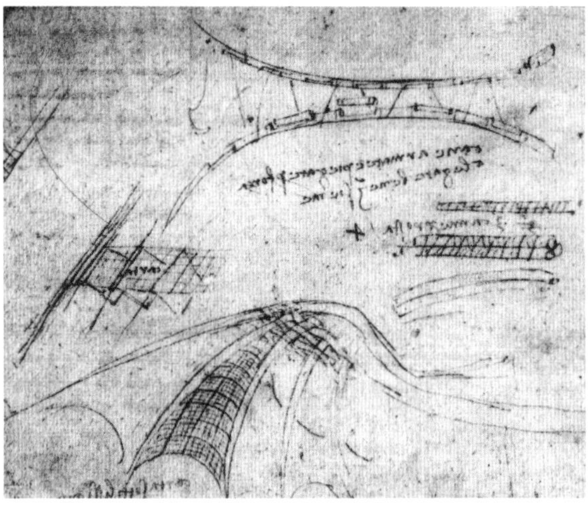

（从上至下顺时针方向依次为）**盘旋式飞行**，约1505—1506年，大西洋古抄本手稿，f.845r，局部。

购物花费，建筑物与飞行的预言，约1505年，鸟类的飞行手稿，封面第四页。

飞行的研究，约1505或1506年，鸟类的飞行手稿，f. 17v。

飞行器的双翼研究，约1490年，大西洋古抄本手稿，f. 852v。局部。

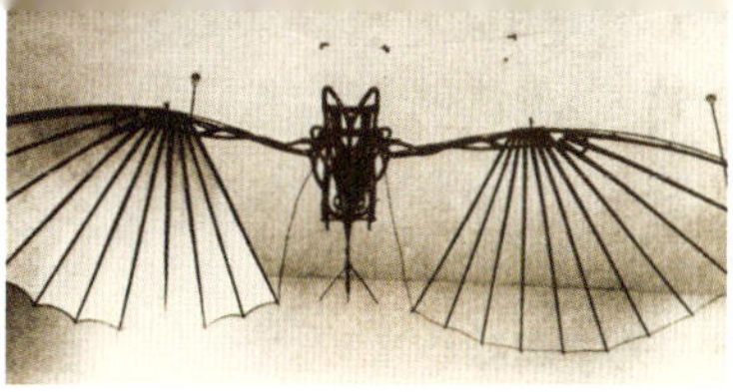

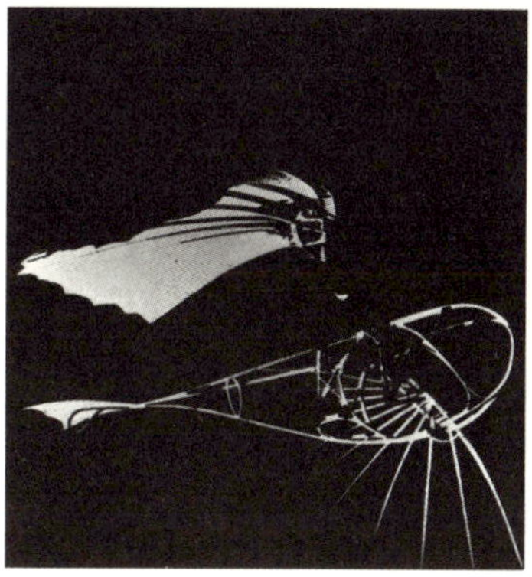

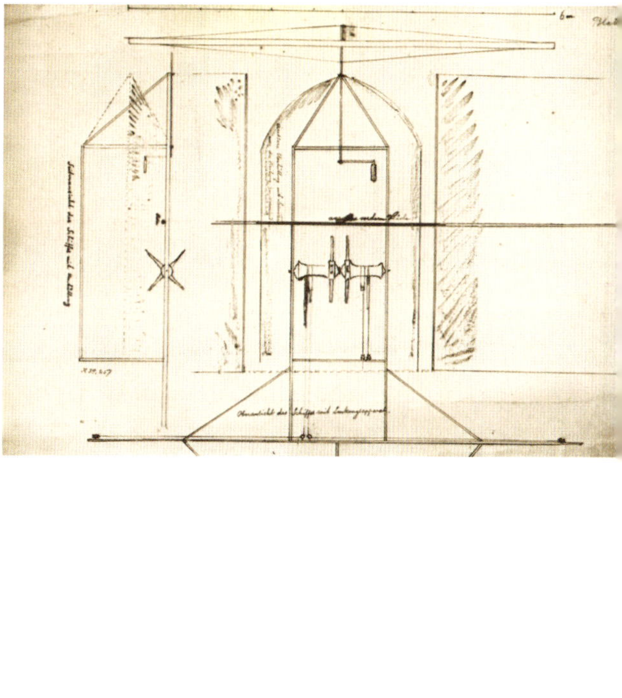

（左上图与右上图）弗拉基米尔·塔特林（Vladimir Tatlin，1885—1953年）根据达·芬奇的创意设计的**飞行器的两个模型**，1930年，俄罗斯飞行与空间历史博物馆。

（左图）弗朗西斯科·戈雅（Francisco Goya，1746—1828年），**飞人**，1820年。
（右图）阿诺德·伯克林（Arnold Bocklin，1827—1901年），**飞行器的研究**。

《丽达与天鹅》

在1504到1506年间，达·芬奇至少完成了三幅《丽达与天鹅》的构图习作，这一主题和他平时的创作很不相同。《丽达》是我们可以肯定的达·芬奇画的唯一的裸体女人——他一直拒绝画这类画；这也是他第一幅取材于古代神话的作品。根据古希腊传说，天神宙斯为了诱惑丽达，变成天鹅，而丽达是斯巴达国王廷达瑞俄斯的妻子。这类不合法的结合是反自然的题材，可能正是它的奇特吸引了达·芬奇。丽达产下了两个蛋，从蛋里孵出两对孪生子，卡斯托和波吕丢刻斯以及克吕泰涅斯特拉和海伦——她是特洛依战争的导火线。在海伦身上，达·芬奇似乎看到了他生母的形象。

《丽达》给人的感觉，没有《蒙娜丽莎》那么浓烈迷醉，它表现的是晦涩的生育机理，畸形的遗传，激烈的生长，以及在人体内部深渊处的原始生命力。从某种意义上说，这是达·芬奇对动物生殖和胚胎学相关领域的概括和补充，曾有发现表明，《丽达》一画来自他研究人的生殖过程中的草图，至少他原本只想把这幅画作为生殖的意象或者寓言。在他的三幅《丽达与天鹅》的构图草图中，立体形象基本上是相同的，只是人物所处的环境各个不同。某些批评家认为在这幅画中看到了令人恐怖的东西。在它面前，人会感觉到科学被超越了。据说，《丽达》最终在老曼特农夫人的命令下被付之一炬，这不是因为它的色情特点，而是因为它以令世人不安的、拒绝信教的自然主义违反了基督

（从上至下顺时针顺序依次为）**丽达与天鹅**，木刻版画，1541年，芬奇，达·芬奇理想博物馆。
吉安皮耶特里诺（Giampietrino），**跪地的丽达**，约1515—1530年（？），卡塞尔国家美术馆。
跪着的丽达与天鹅，温德拉米尼（Vendramini）根据藏于查茨沃斯的达·芬奇的原作所创作的版画作品，1812年，芬奇，达·芬奇理想博物馆。
（右页）**丽达与天鹅**，约1505年，查茨沃斯。

（从上至下依次为）**丽达头部的习作**，约1504—1506年，温莎城堡皇家图书馆手稿，12516，局部。达·芬奇的学生，**穿衣服的丽达**，私人收藏，局部。

（右页）达·芬奇画室，**丽达与天鹅**，约1510—1516年，木板油画，130厘米×78厘米，佛罗伦萨乌菲齐美术馆。

教的教义。

今天我们对《丽达》的印象，要归功于达·芬奇的众多学生和追捧者（意大利人和佛拉芒人）的复制，还有其他水平参差不齐的作品，大部分都是私人收藏——以及在温莎收藏的一幅拉斐尔的画里。而达·芬奇本人亲手画的画只剩下草图，这幅草图创作于《安吉里之战》的创作期间。在那些画里，丽达开始是跪着的，然后才站起来；好几幅只有头像，发辫编得很细致，是绠带饰、复杂的螺旋形——这还是达·芬奇的想象方式。

《丽达》消失了。关于它消失的方式，人们众说纷纭——它可能被路易十三的一位神父销毁了，或者和人们对待巫婆的方式一样，在1700年左右被曼特农夫人付之一炬。瓦萨里没听说过这幅画，在他的《名人传》里对《丽达》只字未提；鲁本斯的朋友卡西亚诺·德尔·普佐确认他曾在1625年在枫丹白露见过它："丽达站着，几乎是一丝不挂，双脚间站着一只天鹅，以及两只被砸开的蛋，从蛋里出来四个小孩。这幅油画，尽管在构图上有点枯燥，却细腻得可敬，尤其是姑娘的胸脯，其余如风景和植物的装饰——画得极为细腻。遗憾的是画保存得很糟糕，三块长画板的接合处裂开了，严重地损坏了画。"1692年和1694年，皇室物品清单也考虑到它，把它归为达·芬奇的作品，以后的财产清单就没有它的下落了。它也许是在十八世纪的头几年消失的。

（左上图）**丽达与天鹅，**木刻版画，根据拉斐尔临摹达·芬奇的原作的摹本而创作。
（右上图）拉斐尔作品，**加拉提亚的凯旋**，湿壁画，约1512年，罗马法尔纳塞别墅。
（下图）**海神**，习作，约1504年，温莎城堡皇家美术馆手稿，编号12570。

披散头发的女子，约1506—1508年（？），24.7厘米×21厘米，帕尔马国家美术馆。

1506—1513：在佛罗伦萨与伦巴第

（左上图）被认为是安德雷亚·索拉里奥（Andrea Solario）的作品，**查尔斯·丹布瓦兹的肖像**，巴黎卢浮宫。

（上图）达·芬奇画室，**岩间圣母祭坛画中的音乐天使**，委托达·芬奇与德·普雷迪斯兄弟完成，并由达·芬奇的助手（马尔科·迪·奥吉奥诺或弗朗切斯科·那波利塔诺）合作完成，伦敦国家美术馆。

《岩间圣母》中天使的面部。

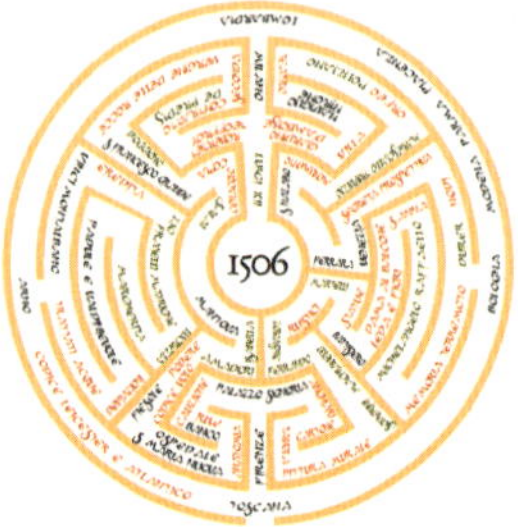

1482年左右，达·芬奇离开佛罗伦萨，留下了并未最终完成的《圣哲罗姆》和《三博士来朝》；24年后的1506年，在法国的查尔斯·当布卢兹伯爵(Charles D´Ambois)——这位国王身边的红人的几次三番的邀请下，达·芬奇第二次获准离开佛罗伦萨，前往米兰。这一次，他留下的是《圣母子、圣安娜与羔羊》与《安吉里之战》等未完成的作品，佛罗伦萨对于天才的再次离开表示很不快，但考虑到法国在比萨战争中与自己的同盟关系，在再三催促之下，只得听从达·芬奇的意愿，最终同意放行。只不过，佛罗伦萨只给了达·芬奇三个月的假期，并声称，如果画家迟归，将要面临150弗罗林的重罚。

面对如此不通情达理的条款，达·芬奇也许只能无奈地一笑置之，毕竟，他是自由身，更何况有来自更有权势的赞助人的保护。在米兰，他接受查尔斯——这个被世人称为爱神维纳斯和酒神巴克斯的朋友——的委托，为其设计精美无比的花园，在他的笔记中我们还能看到花园的设计图：这是一座堪与《一千零一夜》中最美的花园比肩的建筑：他更设计了叶片磨坊，在夏天，磨坊的叶片将为人带来人造的凉风；潺潺流水在芬芳弥漫的树林中流淌，书中各种珍贵的鱼类在其中自由穿梭嬉戏，与树林中的鸣啭的鸟叫声相互呼应；散步的走道上，喷泉会溅出水花，微微溅湿行人的衣服。此外，法国人还给他过去斯福尔扎赠给他的种植着葡萄的土地，还将宴会和狂欢的盛宴交予达·芬奇进行设计，也有人要请他设计教堂；他改善了船闸系统和伦巴第堤坝，在水利工程方面的才华得到了尽情的发挥。他的每一幅作品都得到了权贵阶层的追捧，不仅在艺术上，在其他各方面的问题上他的意见都颇受重视，他重新找回了斯福尔扎时代独领风骚的成就感。已经不再年轻的达·芬奇，处在快乐的中心，他感到对

（从上至下依次为）**达·芬奇迷宫结**，1506年，达·芬奇理想博物馆。
达·芬奇画室，**哈里斯圣母与嬉戏中的圣子**，被认为出自达·芬奇之手。

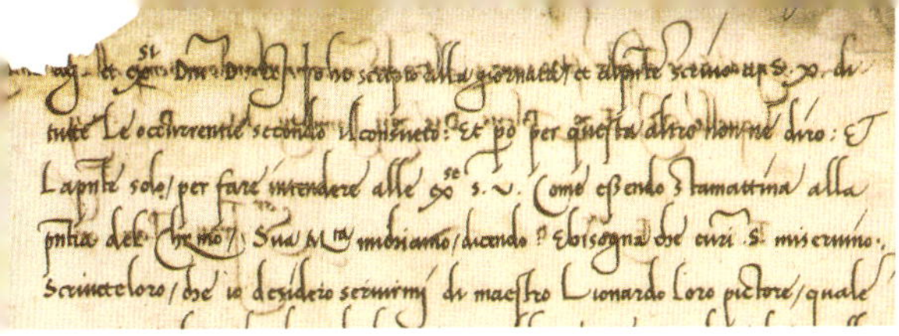

所处环境的一种深深的依赖。

8月18日，查尔斯·当布卢兹婉言请求佛罗伦萨的市政议会延长达·芬奇的假期——至少直至9月底。正义旗手索德里尼大为不悦，答复说，达·芬奇对佛罗伦萨共和国未能尽职，“他收了一大笔工钱，却只交付了他负责的大工程的开头小部分(指《安吉里之战》)，我们希望你们别为他申请延期了，因为他的工作应满足我们城市的公民，我们不能免去他的义务——即负起我们委托他在这项目中的责任——别让我们蒙受严重的损失”。

1506年12月16日查尔斯·当布卢兹伯爵写了一封信给佛罗伦萨的市政议会，概述了大家委托给达·芬奇的工程和法国人对他的无比尊敬，信中表示：

在意大利，尤其在米兰，由你们的公民达·芬奇完成的出色的工程，所有目睹它们的人都深深热爱着它们的创造者，甚至包括那些没接近过他的人。至于我们，请允许我毫不掩饰地说，在遇见他之前就对他情有独钟。现在我们经常与他打交道，他经验丰富、多才多艺，我们目睹他在绘画方面的才华，真的是名不虚传、实至名归，但与其他方面的值得赞美的杰出才能相比，他的绘画才华却又不算什么。必须这样说，他契合我们的需要，交给我们的建筑设计图或其他工作样样合我们的心意，他让我们这么满意，实在应该不遗余力地赞美他。所谓君子不敢专美，我们要尽力把他推荐给你们，并向你们保证，不管是增加他的财产、给予他恩惠或给他应得的荣誉，都会给他和我们带来同样的最大的快乐，我们会非常感谢你们。

其后，面对依旧不依不饶的索德里尼，国王路易十二亲自出面了。他下令写信给佛罗伦萨，表示“奉法兰西国王之命，你们的达·芬奇，佛罗伦萨的画家，可否让他暂时不要离开米兰”。艺术家成为了外交冲突的起源，也许佛罗伦萨人不明白为什么法国人如此看重他。无论如何，索德里尼最终还是只得表示屈服，不过他还是坚持要达·芬奇退回先前《安吉里之战》的费用。1507年，由于遗产纷争，达·芬奇被迫返回佛罗伦萨，顺便退回了那笔钱。

在劳神的遗产纠纷与弟兄失和中，达·芬奇也许感到身心俱疲。他希望自己的保护人能出面进行干预，他希望国王对自己的宠信能在审判中成为对自己有利的因素，而国王路易十二也果然屈尊为他提笔写信，他在信中称呼达·芬奇为“亲爱的、我们敬爱的达·芬奇”，在他写给佛罗伦萨的信中，他表示自己希望官司能够尽早有个了断。尽管国王亲自出面，法国人还是鞭长莫及，更何况所涉及的又是家务事，法庭的敷衍塞责自然是可以想象的。官司没有进展，结果尚不可知。

（左上图）佛罗伦萨驻法国大使（Francesco Pandolfini）的信，局部。
（右图）佛罗伦萨新圣母玛利亚医院内签署的1506年5月30日法令，局部。

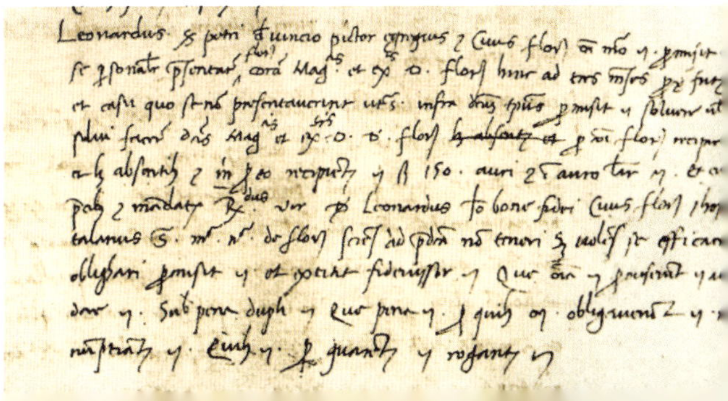

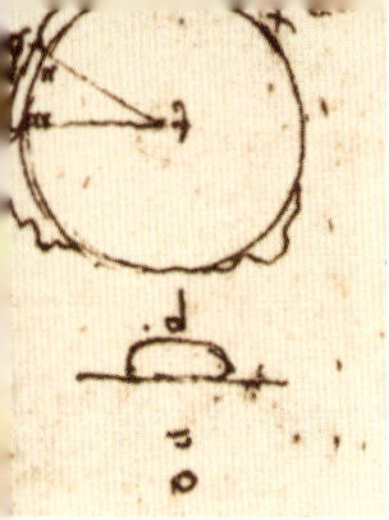

判决书迟迟不下来。达·芬奇只好呆在佛罗伦萨，准备为官司做辩护。他和萨莱住在富裕的知识分子兼艺术家的庇护人、著名数学家皮耶罗·迪·布拉乔·马尔泰利的家里，在那里他认识了雕塑家乔万尼·弗朗切斯科·鲁斯蒂奇。3月，达·芬奇利用空余时间整理他的笔记本。他不敢肯定自己是否能整理好它。再读之后，他吃惊于它们的杂乱和里面出现的许多重复的字眼，他大概已估计到自己不可能完成以前的计划，把他的知识编成宏大的喜剧。他打消了这个念头，他没有这能力。

在一封他写给查尔斯·当布卢兹的信中，他提到，在回到米兰后，将制造一些工具和“仁慈的阁下您很喜欢的其他东西”，大概那是些测量水流量的器具：政府垄断着用水的权力，直至那时都以近似“盎司”的数量作为计算单位贩卖给民众。在达·芬奇的笔记本里有许多有关水的量具的笔记和简图，是一些以前完全没有过的模型。他还不止步于此，他继续研究有关“水的运动的科学”，深入研究与水相关的理论观点(第270页)，并寻找改善水闸和现存堤坝的办法，他曾设想要挖凿大运河，使伦巴第一带的航行水网得以完善；他甚至考虑过要修筑一条30米的堤坝，一条穿山的长隧道，在阿达谷和米兰之间建一座唯一的大水闸——这一宏伟的计划在十六世纪末实现了，只是距离达·芬奇的设想已有一定时间。

近1508年，达·芬奇再次整理自己的笔记，并在此基础上写就了关于水的论文。他把自己的研究分为十三部分：“1.关于水本身；2.关于海洋；3.关于泉水；4.河流；5.深度的性质；6.障碍物；7.砂砾；8.水面；9.移动的东西；10.修复河流(堤岸)的方法；11.沟渠；12.运河；13.毁坏水的东西。”这一写作计划不停地被修改、扩充，事实上，达·芬奇从未真正动手写过，一直到过世前，他都在为写作进行漫长的准备工作。在1828年的罗马，他的一部分笔记由弗朗切斯科·卡迪纳利编纂成书，并命名为“论水的流动和测量”。

这个时期的达·芬奇对解剖的兴趣依然

（左图从上至下依次为）**水滴，地球的中心与半径**，约1506—1508年，莱切斯特手稿，f. 3A-34v，局部。
月食，莱切斯特手稿，f. 7A-7r，局部。
（右页）**太阳、地球、月亮**，莱切斯特手稿，f.1A-1r，局部。

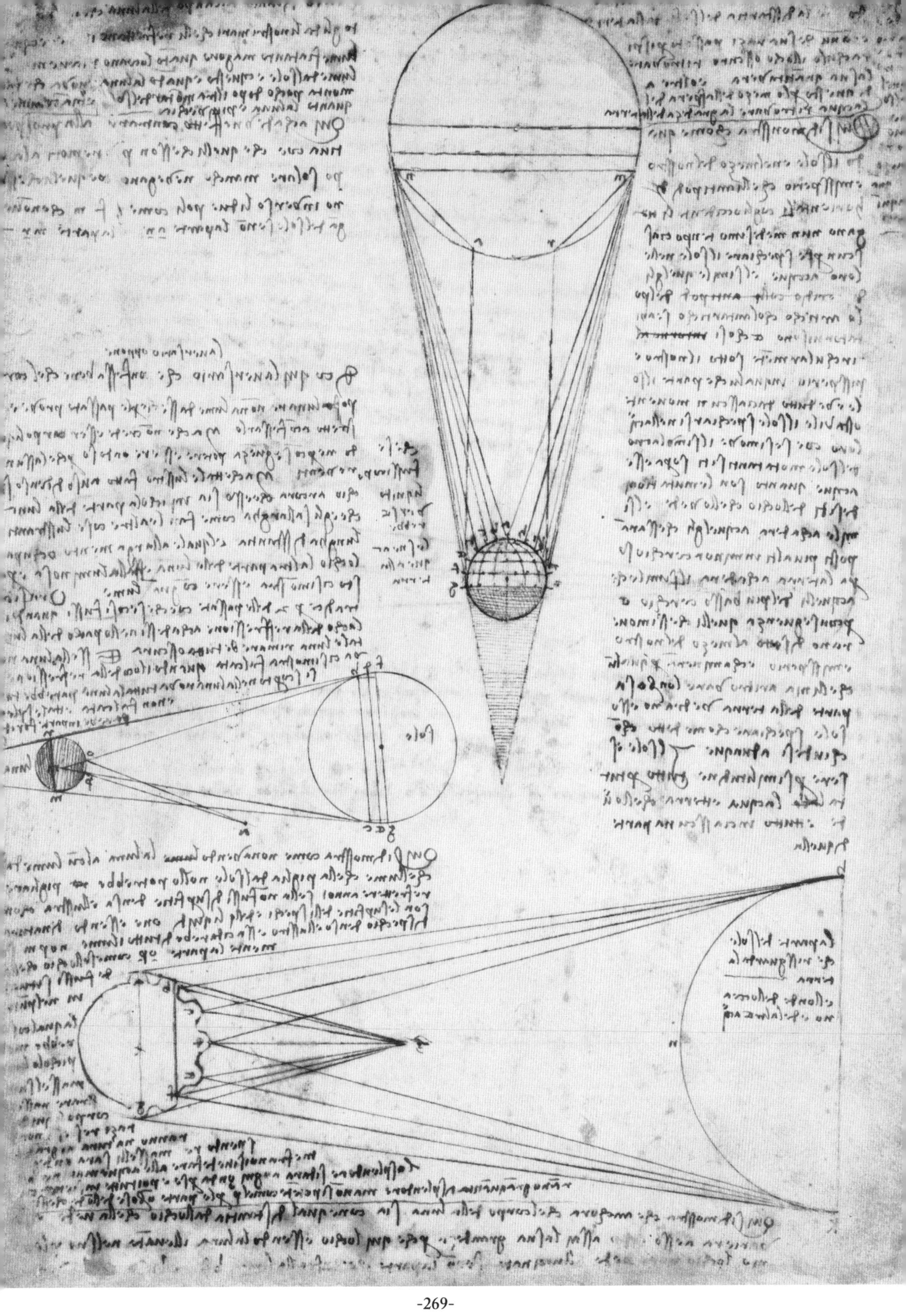

如二十年前那样高涨，他的研究兴趣逐渐地从力学过渡到器官学。面对世人保守而又恶毒的攻击，他全然不顾，又是锯骨头，又是破头颅、剥皮，就是为了分析神经系统和肌肉系统。佛罗伦萨为他提供的创作《安吉里之战》的工坊就位于新圣母玛利亚医院中，这使他有机会近距离地接触不同的解剖。他在笔记中提到自己曾经解剖过一个百岁老人和一个两岁的小孩子：“去世前几个小时，老人告诉我他活了一百岁，身体没有什么不适，就是虚弱。这样，他坐在这家济贫院的床上，一动不动，也没有任何不适的表现，静静地死去了。我解剖了他，要了解死得这么安宁的原因，我发现他死亡的原因是给心脏和其他内脏供血的动脉衰竭，供血无力，我还发现他的内脏干瘪、枯萎，很衰弱……另一次解剖的是个两岁的小孩，他的情况和老头的相反。”

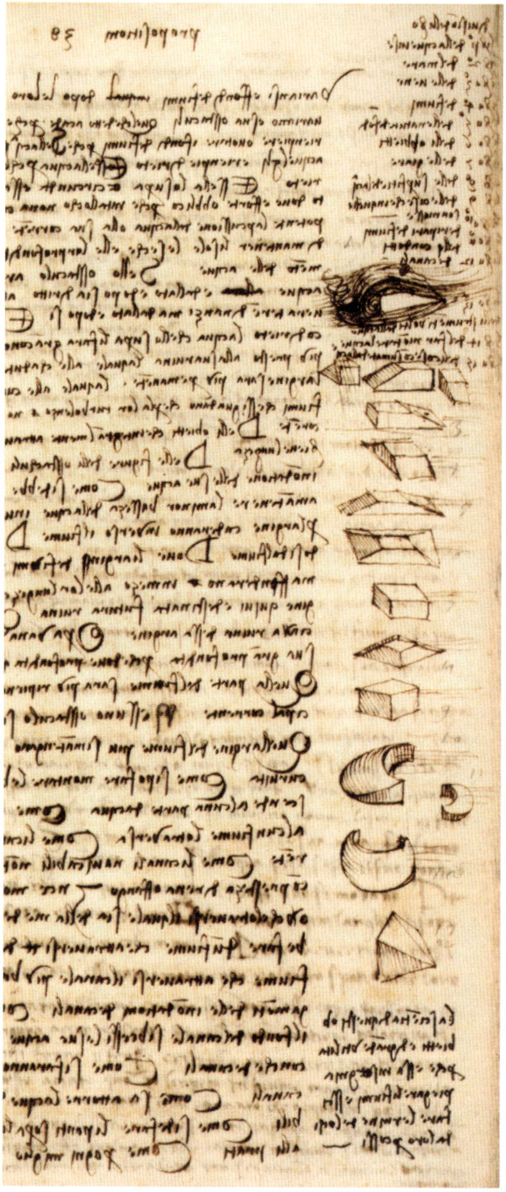

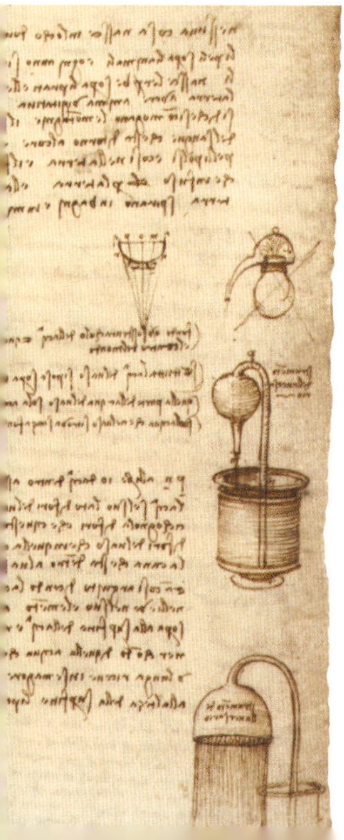

（从上至下顺时针方向）象征水流的**字母表**，约1495年，马德里手稿I，f.112r，局部。
水中阻碍物，约1506—1508年，莱切斯特手稿，f.15B-15v，局部。
蒸馏器，约1506—1508年，莱切斯特手稿，f.3B-34r，局部。

（从上至下依次为）**论水流的论文目录**，约1506—1508年，大西洋古抄本手稿，f. 201r。
阿诺河上的渡船与堤坝鸟瞰，约1503年，温莎城堡皇家图书馆手稿，12680。

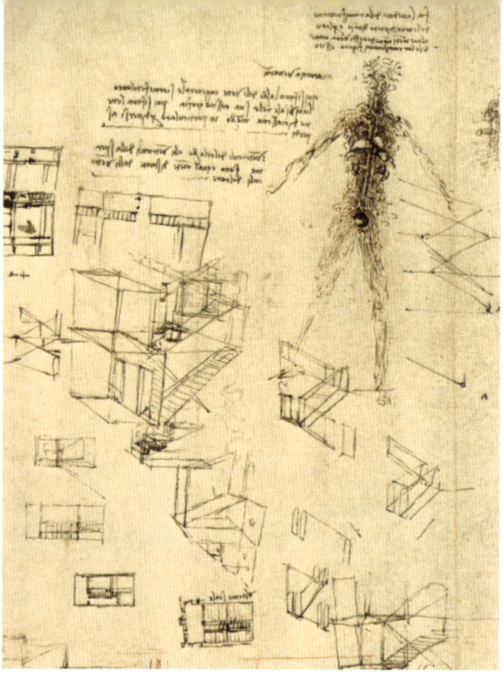

这是医学史上第一篇有关动脉硬化的详细报告。无法想象一个没有受过专门医学训练的人，当他把刀子插入一个刚刚死去的老人或婴儿体内的时候，心中会生起什么样的想法，又是以一种什么样的心情将这些详细的解剖插图绘制在自己的笔记中的(见第272、273页)。

从他当时的手稿来看，这是一个像发着高烧，被寻找、发现的快乐控制着的人，他为所进行的事业而自豪。随着对肺、心脏(从这个中心出发，血管开始有分支)、脑子、肝、肠子、脖子、脸庞的解剖研究的深入，他越来越入迷，越来越惊喜，被造物主的奇特的作品所吸引，“造物主不造多余的、不完美的东西”。

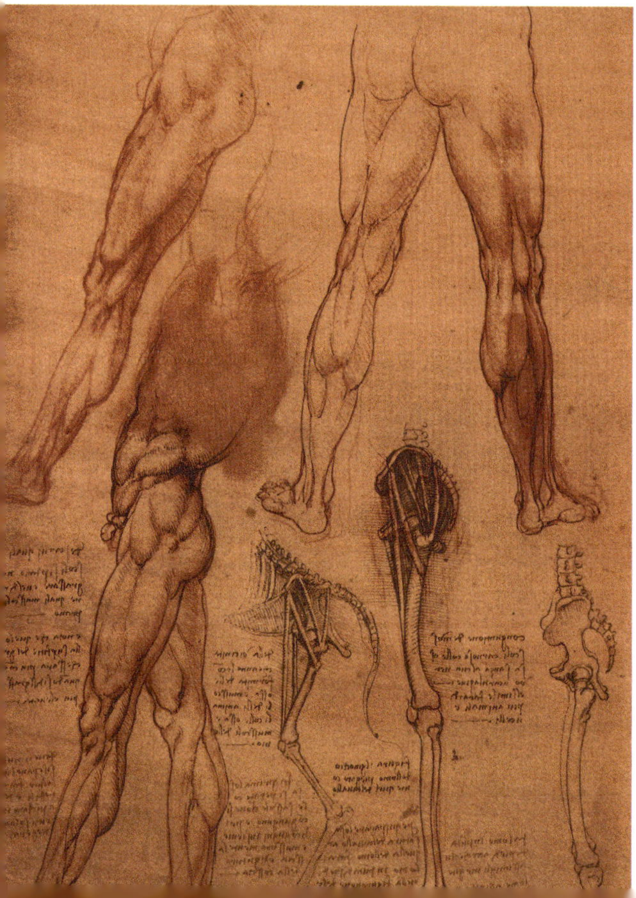

然而他所献身的工作同时又是令人厌恶的，他对他想象出来的一个想尝试解剖工作的学生说：“如果你爱上了这工作，也许会被反胃的感觉破坏这一热爱，如果你不因此而改弦易辙的话，你也会害怕守着被开膛破肚的恐怖尸体过夜。”他解释说，尸体保存的时间不久，来不及细细检查和描画它们。要“发现它们之间的不同”，常常需要几具尸体。他做计划时已预见到血淋淋的肉、内脏、体内的肌肉，至少要做三次解剖才能“了解血管和动脉，因为需要毁掉其余的器官；三次为了膜，三次为了腱、肌肉和韧带，三次为了骨和软骨，三次为了解剖骨头，他必须锯着看哪些是凹下去的，哪些不是，哪些里面有骨髓，哪些是海绵质的”等等。他说，“为了了解怀有大秘密的女人，即有子宫和胎儿的女人”，也要做三次解剖。最后要从三个不同角

（右上图）**人体心脏与血管研究以及建筑习作**，约1506—1508年，温莎城堡皇家图书馆手稿，12592r。
（左图）**运动员的大腿与马的骨骼对比习作**，约1506年，温莎城堡皇家图书馆手稿，12625r。
（右页）**在佛罗伦萨新圣母玛利亚医院死去的老人的解剖手绘图（习作）**，约1506年，温莎城堡皇家图书馆手稿，19027v。

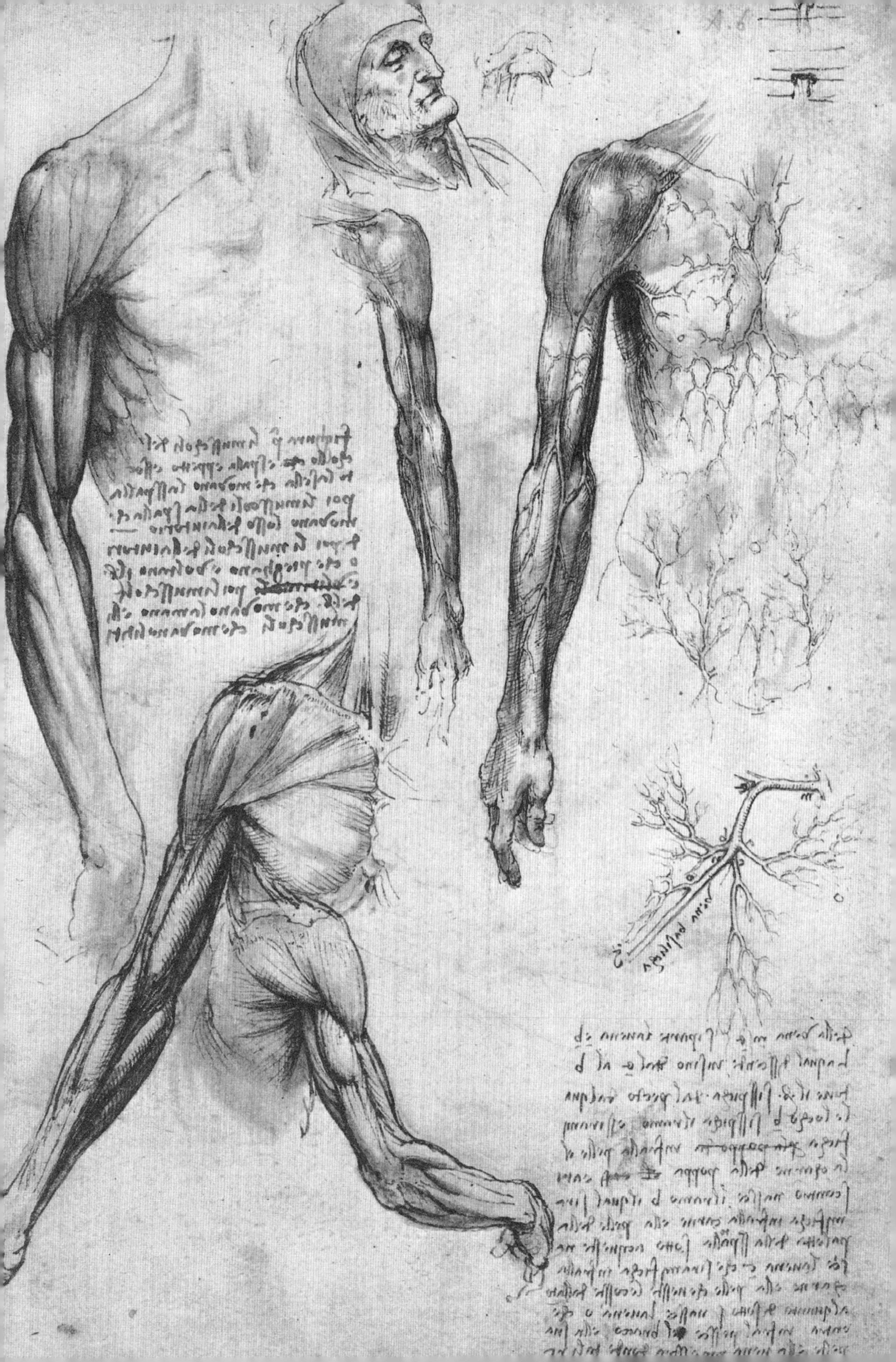

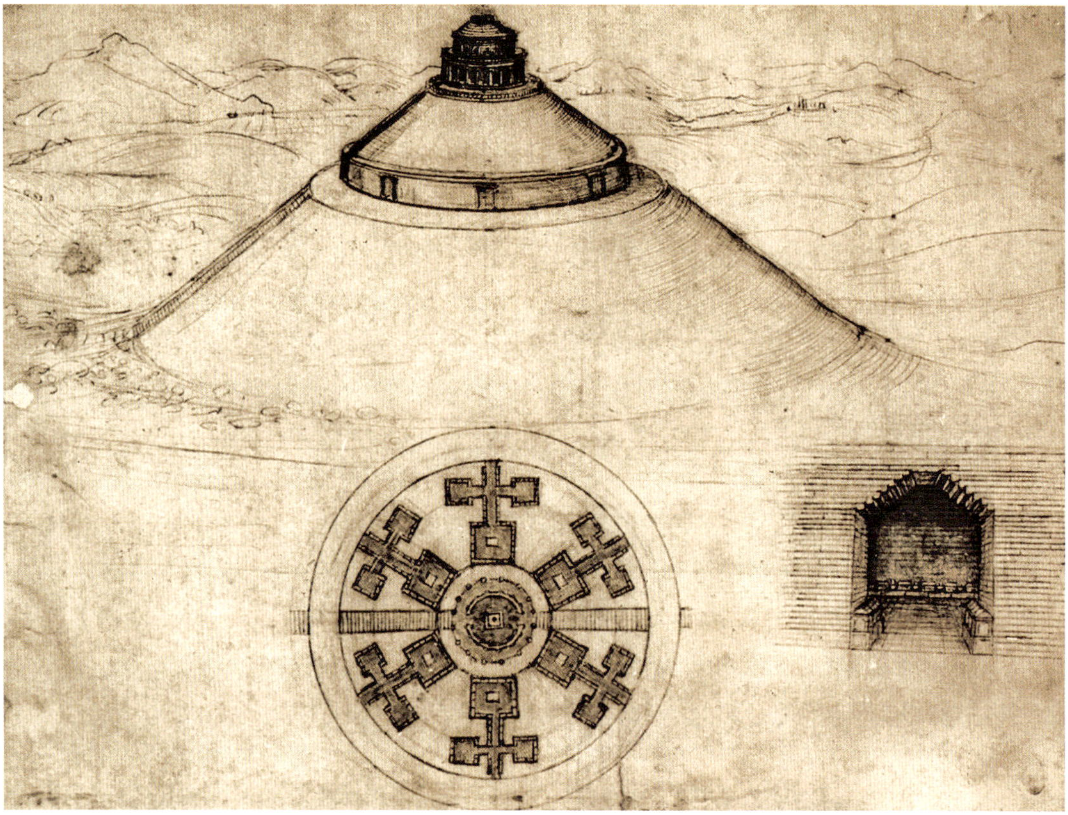

（从上至下依次为）**伊特鲁里亚人的坟墓**，约1507年，巴黎卢浮宫。
塞壬海妖与爱人，埃特鲁斯石柱，约1481年，里昂博纳艺术馆。

度画出解剖的器官——“就如你把它们放在手里，把它们翻过来翻过去地检查”。

他依稀窥见了血液流动的规则，以及生殖泌尿系统的功能。而胚胎的发展是他最想钻研的领域：它们是生命的钥匙，破解所谓“大秘密”的钥匙。在画着肌肉和肌腱的笔记本的纸上，他写道：“1510年冬天，我希望结束这次解剖。”后来，在他的人力、物力尚可支持的情况下他花了好几年时间继续这有关灵魂、与生命有关的冲动以及生命起源的研究，还有关于水力、土地的整治。他希望找到什么？他最后的解剖观察是关于呼吸系统和发声器官。我们感觉到他逐渐不安于计划的迟缓进展，对自己期待也有点失望。他说：“我要停止我的研究了，不是因为我吝啬也不是我疏忽，而是因为时间问题。永别了！”他叹息：“我浪费了我的时间。”他简单地画了互相碰倒的骨牌，并作了注解：“它们互相驱逐，这些方块象征着生命和对人的研究。”

这个时候，达·芬奇先前没能铸成功的巨马的黏土模型，大概已经因为法国人的入侵，被无可救药地毁坏了。1501年9月，费拉拉的公爵试图从法国人手中买下它，将其改造为一座纪念埃斯特家族荣光的雕像。他将这个意图传达给自己在米兰的代理人，12月份，米兰公爵的答复是，他们倒是很乐意这么做，只不过他们没有权力这么做，要把黏土模型送到费拉拉，必须得到法国国王的同意，而国王此时人在布洛瓦。而根据瓦萨里的描述，事实上，这尊巨型的黏土模型在法国人进入

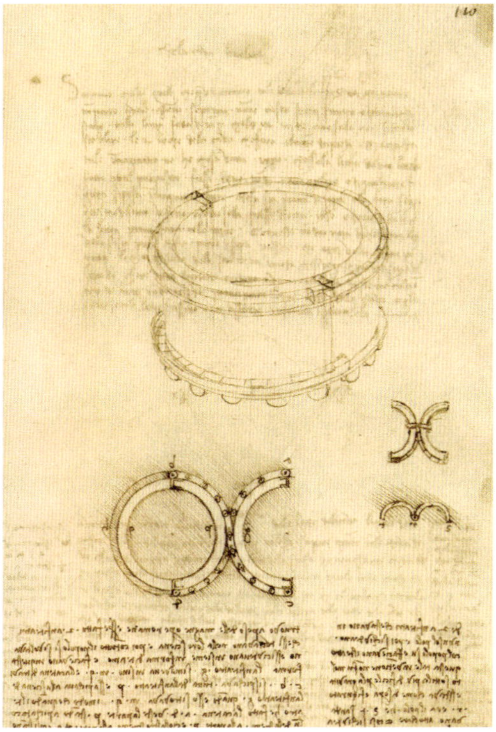

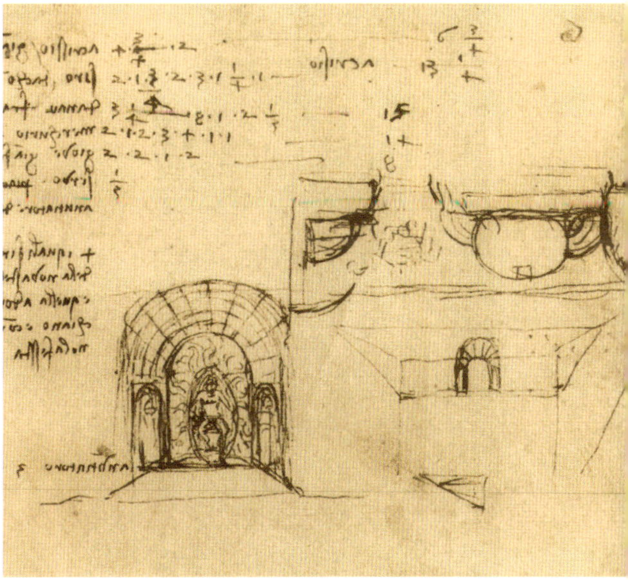

（从上至下依次为）**古里奥（Curio）剧院的习作**，约1495年，马德里手稿I，f.110r。
巴尔达萨雷·塔克内的居所，简笔素描，约1496年，纽约大都会博物馆。

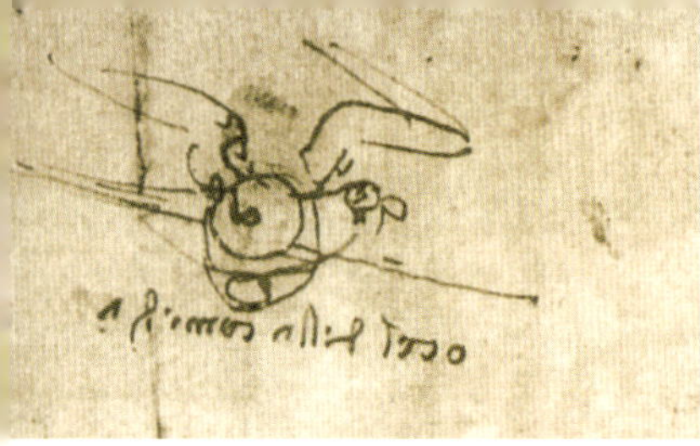

米兰的时候就已经被摧毁了。

1507年或1508年，路易十二的一员大将元帅让·雅克·特里维尔斯(Trivulzio)非常欣赏被摧毁前的泥马雕像，他请求达·芬奇为自己在圣纳佐罗教堂的一座坟墓做一尊骑马武士的雕像。于是，达·芬奇又开始着手研究各种姿势的马的形象——直立起来的、把一个敌人踩在脚下的、小跑的、迈步的……和他以前那匹斯福尔扎巨马的草图不同，这一次的草图画了戴着盔甲的骑士，或年轻的裸体，挥舞着指挥棒(这骑士肯定不是特里维尔斯，他本人又丑又矮壮，而应该是将领的理想形象)。达·芬奇同样画了好几张雕像的高底座的设计图(第279页)，形状像凯旋门或古代庙宇，包括棺材和旁边的用锁链锁着的女奴们，基本上和米开朗基罗为尤里乌斯二世设计的陵寝一样。

在研究数学和解剖学之余，他帮助乔万尼·弗朗切斯科·鲁斯蒂奇塑造《向利未人和法利赛教士布道的施洗者圣约翰》的塑像(第280页)。它是佛罗伦萨商人行会向鲁斯蒂奇订的用于洗礼堂的一组大型塑像。瓦萨里说，每当鲁斯蒂奇塑此像时，他不容许任何人呆在他旁边，除了达·芬奇。施洗者圣约翰手指天空，那动作是达·芬奇的作品中人物特有的姿势，然而表现的却是带有鲁斯蒂奇风格的粗鲁。而四周崇敬他的人群，其形象完全超出了鲁斯蒂奇过去雕塑的水平。三尊青铜雕像一直俯瞰着洗礼小教堂的北门，其中一座叫人联想起《三博士来朝》中的沉思的老头，这些作品是唯一还存在的基本可以肯定出自达·芬奇之手的雕像。

法国人很不耐烦地看着他们的画家兼工程师滞留在佛罗伦萨，尽管达·芬奇重回米兰的时间并不长，但他已经成了他们不可缺少的人。在官司尚未了结的那一年里，他大概在托斯卡纳和伦巴第之间走了两个来回。1508年头几个月，他写信给他的保护人，告诉他们自己的私事终于快有个了结了，他打算在复活节前回米兰，并带两幅他画的尺寸不一的圣母像回去，一幅赠给国王，另一幅赠给大家认为该赠的人。

判决书终于下来了，修院院长驳回皮耶罗小儿子的诉讼，宣布叔叔弗朗切斯科的遗嘱有效，这无疑是一个能让达·芬奇满意的判决结果。达·芬奇在判决后不久，重回米兰，那大概是在1508年夏天。后来他还回了几趟佛罗伦萨——在1509年、1511年、1514年、1515年、1516年——但逗留的时间不长。

（左上图）**喜剧的简笔**，约1507年，大西洋古抄本手稿，f. 629v。
（右下图）**开放的山谷**，习作，约1508年，阿伦代尔手稿，f. 231v。

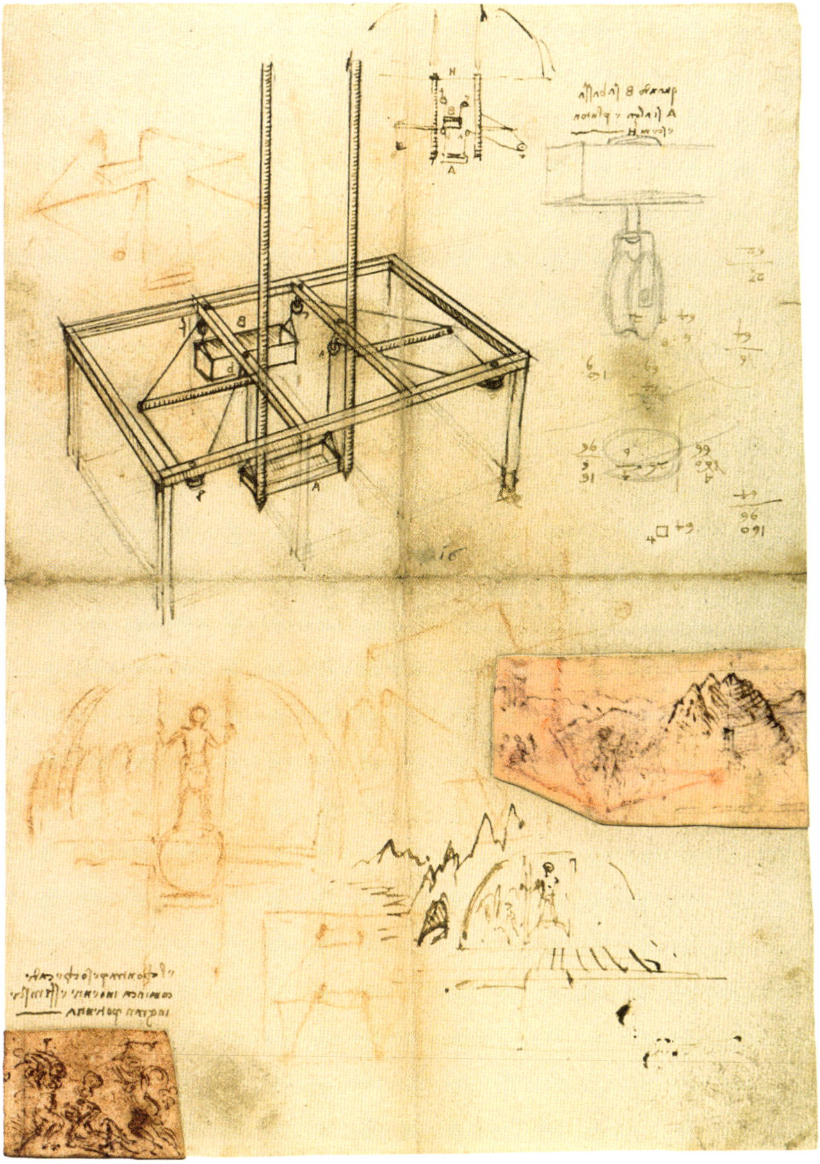

开放的山谷，达·芬奇手稿，由卡洛·佩德雷蒂（Carlo Pedretti）发现，约1506—1508年。由达·芬奇理想博物馆首次展出。

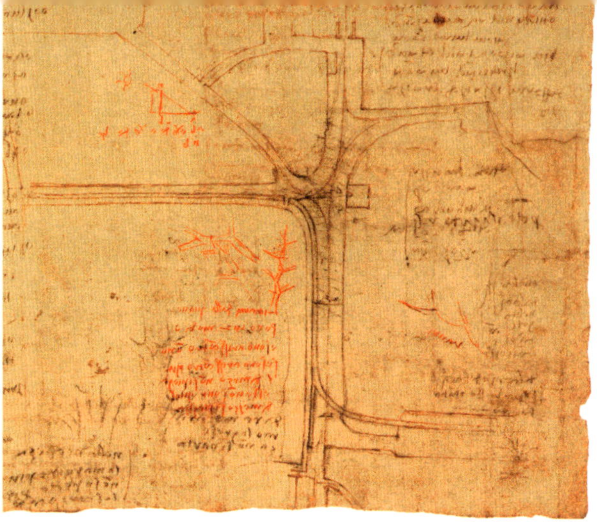

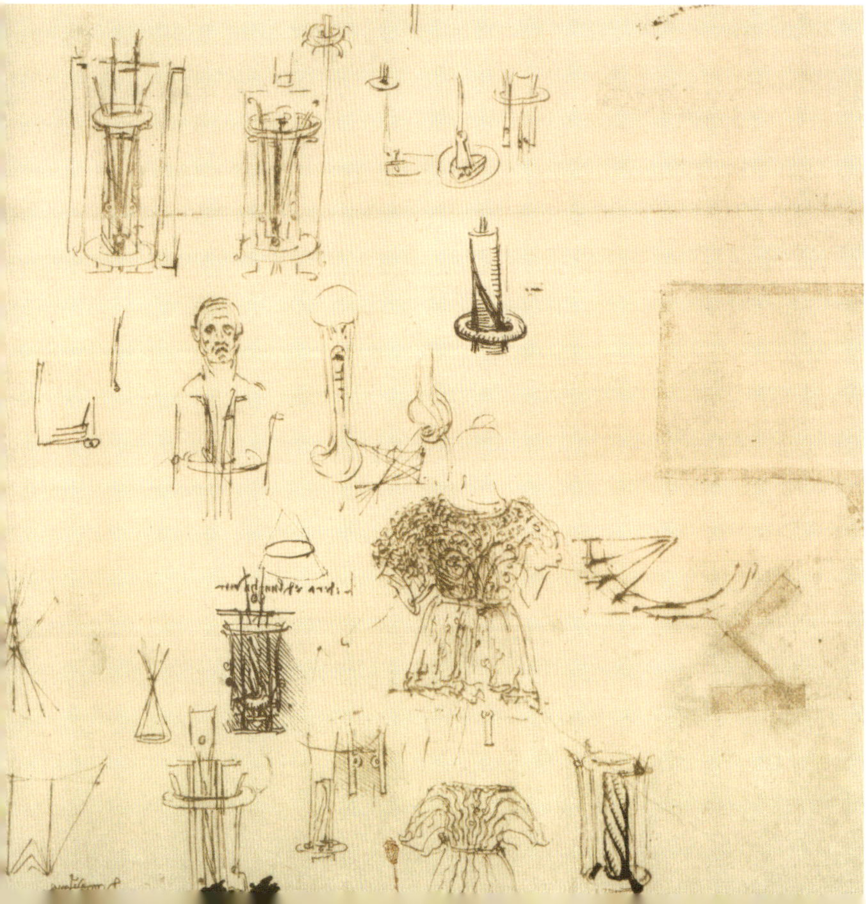

（从上至下顺时针方向依次为）**自动报时的水利装置**，约1510年，温莎城堡皇家图书馆手稿，12716，局部。
昂布瓦斯堡内花园，习作，约1506—1508年，大西洋古抄本手稿，f.831v，局部。
穿衣服有头部的机器人，习作，约1510年，温莎城堡皇家图书馆手稿，12282v，局部。

（从上至下顺时针方向依次为）十六世纪佚名工匠作品，**盔甲**，局部，图案来自达·芬奇所设计铜像的习作，上有文字“生命美好的逝去将荣耀生命本身”，佛罗伦萨，斯蒂伯特博物馆。

骑士，仿作，由达·芬奇理想博物馆根据藏于布达佩斯国家博物馆的同名铜像复制，原作被认为是达·芬奇的作品，但可能不是达·芬奇本人亲自雕刻并铸造的。

特里韦尔斯纪念碑，习作，约1506—1510年，温莎城堡皇家图书馆手稿，12583-A。

特里韦尔斯纪念碑，习作，约1506—1510年，温莎城堡皇家图书馆手稿，12355，局部。

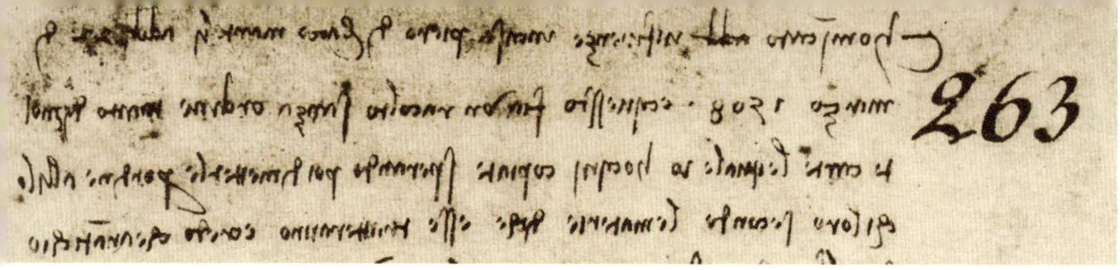

（左上图）**阿伦代尔手稿开篇**，f.1r，局部。
（下图）鲁斯蒂奇（Giovan Francesco Rustici）与达·芬奇合作，**居中为圣施洗约翰**，佛罗伦萨施洗堂（佛罗伦萨北城门，朝向马尔特里宫）。
（右页）**伦巴第一带的湖**，约1510—1513年，大西洋古抄本手稿，f.740r。

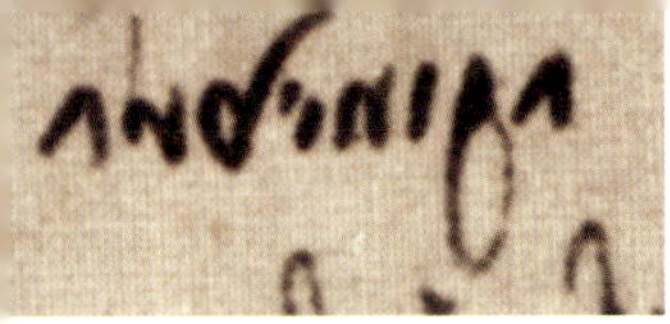

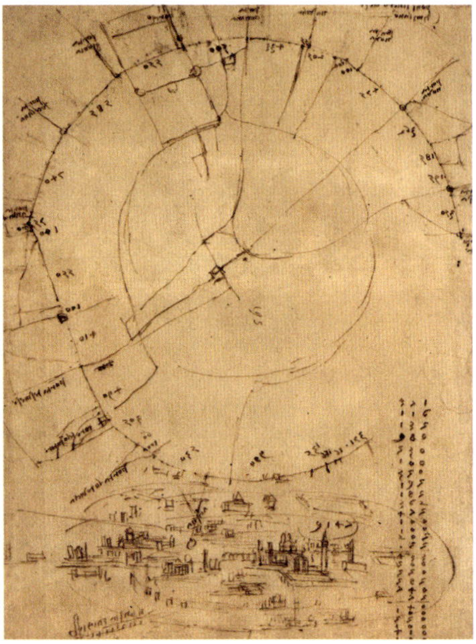

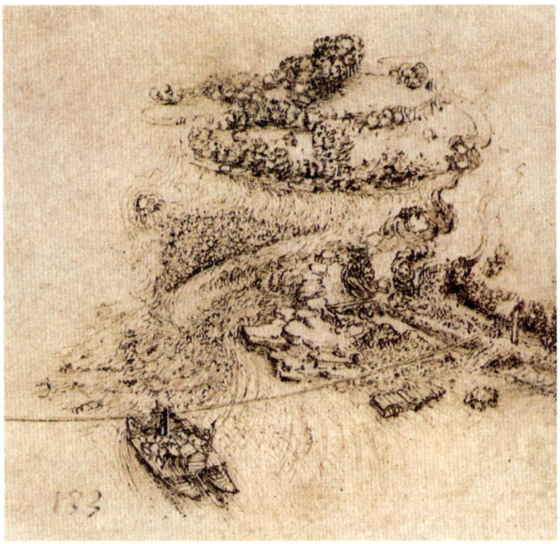

（从上至下顺时针依次为）**在日内瓦**，大西洋古抄本手稿，237v，文字放大。
米兰鸟瞰，约1508年，大西洋古抄本手稿，f. 199v。
阿达（Adda）的全貌，约1512年，温莎城堡皇家图书馆手稿，12399，局部。
瓦普里奥和卡诺尼加的渡口，约1512年，温莎城堡皇家图书馆手稿，12400，局部。

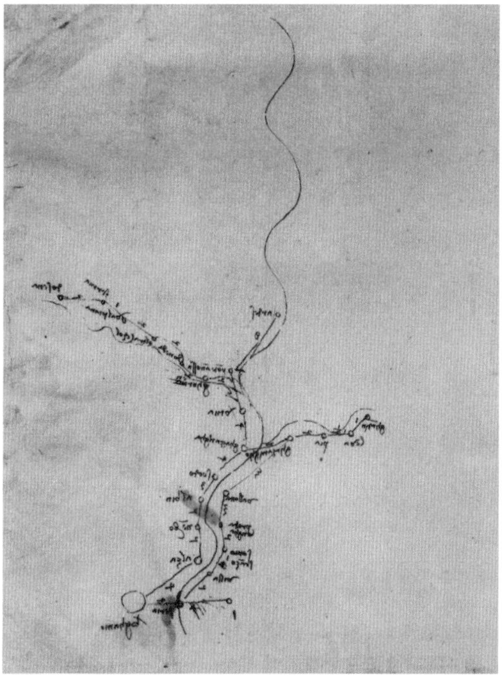

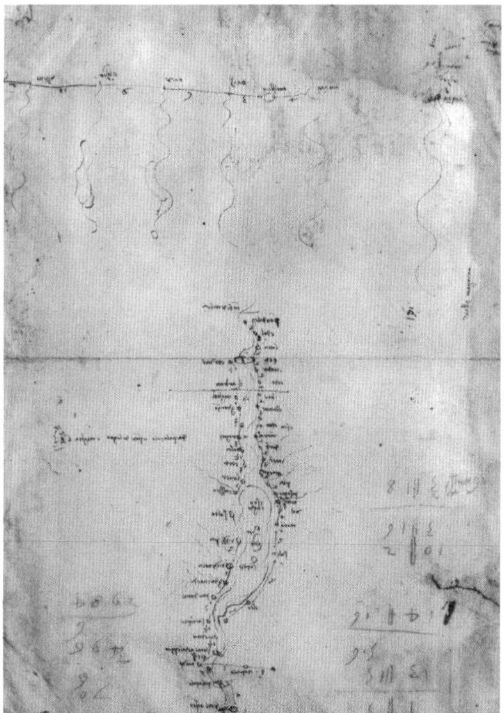

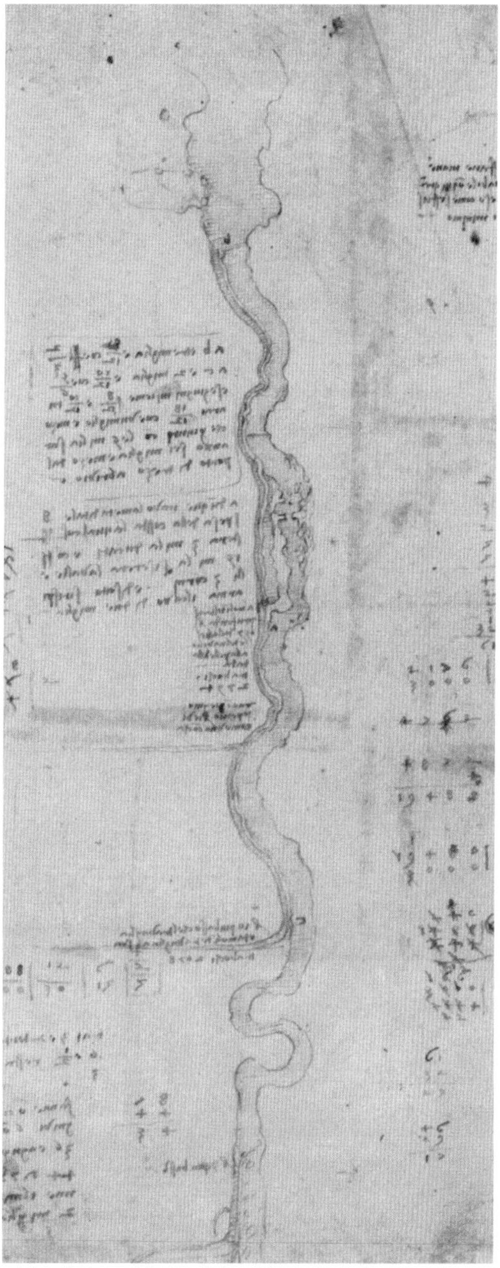

达·芬奇手稿中关于伦巴底沿岸的回忆（左上图：**温莎城堡皇家图书馆手稿**，12674v；左下图：**温莎城堡皇家图书馆手稿**，12674r；右图：**大西洋古抄本手稿**，f.911r）。

（下页）**温莎城堡皇家图书馆手稿**，12673r。

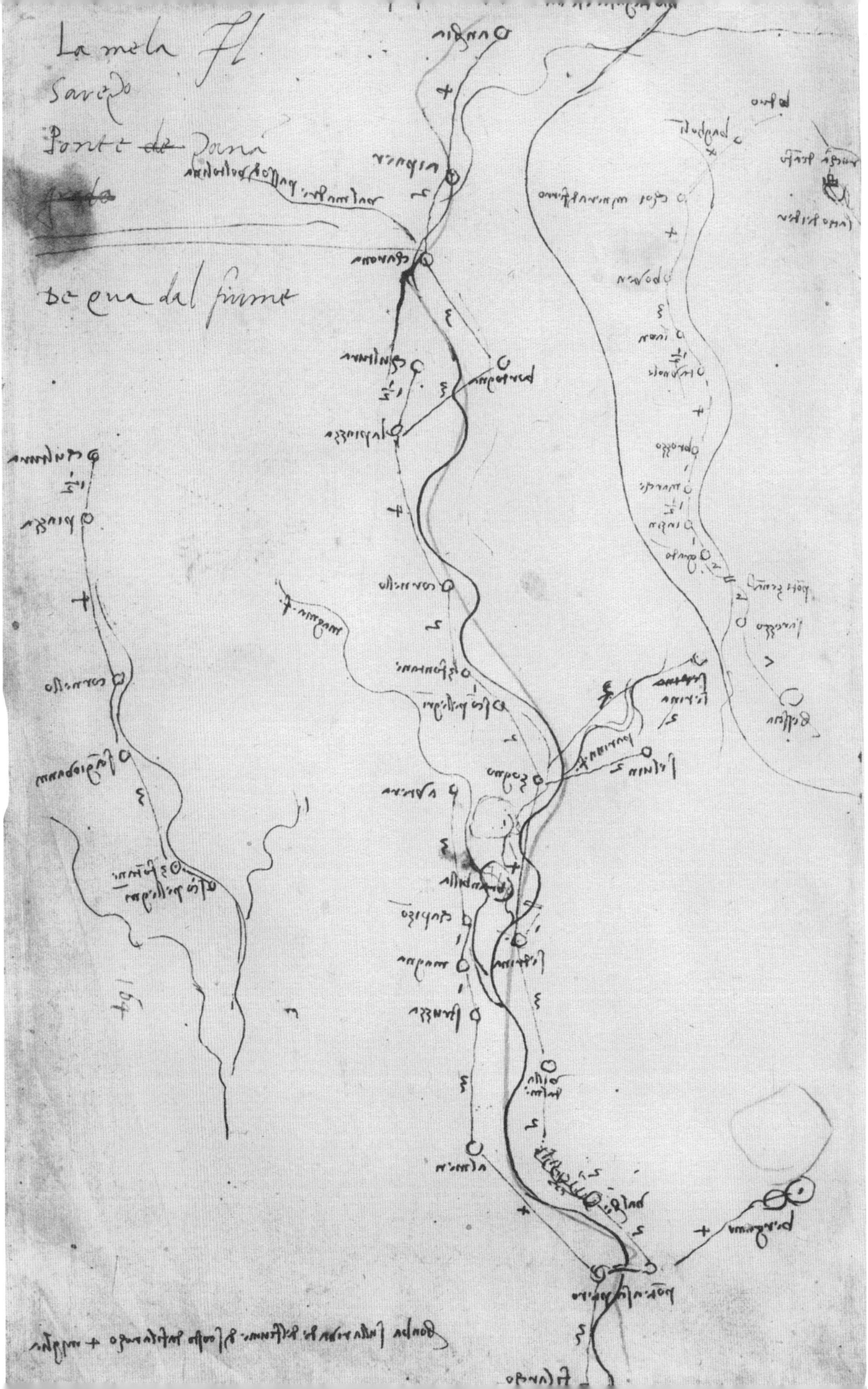
La mela
Ponte
De qua dal fiume

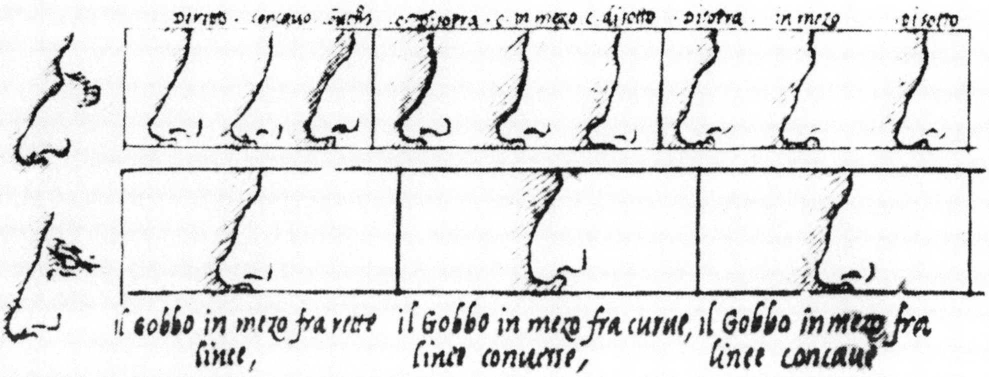

（上图）弗朗切斯科·梅尔兹（Francesco Melzi），《论绘画》中所列举的各种类型的鼻子。

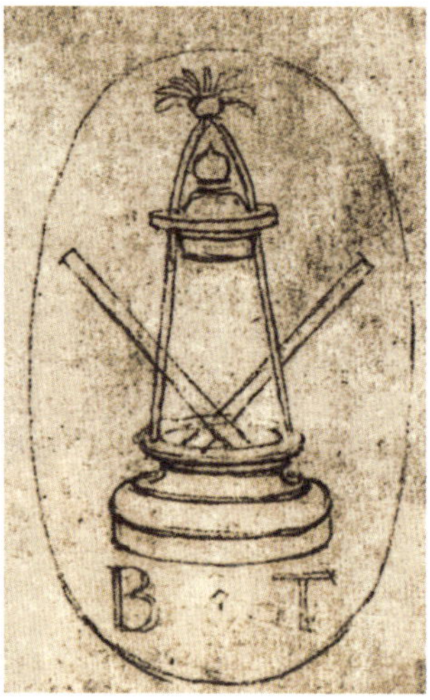

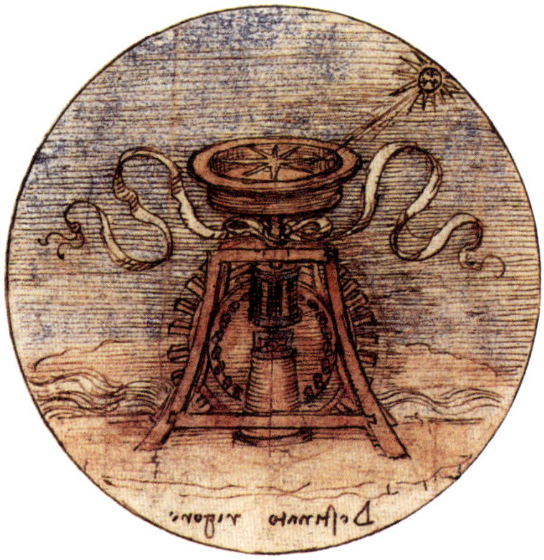

（左上图）**便携式墨水瓶**，约1508年，大西洋古抄本手稿，f.833r，局部。
（右上图）**凤凰**，约1509年，大西洋古抄本手稿，f.593v，局部。

（左下图）达·芬奇画室作品，**头戴花环的少女**，木刻版画。
（右下图）**命定的精确**（Destinato Rigore），约1510年，温莎城堡皇家图书馆手稿，12710，局部。

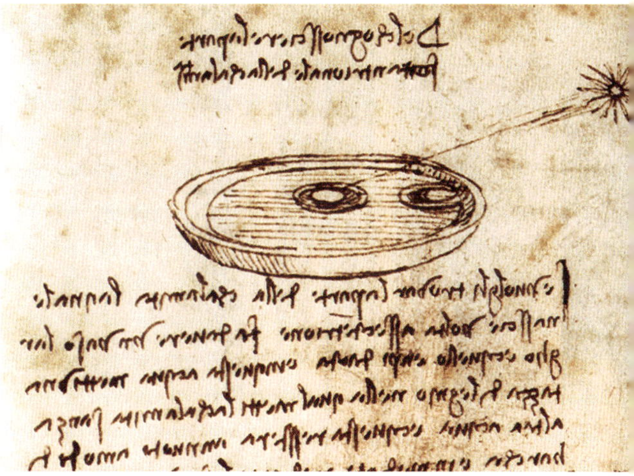

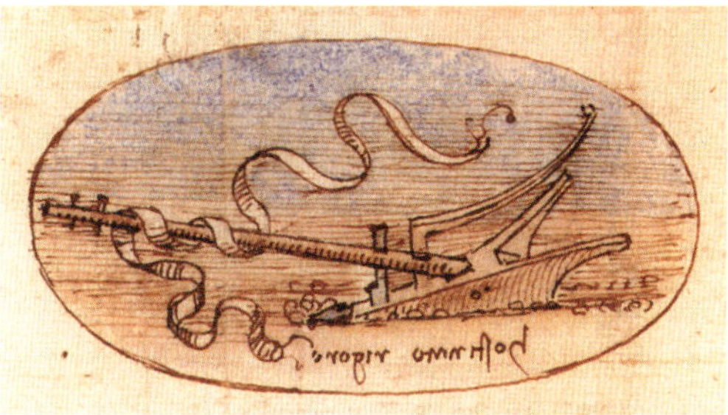

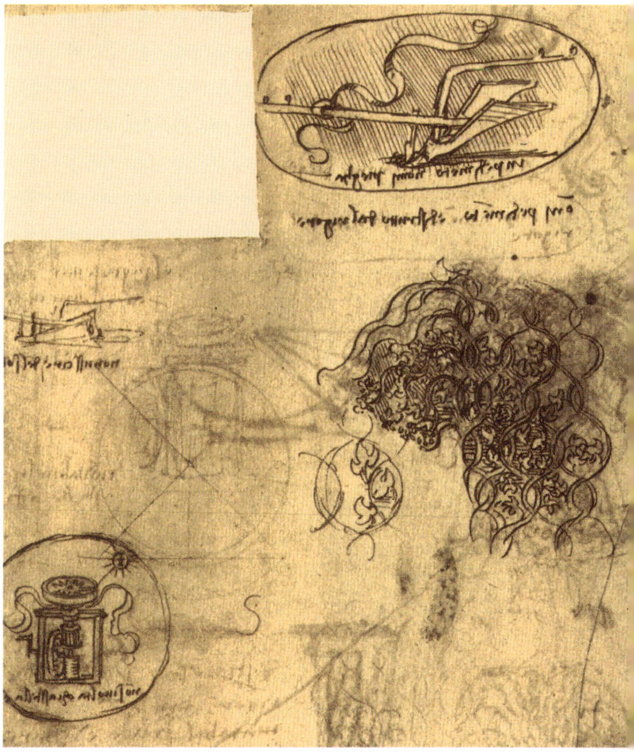

（从上至下顺时针依次为）阿尔布雷特·丢勒（Albrecht Dürer）版画，根据达·芬奇原作创作的**达·芬奇学院结**，约1505—1507年，芬奇，达·芬奇理想博物馆。

磁铁磁力的研究（由于磁铁的吸引力，其北极始终指向星星），约1513年，Ms手稿，编号f.2v，局部。

精确的譬喻（Hostinato Rigore），约1510年，温莎城堡皇家图书馆手稿，12701，局部。

关于精密与结点的素描，约1510年，温莎城堡皇家图书馆手稿，12282r。

关于航行或“好的政府”的譬喻，汤姆金斯（P.W.Tomkins）版画作品，1811年，根据达·芬奇温莎城堡皇家图书馆手稿12496中原图创作，约1513年，芬奇，达·芬奇理想博物馆。

（左上图）**达·芬奇手稿的手迹**，3个源于希腊语的单词（电、闪、雷），该手稿中画有《圣母领报》中的天使。
（下图）**抹大拉的玛利亚**，习作，约1508年，伦敦陶德艺术学院。

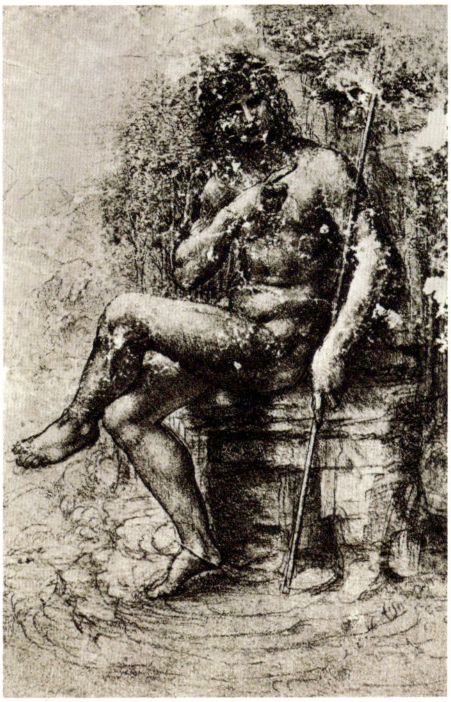

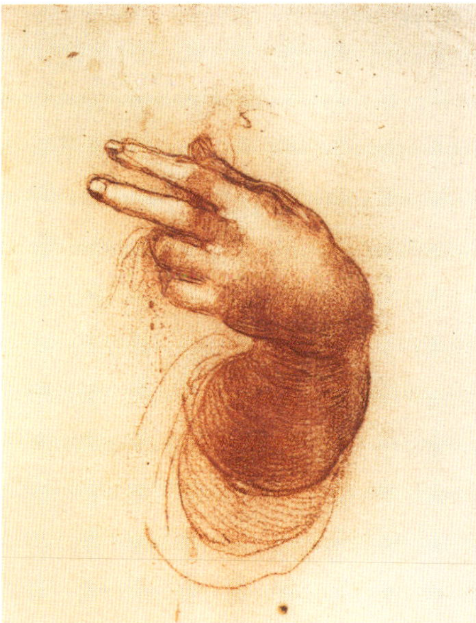

（左上图）**《圣母领报》中的天使**，被认为是达·芬奇和其学生的作品，约1514—1515年，私人收藏。
（右上图）**荒野中的圣约翰**，20世纪70年代在圣瓦莱塞山博物馆被盗。

（左下图）**《圣母领报》中的天使的手部**，习作，被认为是达·芬奇或与其学生切萨雷·达·塞斯托（Cesare da Sesto）合作的作品，约1508年，威尼斯学院美术馆。
（右下图）**《圣母领报》中的天使**，G.Gozzini版画作品，根据达·芬奇的一幅佚作创作，19世纪，芬奇，达·芬奇理想博物馆。

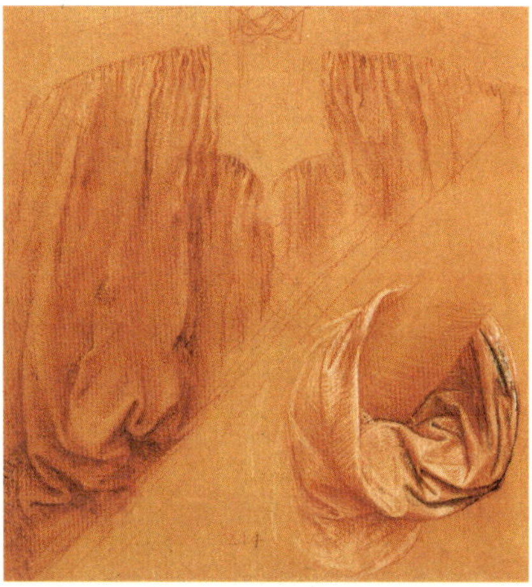

（从上至下顺时针方向依次为）**《救世主》中衣袖的习作**，约1510—1513年，温莎城堡皇家图书馆手稿，12524.
达·芬奇画室作品，**救世主**，马德里手稿，拉扎罗·卡尔迪亚诺（Lazzaro Galdiano）博物馆。
达·芬奇画室作品，或认为是莎莱的作品，**十二岁的少年耶稣**，芬奇，达·芬奇理想博物馆。
救世主，习作，约1510—1513年，温莎城堡皇家图书馆手稿，12525。

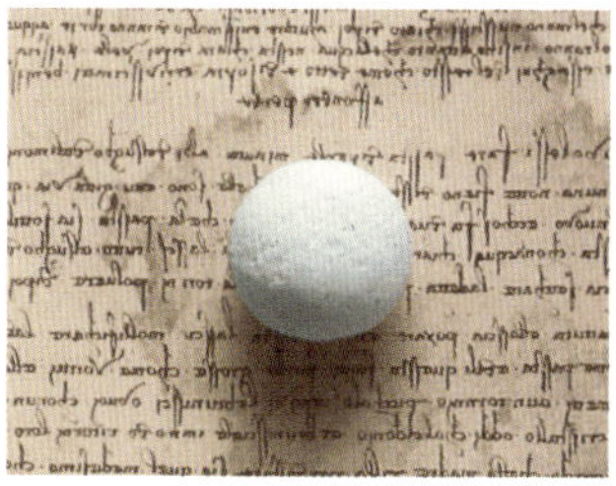

1510年10月21日星期一，米兰大教堂建造负责人请达·芬奇和其他几位杰出的工程师一起建造神职祷告席，尽管这是细木工的活儿，他也没有推脱。几个月之后，他对白石采石场感了兴趣，“这些石头硬得和斑岩一样”，他的朋友雕刻家贝内代托·布里奥斯科答应给他带一些样品来。他也没有放弃出售他的发明而发财的念头，例如他已考虑生产几件人造物品：他提到有一种处方制造毛糙的假琥珀(用猪血香肠衣在蛋白里煮)；另一种用于制作“大小随意”的珍珠的方法(把珍珠质溶解在柠檬汁里)，他谈到塑料材料可以通过熬煮蛋、胶和植物颜料获得，其中包括藏红花、丽春花粉和整朵百合花(这个秘方显然是不完整的，也许是出于保密的想法，在笔记中达·芬奇还是有所保留)，他简单地解释怎样捏成形、刮擦、抛光这些材料看上去像玛瑙、碧玉或其他硬宝石，他提供了一张单子说能制造以下物品：刀柄、棋子、盐瓶、蘸水笔的笔杆、盒子、古色古香的瓶子、项链、灯、烛台、带有镶嵌的首饰箱等。

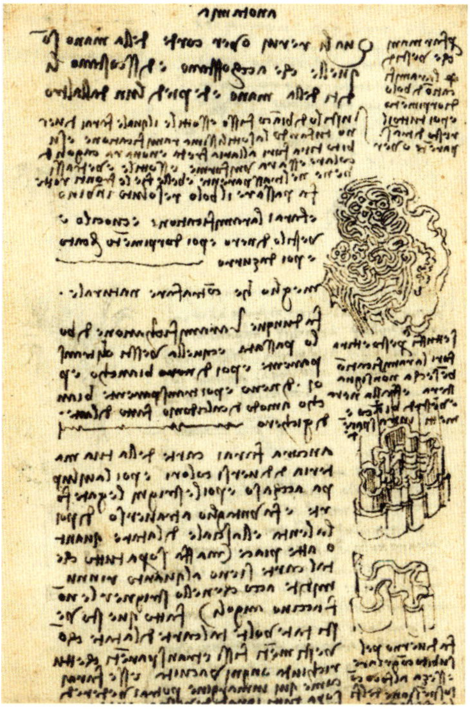

（从上至下顺时针方向）**达·芬奇的珍珠**，约1480年，大西洋古抄本手稿，f.304v，达·芬奇理想博物馆复制品。
画家的塑料材料，约1508年，Ms手稿F，95v，以及达芬奇理想博物馆的两处复制品（左下图“在牛犊的肚子里”与右下图“在纸上”）。

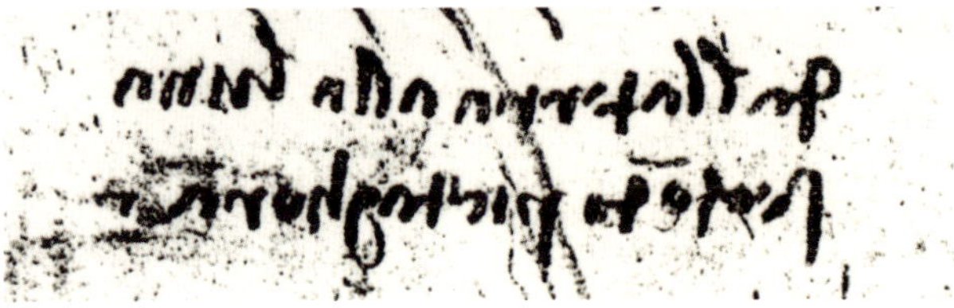

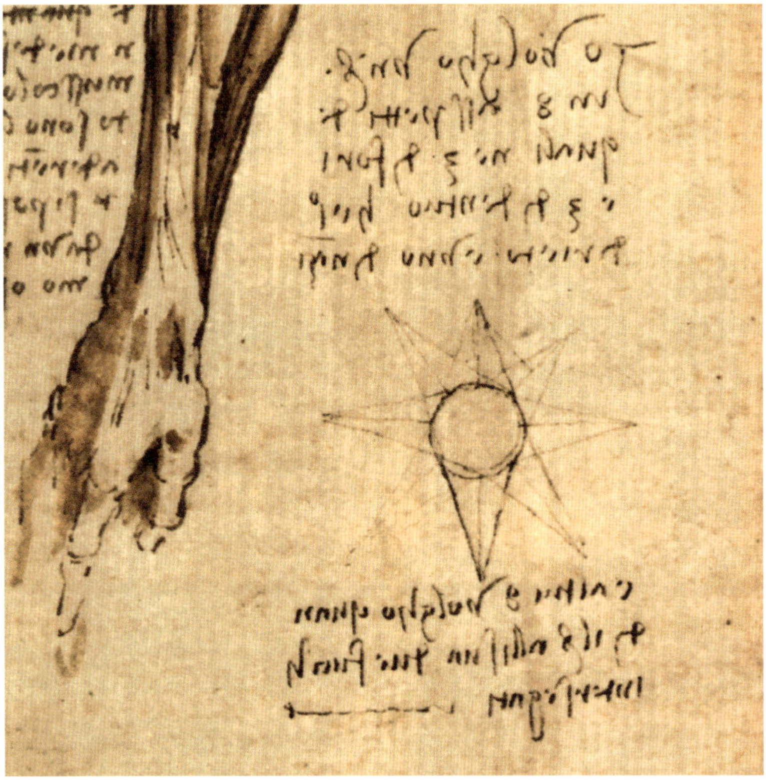

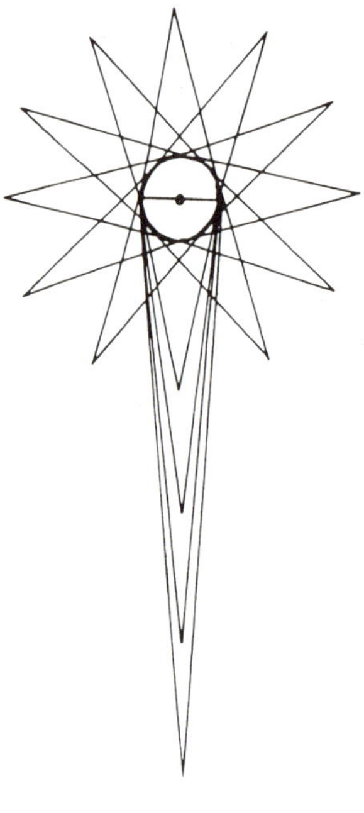

（左上图）**手稿字迹为“毕达哥拉斯眼中从地球到月球”**，约1510—1513年，大西洋古抄本手稿，f. 359r，局部。
（中图）**绘画的八个不同角度示意图**，约1508年，温莎城堡皇家图书馆手稿，19008v，局部。
（下图）**视觉金字塔**，约1510年，Ms手稿A1，f.6v，局部。

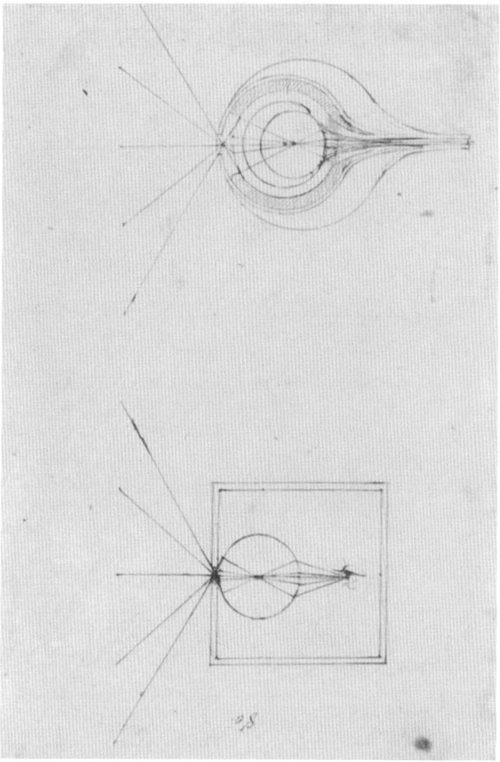

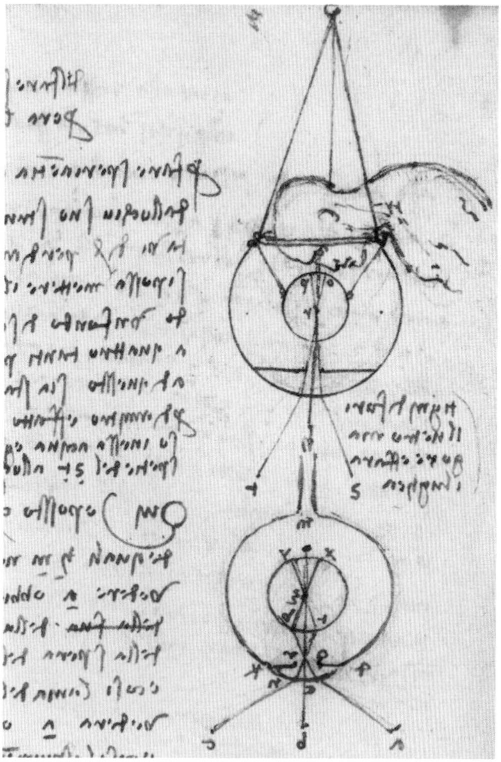

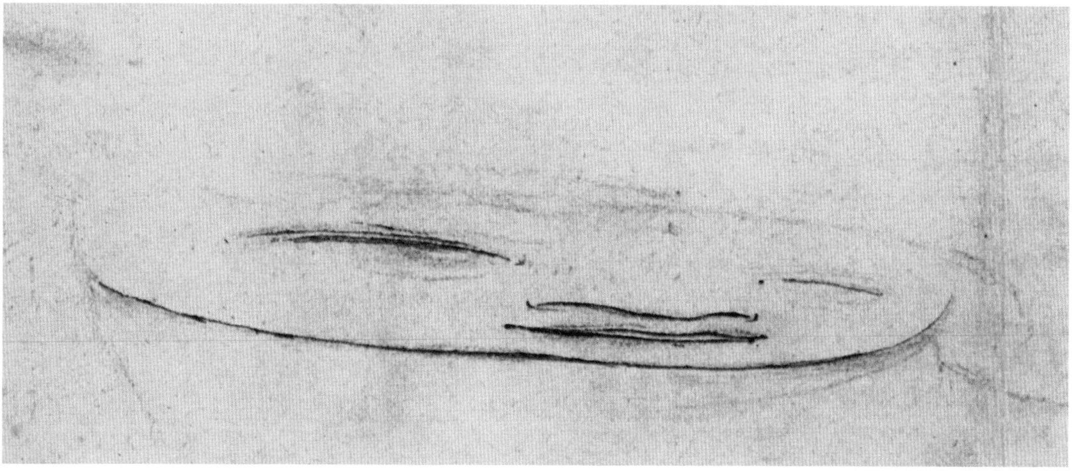

（左上图）**眼睛的习作**，大西洋古抄本手稿，f.921r，局部。
（右上图）**眼睛**，约1508年，Ms手稿D，f.3v，局部。
（下图）**男童面部失真的形象**，约1513年，大西洋古抄本手稿，f.98r，局部。

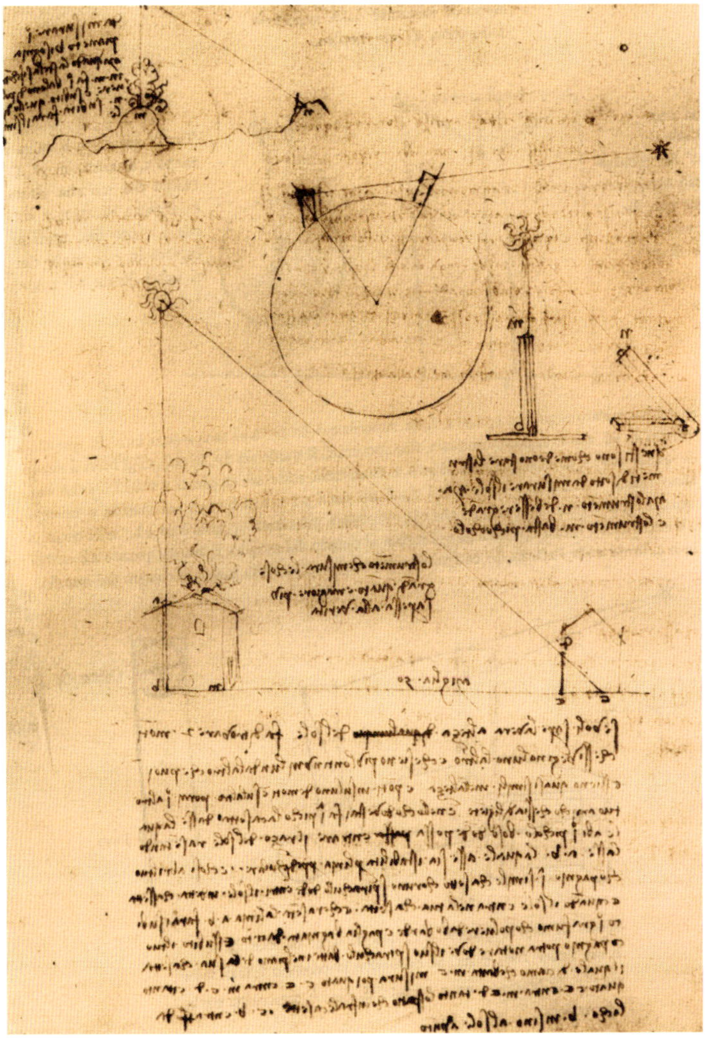

（左上图）**手稿字迹“为了看得更远”**，约1514年，大西洋古抄本，f.518r，局部。
（中图）**测量星星之间的距离**（以燃烧产生的烟为标记）**与了解太阳的实际高度的方法**，约1492年，Ms手稿A，f.21r。

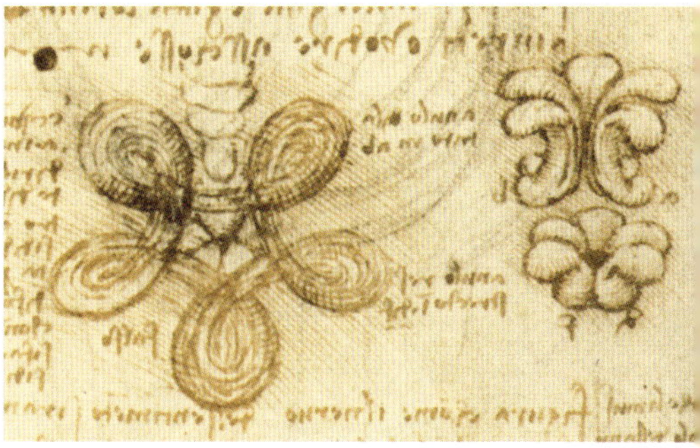

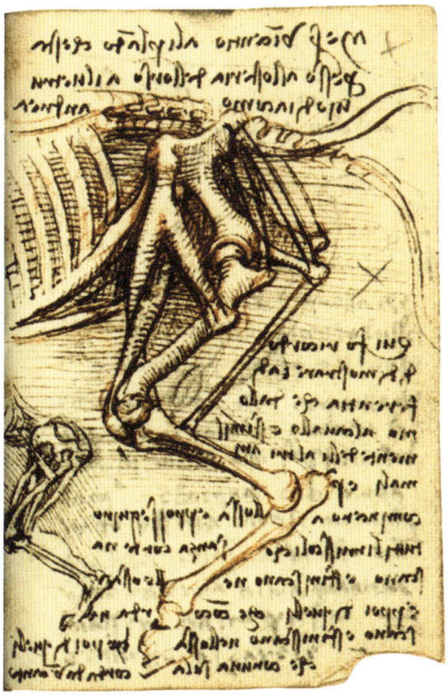

（从上至下依次为）**几何上对称的花的细节**，约1510年，温莎城堡皇家图书馆手稿，19095。
马与人的骨骼对比，约1508年，Ms手稿K，f.110r。
脑部、喉部与气管，约1510年，温莎城堡皇家图书馆手稿，12609，局部。

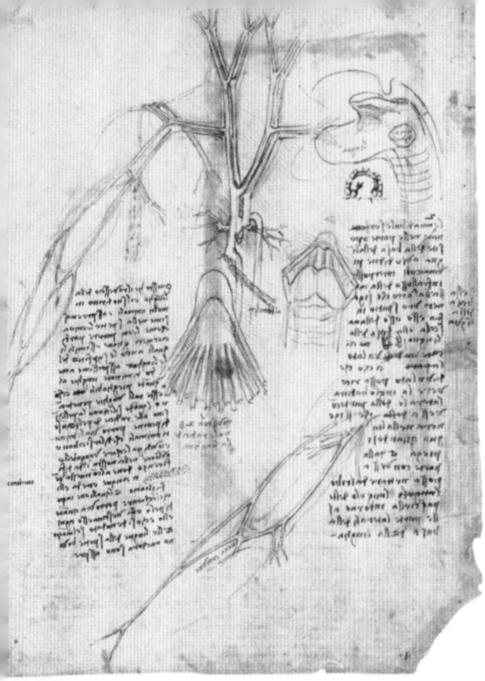

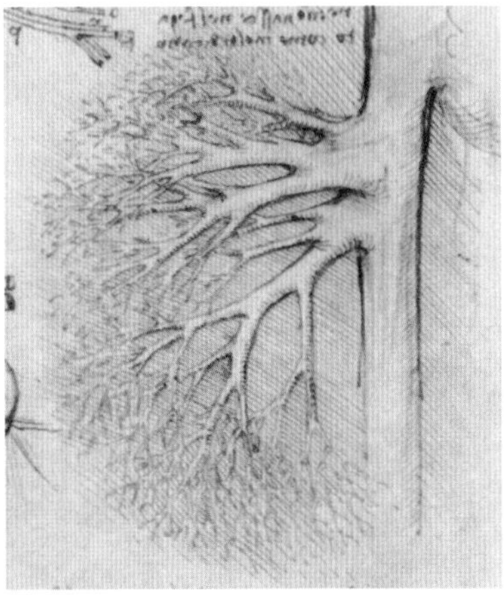

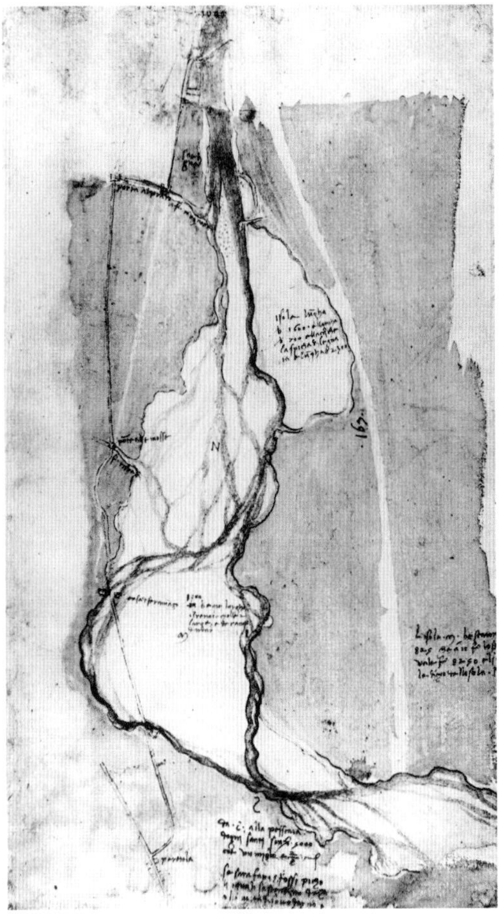

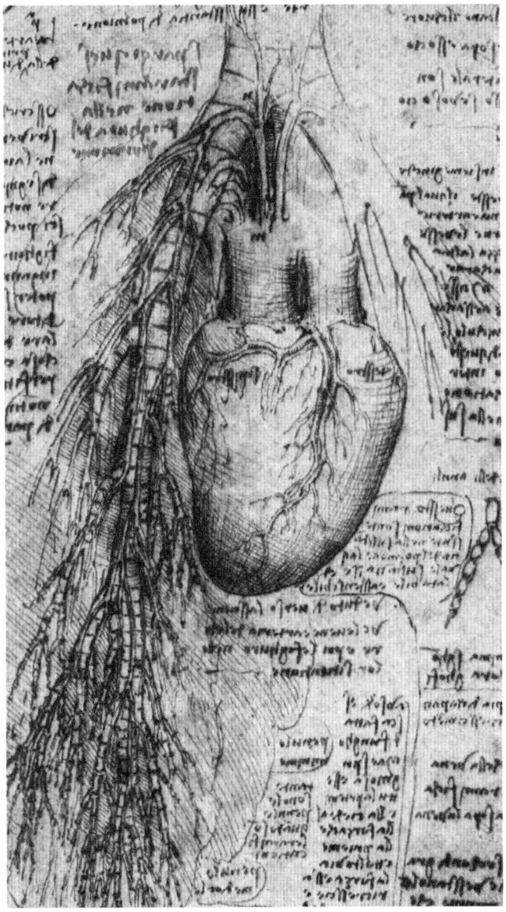

（左上图）**解剖习作“脾”“静脉”“舌头”“肌肉”“舌头的背面”**，约1506—1510年，温莎城堡皇家图书馆手稿，19114w。

（右上图）**肝部习作**，约1508—1510年，温莎城堡皇家图书馆手稿，19051，局部。

（左下图）**阿诺河与穆尼奥内河（Mugnone）河流经佛罗伦萨山谷的“解剖学”习作**，约1503年，温莎城堡皇家图书馆手稿，12678。

（右下图）**心脏与静脉的习作**，约1512年，温莎城堡皇家图书馆手稿，19701，局部。

鼠尾草的叶子，梅尔兹（Melzi）旁注，约1510年，大西洋古抄本手稿，f.197v。

（右上图）在温莎城堡皇家图书馆手稿中被毁坏的一份残页中的**普通耧斗菜花**，局部。
（左下图）达·芬奇画室，**《丽达与天鹅》**（Leda Spiridon）**中的普通耧斗菜花**。

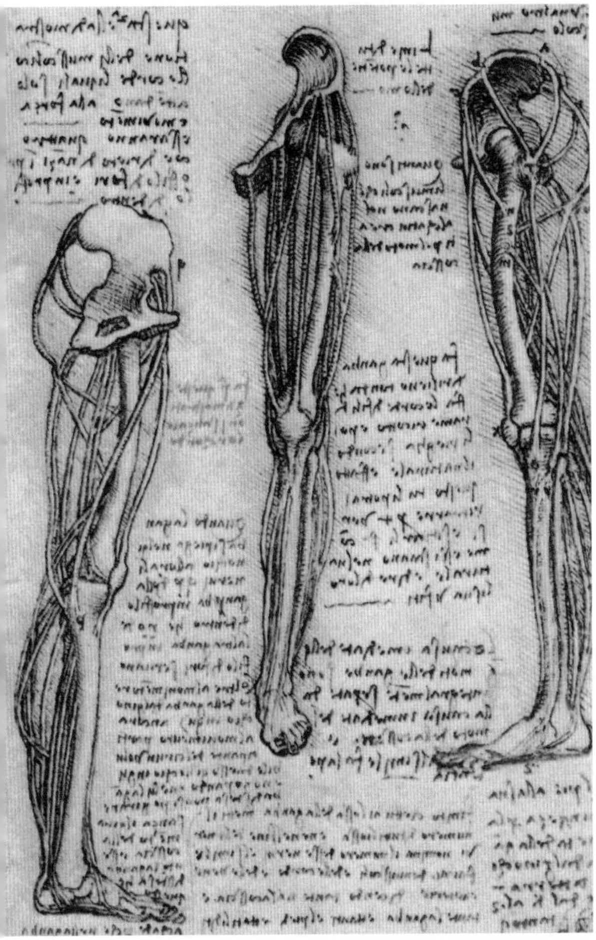

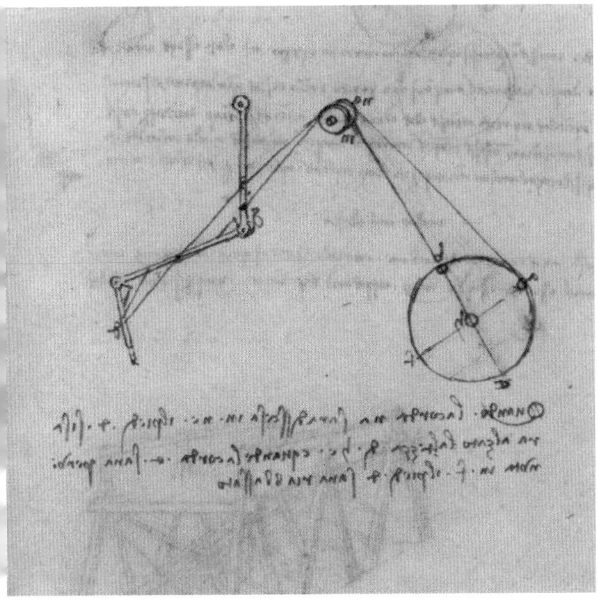

（左上图）**带有铜丝的机械臂的习作**，约1508—1510年，温莎城堡皇家图书馆手稿，12619r，局部。
（右上图）**火炉与气阀**，约1508年，阿伦代尔手稿，f.24r，局部。
（左下图）**机械臂的原理示意**（与大腿关节运动原理一致），约1495年，马德里手稿I，f. 90v。
（右下图）达·芬奇理想博物馆复制品，**机械狮子的习作**。

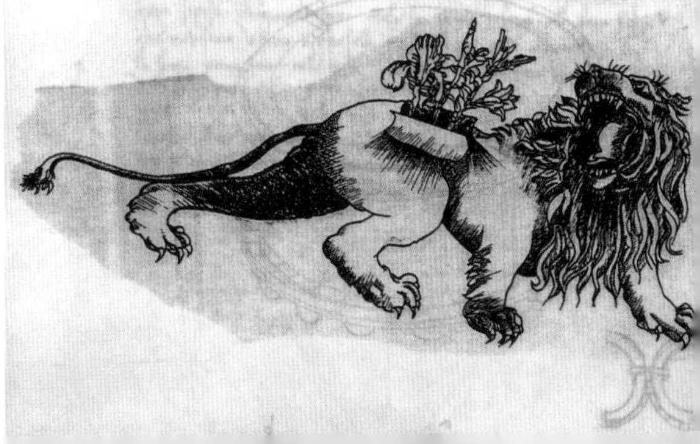

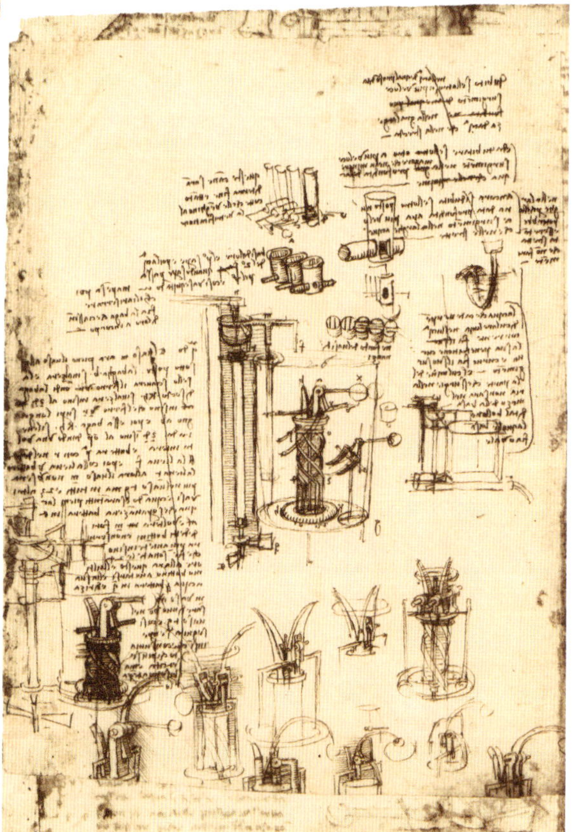

装有报时装置的水力钟，钟表内可能装有机器人，约1510年，这两份手稿分别来自大西洋古抄本，f.941r（左上图）和f. 943r（右下图）。

（从上至下依次为）**伦巴第地区的阿尔卑斯群山**，约1512年，温莎城堡皇家图书馆手稿，12410，局部。
1511年发生在德西奥（Desio）的火灾，温莎城堡皇家图书馆手稿，12416r。
风景与风中的帐篷，习作，约1513年，温莎城堡皇家图书馆手稿，12348，局部。

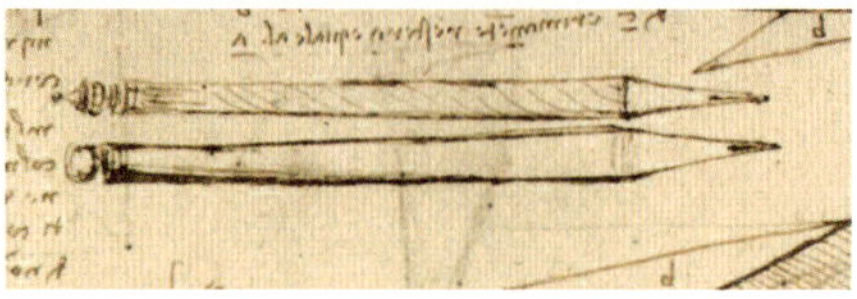

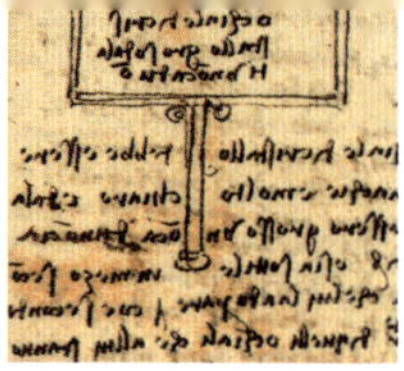

1513—1516：在罗马和佛罗伦萨

1510年，达·芬奇得知波提切利在佛罗伦萨过世，年轻的乔尔乔内(Giorgione)也在威尼斯去世；同年，昂布瓦斯主教被流行病夺去了性命；第二年3月10日，查尔斯·当布卢兹被教皇逐出教会，忧伤过度而亡。老朋友的死讯一个个传来，在笔记中，达·芬奇表示了自己对友人命运的担忧。

法国将在意大利挫败的征兆已经越来越明显了。在战事期间，达·芬奇一直小心翼翼地远离米兰。他退到了瓦普里奥，躲在他年轻朋友梅尔兹的父母家里，并在那儿度过了1513年的大部分时间。他也许帮忙加固过特列佐城堡，那儿一直看得见废墟。他在邻近的高山散步，他画了阿达山谷的连绵起伏的风景。因为不能无所事事地呆得太久，他需要为强大的稳定的保护人服务，达·芬奇整理了行李(添了好几幅画和几千张草稿)，前往罗马。在新的笔记本上，他简练地写道："9月24日，我从米兰动身前往罗马，同行的有弗朗切斯科·梅尔兹、萨莱、洛伦佐。"这一年，他已经六十一岁了，那张著名的自画像，大约就是这一期间留下的。

1513年是政治形势变化最为剧烈的年代。法国人彻底退出了伦巴第，教皇尤里乌斯二世在罗马去世，洛伦佐·美第奇的幼子被选为教皇，是为利奥十世——如此一来，美第奇家族掌管了教会的权力，并同时得到了西班牙的支持，这个20年前被贬的家族重回

（从上至下顺时针方向依次为）**梵蒂冈的观景楼的素描**，文字内容为健康的准则，约1515年，大西洋古抄本手稿，f.213v，局部。
作家的才华，约1506年，大西洋古抄本手稿，f.513b-v。
眼镜镜片的设计，约1508年，Ms手稿F，f.25r，局部。
竞技场与圣彼得大教堂的习作，约1516年，大西洋古抄本手稿，f.849v，局部。
（右页）**罗盘与一种用于绘画和放大的工具**，约1515年，大西洋古抄本手稿，f. 696r。

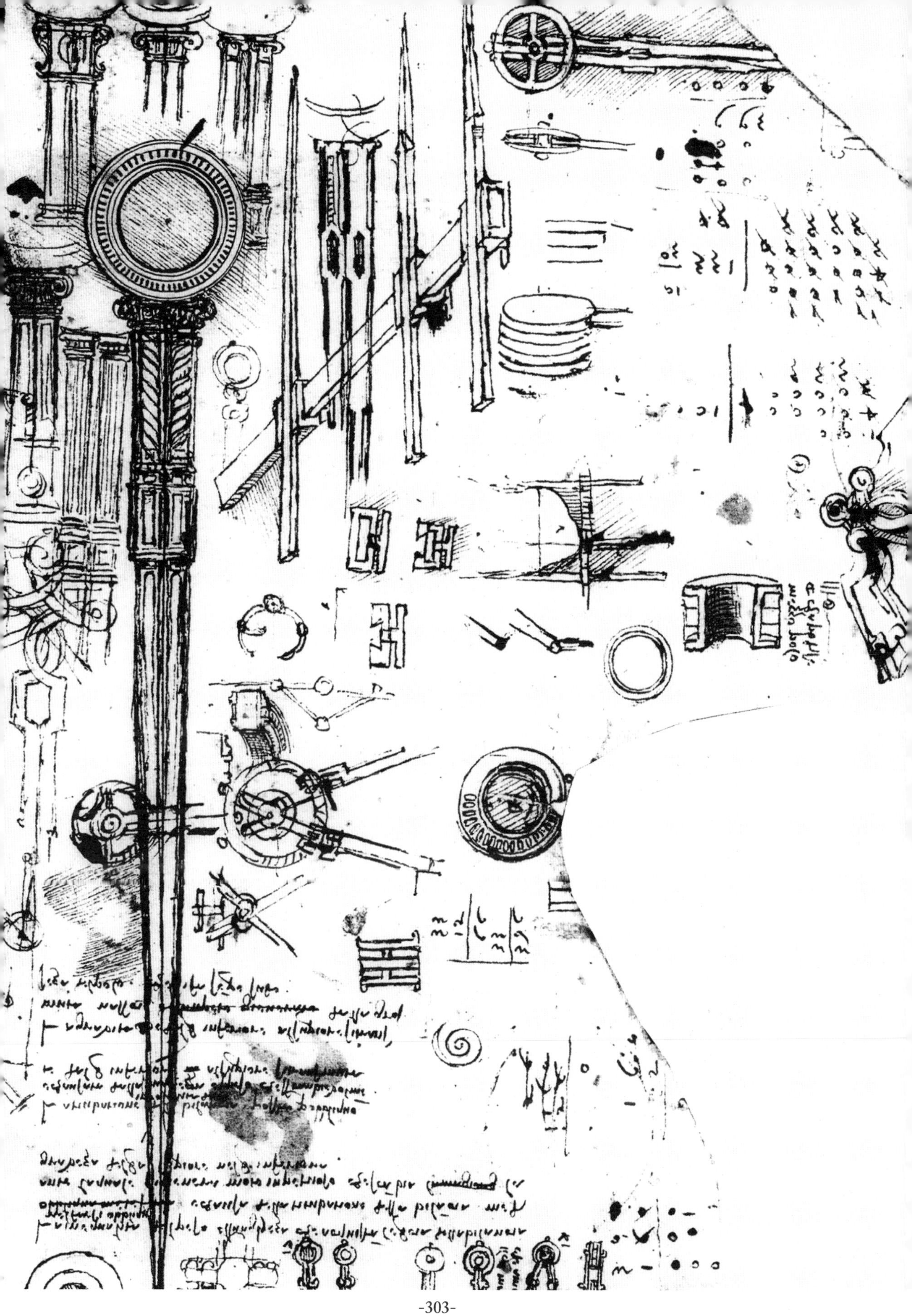

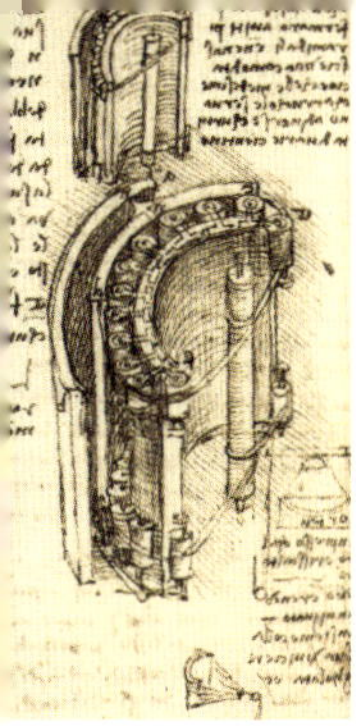

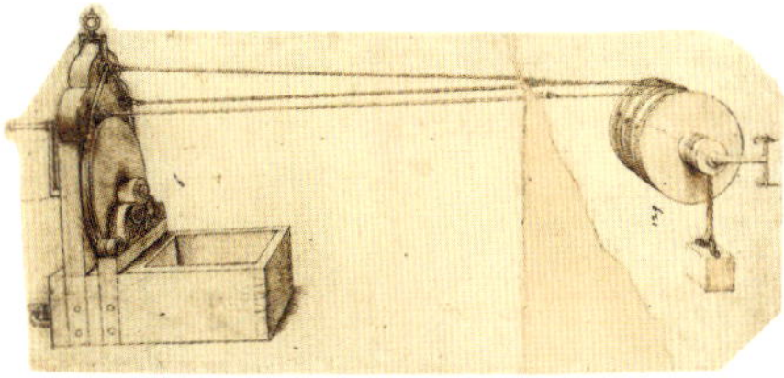

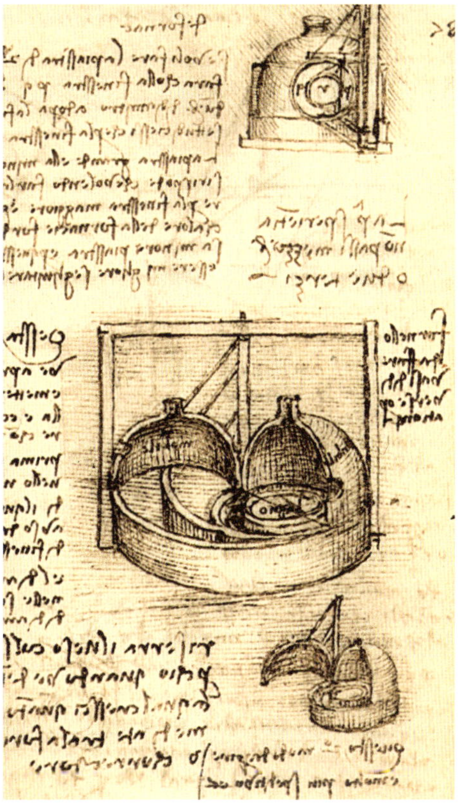

权力中心，佛罗伦萨共和国倒台了，正义旗手索德里尼被迫流放。

利奥十世博览群书，他爱好旅行，也曾饱尝流放、战争、禁锢之苦(他做过法国人的囚犯)，处理罗马的政务理智、得体，他还有着高超的审美能力，对一切都充满好奇心，他鼓励艺术、科学和文学，与尤里乌斯二世一样出手阔绰，大批艺术家都被吸引到圣城罗马。达·芬奇之所以来到罗马，实际上是受到了教皇的兄弟朱力亚诺·德·美第奇的邀请——朱力亚诺是教皇卫队的总指挥，据说他还有可能是《蒙娜丽莎》的订货人。达·芬奇和他的随从们在佛罗伦萨与朱力亚诺会合，那是1513年10月。

在梵蒂冈，达·芬奇与老友们重逢了，歌手阿塔朗特·米格里奥罗提这时已成了教皇制造局的总管，而多纳托·布拉曼特已经快

（左页）**制作凹面镜的机器**，约1514年，Ms手稿G，f.83v。
（本页从上至下顺时针方向依次为）**凹面镜的外廓**，约1514年，Ms手稿G，f. 47v，局部。
生产绳子的机器，约1515年，大西洋古抄本，f.13r。
论火窑（de Fornace），约1514年，Ms手稿G，f. 78r，局部。
大型自动拉丝机，约1514年，大西洋古抄本，f.10r，局部。
用以压弯金属板的机器，约1514年，Ms手稿G，f.74v，局部。

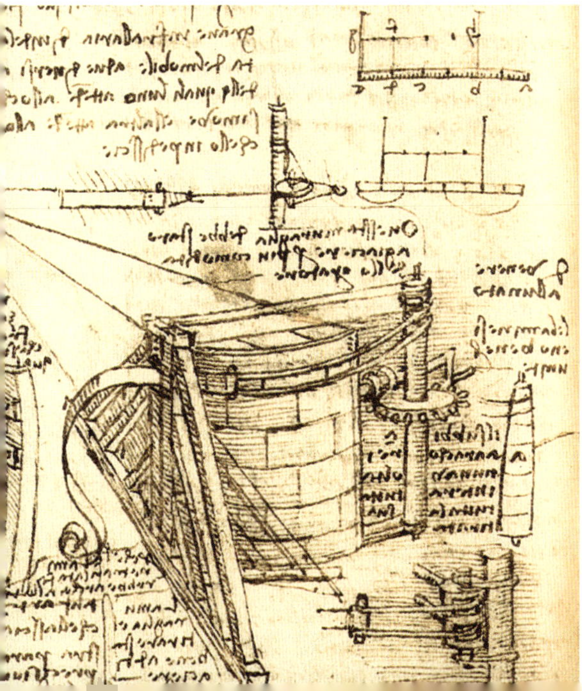

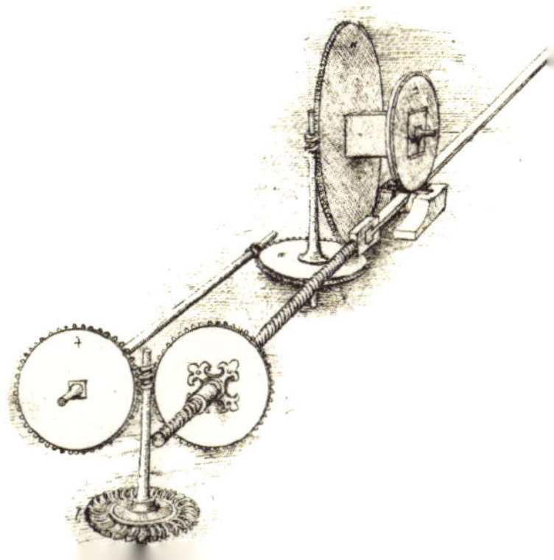

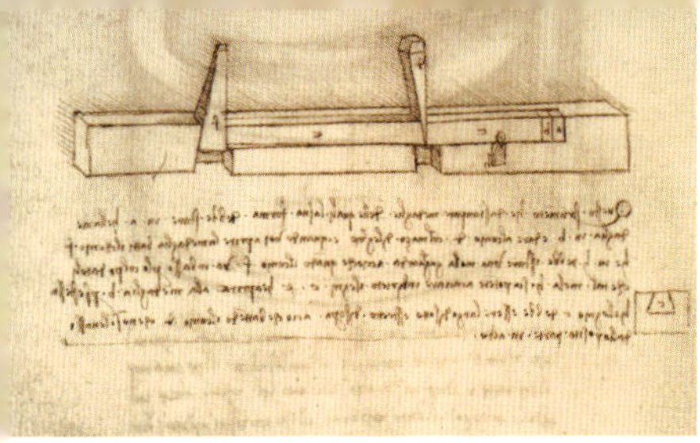

走到了生命的尽头。他还见到了索多玛、朱利亚诺·达·桑加罗,虔诚的修士巴托洛梅奥以及声望如日中天的拉斐尔。达·芬奇还见了米开朗基罗,他已完成了西斯廷的穹顶画,正在为不能实现计划中的尤里乌斯二世的坟墓而忧心忡忡。

大部分有关达·芬奇的传记认为他在罗马这几年的生活是最不幸的,洛伦佐·美第奇将这座伟大的圣城称为“所有罪恶的集中点”。年过花甲的达·芬奇开始蓄起长长的胡子,容貌就像是古希腊的哲人,他始终保持吃素的饮食习惯,他孤独的身影有时会在梵蒂冈的长廊中出现,长久地徘徊。也许,在这个年纪,他已经淡泊了名声,与自己相比,年轻的艺术家们围绕在教皇身边,无不朝气蓬勃,精力旺盛。每个月教皇给他33达克特,这个数目对他简直是种侮辱,要知道那时候的拉斐尔每幅画可值12000达克特。在这个新人辈出而阿谀奉承的人当道得势的世界,天才也只有让位于小丑。他已经没有了与人争胜的念头,或者他从来也没有动过这样的念头。宫廷生活让他感到思维混乱,健康似乎也每况愈下。他的笔记本有好几处似乎是在暗示他的身体状况,在“medici”这句话(他说“医生成就了我,也摧毁了我”)上面写着有关生理卫生的句子。在另一页手稿上,有陌生的笔迹写下一位罗马医生的地址和名字。1515年夏天,他在写给朱力亚诺·德·美第奇的信的草稿中说道:“我的病已经差不多好了。”

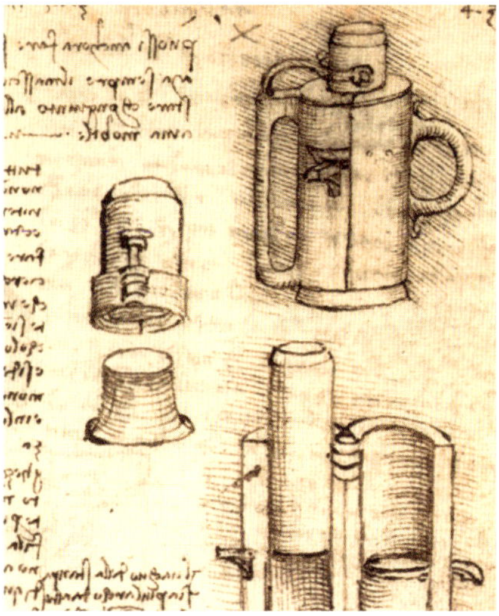

(左上图)**铸币钢模**,约1495年,马德里手稿I,f.45v。
(左下图)**罗马造币所**,约1514年,Ms手稿G,f.43r,局部。
(右页)**圆形王冠**,习作,约1515年,大西洋古抄本,f.446r,局部。
256面体,约1510年,大西洋古抄本,f.710b–r。

从笔记的只言片语中,我们不能准确了解他的感受,但可以肯定的是这几年他的健康的确变得有些令人担忧。他的眼睛也有毛病,之前在佛罗伦萨为切萨雷·博尔吉亚服务时,他就在笔记中提到了眼镜,在备忘录中有“蓝玻璃”的字眼。在他画的自画像中可以看见他的眼皮很重,半眯着,好像一丝光亮都会伤了他的瞳孔。由于美第奇家族(和佛罗伦萨)的财富很大部分建立在纺织工业上(因此才有纺绳机的发明),达·芬奇建议他的主人在染匠大锅煮水时利用太阳能,这种能量可用他发明的大型的抛面柱镜采集。我们不了解这些有关玻璃或磨光金属的镜子的工

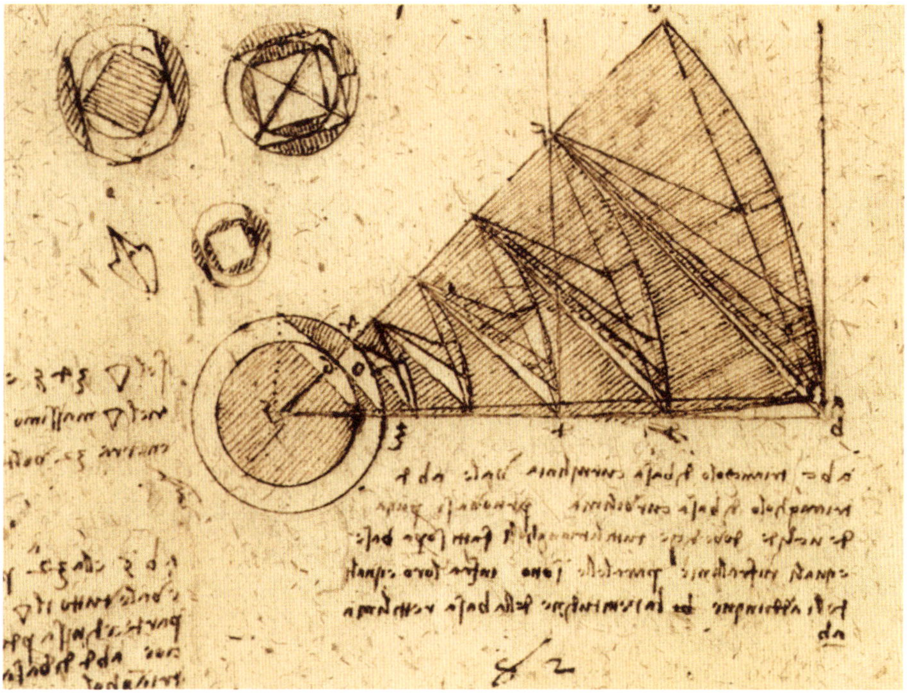

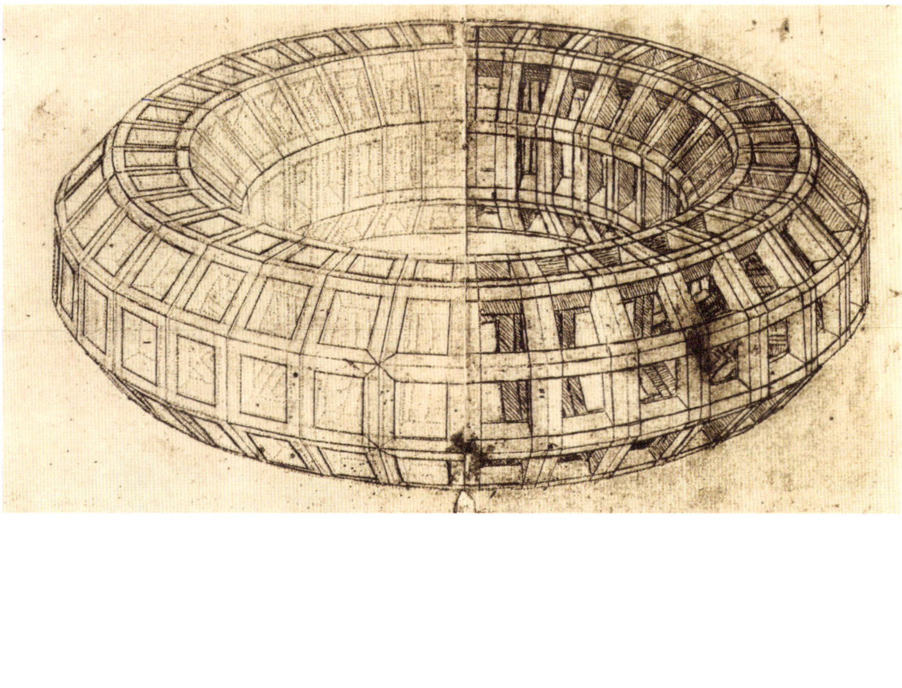

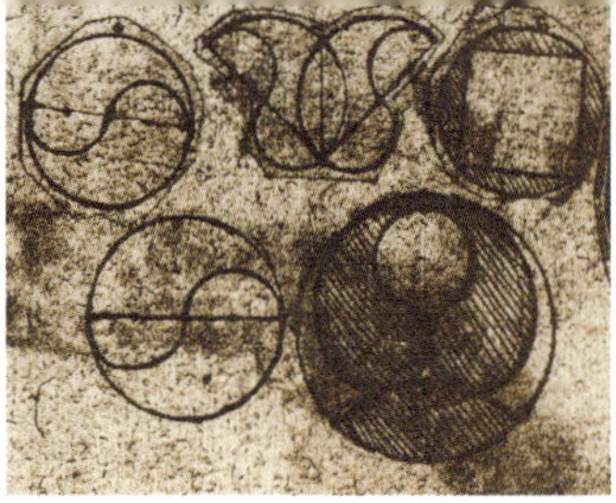

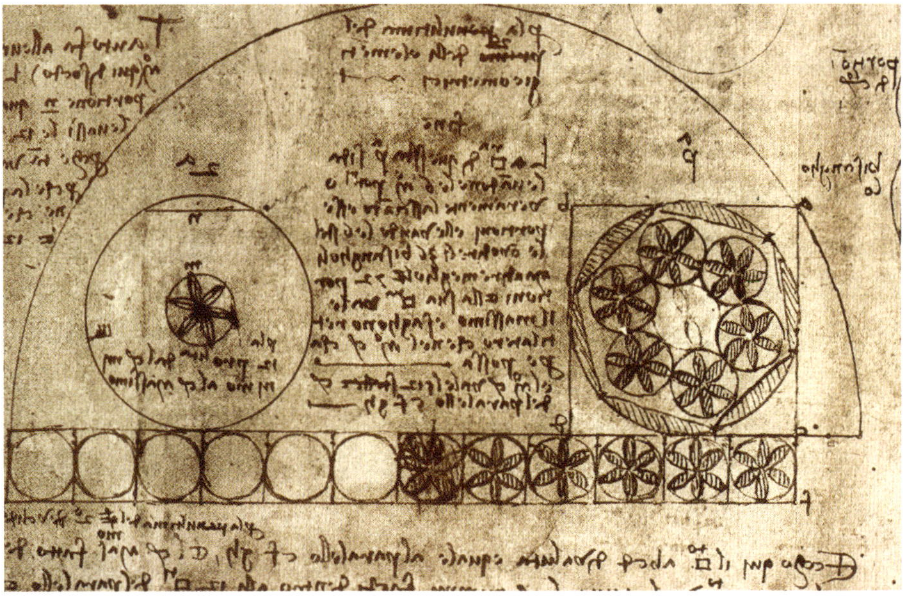

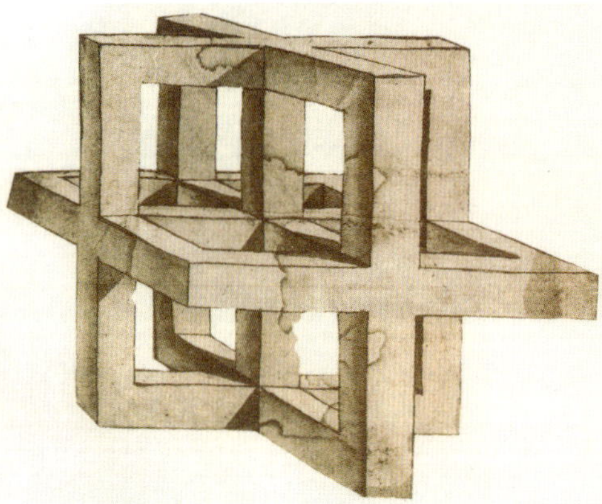

（左上图与右下图）**六边形砖**，达·芬奇理想博物馆复制品；**光学习作**，原藏于牛津大学，现已散佚（约1510年）。
（右上图）**表面平衡的习作**，图中显示出达·芬奇对中国文化阴阳协调的理解，大西洋古抄本，约1516年。
（中部图）**呈几何对称的竞技**，约1515年，大西洋古抄本，f.660r，局部。
（左下图）**呈几何对称的结**，约1510年，大西洋古抄本，f.709r。

（上图）**跳舞的仙女**（卡洛·佩德雷蒂根据两个残片还原），约1515年，威尼斯学院美术馆。
（下图）**幻想中的战争**，画中有骑士与大象，约1516年，温莎城堡皇家图书馆手稿，12332。

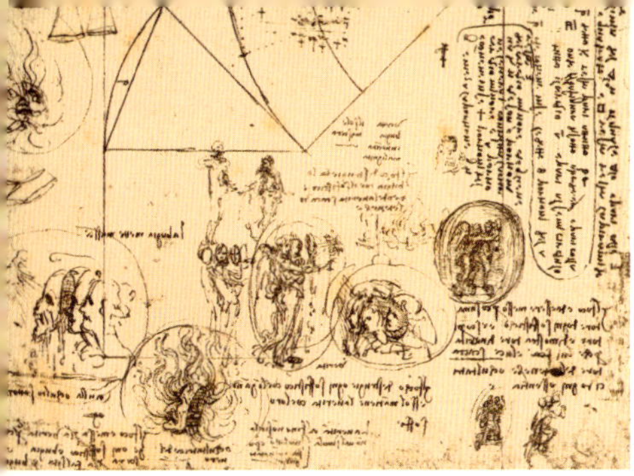

程，只知道它们占用了他很多时间，成为他烦恼的源泉(第305页)。1480年，他已经想象过几种能生产凹透镜的机器——也许是用于焊接以及用于压延、磨光金属凹面镜，这一回他希望制造巨大的反射镜，能让他观察星球。

然而精力不如从前并不会影响他在艺术上的创造力：达·芬奇事实上一直精力充沛地以一如既往的创造力从事各种领域的工作。他在罗马安顿下来之后，马上着手研究运动、叩诊、重量、空气、几何、数学、植物学、解剖学；不久他画了纺绳机和造币机器的草图(第306页)。在他将为朱力亚诺服务的三年里，他尤其忙于造镜子、建筑和水利工程的草图设计。

利奥十世登基不久后，就扬言要整治净化罗马的蓬迪内沼泽地，它危害健康，会产生致死的鼠疫。1514年他把这艰难的任务交给朱力亚诺·德·美第奇去具体负责。达·芬奇在梅尔兹的帮助下画了地图(第311页)。事实上，早在十年前，1503年，达·芬奇在皮翁比诺时就已考虑过排干沼泽地的问题，他提出的解决方法就是疏通水渠，把沼泽的水排到大海。他的手稿还提出了几项可行的办法。几个月之后这项工程开始动工，只是达·芬奇所参与的几乎所有工程，都遭受到了同样的厄运——几年之后，工程中断了，直到19世纪末才完工。

1514年12月，他同父异母的兄弟、公证人朱力亚诺交给他一封在佛罗伦萨收到的信，官司之后，他已经和达·芬奇和解了。信的附言中，家人托他转告自己同父异母的哥哥，说家人都想念他，并称他是个“杰出的、与众不同的人”。由于德国制镜工的中伤，他被逐出解剖室，解剖工作中断了，身体又不如以前，他的英俊美貌凋零了，浪费了不少光阴，计划又不能实现，他感到自己的人生在时局的动荡中就像风中的芦苇般无力，朋友一个个离开人世(好友、数学家卢卡·帕奇奥里也在1514年去世)，他消沉颓丧，而就在这一时期，他创作了《施洗者圣约翰》，在这幅颇受争议的作品中，他重新使用了《酒神巴克斯》里的元素，圣约翰一肩搭着豹皮，头发修长，拥有雌雄莫辨的异教的美。画面中除

(左上图) **真理的譬喻**，约1514年，温莎城堡皇家图书馆手稿，12700v，局部。

(左下图) **关于美与拉齐奥与坎帕尼亚地区的贵族的文章，以及女孩的侧身**，约1515年，大西洋古抄本，f.816r，局部。

(右页) **关于蓬迪内沼泽地灌溉的设想**，梅尔兹旁注，约1515年，温莎城堡皇家图书馆手稿，12684。

了人物之外的次要和附属部分被削减得很厉害，没有风景，除了黑色，没有别的颜色，只有光线透明的金色。人物的美，特别是微笑与那动作会在第一时间捕捉到观者内心最深的冲动。在画《三博士来朝》时，达·芬奇就发现，食指指着天空(至少指着画外的东西)这一动作颇具表现力，此后他多次运用这一动作。相反，微笑则很迟才出现在他的作品中，在《施洗者圣约翰》——这位《新约》中的"光明的证人"和"上帝的信使"的迷人的脸上，他充分发挥了微笑的作用和意义。

达·芬奇在笔记本里记道："1515年1月的第九天黎明，朱力亚诺·德·美第奇从罗马动身到萨伏瓦娶亲。同一天我们得知法国国王驾崩的消息。"朱力亚诺尽管心有不甘，还是从国家和家族的利益出发，娶了萨伏瓦的菲丽盖特。这时候，路易十二的女婿在法国即位，成为弗朗索瓦一世，和自己的岳父一样，王冠还没戴稳，他便将目光瞄上了米兰。法国军队再次跨过阿尔卑斯山，7月，在马利格南，他的炮兵部队屠杀了马克西米连·斯福尔扎的瑞士雇佣兵，几天之后，弗朗索瓦一世胜利进入伦巴第的首都。

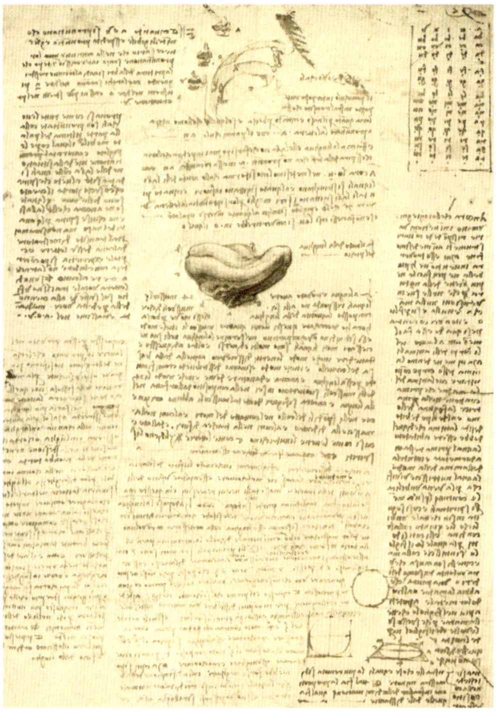

大自然的发明与母亲的心灵的解剖学研究，约1510年（或为1515年），温莎城堡皇家图书馆手稿，19115r。

弗朗索瓦一世是一个充满魅力的君主。身高一米九，在当时算是巨人了。他有着一双总是和蔼可亲的小眼睛，大鼻子，朱红色的嘴唇，短胡子，十分具有魅力。在家庭的熏陶下，他有着相当不俗的艺术品位。他还不到二十岁，披着金色的盔甲，在意大利人看来，这个年轻的君主分明就是走出骑士文学的英雄。他还是一个很宽宏大度的君主，在俘获马克西米连·斯福尔扎后，没有把他投入监狱，还给他年金，在宫廷里接见他，把他当作表兄弟看待。有人说，在中午之后他不办理政事，他吃午饭时命人为他朗读古希腊罗马作家的书，其余时间打猎，晚上便进行世俗的娱乐，跳舞、写诗，也就是说基本上和女人厮混。他很讨女人的欢心，不仅仅因为他是国王。

据瓦萨里记述，在这期间，达·芬奇造了一个机械狮子，走几步后胸口会张开，在心脏的位置上有一束百合花。狮子是佛罗伦萨的象征，表达了佛罗伦萨和美第奇家族对法国

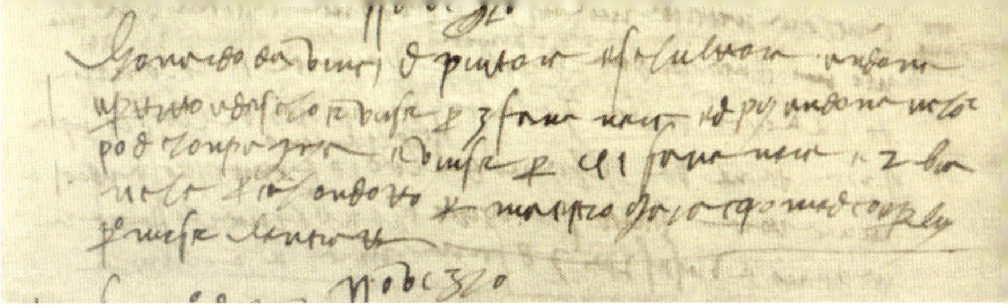

的好感。他还制造了好几种能活动的动物模型，比如狮子和鸟，由齿轮系统发动(大概是一种上发条的、座钟式的机械装置)，甚至在他的笔记本里有好几处提到机器人的计划。

1516年秋或第二年春天，达·芬奇离开意大利。在意大利，他已经找不到强有力的君主可以依靠了，此时的拉斐尔在梵蒂冈，得到教皇的宠幸；而米开朗基罗则在佛罗伦萨，提香在威尼斯都享有如日中天的声望，过去的经验告诉他，米兰的政局仍将不稳，不是一个久居之地。也许是出于无奈，也许是出于弗朗索瓦一世的盛情邀请，他最终离开了亚平宁半岛，在卢瓦尔河岸，他又受到了推崇。不管达·芬奇得到了怎样的邀请，他一再重申，因为他是在路易十二时代被请去法国的，所以他并不曾正式为弗朗索瓦一世服务，他仍然忠于朱力亚诺·德·美第奇。他或者只是想首先完成他的巨型凹面镜，或人们请他完成的建筑计划：他只能在他的保护人死了之后(朱力亚诺于1516年3月17日在佛罗伦萨去世)才能决定移居国外。

他取道佛罗伦萨、米兰、日内瓦山、格列诺贝尔、里昂，顺着谢尔河走，经过约三个月的旅行，他到达昂布瓦斯，陪同他的人有萨莱、梅尔兹等人，几匹骡子载着箱子和行李，那就是他的全部家当。他心中明白，此次离开，便再也不会回来了，他的油画、草图、手稿都带走了，这其中，就包括先前提到的《圣母子、圣安娜与羔羊》以及《施洗者约翰》。

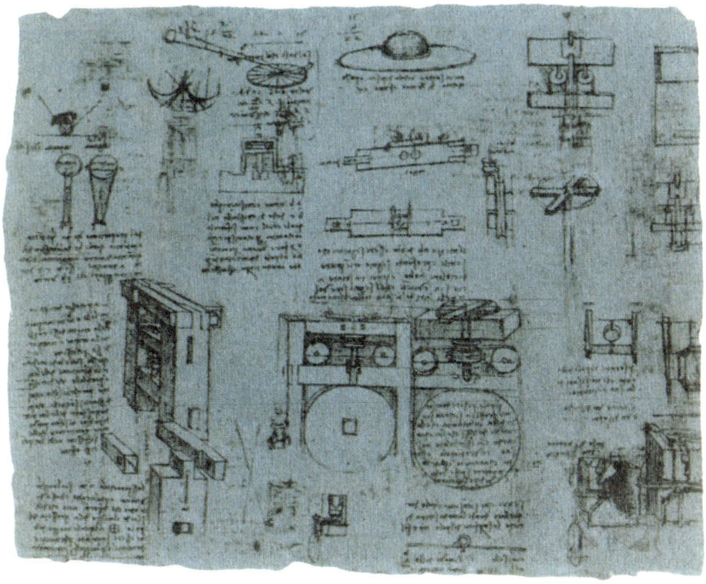

（右上图）**莱奥纳多见习修士字样**，1514年，罗马，局部。
（下图）**镜子的习作，制作胶水的原料**，约1514年，大西洋古抄本，f.1036v。

（左页）**圣安娜**，炭笔草图，可能作于1508年，139厘米×101厘米，伦敦国家美术馆。
（上图）**圣安娜**，炭笔草图，局部。

（左页）**圣约翰**，巴黎卢浮宫，全图参见下一章。
（上图）**圣约翰**，局部。

（左页）**荒野中的圣约翰**（在17世纪改为“酒神巴克斯”），木板胶画，后移至布面油画，177厘米×115厘米，巴黎卢浮宫，被认为是达·芬奇与其学生的作品，1510年以后绘制。（上图）**荒野中的圣约翰**，局部。

（上图）**谦卑与虚荣**，安杰罗·坎帕内拉（Angelo Campanella）木刻版画作品，约1805年，根据早先被认为是达·芬奇的原作进行创作的作品，后被认为原型应为伯尔纳迪诺·鲁伊尼（Bernardino Luini）的作品，芬奇，达·芬奇理想博物馆。
（下图）**在文士中间的耶稣基督**，拉德克里夫（W. Radclyffe）版画作品，根据藏于伦敦国家美术馆的作品创作（在19世纪被认为是达·芬奇的作品），芬奇，达·芬奇理想博物馆。

DI ANDREA CORSALI FIORENTINO ALLO Illuſtriſsimo Signor Duca Giuliano de Medici Lettera ſcritta in Cochin terra dell'India, nell'anno. M D XV. alli VI. di Gennaio.

Come nella nauigatione paſſando la linea Equinottiale furono in altura di gradi trentaſette nell'altro hemiſpero a trauerſo di capo di buona ſperanza, doue viddono vn mirabil ordine delle ſtelle nella parte del cielo oppoſta alla noſtra tramontana.

ILluſtriſsimo Signor, non potendo manchar a V. S. di quanto le promiſsi nel partirmi di coſtì, ho voluto farle queſto poco di diſcorſo per darle notitia del ſucceſſo del mio viaggio d'India. Et auuenga ch'ei non ſia coſi copioſo com'io ſperaua, & che'l mio deſio haria voluto, ilche è cauſato per eſſere poco tempo ch'io mi trouo in queſte parti, nondimeno non m'è parſo reſtar di dirizzarglielo, dettandomi l'animo che V. S. lo debba pigliare con quel cuore, che l'affettion mia, & oſſeruantia ch'io le tengo, ricercono, riſerbandomi a tempo migliore di ſodisfarle piu compiutamente.

Dapoi che partimmo da Liſbona, nauigammo ſempre con proſpero vento, non vſcendo da Scilocco & Libeccio, & paſſando la linea Equinottiale fummo in altura di trentaſette gradi, nell'altro hemiſpero, a trauerſo di capo di Buona ſperanza, clima ventoſo & freddo, ch'à quei tempi il Sole ſi trouaua ne ſegni ſettentrionali, & trouammo la notte di 14. hore. Qui vedemmo vn mirabil ordine di ſtelle, che nella parte del cielo oppoſita alla noſtra tramontana, infinite vanno girando. In che luogo ſia il polo Antartico, per l'altura de gradi, pigliammo il giorno co'l Sole, & ricontrammo la notte con l'aſtrolabio, & euidentemente lo manifeſtano due nugolette di ragioneuol grandezza, ch'intorno ad eſſa cõtinuamente hora abbaſſandoſi, & hora alzandoſi in moto circulare camminano, con vna ſtella ſempre nel mezzo, laqual con eſſe ſi volge lontana dal Polo circa vndici gradi: ſopra di queſte appariſce vna croce marauiglioſa nel mezzo di cinque ſtelle, che la circondano (com'il carro la tramontana) con altre ſtelle, che con eſſe vanno intorno al Polo girandole lontano circa trenta gradi, & fa ſuo corſo in 24. hore, & è di tanta bellezza, che non mi pare ad alcuno ſegno celeſte douerla comparare, come nella forma qui di ſotto appare.

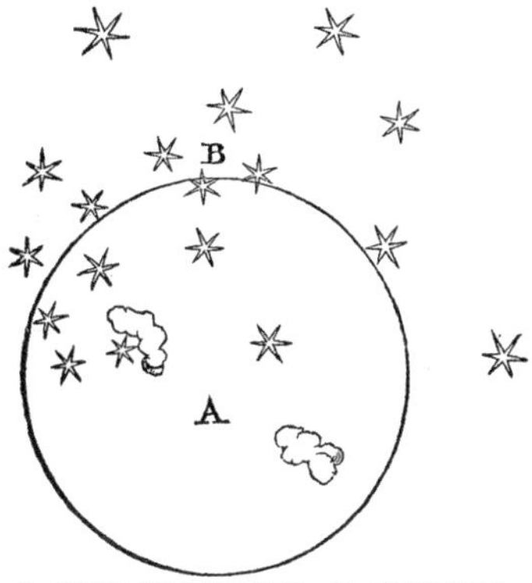

A POLO ANTARTICO. B. CRVSERO.

（上图）安德雷亚·科尔萨里的印度来信，1516年出版，原件藏于威尼斯马尔奇亚那图书馆（Biblioteca Marciana）。
（下图）在16世纪的前几十年中，许多佛罗伦萨的航海家已经到达了印度的许多地区。

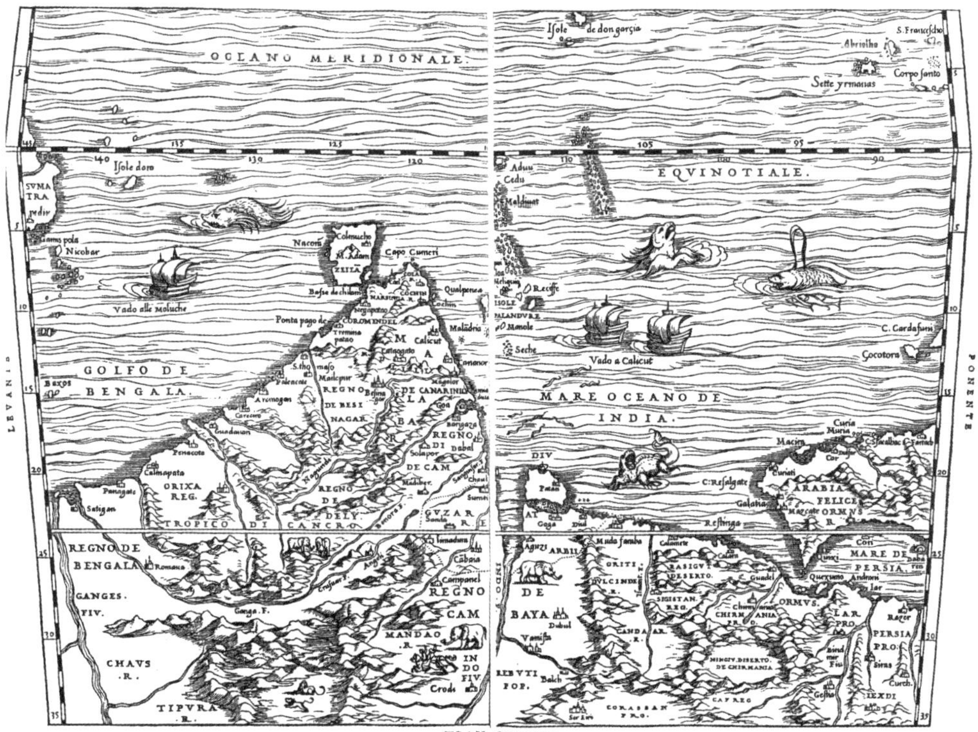

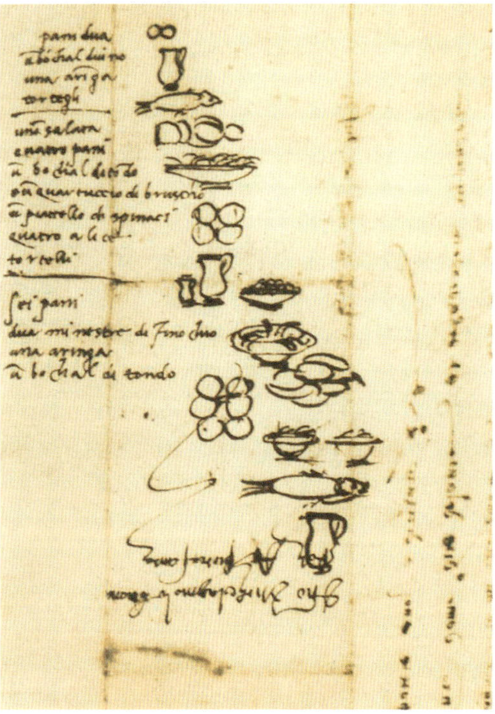

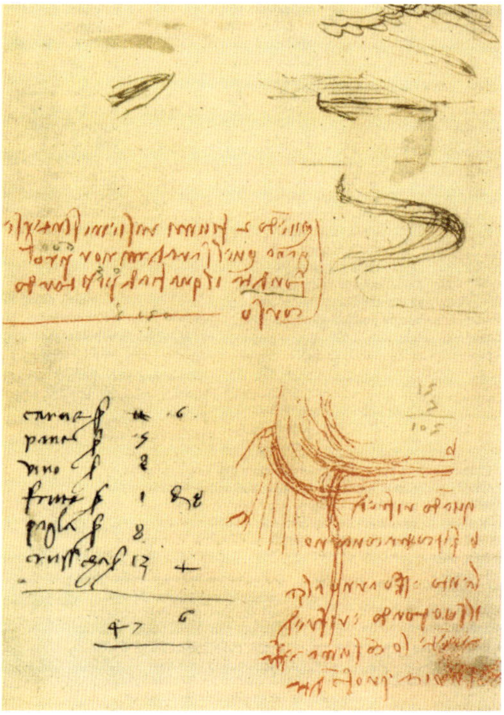

（左上图）**运葡萄酒的人**，约1513年，温莎城堡皇家图书馆手稿，12691，局部。
（左图）**米开朗基罗的食物清单**，佛罗伦萨，米开朗基罗故居。

（右图）**购物清单**（其中列有：肉、鱼、葡萄酒、水果、麦秆、麦糠），由其助手记录，1502年，阿伦代尔手稿，f.271r，局部。

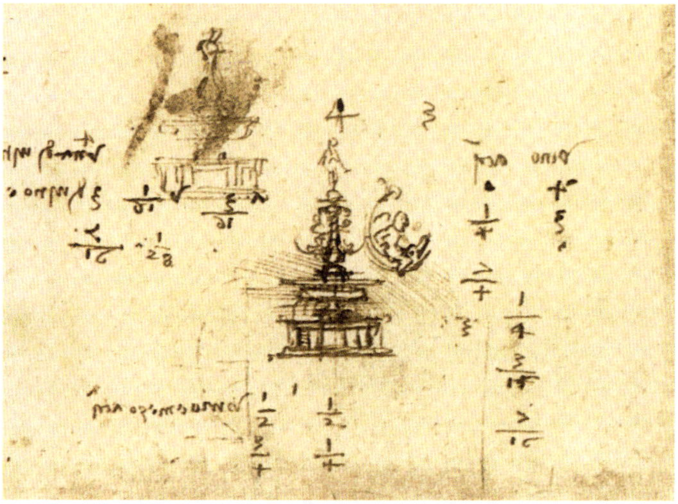

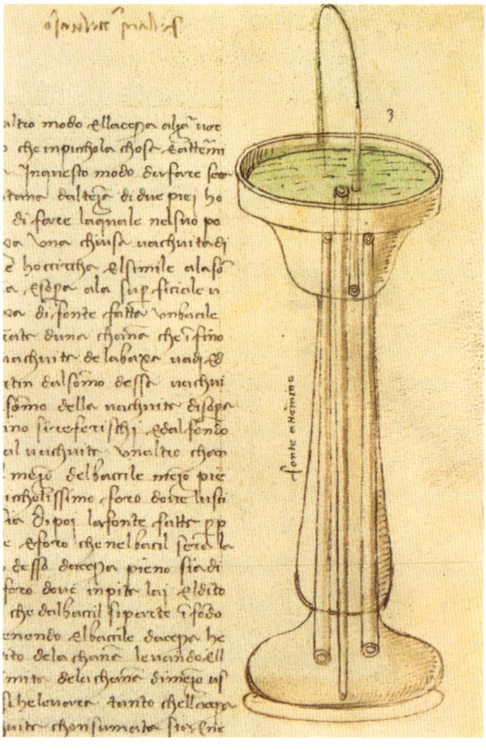

（上图）**水源**，习作，约1499年，大西洋古抄本，f.585r，局部。
（下图）**在弗朗切斯科·迪·乔尔乔·马尔蒂尼手稿中达·芬奇的旁注**，约1504年。

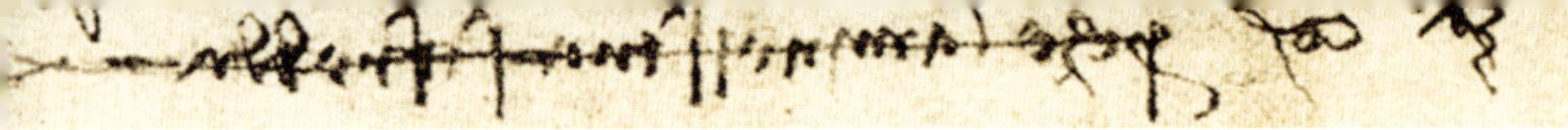

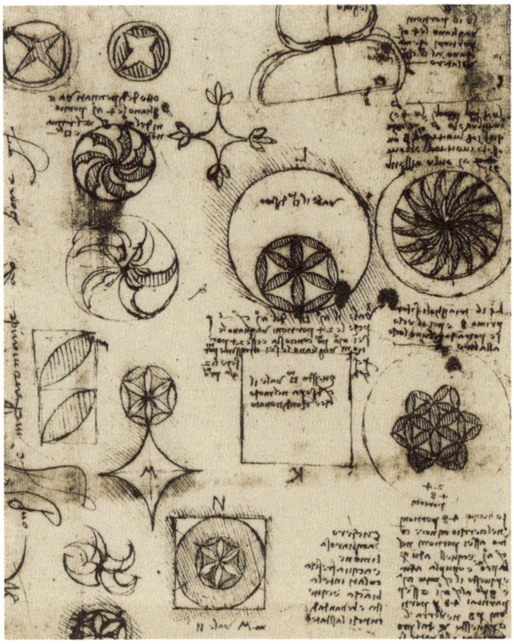

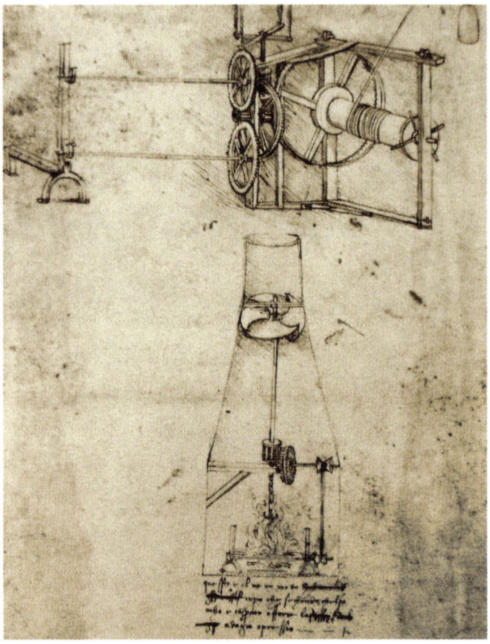

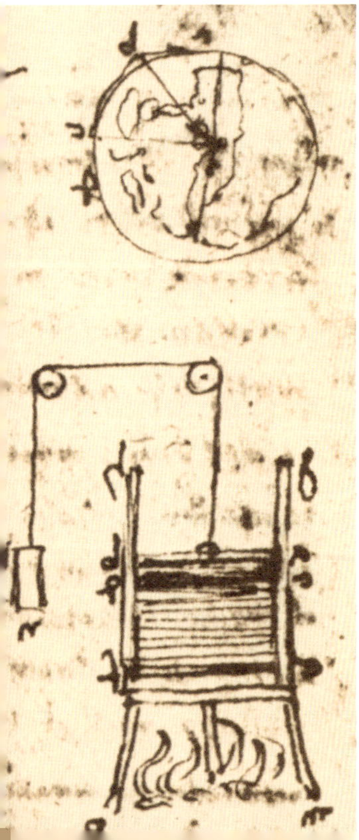

（左上图）**“因为汤冷了”的字样**，约1518年，阿伦代尔手稿， f.245r，局部。
（左图）**水玫瑰的配方**，约1517年，大西洋古抄本，f.482r，局部。
（右图）**依靠风能运转的铁叉转动器**，约1480年，大西洋古抄本，f.21r。
（左下图）**地球与蒸汽动力铁叉转动器**，约1506—1508年，莱切斯特手稿，f.10A-10r，局部。

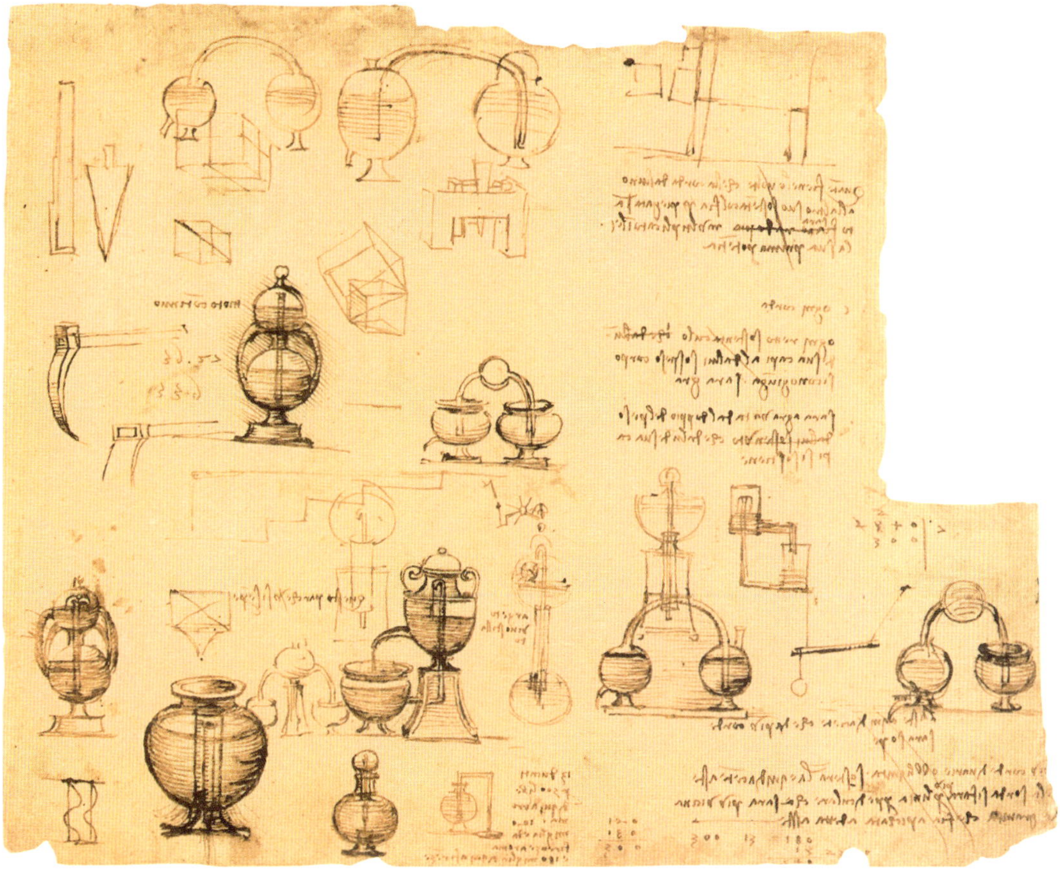

虹吸管、蒸馏器以及其他农用工具，文字内容记载了从米兰到罗马的旅途，1513年，大西洋古抄本，f. 1113r。

图1

图3

图2

（图1）**异形生物（寄生虫）速写**，约1515年，大西洋古抄本手稿，f.48r，局部。
（图2）**魔鬼**，或被认为是梅尔兹根据达·芬奇的一幅佚作所作。
（图3）为达·芬奇理想博物馆所作的**青铜复制品**。
（图4）**怪异的动物**，被认为是梅尔兹所完成，温莎城堡皇家图书馆手稿，编号12366。
（图5）**雌雄同体的怪物**，16世纪，木板画，芬奇，达·芬奇理想博物馆。
（图6）达·芬奇学生的作品，**拉文纳的怪兽**，1512年后完成，大西洋古抄本手稿，f. 58b–r，局部。
（图7）**想象中的动物**，约1493年，大西洋古抄本手稿，f.524r。
（图8）梅尔兹所作，与图7同题材作品，荷兰国家博物馆，阿姆斯特丹。

图4

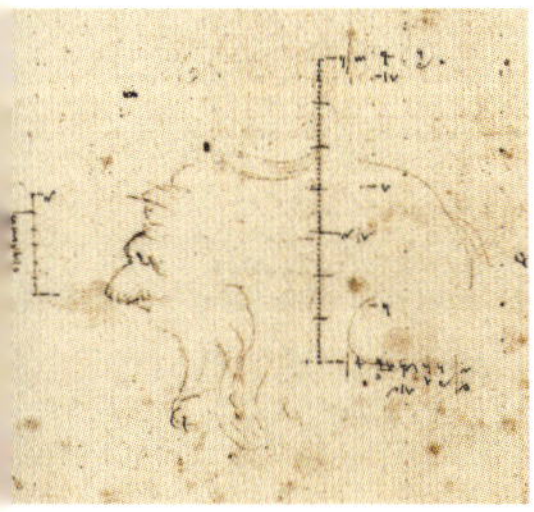

图7

图8

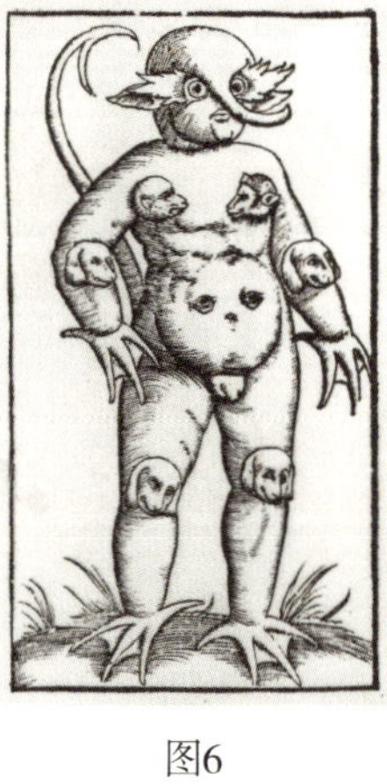

图6

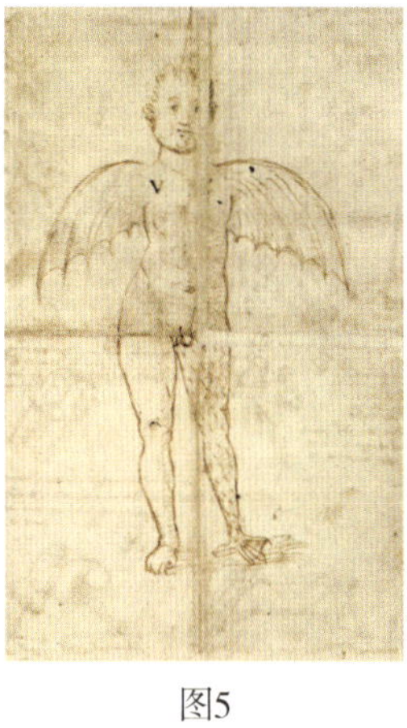

图5

（左图）拉斐尔，**华盖圣母**，约1508年，佛罗伦萨帕拉蒂纳美术馆，局部。
（右图）**雕塑家皮耶里诺·达·芬奇**（Pierino da Vinci）**的肖像**，瓦萨里《名人传》缺失的扉页，该图为达·芬奇理想博物馆的复制图，由亚历山德罗·委佐齐（Alessandro Vezzosi）在私人收藏的一幅十六世纪画作中确定。
（下图）皮耶里诺·达·芬奇，**科西莫一世修复比萨城**（科西莫一世废除比萨的不良风俗），梵蒂冈博物馆。

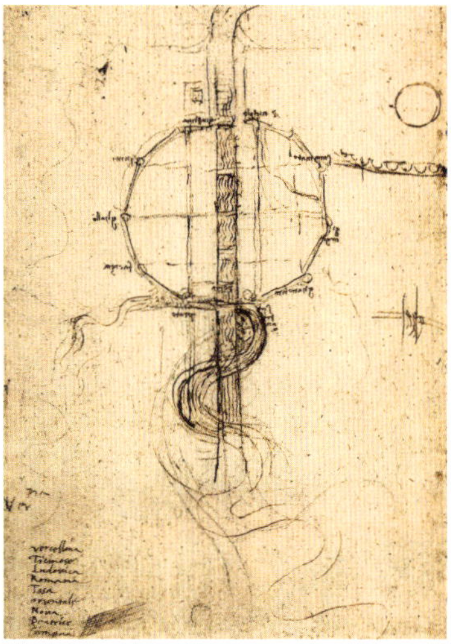

（左图）**佛罗伦萨城的理想化植物**（由弗朗切斯科·梅尔兹加上旁注，列举了米兰的各个城门），约1515年，温莎城堡皇家图书馆手稿，12681。
（下图）**美第奇家族庄园规划**，约1515年，大西洋古抄本，f.865r，局部。

禾本科植物（“约伯的眼泪”），文艺复兴时期由远东引进至意大利。达·芬奇在手稿中绘制的这株植物被认为是该植物首次在艺术作品中出现，在美第奇庄园规划中可见这种植物，约1510—1515年，温莎城堡皇家图书馆手稿，12429。

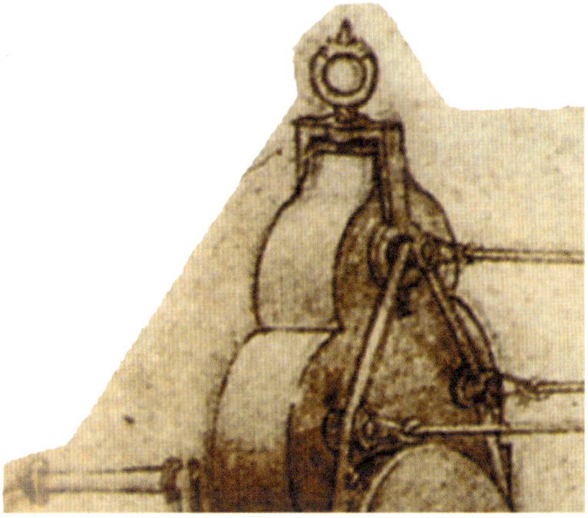

（上图）**在加工绳子的机器中出现的代表美第奇家族的指环**，约1515年，大西洋古抄本，f.13r，局部。
（中图）**美第奇家族鹿角状饰物**，约1494年，福斯特手稿，64r，局部。
（下图）**象征美第奇家族的戒指**，约1516年，大西洋古抄本，f.309r，局部，达·芬奇理想博物馆复制。

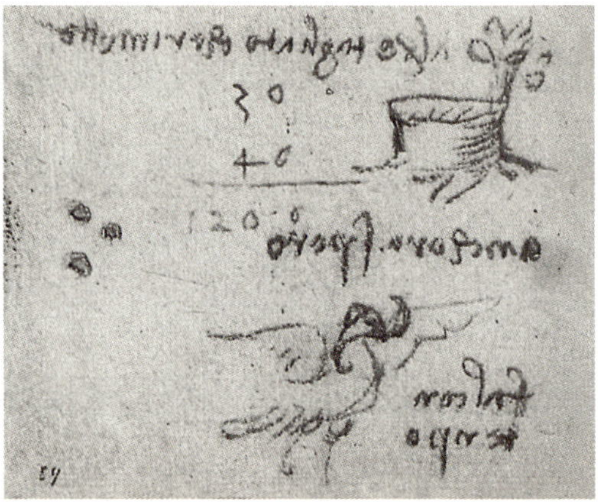

画有新月图案并记有关于美第奇家族文字的手稿，约1516年，大西洋古抄本，f.429r。

1516—1519：法兰西岁月

达·芬奇一行受到了弗朗索瓦一世的隆重欢迎，他们被安置在克卢城堡中居住。国王时常来拜访他的“首席画家和工程师”，听他高谈阔论，还赐给他非常丰厚的年金。对于一个年已过花甲的画家来说，这样的恩宠既是理所应当，又是十分难能可贵的。达·芬奇不能梦想比这更舒适独立的退休生活了——但他也只能享受不到三年时间。

我们了解到的唯一有关达·芬奇在昂布瓦斯的生活情况是在阿拉贡主教的秘书——安东尼奥·德·贝阿蒂斯的旅行日记里。他在前往布洛瓦的途中，即1517年10月的第一个星期拜访了这位“声名卓著”的画家。在日记中，贝阿蒂斯称，莱奥纳多·达·芬奇看上去像有七十多岁(其实他才六十五岁)，他向客人展示了三幅“画得非常完美”的画：有一幅是“某位佛罗伦萨夫人的肖像”，还有《施洗者圣约翰》和《圣母子、圣安娜与羔羊》(第351页)。

瓦萨里在《名人传》中提到这幅《圣母子、圣安娜与羔羊》，声称这幅作品迷住了所有来拜访的画家。来参观的人群络绎不绝。短短两天，男女老幼，成群结队，好像“参加隆重的节日”一样涌入展厅，争睹画作；“大家都被它的完美惊呆了”。画面的背景是一个幽静的山中牧场，圣母坐在圣安娜(她的母亲)的膝盖上，紧抱着圣子，她俯身向着孩子，好像要把孩子玩着的羊羔拿开(羊羔是赎罪的祭品，象征着受难、基督的痛苦)。耶稣幼小的形象，更多显露出天真、顽皮的神态，而小圣约翰则看上去更像是一个乡下孩子的模样。整个画面表现出一种朴实家庭的天伦之乐与愉快纯洁的情感基调，整幅画面从明到暗的连续过渡，产生出一种薄雾般的朦胧美，增强了画面的抒情气氛。

值得一提的是，圣母坐在圣安娜的腿上，这种处理方式在当时是相当少见的。圣安娜是圣母玛利亚的母亲，然而达·芬奇却将她描绘得与圣母玛利亚的年纪相仿，这也许是达·芬奇复杂的童年情感的投射，在他的童年回忆中，至少有生母凯瑟琳、继母阿比耶拉以及祖母露琪亚，这三个女性形象具有鲜明的时间含义，圣安娜代表未来，圣母意味着现在，而圣婴则是指向了过去。在弗洛伊德看来，这种三角形的构图以及颂扬母性的主题选择，无疑暗示了画家童年的创伤经历，作为一名私生子，他渴望同时得到生母和继母的爱，并因此感到痛苦。

（左上图）达·芬奇的学生（无法确定是安德烈亚·索拉里奥抑或梅尔兹），**昂布瓦城堡**，约1508年或1517年，温莎城堡皇家图书馆手稿，12727。

（右上图）**火焰、烟雾、岩石与风**，约1516年，温莎城堡皇家图书馆手稿，12404，局部。

（左下图）**大洪水的描述**，约1516年，温莎城堡皇家图书馆手稿，12665，局部。

1913年，弗洛伊德的追随者奥斯卡·普菲斯特有了一个新的发现，如果换个角度观摩这幅作品，会发现，圣母的衣褶中隐藏着一只鸟，“这只鸟在画面前端这位女性(即玛利亚)臀部的蓝色衣料里清晰可见，一直伸向大腿前侧和右脚踝处。我们可以看到它突出的头部、颈部和身体曲线”。普菲斯特在这里看到了这只鸟“伸展的尾巴”，还有“辐射出来的线条就像是羽毛的轮廓”。并且最为奇怪的是，就像达·芬奇关于童年那只俯冲而下的鸟的回忆一样，画中隐藏的鸟“正好将

（左图）**指示方向的少女**，约1516年，温莎城堡皇家图书馆手稿，12581。
（右上图）**末日的大洪水**，其中有云中吹奏末日号角的天使、骑士厮杀以及被风连根拔起的树，约1517年，温莎城堡皇家图书馆手稿，12376。
（右下图）**马、圣乔治与龙**，约1517年，温莎城堡皇家图书馆手稿，12331。

尾巴伸到孩子的嘴里，也就是达・芬奇的嘴里”。

事实上，卢浮宫馆藏的《圣母子、圣安娜与羔羊》并没有完工。达・芬奇一直在断断续续地绘制这幅作品，但直到他去世，画中的风景和圣母的衣服也没有最终完成。而事实上，一直到他去世前，达・芬奇一直在进行这幅作品的完善(第352、353页)。

贝阿蒂斯提到的“某位佛罗伦萨夫人的肖像”，据推断，很有可能就是不朽的《蒙娜丽莎》。这幅油画几乎已经成为了绘画的代名词。在几百年内，这幅作品激发了无数诗歌、绘画、雕塑和小说的创作。实际上，它首先是一幅没有完成的作品，因而也就成为了没有按时提交给赞助人的委托件。据说，在绘画这幅作品的时候，为了不让画中女子不至于因为长时间久坐而感到无聊沉闷，达・芬奇特地找来了乐师演奏愉快的歌曲，还说了许多笑话来逗她开心。这幅画最终显得那么的甜蜜和愉悦，以至于让人情不自禁地感叹，其中充满了无上的神性。

画中的蒙娜丽莎目光平静而镇定，她温柔的眼神俘获了观者的视线。她的表情难以名状，使人神往而又难以名状。瓦萨里是这么描述它的：“任何想要看一看艺术究竟能在多大程度上模仿自然的人，或许看一看这幅作品就足够了。她所有的细节都得到了忠实的再现。她的双眸那么明亮又温润，睫毛和眉毛再现得一丝不苟，而梳向两边的头发仿佛是从皮肤里长出来的一般。那红润可爱的嘴唇与活生生的脸颊连为一体，好像不是画出来的，而是有血有肉。急切地想看她喉咙下的凹陷处的人一定会想象自己看到了脉搏的跳动，这是艺术的奇迹！”

贝阿蒂斯日记中提到的信息并不多，但也已经弥足珍贵了。贝阿蒂斯说达・芬奇从此以后不再画画了，再别指望他能“做出什么漂亮的活儿”，因为他的右臂瘫痪了。“但他培养了一位来自米兰的学生，在他的指导下工作出色。尽管师傅不再能以他惯用的柔和色调给油画上色，但他还能画草图，指点别人的工作。”他提到的学生只可能是梅尔兹，萨莱是不会工作“出色”的。但实际上，贝阿蒂斯是弄错了，他竟然没有注意到达・芬奇是个左撇子，只有左手病残，他才不能再运笔。

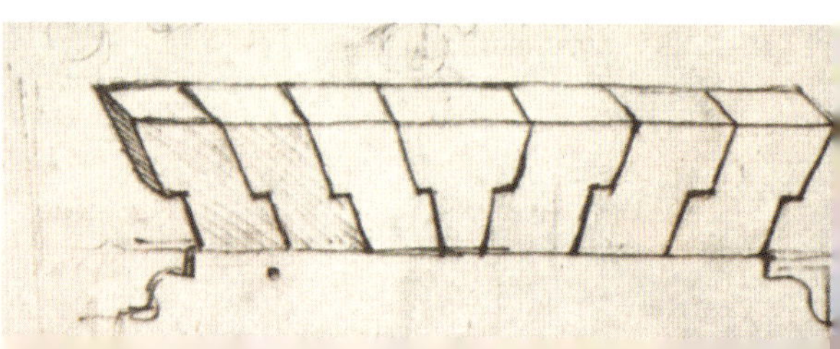

（左上图）让・克洛埃特（Jean’ Clouet, 1485—1540年），**法国国王弗朗索瓦一世肖像。**
（右下图）**昂布瓦斯王家城堡入口大厅的壁炉横梁与达・芬奇设计的壁炉组件**，习作，约1480年，大西洋古抄本，f.50r，局部。

（左上图）**城堡内的旋转楼梯**，笔记文字非达·芬奇所写，约1487年，Ms手稿B，f.68v，局部。
（右上图）**双层蜗牛式楼梯**，约1487年，Ms手稿B，f.69r，局部。
（右下图）**螺旋式台阶的“解剖学”式的设计与组件**，约1517年，阿伦代尔手稿，f.264r。局部。
（左下图）**香波儿城堡**（Chambord）的双层楼梯内部。

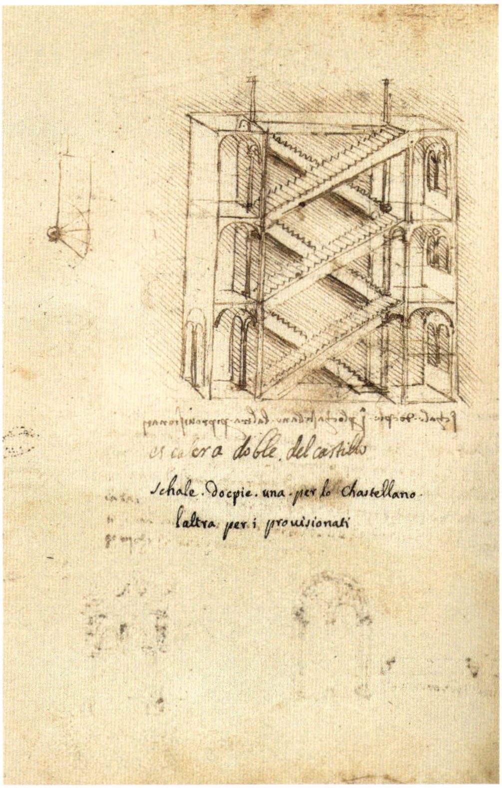

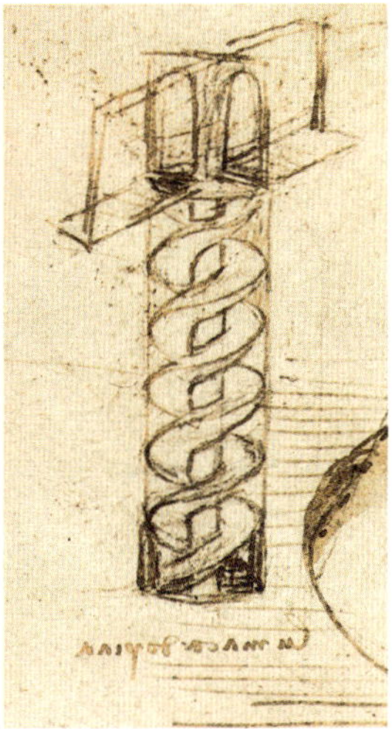

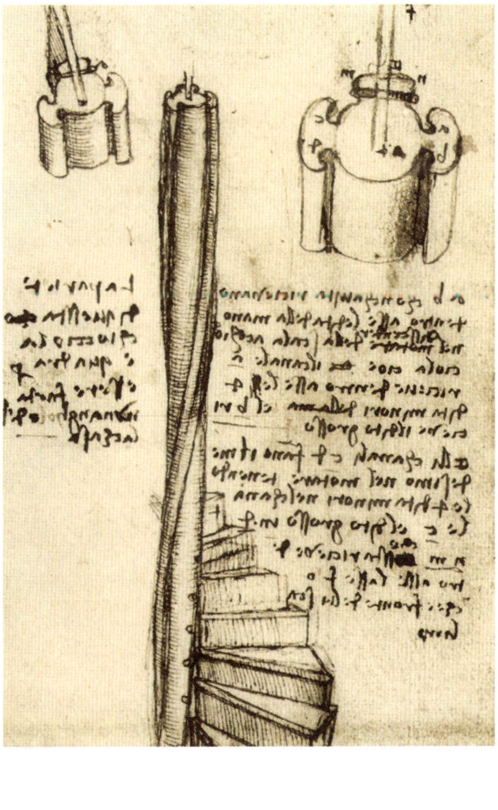

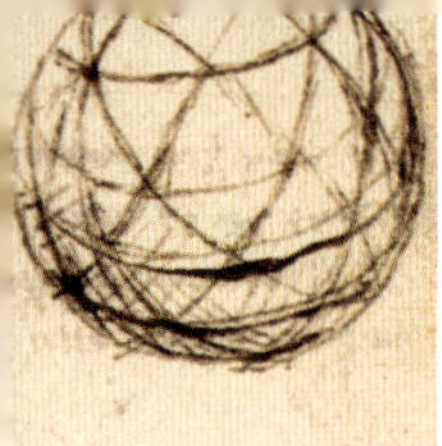

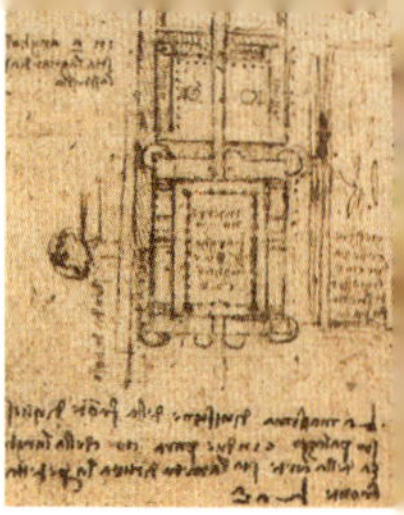

贝阿蒂斯承认自己被梅尔兹在他面前虔诚地展开的画稿内容所深深打动。安东尼奥·德·贝阿蒂斯称达·芬奇为“绅士”，因为达·芬奇气宇轩昂，他说达·芬奇“画了有关专门用于绘画研究的解剖图，男人和女人的四肢、肌肉、神经、血管、关节、内脏和一切可以作解释之用的部分。还没有人做过这样的工作。他把它们拿给我们看，此外还对我们

（从上至下顺时针方向依次为）**土地测量式绘制的圆球**，约1510—1515年，Ms手稿G，f.67r，局部。
亭子与其各部分的习作，约1515年，大西洋古抄本，f.15v，局部。
位于罗莫朗坦王宫平面投影图，约1517年，大西洋古抄本，f.209r，局部。
木制屋顶习作，可遮盖近30平米的面积，约1506—1510年，大西洋古抄本，f.889v。

（右页左上）**罗莫朗坦新城的习作**，约1517年，阿伦代尔手稿，f.270v。
（右页右上）**罗莫朗坦水文地理习作**，约1517年，大西洋古抄本，f.920r。
（右页左下）**物质的旋涡与爆炸**，约1514—1517年，温莎城堡皇家图书馆手稿，12416。
（右页右下）**昂布瓦斯的一处小岛**，约1517年，阿伦代尔手稿，f.269r。

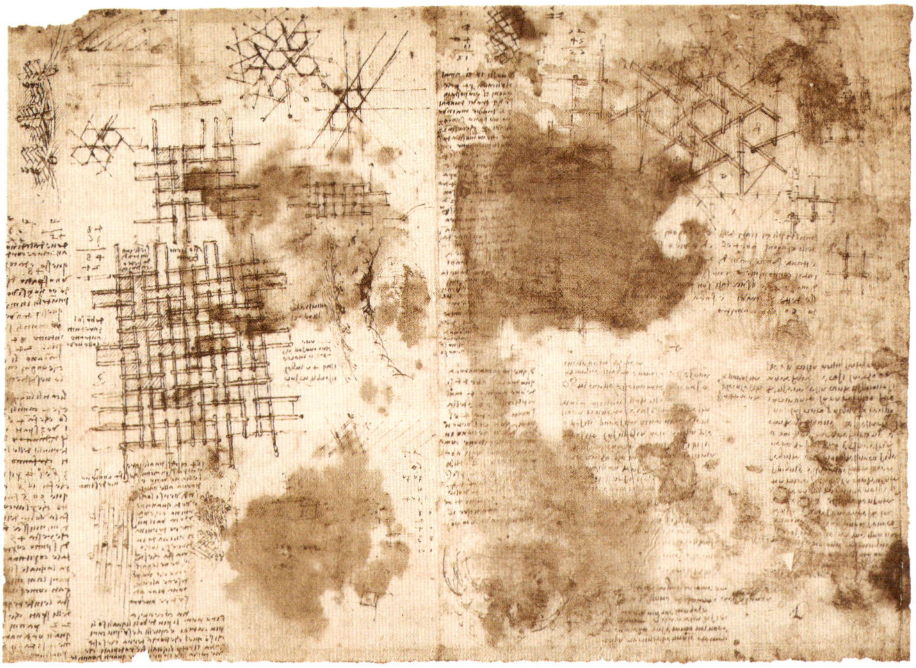

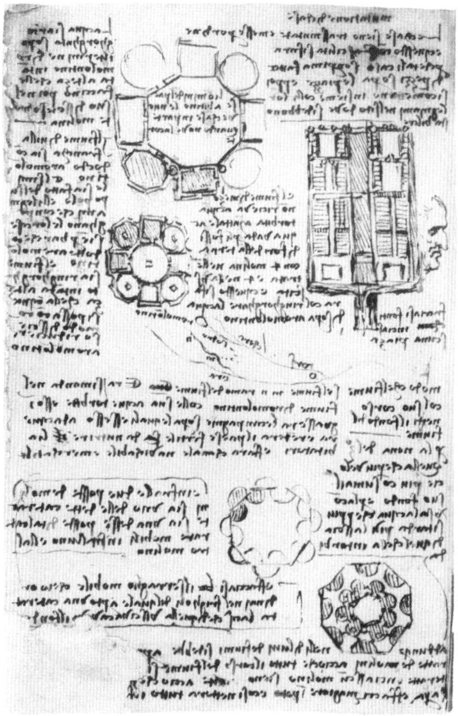

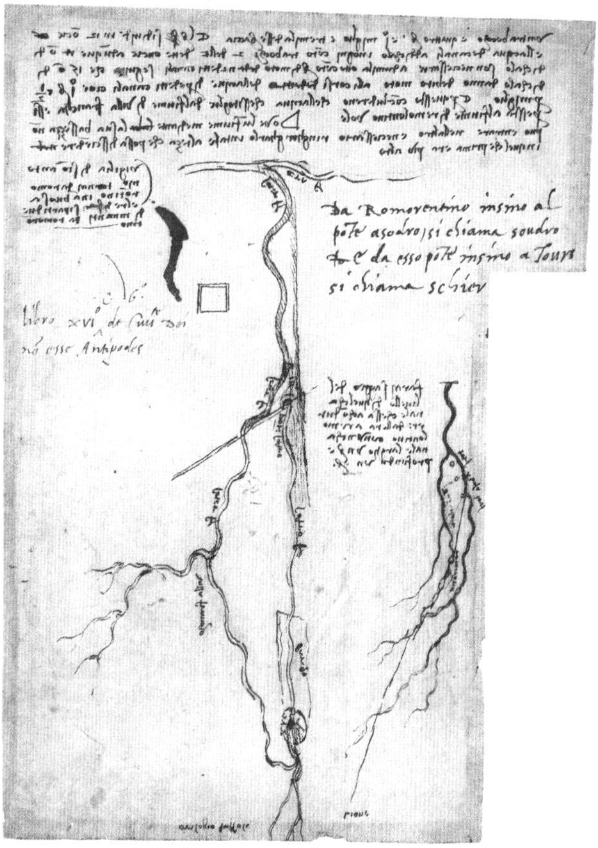

Da Romorentino insino al
pōte asodro, si chiama soudro
& da esso pōte insino a Tours
si chiama schier
libro xvi de Ciuit. Dei
nō esse Antipodes

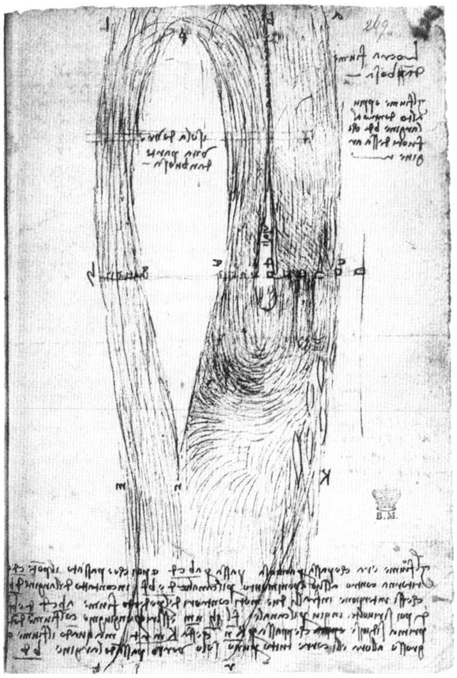

（上图）**大洪水、水流的倒流、岩石墙体的坍塌**，约1516年，温莎城堡皇家图书馆手稿，12380。

（下图）**大洪水、逼近城市的漩涡、山上的堡垒**，约1516年，温莎城堡皇家图书馆手稿，12385。

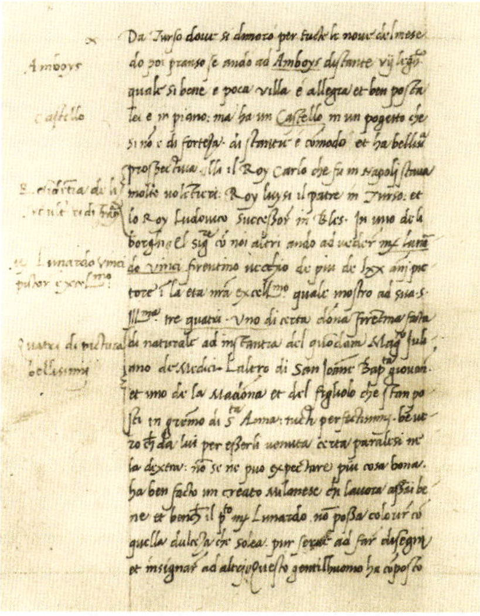

Amboys	昂布瓦斯
Castello	城堡
Residentia de li 3 ultimi re de Franza	法国最近三位国王陛下的行宫
M. Lunardo Vinci Pictore excel.mo	莱奥多纳·达·芬奇先生 最杰出的画家
Quatri di pictura bellissimi	最美的画作

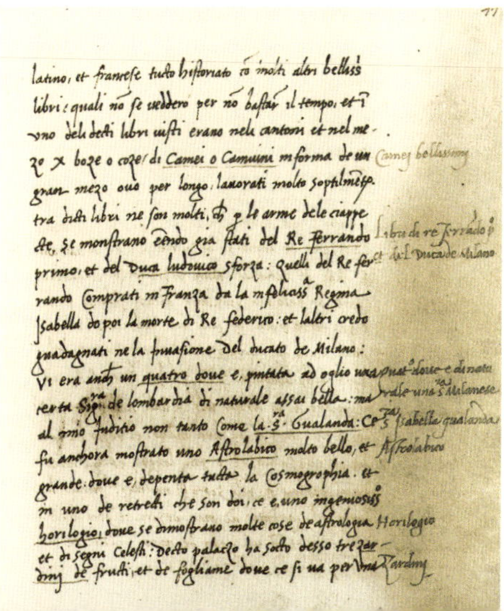

说，他解剖了三十多具各种年龄的男男女女的尸体”。他说的“一切可以作解释用的”，我觉得说得很准确——达·芬奇在康德之前就有挑战人类理性界限的觉悟了。

主教的秘书继续写道：“达·芬奇大人同样写了许多册子，有关水的特性、各种机器和其他他提到过的主题。所有这些书都是用意大利文写的，当它们问世之后，将会带给读者很多好处和快乐。”于是人们考虑到要出版它们、利用它们。而达·芬奇却指出他没有向访客们公开他的全部笔记，他正努力补充完善，按顺序重新整理笔记内容。他不允许他人仔细研究他的有关有用发明的著作；像他的有关水利的论文；他的“无需加减物质便能变化物体形态”的书；他的声音、马、鸟的飞行、眼睛、视力方面的论著；他的有关弹道学、建筑损坏、空气、星体的论著；他的绘画或铸造的论著——由于种种理由它们无法公诸于众。书写这些巨作的抱负很少被最后实现。达·芬奇确定了宏伟的计划，提早分好了章节，可是却连预期中的“概要”都没写完：他的笔记本里只是一些文章的提纲草稿、分散的草图、不完整的研究的成果，实际上没有实用价值的零件，一大堆晦涩的草稿。达·芬奇再也没能完成有关科技文艺的笔记，他没有完成《巨马》《三博士来朝》或《安吉里之战》。在苦恼的时候他自己也承认：“一切都好像分裂的王国在奔向毁灭。致力于太广泛的研究，会

安东尼奥·德·贝阿蒂斯（Antonio De Beatis）**的日记**，1517年。

令神智混乱衰弱。”

我们现在无从猜想，弗朗索瓦一世为什么甘于花重金雇佣达·芬奇，他当时分明已患轻瘫，不能绘画，更不能雕刻，从他的笔记本判断，他已经放弃了技术工程。国王喜欢他的谈吐，因为他认为他是地球上最有学问的人，是“伟大的哲学家”。或许，达·芬奇出现在他的宫廷里就足以让弗朗索瓦一世心满意足了：天才的艺术家无疑是权力最好的装饰。

这种状态当然不能让达·芬奇心安，他说过：“铁不使用就会生锈，水不流动就会失去纯净，遇冷就会结冰；同样不动用脑筋，它就会失去活力。”贝阿蒂斯说，他还可以画，特别是可以思考、提建议、口述、指挥，让别人利用他的口味和经验。1518年，他在笔记中这么写道，“我会继续干下去”。他永不放弃，他有他学习的楷模，“亚里士多德和亚历山大是师生关系，亚历山大拥有征服世界的能力；亚里士多德拥有伟大的学识，使他能拥有其他哲学家获得的全部科学。”自比为亚里士多德的达·芬奇，在法国宫廷教给了国王什么知识呢？他大概给国王讲了米兰的古罗马大事记，使他惊奇，给他讲水的功能、天空的蓝、血的流动、地球的起源，他看见过、研究过的许多不可思议的事情。

他亲手写的一篇笔记指出，他到法国后不久，便和国王弗朗索瓦一世到罗莫朗坦了。弗朗索瓦一世想在那儿为自己和他的朝廷建一座城堡，该城市位于法国正中，他的母亲就住在那儿。达·芬奇勘察了地形，穿过它的河流，可以连结它们的江河。他设计了理想城市的平面图（第337页），那是他在米兰就已想象过的理想城的模型，在此基础上，他要加以发展、完善、修改。他首先考虑的是挖几条渠道，从国王居住地开始，像星星放射的光线一样散发出去，把新首都和整个国家从英吉利海峡到地中海联系起来——那么国王就真的成

（上图）摄谱术下的卢浮宫馆藏**蒙娜丽莎**。
（右页）**蒙娜丽莎**，约1514年，木板油画，53厘米×77厘米，巴黎卢浮宫。

了法国的心脏。1519年，经过几年的建造，罗莫朗坦的工地被放弃了，一场传染病造成了工人大量死亡。

达·芬奇还负责组织节日的庆祝工作。尽管和过去一样，没有任何正式的文件注明他的名字，但他大概解决或监管了1517年10月最初几天在阿尔让塔举行的舞会(舞会上又出现了他的机器狮子)，然后在昂布瓦斯，他或许组织了太子洗礼的庆典和一场婚礼——佛罗伦萨的执政官、教皇的侄子洛伦佐·迪·皮耶罗·迪·美第奇和玛德莲娜·德·拉图尔·当维尔涅结婚(欢庆节日从1518年4月15日到5月2日，包括比武，据编年史说，这是法国和基督教中最漂亮的节日)。之后在1518年6月18日，他采用了新的形式，用明亮的天空般的颜色举办"天堂舞会"，用上了以前他在米兰曾为伊莎贝拉公爵夫人导演过的场面。

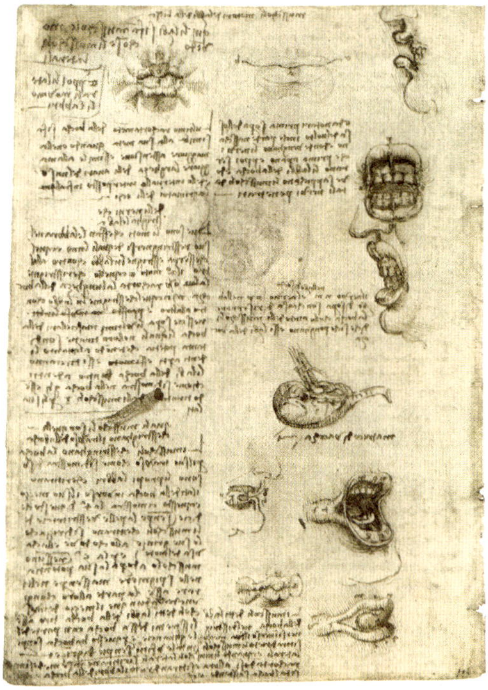

（左上图）**双眼形成的视野**，约1510年，温莎城堡皇家图书馆手稿，19102，局部。
（左下图）**肌肉与嘴部运动的习作**，约1508—1510年，温莎城堡皇家图书馆手稿，19055v。

他一直埋头于他称为"几何练习"的研究，他在圆圈里面画各种图形——有时这些抽象的图形成了建筑、花饰和眼镜的研究。年纪大了，他好像觉得这些消遣的东西也有它们的价值。在一张纸上，他费劲地把长方形分成等份的长方形，他给陡坡等写完了注解，后面还写着一行字，以解释他匆忙完工的原因："因为汤凉了。"吃完晚饭后他又拾起了他的练习。

1519年4月23日，过完了六十七岁的生日之后几天，"感觉到死亡肯定到来，他能活的时日却不肯定"，按照必须执行的手续，他要求昂布瓦斯的一位公证人出面做他的遗嘱见证人。

瓦萨里说，病了漫长的几个月，到了生命的尽头，达·芬奇"希望认真了解天主教的习俗，好的、健康的基督教教义，在流了许多眼泪之后，他后悔并开始忏悔，因为他站不起来，便由他的朋友们和仆人扶着，虔诚地起床接受圣体"。遗嘱好像确认了他回归了宗教：莱奥纳多·达·芬奇把他的灵魂交付给万能的上帝、光荣的圣母玛利亚、圣米歇尔、所有的天使、天堂里的所有圣徒和圣女。

他首先表达的愿望是有关葬礼的安排：

蒙娜丽莎的局部。

（从上至下顺时针方向依次为）**裸体的蒙娜丽莎**，米歇尔·让·巴蒂斯塔（Michel Jean Baptiste）版画，1775年，芬奇，达·芬奇理想博物馆。
达·芬奇画室，**裸体的蒙娜丽莎**，被认为是达·芬奇与其学生的作品，巴黎香提伊城康德亲王博物馆。

达·芬奇的学生，**裸体的蒙娜丽莎**，也被认为是莎莱（Salai）的作品，圣彼得堡的艾尔米塔什博物馆。
达·芬奇画室，**裸体的蒙娜丽莎**，私人收藏。
达·芬奇画室（被认为是弗朗切斯科·梅尔兹的作品），**美丽的妇人**，圣彼得堡的艾尔米塔什博物馆。

他希望葬在昂布瓦斯的圣佛罗伦丁教堂，他的遗体将由这教堂的神甫们运送，后面跟着修院院长、神甫和少年修士，由执事和副执事举行三场大弥撒，三十多场小弥撒，在圣佛罗伦丁和圣德尼举行，请六十个穷人在他的棺材上点六十支蜡烛；在祈祷他的灵魂安息时点十支大蜡烛，七十支派给主宫医院和昂布瓦斯的

（从上至下顺时针方向依次为）达·芬奇画室，**埃尔沃斯蒙娜丽莎**，被认为是蒙娜丽莎年轻时的画像，面部局部，私人收藏。
第一幅完整的蒙娜丽莎的版画，查尔斯·兰格洛斯（Charles Langlois）作品，但是这幅作品不是根据卢浮宫馆藏的《蒙娜丽莎》所作，而是根据摩纳哥博物馆的馆藏作品所作，那幅原作也被认为是达·芬奇的原作。芬奇，达·芬奇理想博物馆。
赫尔莫莎的蒙娜丽莎（Hermosa Gioconda），版画，普拉多博物馆，19世纪，芬奇，达·芬奇理想博物馆。

圣拉扎尔教堂的穷人。

达·芬奇从来就没说过他相信死后轮回的事，他认为“死就是最后的痛苦”：“灵魂就是怀着最大的厌恶离开了躯体”，而我认为他的痛苦和抱怨不是没有理由的。最奇怪的是对自己的坟墓他没有提出一点要求，对在墓碑上刻什么字他只字不提。三十多年前，他在米兰时曾经说过，“度过非常充实的一生后幸福地死亡，就像忙碌了一天后幸福地睡了”。也许，这句话正是他对自己一生的精确预言。在交待完遗愿后，1519年5月2日，这位天才把灵魂交给了上帝。

瓦萨里说，“经常亲切地拜访他的国王”在神父给达·芬奇敷了圣油之后出来时，走进达·芬奇的房间。达·芬奇使出最后一点力气，恭恭敬敬地坐在床上，向弗朗索瓦一世解释他的病情和现状，然后表示他认识到他“因为没有从事他应当完成的艺术创作，大大违

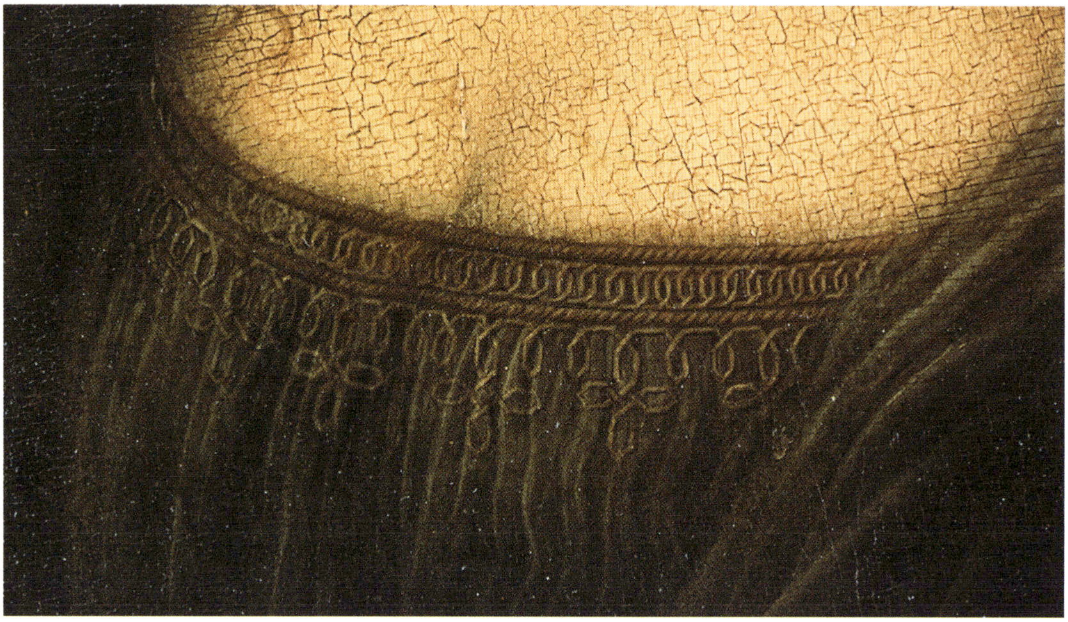

（左上图）**布里阿诺桥的细节**，温莎城堡皇家图书馆手稿，12278。

（下图）**卢浮宫馆藏《蒙娜丽莎》衣服上的芬奇结。**
（右页）**卢浮宫馆藏《蒙娜丽莎》中风景的局部。**

背了天意”。然后他不再说话，他痉挛了。于是国王凑过身去，扶住他的脑袋，安慰他，努力减轻他的痛苦。过了片刻，达·芬奇在国王的怀抱里去世了。

1519年6月1日，弗朗切斯科·梅尔兹写信给达·芬奇同父异母的兄弟们，通知他们艺术家达·芬奇去世的噩耗。他在信中写道：“他是我最好的父亲，他的去世令我感受到的痛苦难以用言语表达。只要我还活着，我就永远感受到他的去世给我造成的不幸，因为他每天给予我热烈的关爱。他是上天再也不能创造出来的人，对这样的人物的去世，世界都痛悼不已。”

（上图）**法国国王弗朗索瓦一世24岁时的肖像**，他身穿的衣服与达·芬奇所画的圣约翰的衣服相仿，该作品在19世纪面世时被认为是这位绘画巨人最后一幅杰作，巴黎卢浮宫。

（右页）**圣约翰**，1508年后完成，木板油画，69厘米×57厘米，巴黎卢浮宫。

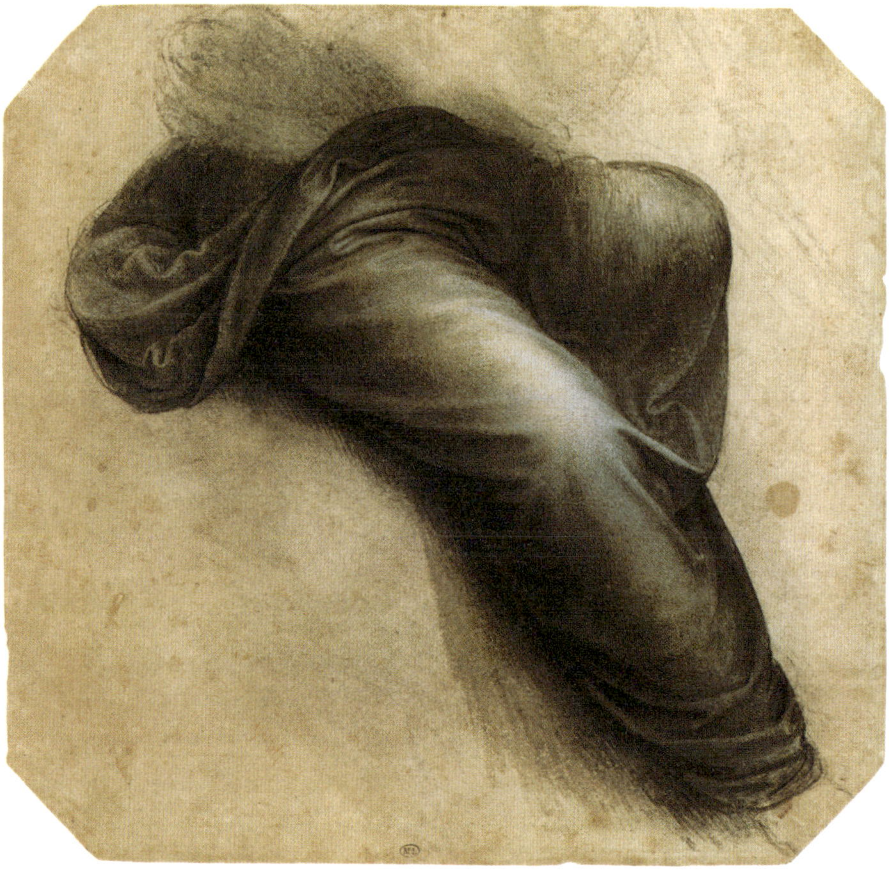

（上图）卢浮宫馆藏《**圣母子、圣安娜与羔羊**》**中圣母玛利亚的未完成的衣褶**，习作，约1516—1517年。

（右页）**圣母子、圣安娜与羔羊**，在1501年构思的草图基础上创作，该作品并未最终完成，在达·芬奇生命的最后两年仍在创作，木板油画，168厘米×112厘米，巴黎卢浮宫。

（从上至下顺时针方向依次为）藏于伦敦的《圣母子、圣安娜与羔羊》草图中圣安娜与圣母玛利亚的眼神，局部。
藏于伦敦的《圣母子、圣安娜与羔羊》草图中手指的细节。
藏于乌菲齐美术馆中的《三博士来朝》图中手指的细节，约1482年。

藏于卢浮宫的**圣母子、圣安娜与羔羊**，局部。

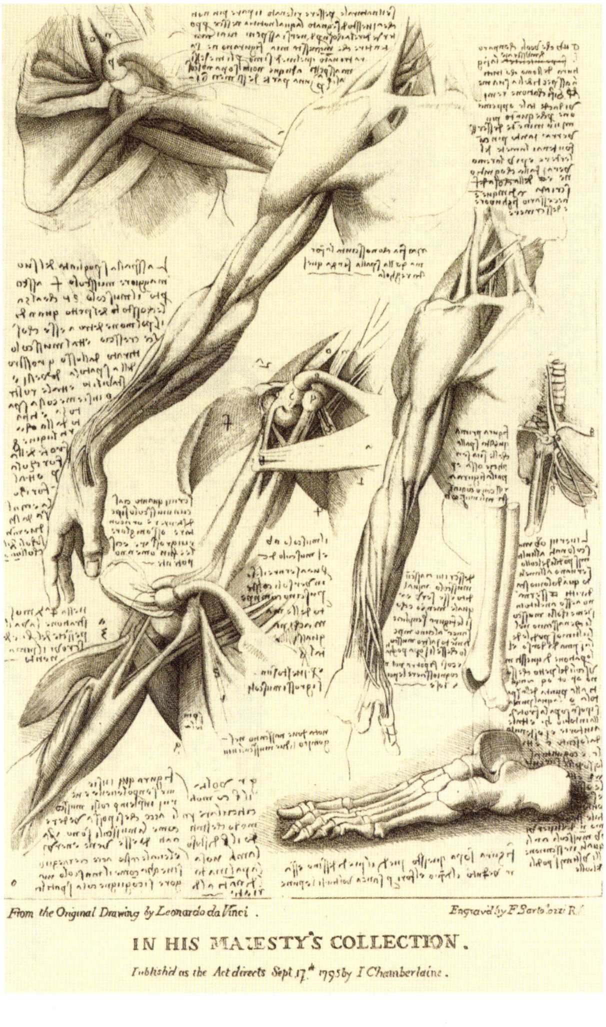

（左上图）托比阿斯・斯蒂默（Tobias Stimmer）创作的**达・芬奇的肖像**，版画，巴西利亚，1589年。

（中图）**运动中的肌肉、肩膀与手臂的骨骼**，弗朗切斯科・巴尔多罗奇（Francesco Bartolozzi）根据达・芬奇温莎城堡皇家图书馆手稿中的原图所创作的版画，1795年，芬奇，达・芬奇理想博物馆。

（左上图）**达·芬奇自画像**，约1516年，都灵皇家图书馆藏。

（左下图）拉斐尔在**《雅典学院》**中将亚里士多德身边的柏拉图刻画成达·芬奇的样貌。

（右上图）**达·芬奇的侧面像**，弗朗切斯科·巴尔多罗奇（Francesco Bartolozzi）根据达·芬奇的学生的作品所作版画，伦敦，1795年，芬奇，达·芬奇理想博物馆。

（右下图）阿尼奥罗·布伦奇诺（Agnolo Bronzino）画室，**丢勒和提香之间的达·芬奇**，约1560—1565年，私人收藏。

（左上图）**达·芬奇在四十岁时的自画像**，这是窗户的边框与他本人的投影，约1492年，Ms手稿A，f.1r，局部。
（右上图）名为“论点”的手稿单页，**右手残疾的老人**，约1490年。
（下图）**年迈的达·芬奇，右手已经瘫痪**，被认为是安布罗奇奥·费吉诺的作品，威尼斯学院美术馆。

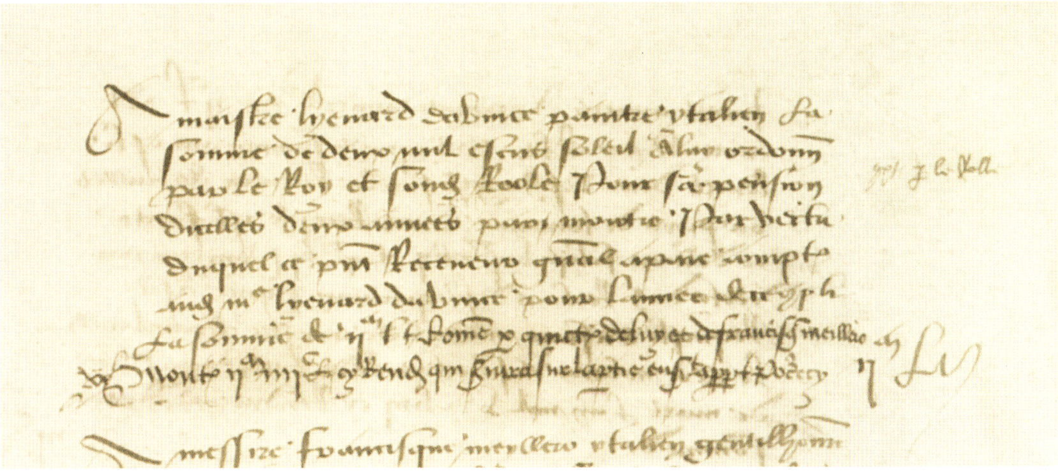

（右上图）**达·芬奇在他的书房**，卡埃塔诺·卡拉尼作品，1782年，芬奇，达·芬奇理想博物馆。

（下图）**支付给“国王的画家”达·芬奇的2000盾报酬单据**，巴黎，国家档案馆，局部。

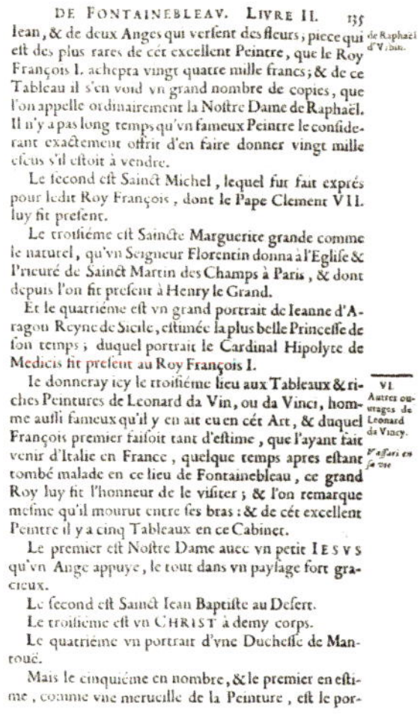

DE FONTAINEBLEAV. LIVRE II. 135

Iean, & de deux Anges qui versent des fleurs; piece qui est des plus rares de cét excellent Peintre, que le Roy François I. achepta vingt quatre mille francs; & de ce Tableau il s'en void vn grand nombre de copies, que l'on appelle ordinairement la Nostre Dame de Raphaël. Il n'y a pas long temps qu'vn fameux Peintre le considerant exactement offrit d'en faire donner vingt mille escus s'il estoit à vendre.

Le second est Sainct Michel, lequel fut fait exprés pour ledit Roy François, dont le Pape Clement VII. luy fit present.

Le troisiéme est Saincte Marguerite grande comme le naturel, qu'vn Seigneur Florentin donna à l'Eglise & Prieuré de Sainct Martin des Champs à Paris, & dont depuis l'on fit present à Henry le Grand.

Et le quatriéme est vn grand portrait de Ieanne d'Aragon Reyne de Sicile, estimée la plus belle Princesse de son temps; duquel portrait le Cardinal Hipolyte de Medicis fit present au Roy François I.

VI. Autres ouvrages de Leonard da Vincy.

Vassari en sa vie

Ie donneray icy le troisiéme lieu aux Tableaux & riches Peintures de Leonard da Vin, ou da Vinci, homme aussi fameux qu'il y en ait eu en cét Art, & duquel François premier faisoit tant d'estime, que l'ayant fait venir d'Italie en France, quelque temps apres estant tombé malade en ce lieu de Fontainebleau, ce grand Roy luy fit l'honneur de le visiter; & l'on remarque mesme qu'il mourut entre ses bras: & de cét excellent Peintre il y a cinq Tableaux en ce Cabinet.

Le premier est Nostre Dame auec vn petit IESVS qu'vn Ange appuye, le tout dans vn paysage fort gracieux.

Le second est Sainct Iean Baptiste au Desert.

Le troisiéme est vn CHRIST à demy corps.

Le quatriéme vn portrait d'vne Duchesse de Mantoue.

Mais le cinquiéme en nombre, & le premier en estime, comme vne merueille de la Peinture, est le por-

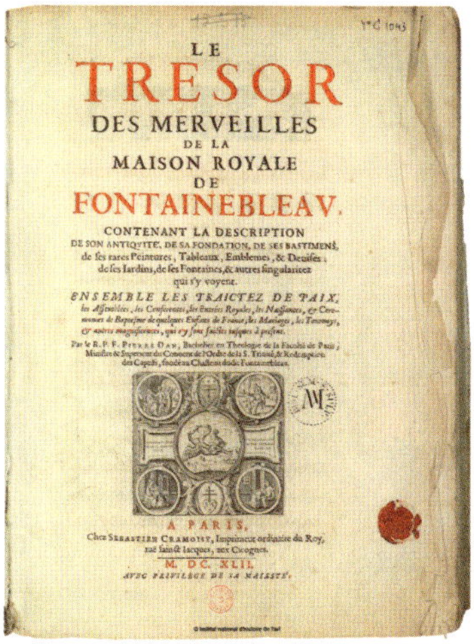

LE TRESOR DES MERVEILLES DE LA MAISON ROYALE DE FONTAINEBLEAV.

CONTENANT LA DESCRIPTION DE SON ANTIQVITE', DE SA FONDATION, DE SES BASTIMENS, de ses rares Peintures, Tableaux, Emblemes, & Deuises: de ses Iardins, de ses Fontaines, & autres singularitez qui s'y voyent.

ENSEMBLE LES TRAICTEZ DE PAIX, les Assemblées, les Conferences, les Entrées Royales, les Naissances, & Ceremonies de Baptesme de quelques Enfans de France, les Mariages, les Tournoys, & autres magnificences, qui s'y sont faictes iusques à present.

Par le R. P. F. PIERRE DAN, Bachelier en Theologie de la Faculté de Paris, Ministre & Superieur du Conuent de l'Ordre de la S. Trinité, & Redemption des Captifs, fondé au Chasteau dudit Fontainebleau.

A PARIS,
Chez SEBASTIEN CRAMOISY, Imprimeur ordinaire du Roy, ruë sainct Iacques, aux Cicognes.
M. DC. XLII.
AVEC PRIVILEGE DE SA MAIESTÉ.

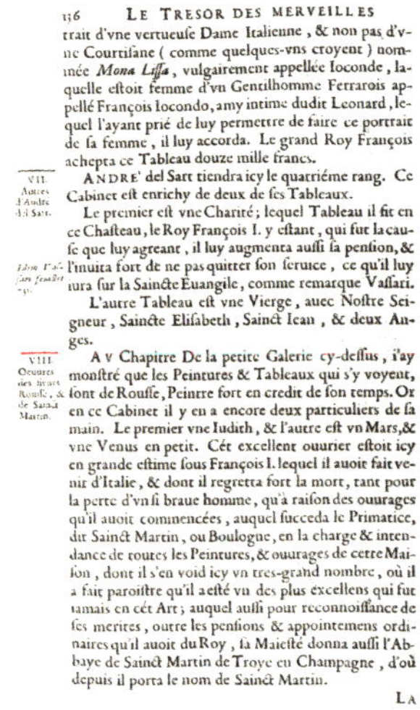

136 LE TRESOR DES MERVEILLES

trait d'vne vertueuse Dame Italienne, & non pas d'vne Courtisane (comme quelques-vns croyent) nommée *Mona Lissa*, vulgairement appellée Ioconde, laquelle estoit femme d'vn Gentilhomme Ferrarois appellé François Iocondo, amy intime dudit Leonard, lequel l'ayant prié de luy permettre de faire ce portrait de sa femme, il luy accorda. Le grand Roy François achepta ce Tableau douze mille francs.

VII. Autres d'André del Sart.

ANDRE' del Sart tiendra icy le quatriéme rang. Ce Cabinet est enrichy de deux de ses Tableaux.

Le premier est vne Charité; lequel Tableau il fit en ce Chasteau, le Roy François I. y estant, qui fut la cause que luy agreant, il luy augmenta aussi sa pension, & l'inuita fort de ne pas quitter son seruice, ce qu'il luy iura sur la Saincte Euangile, comme remarque Vassari.

L'autre Tableau est vne Vierge, auec Nostre Seigneur, Saincte Elisabeth, Sainct Iean, & deux Anges.

VIII. Oeuures des sieurs Rousse, & de Sainct Martin.

AV Chapitre De la petite Galerie cy-dessus, i'ay monstré que les Peintures & Tableaux qui s'y voyent, sont de Rousse, Peintre fort en credit de son temps. Or en ce Cabinet il y en a encore deux particuliers de sa main. Le premier vne Iudith, & l'autre est vn Mars, & vne Venus en petit. Cét excellent ouurier estoit icy en grande estime sous François I. lequel il auoit fait venir d'Italie, & dont il regretta fort la mort, tant pour la perte d'vn si braue homme, qu'à raison des ouurages qu'il auoit commencées, auquel succeda le Primatice, dit Sainct Martin, ou Boulogne, en la charge & intendance de toutes les Peintures, & ouurages de cette Maison, dont il s'en void icy vn tres-grand nombre, où il a fait paroistre qu'il a esté vn des plus excellens qui fut iamais en cét Art; auquel aussi pour reconnoissance de ses merites, outre les pensions & appointemens ordinaires qu'il auoit du Roy, sa Maiesté donna aussi l'Abbaye de Sainct Martin de Troye en Champagne, d'où depuis il porta le nom de Sainct Martin.

LA

（上图）皮埃尔·丹（Pierre Dan），《枫丹白露王宫艺术珍品名录》，书中记录了法国王室支付给达·芬奇《蒙娜丽莎》作品报酬4000盾。

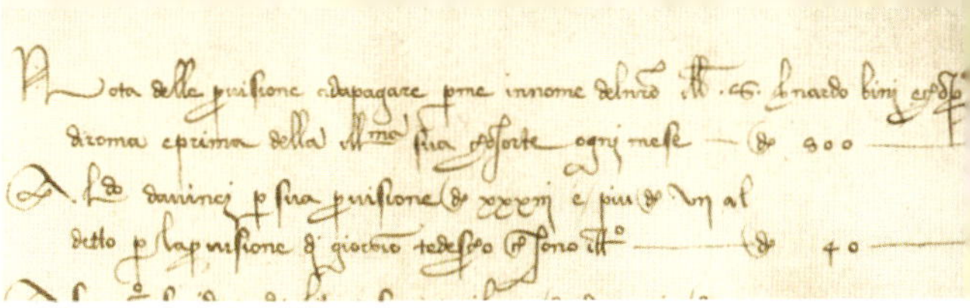

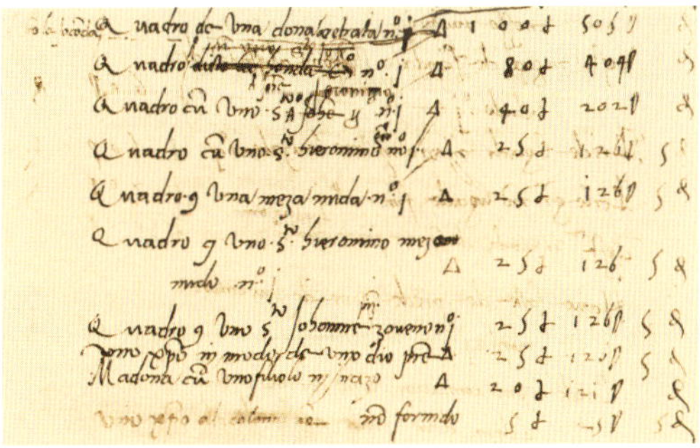

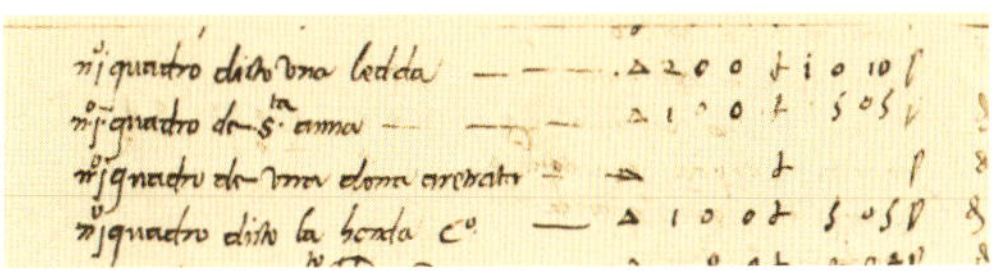

（从右上至左下顺时针依次为）**朱力亚诺·德·美第奇支付给达·芬奇的报酬单据**，1515年4月—7月，局部。

达·芬奇画室（被认为是莎莱的作品），**圣约翰**，米兰安布罗哲美术馆。

莎莱去世（1524年）后遗产清单的两处细节。

百合花圣母，约瑟夫·朱斯特（Joseph Juster）根据达·芬奇的原作创作的版画，1691年，芬奇，达·芬奇理想博物馆。

（左上图）**骑马的乐师的素描**，约1513年，温莎城堡皇家图书馆手稿，12585r，约1513年，局部。
（中图）**恶龙**，约1515年，温莎城堡皇家图书馆手稿，12367。

（从上至下顺时针依次为）**穿着东方服饰的男子**，弗朗切斯科·巴尔多罗奇（Francesco Bartolozzi）根据温莎城堡皇家图书馆手稿中的达·芬奇原作创作的版画。

旗手，约1513—1516年，温莎城堡皇家图书馆手稿，12575。

野蛮人，夏普斯特（Shepster）根据温莎城堡皇家图书馆手稿中达·芬奇的原作创作的版画，芬奇，达·芬奇理想博物馆。

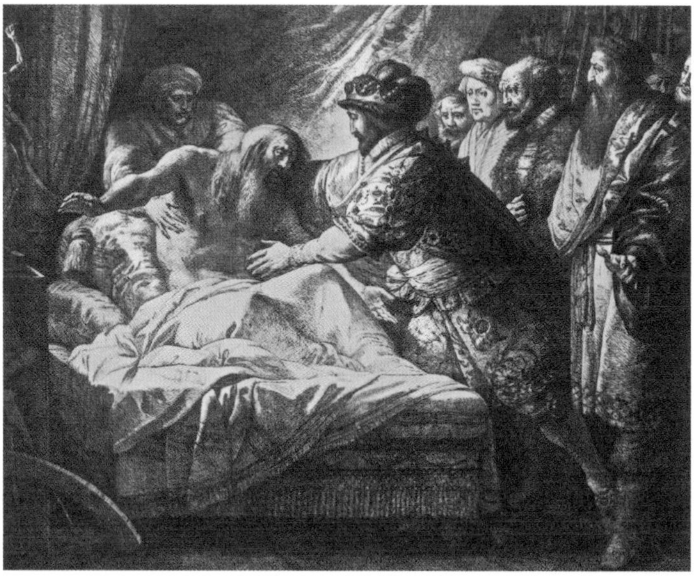

（上图）**这是绘画史上的荣耀，达·芬奇在法国国王弗朗索瓦一世的怀中离开人世**，朱塞佩·卡德斯（Giuseppe Cades）蚀刻画，约1780年，芬奇，达·芬奇理想博物馆。

（下图）**达·芬奇在法国国王弗朗索瓦一世的怀中离开人世**，理查曼（Richomme Ingres）版画，芬奇，达·芬奇理想博物馆。

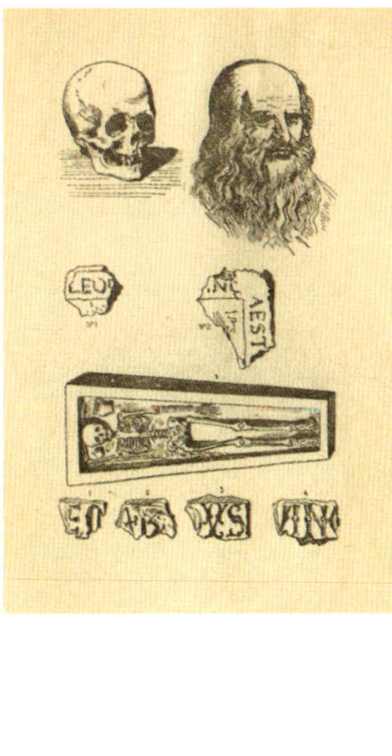

（上图）**沉思中的老者与漩涡**，这也许是达·芬奇的自画像，约1516年，温莎城堡皇家图书馆手稿，12579。

（左下图）**昂布瓦斯城堡的圣休伯特礼拜堂**，亨利·图森特（Henry C. Toussaint），1886年，芬奇，达·芬奇理想博物馆。

（下中图）**达·芬奇可能的墓地复原图**，阿森内·乌塞耶（Arsene Houssaye）版画作品，1886年，R.Cianchi档案馆。

（右下图）特雷马克·西诺里尼（Telemaco Signorini）作品，**克卢堡的风景**，约1885年。

附录一　达·芬奇手稿存世简介

1519年,达·芬奇在法国去世。他在遗嘱中规定,所有的研究笔记、手稿与绘画作品、绘画用具等都赠予其终身伙伴弗朗切斯科·梅尔兹,回报他多年来对自己的照顾。这批遗产中最为重要的部分,是约13000页的笔记和手稿。

梅尔兹在达·芬奇故后不久,便带着达·芬奇的遗产回到了瓦普里奥,并着手对达·芬奇的一生工作进行整理。根据瓦萨里的记述,尽管梅尔兹生前对手稿进行了精心保护,部分手稿还是散佚了。

1570年,梅尔兹去世,其子奥拉齐奥(Orazio)继承了所有财富。但他对保护达·芬奇的遗产兴趣不大。在这期间,他的家庭教师莱利奥·卡瓦尔蒂(Lelio Gavardi)不费吹灰之力便拿走了13卷手稿来到佛罗伦萨,将其呈给格兰德公爵,请公爵对手稿进行整理与保护。只可惜公爵去世后,这项计划也随之流产。卡瓦尔蒂于是携手稿来到比萨。后来,米兰人乔万尼·安布罗哲·玛赞恩塔说服卡瓦尔蒂将这些宝贵的文献归还给梅尔兹家族。不想卡瓦尔蒂的热情却被奥拉齐奥给浇灭了,在奥拉齐奥看来,自家阁楼里还有好多未得到妥善保管的手稿,这已经颇让自己费心思,自己不愿再保留卡瓦尔蒂先前带走的那部分了。于是,这13卷手稿被玛赞恩塔收藏,1590年,他将这些手稿分给自己的兄弟时,无意间向外界说出了这段经历。消息不胫而走之后,许多人连忙赶往瓦普里奥,向奥拉齐奥索求剩下的手稿。这么一来,更多的绘图手稿、解剖学笔记等就散佚开来了。

一名为西班牙国王工作的雕塑家彭佩奥·莱奥尼(Pempeo Leoni)在听说此事后,劝奥拉齐奥说服那些受赠者归还达·芬奇手稿,并由自己将这些珍贵的资料献给西班牙国王菲利普二世,事成之后,奥拉齐奥将得到王室的荣耀与恩宠。奥拉齐奥应允之后,便四处央人归还了其中七卷手稿,随后,玛赞恩塔家族收藏的三卷手稿也回到了他手上。剩下的三卷,有一卷玛赞恩塔赠予了费德里克·波罗梅奥主教,后来流入了米兰的安布罗哲图书馆;另一卷在历经多次交易后,于1759年被威尼斯的一位英国人得到;还有一卷手稿流散到了塞维奥公爵手中,没有人知道其最终下落,据推测,也许这一卷手稿不幸毁于1667年或1669年都灵皇家图书馆的火灾中。

事实上,雕塑家彭佩奥·莱奥尼并没有将自己所得到的手稿献给西班牙国王菲利浦二世。他将其中的部分手稿一页页拆开,并把在奥拉齐奥那里得到的绘图进行了重新装订,汇集成今天的大西洋手稿,共402页,1700多幅绘图。在莱奥尼去世后,这些手稿被他的继承人所保存。1625年,大西洋手稿被卖给了加莱佐·阿尔克纳提(Galeazzo Arconati),另两卷手稿在马德里出售,后由唐·胡安(Don Juan de Espina)得到。随后,莱奥尼手中的其他手稿也都传到了阿尔克纳提的手中。1636年,后面这批手稿在米兰的安布罗哲图书馆出现。

1674年,达·芬奇的另一卷手稿也被奥拉齐奥·阿尔钦迪(Orazio Archinti)赠送给安布罗哲图书馆。根据伯爵的记录,加上玛赞恩塔赠给费德里克·波罗梅奥主教的那卷手稿,此时的安布罗哲图书馆也拥有12卷达·芬奇书稿,然而其后不久,其中的第二卷就不见了。第五卷又被人拿走并转卖给了米兰的特里维尔斯(Trivulzio);其中10卷在图书馆保存到1796年。在那一年,在意大利军队的高层要求下,所有手稿均被送往巴黎。其中,大西洋手稿留在了巴黎的国家图书馆,其余手稿则保存在法兰西学院图书馆。

1815年,在奥地利大使申请归还达·芬奇手稿的要求下,大西洋手稿被送回了米兰的安布罗哲图书馆。在法国的书稿被文度里(J.B.Venturi)用字母为序号加以区分。他将手稿中18幅绘图规定为MS.B手稿,如此一来,就共有14卷手稿。

对于达·芬奇的全部笔记,手稿流传的详细情况,是很难准确界定的。目前研究达·芬奇手稿的学者所见的手稿,主要依据以下这些材料:

安布罗哲图书馆的大西洋古抄本手稿,1892年,在米兰以摹写的形式出版,随后在1894—1904年又在罗马出版。朱耶莫·里布里(Juglielmo Libri)从法兰西学院的这批手稿中摘取了有关数学图示和鸟类的草图对外出售。这些被贩卖的手稿显示由萨巴克尼科夫买下,次年,也就是1893年,以《鸟类的飞行手稿》(*Codice Sul Volo degli Uccelli*)为名出版。这卷手稿现藏于都灵皇家图书馆。而法兰西学院里的手稿A、手稿B被编辑后，也在1892年以摹写的形式出版，在巴黎也有一个六卷本的法语译本。其中，现存于伦敦大英博物馆的阿伦代尔手稿(Arundel)有可能来自这批手稿中。

现在知道的达·芬奇的其他手稿，还有在肯辛顿的福斯特图书馆的三本小记事本，以及在胡科哈默的莱彻斯特伯爵所拥有的一本笔记。前者后来落入了福斯特手中，目前被伦敦的维多利亚与阿尔伯特博物馆收藏。后者的来历不明，根据笔记的首页记录，它曾经属于18世纪初生活在罗马的画家朱塞佩·盖奇(Giuseppe Ghezzi)。1909年，莱切斯特手稿由杰罗拉姆·卡尔维(Gerolamo Calvi)在米兰编辑出版，1995年，这部分手稿的原稿被比尔·盖茨购买。

藏于温莎城堡皇家图书馆的手稿主要是解剖学笔记。1898年，解剖学手稿A在巴黎出版，随后在1901年，都灵又出版了手稿B。1911—1916年，六卷解剖学手稿在奥斯陆出版，共包括1050幅插图，129页手稿。1923年后，大英博物馆的手稿和温莎城堡皇家博物馆的三卷手稿在罗马出版。

目前已知存世的达·芬奇笔记或手稿大约有6000多页，这仅仅是他原有遗产的一部分。这位巨人留下的遗产是远远超出我们的想象的。在1967年，马德里又发现了340页笔记的片段，这部分马德里手稿，对达·芬奇的手稿又是一个新的补充。

在达·芬奇看来，绘画的目的，就在于打动观者。在他身后几百年间，我们在无数后辈艺术家的作品中，不断看到向他致敬的作品，每一个时代都有天才艺术家从他的作品中获得灵感。正如他所说，绘画的目的就是要这样打动观众。这种震撼人心的魅力也许不仅是超越时空的，更是超越一切艺术趣味的——作品的伟大，往往成为其受到破坏的原因之一，达·芬奇的绘画是艺术史中最为宝贵的，却也同时是文物破坏者最热衷攻击的对象。

正如达·芬奇的大部分画作一样，《蒙娜丽莎》也经受不住时间的折磨。它左右两边的护板削去了约七厘米的边，在拉斐尔的草图和复制画中出现过的框住风景的两根柱子已经看不见了，青绿色的清漆代替了脸庞上轻抹上去的透明的淡色。对原画的描述有过了解的瓦萨里说，原画里的人物“明亮的眼睛闪烁着生命的光辉，眼圈淡红、青灰，睫毛画得逼真，极其细致，眉毛纤毫可见，根据毛孔的不同，或浓或疏，再真实不过。鼻孔是玫瑰色，玲珑剔透，鼻子画得活生生的，红润的唇凹凸有致，脸庞和嘴

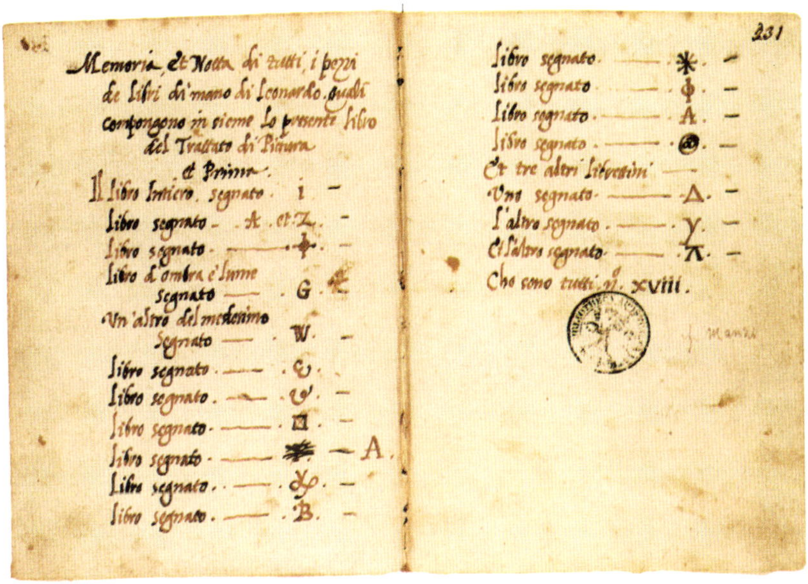

弗朗切斯科·梅尔兹所列出的达·芬奇用来编写《论绘画》一书的手稿（共18册），其中超过一半均已散佚。

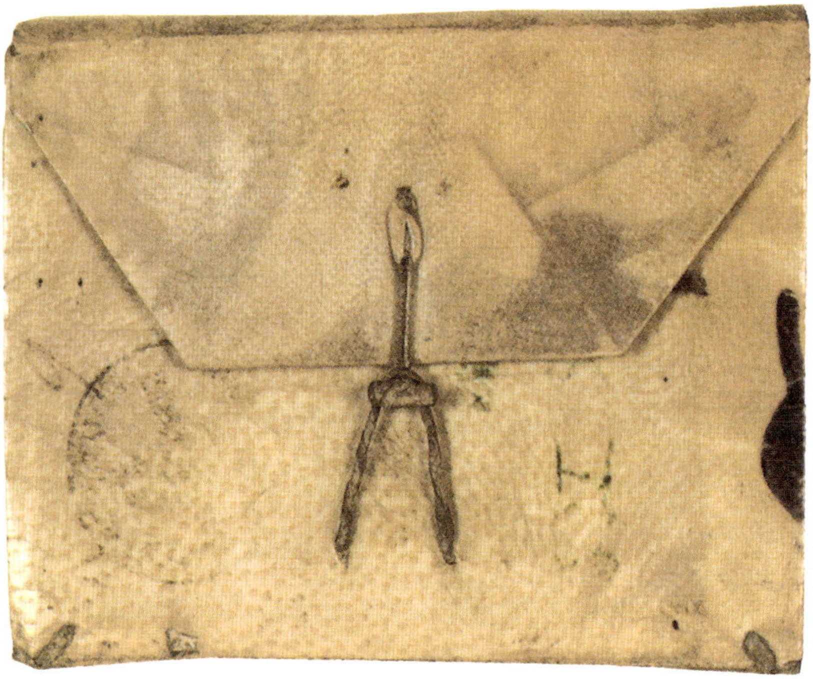

藏于巴黎法兰西学院的手稿的装帧。

弗朗切斯科·梅尔兹（他在中间底部的石头上署上了自己的名字），**果树女神**，柏林国家博物馆。

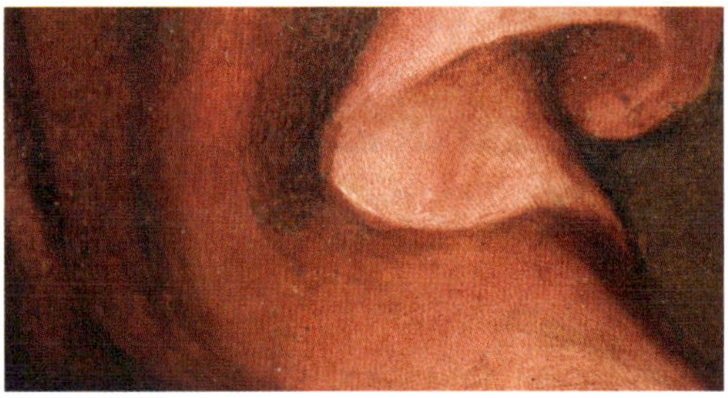

唇的肉色都不像是颜料调出来的，而是人的肌肉的颜色。细心的观众还会在画中人的脖子上看到血管的跳动”。如今的画虽还给人活生生的印象，但是蒙娜丽莎的脸庞已经没有了瓦萨里笔下描述的肉色的红润、血管和细致的眉毛。历史上曾经发生过多起《蒙娜丽莎》遭盗窃的事件，笼罩在作品几百年中浮沉经历上的传奇色彩，已经是经典之所以成为经典的原因。

据称卢浮宫一位看守爱上了他负责看管的《蒙娜丽莎》。他经常与画中的美人谈话，他嫉妒那些靠近她的游客。这种近乎痴狂的迷恋导致专情的看守遭到了博物馆的辞退，这种疯狂的举动很难说与个人的艺术品位有关，但事实上，另一方面，在艺术史中曾经引发类似痴恋的作品，除了《蒙娜丽莎》之外，罕见第二幅作品。这正是达·芬奇所强调的吸引、打动观众的效果，终其一生，他都在净化、完善他的绘画技艺，一个神秘的女人成为他艺术才华最久远的代言人。在艺术沦为消费的婢女的今天，人们不断地复制她，讨论她，纵然是已成滥觞的经典，仍然具有邮票、纪念品中大量《蒙娜丽莎》的复制品所不具有的独特魅力。

每个人都是一个谜，随着时间的流逝，有些谜注定无法解开，而是淹没在不断更新的解读之中。对于达·芬奇这位在绘画方面擅用明暗对比的魔术高手，要想完全彻底地解

（从上至下依次为）达·芬奇画室，**圣约翰**，铜版画，24厘米×19厘米，私人收藏，局部。
吉安·皮耶特里诺（Giampietrino），**圣凯瑟琳两处局部，可见指印与掌印**，木板油画，74厘米×59厘米，私人收藏。

读他，其难度就更不用说了。给伟人盖棺定论，往往出于后人的狂妄；而不断在伟人的传奇中添加瑰丽奇幻的赞美，却又是出于平庸头脑者的一厢情愿。尽管如此，这种努力也从来没有中断过，而一代又一代人的赞美，其回响也益发充满真诚——当后人站在我们的时代审视、解读达·芬奇的时候，会体会到瓦萨里说的“天体”的反射和回声，并从这种跨越时代的回响中感觉到从达·芬奇的作品中迸射出来的光亮与和谐。

（上图）达·芬奇画室（曾被认为是达·芬奇与其弟子的合作作品），**岩间圣母**，木板油画，168厘米×140厘米，私人收藏。
（下图）达·芬奇画室，**圣安娜**，布面油画，154.5厘米×122厘米，私人收藏。
（下页）切萨雷·达·塞斯托与贝尔纳扎诺，**基督受洗**，木板油画，262厘米×198厘米，米兰，私人收藏。

（左图）马尔科·迪·奥基奥诺，**圣母子**，木板油画，65.5厘米×53厘米，新西兰，奥克兰市立美术馆。

（右图）吉安·皮耶特里诺，**玛达勒纳**，木板油画，71.5厘米×51.5厘米，卷发局部，芬奇，达·芬奇理想博物馆。

（左图）达·芬奇画室，**圣母子**（Madonna delle Minime），木板油画，43厘米×34厘米，芬奇，达·芬奇理想博物馆。

（右图）达·芬奇画室，**圣母的面容**，木板油画，24厘米×20.5厘米，反射复制法下的重叠，局部，私人收藏。

（左图）墨西哥城所藏的《**圣约翰**》中反射复制法下的局部，私人收藏。
（右图）达·芬奇画室，**耶稣与小圣约翰**，木板油画，43厘米×51厘米，德国汉堡，Mathias Hans收藏。

（左图）马塞尔·杜尚，**微笑的女人**L.H.O.O.Q（带胡须的蒙娜丽莎），1919年。
（右图）**带胡须的蒙娜丽莎**（Joconde Rasée），1965年，芬奇，达·芬奇理想博物馆。

LA DOMENICA DEL CORRIERE

Si pubblica a Milano ogni Domenica

Supplemento illustrato del "Corriere della Sera"

Uffici del giornale: Via Solferino, N. 28 MILANO

Per tutti gli articoli e illustrazioni è riservata la proprietà artistica e letteraria, secondo le leggi e i trattati internazionali.

Anno XIII. — N. 36. 3 - 10 Settembre 1911. Centesimi 10 al numero.

Come sia stato possibile l'impossibile, cioè il furto dal Louvre del ritratto di Monna Lisa del Giocondo, di Leonardo.

(Disegno di A. Beltrame).

LA DOMENICA DEL CORRIERE

Supplemento settimanale illustrato del nuovo CORRIERE DELLA SERA - Abbonamenti: Italia, anno L. 1400, semestre L. 750 - Estero, anno L. 2350, semestre L. 1250

Anno 59 — N. 2 13 Gennaio 1957 L.30.—

Attentato a Monna Lisa. Uno straniero, confuso tra i numerosi visitatori del Museo del Louvre, ha lanciato un sasso contro la "Gioconda" di Leonardo. La pietra ha infranto il vetro messo a protezione del celebre ritratto e colpito la sorridente dama provocando una "ferita" guaribile in pochi giorni di restauro. L'autore del vandalico gesto è il boliviano Ugo Anzaga Villegas. Al commissario ha detto di non sapere perchè aveva scagliato il sasso; poi ha confessato che, trovandosi in difficoltà, aveva voluto far qualcosa per farsi arrestare e passare l'inverno in prigione.

(Disegno di Walter Molino)

（左图）1911年10月3日的意大利《晚邮报》头版报道《蒙娜丽莎》被盗事件。

（右图）1957年1月13日的《星期日邮报》中对《蒙娜丽莎》遭袭事件的报道。

（左图）萨尔瓦多·达利，**美的对比**，纽约，1954年。
（右图）费尔南德·莱热，**蒙娜丽莎与钥匙**，石板印刷，1930年，局部。

附录二　达·芬奇年表

1452年，4月15日

莱奥纳多·达·芬奇出生于佛罗伦萨附近的芬奇镇。

1469年

进入佛罗伦萨画家维罗奇奥的画室学习绘画。

1471年

为佛罗伦萨大教堂的顶部装置一座金球，其间学习了布鲁内莱斯基的机械原理。

1472年

达·芬奇加入佛罗伦萨圣路加画家公会。

1473年

达·芬奇创作第一幅注明日期的画，名为“圣雪马利亚日风景图”。

1476年

以同性恋罪名被控告，最后被判无罪释放。

1478年

接到了第一个有官方文件证明的个人订单，开始大西洋古抄本手稿的写作。

1481年

创作《三博士来朝》。

1482年

迁居米兰，为路德维科·斯福尔扎效力。

1483年

创作《岩间圣母》。

1490年

绘制《维特鲁威人》。

1493年

潜心制作斯福尔扎巨型铜马像的各种草图与模型。

1495年

为米兰圣母感恩教堂修道院绘制壁画《最后的晚餐》。

1498年

为路德维科装饰了天轴大厅，在此期间有可能进行了飞行器的第一次试飞。

1499年

法国军队进入米兰后，达·芬奇离开米兰。

1500年

返回佛罗伦萨。

1502年

担任瓦伦蒂诺公爵切萨雷·博尔吉亚的军事工程师。

1503年

开始构思《蒙娜丽莎》。

1506年

应法国公爵、米兰统治者查尔斯·当布卢兹之邀拜访米兰。

1507年

担任法国国王路易十二的画家和工程师，认识了梅尔兹。

1513年

接受教皇利奥十世的邀请前往罗马，可能绘制了今天藏于都灵的自画像。

1516年

离开意大利前往法国，居住于昂布瓦斯附近的克卢城堡。

1519年5月2日

达·芬奇在克卢城堡逝世，享年六十七岁。

附录三

达·芬奇宇宙志

（残　稿）

伊丽莎白二世温莎城堡皇家图书馆许可出版

第385页：

女性身体器官与动脉研究。

第386页：

81个谜语，约1490年，温莎城堡皇家图书馆手稿，12692v。

第387页：

73个谜语，约1490年，温莎城堡皇家图书馆手稿，12692r。

第388页：

奶牛子宫体内的牛犊，约1506—1508年，温莎城堡皇家图书馆手稿，19055r。

第389页：

子宫内的婴儿与脐带，约1510年，温莎城堡皇家图书馆手稿，19102r。

第390页：

漩涡，约1508—1512年，温莎城堡皇家图书馆手稿，12660v。

第391页：

植物，习作，约1505—1510年，温莎城堡皇家图书馆手稿，12424。

第392—393页：

托斯卡纳东部鸟类的飞行路线，约1503年，温莎城堡皇家图书馆手稿，12683。

第394页：

丽达，习作，左为跪着的丽达，右为单膝跪着的丽达。

第395页：

《安吉里之战》中的马，习作，约1504年，温莎城堡皇家图书馆手稿，12337r。

第396—397页：

航行或“好的政府”的譬喻，约1515年，温莎城堡皇家图书馆手稿，12496。

第398—399页：

末日大洪水，天使在云中吹响末日号角，约1517年，温莎城堡皇家图书馆手稿，12376。

第400页：

丽达的头饰，习作，约1504—1508年，温莎城堡皇家图书馆手稿，12516。

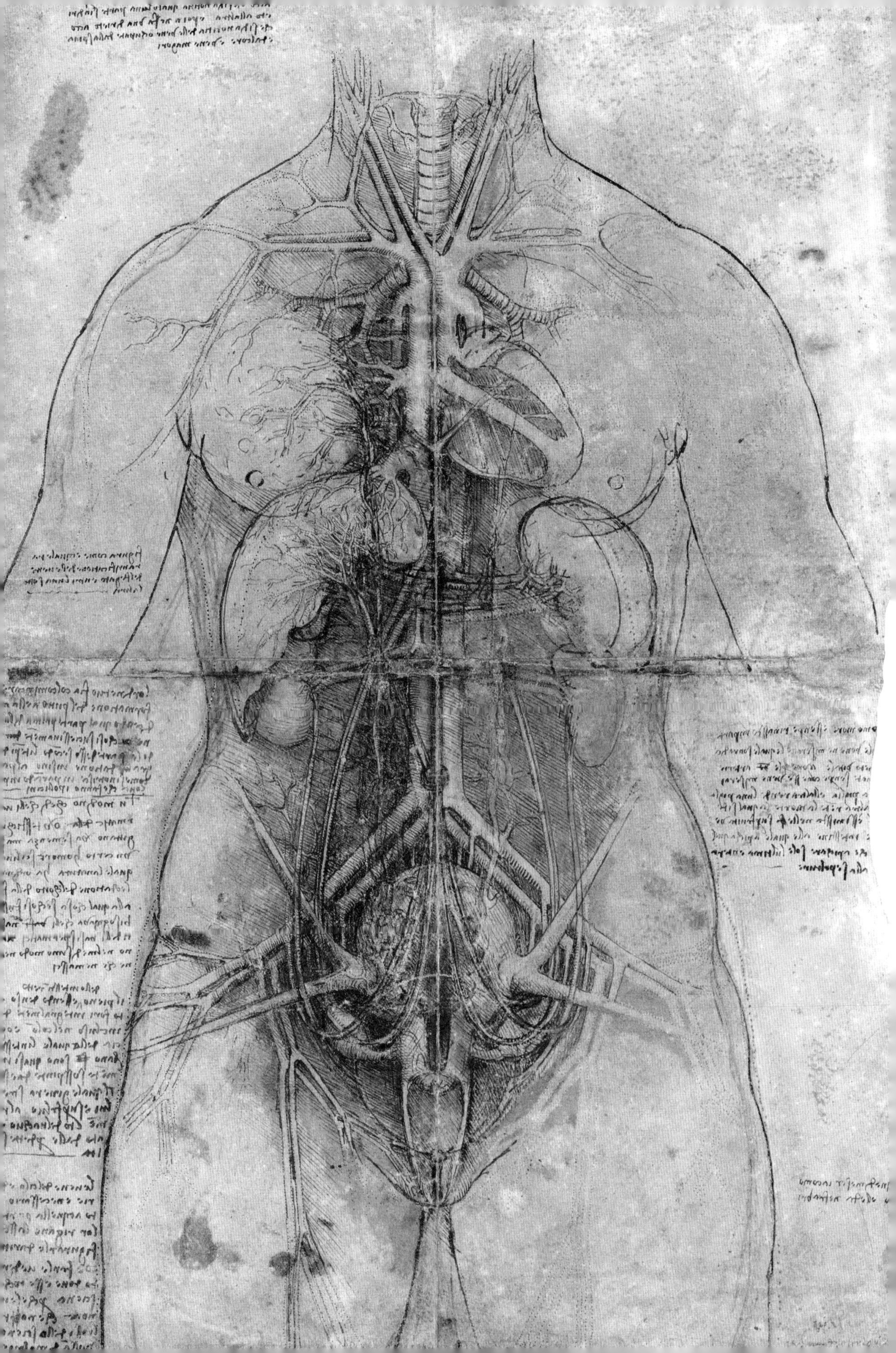

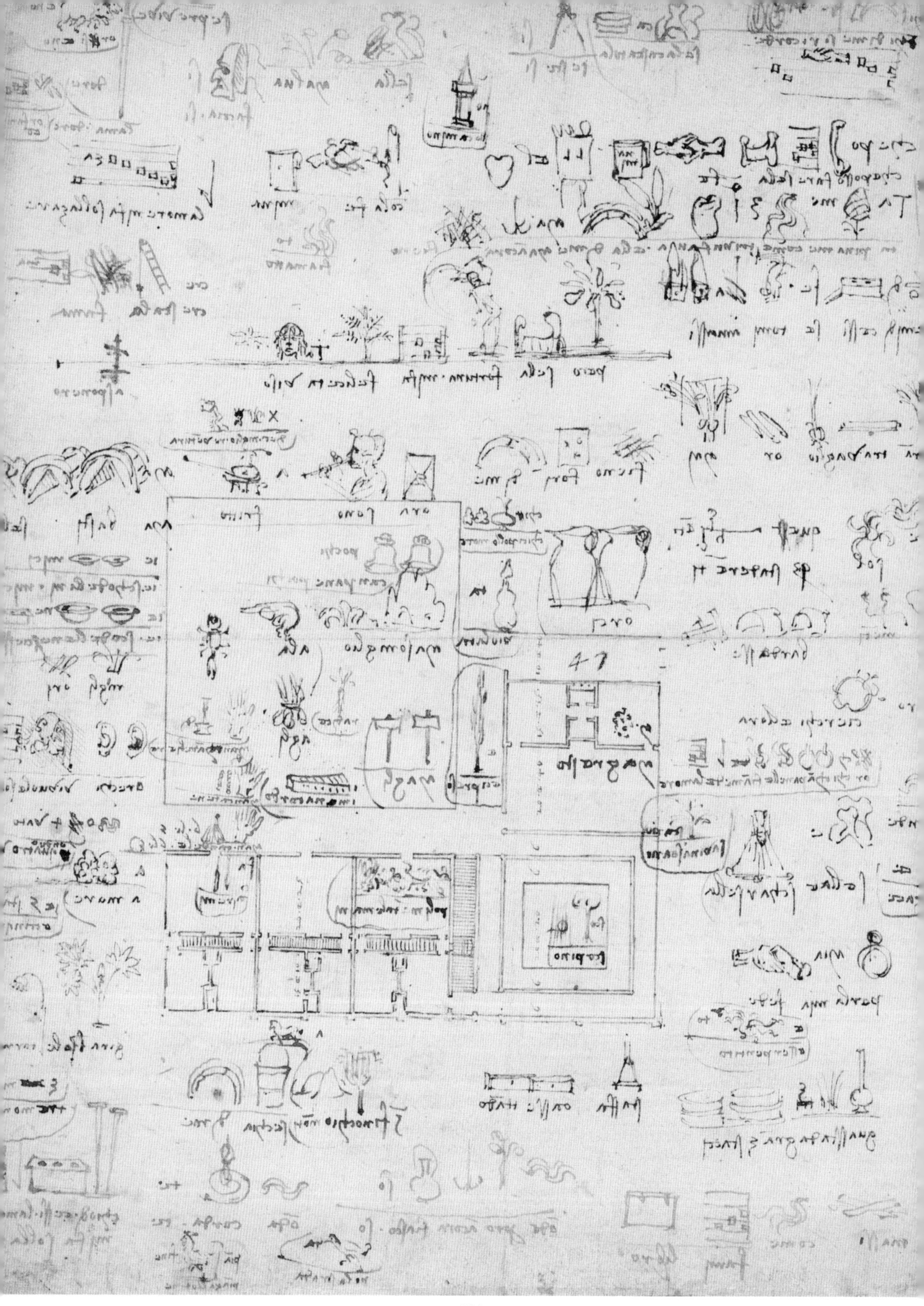

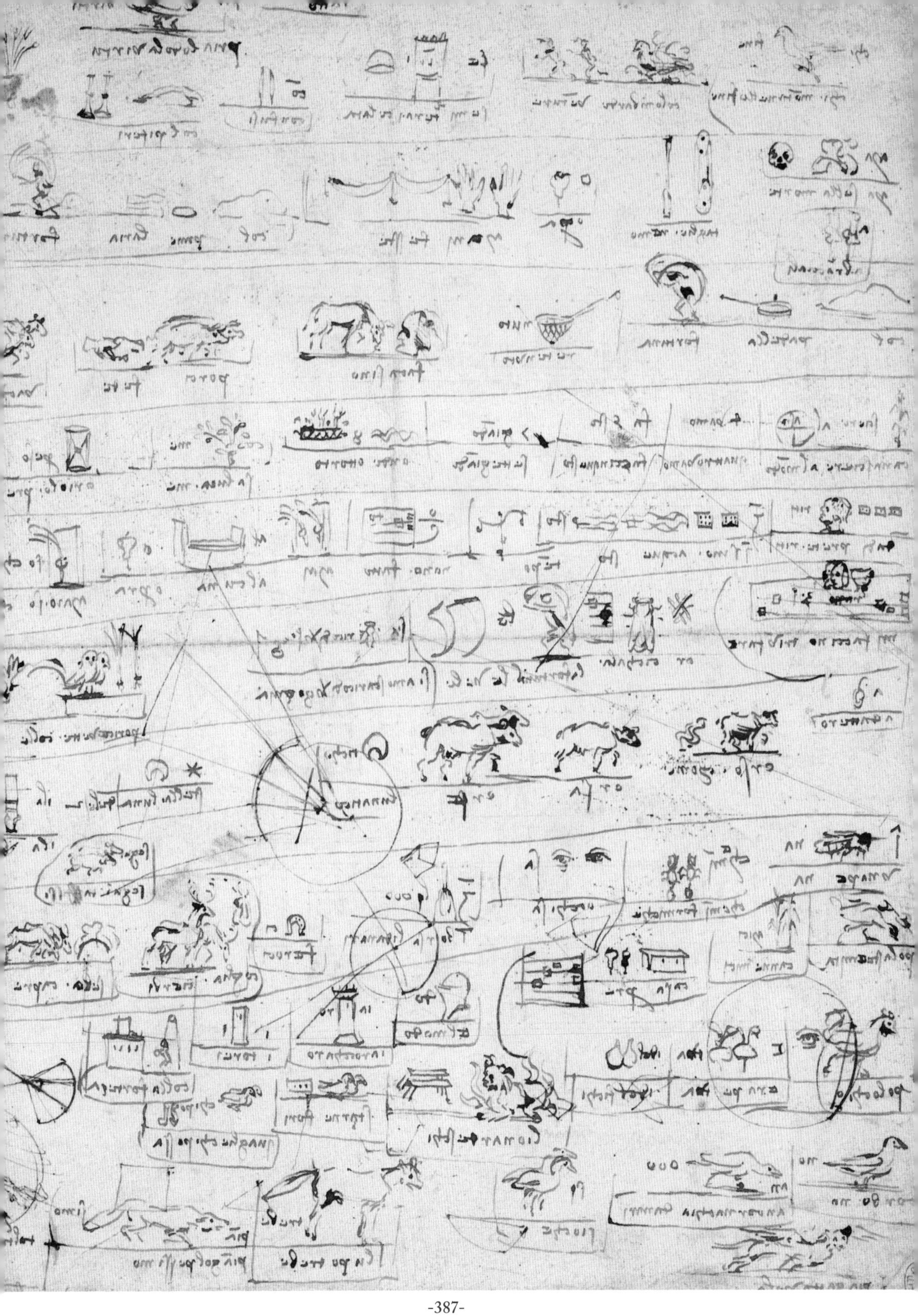

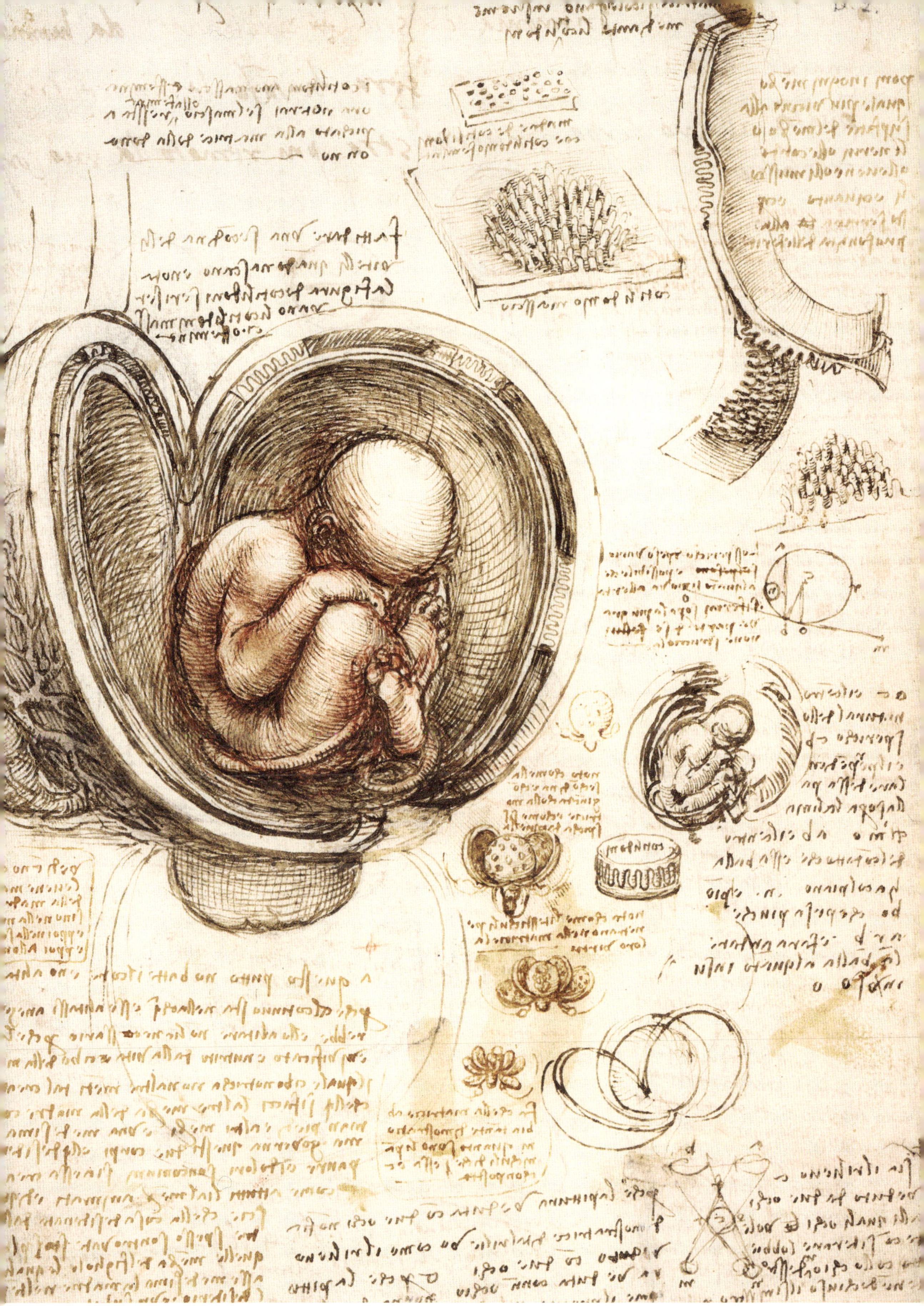

vada
bibona
casale
borgeri
castagneto
sugereto
querceto
gello
Volterra
Sillano

liuorno
nugola
pisa
bagno
cascina
fabrica
san romano
arno f.
·125·

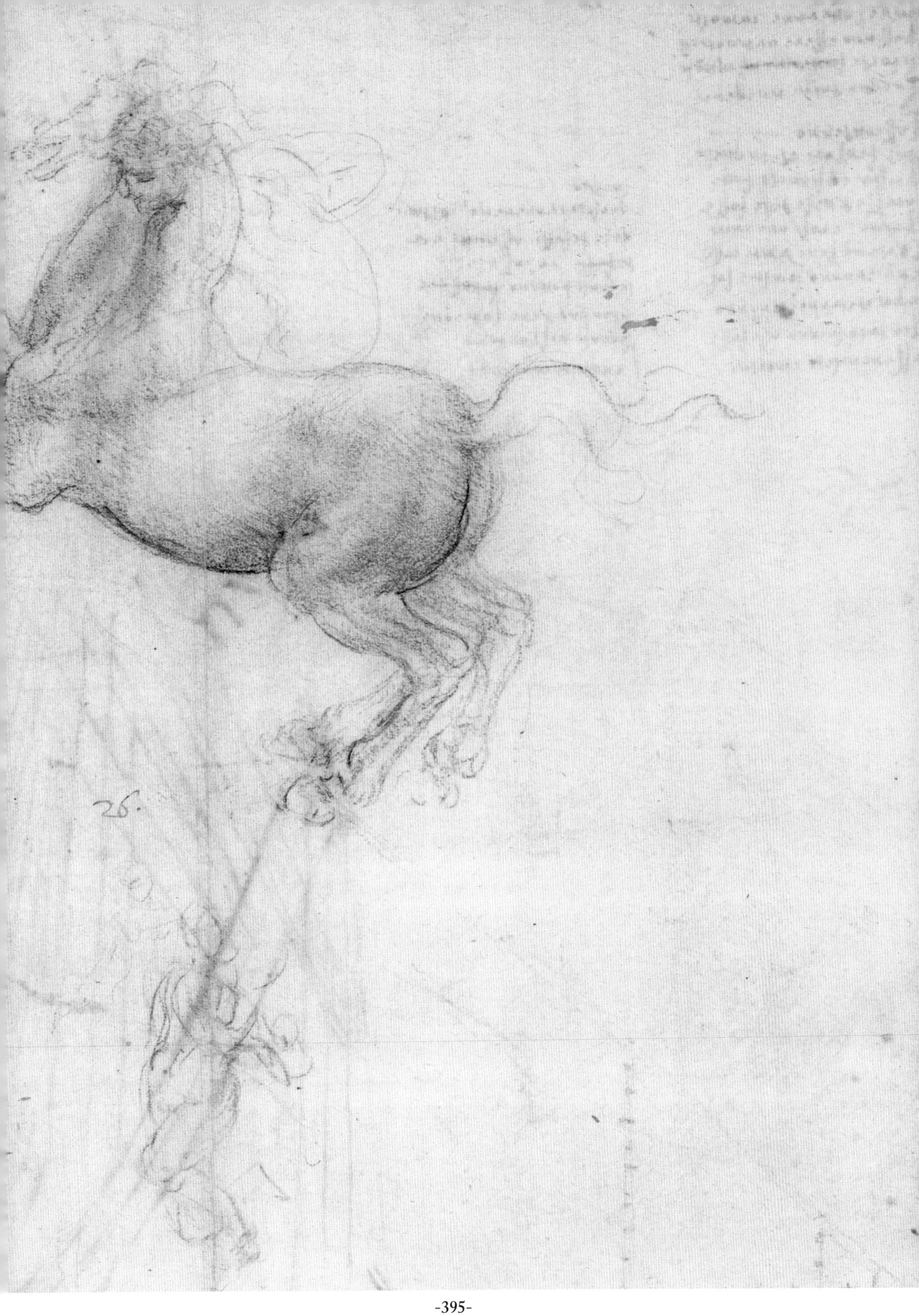

致　谢

感谢以下机构和个人为本书的出版提供图片：

阿勃卡博物馆、达芬奇理想博物馆档案馆、指纹档案馆、詹姆斯·贝克档案馆、伦佐·钱奇档案馆、佛罗伦萨斯卡拉图片档案馆、莱奥纳多·达·芬奇国际协会、B·皮亚斯卡·约翰逊收藏、路易吉·卡帕索、克洛·吕斯城堡、维多利奥与塞巴斯蒂安·蒂·吉罗拉莫、卡尔洛·法布雷、恰尔托雷斯基亲王与鲁米埃尔科技基金会、罗珊娜与卡罗·佩德雷蒂基金会（洛杉矶）、卡尔洛·贾尼、马西亚斯·汉斯、卡尔帕（*Kalpa*）集团、伊安·萨比出版社、莱奥纳多·阿提法克斯、莱奥纳多·达·芬奇自由学院、让·克劳德·吕伯康斯基、让·马尔加特、鲁米埃尔科技、意大利文化遗产与活动部、文学与手稿博物馆、碧加洛（*Bigallo*）博物馆、伦敦国家美术馆、华盛顿国家艺术馆、工具–地域的记忆、马西莫·里奇、马尔科·内雷欧·罗德利、温莎城堡伊丽莎白二世皇家图书馆收藏、马乌里奇奥·塞拉奇尼（埃迪特克艺术品分析公司）。

感谢以下朋友积极促成原著的问世：

朱莉娅·巴奇、贾马尔科·卡普佐、弗朗切斯科·钱奇、M·帕斯卡尔·科特、安娜·齐塔·迪·卡尔洛、安东尼奥·伽达梅拉达、贾尼·格兰迪、皮耶特罗·格兰迪、马乌里奇奥·格拉西、弗朗科·古尔佐尼、斯蒂法妮娅·卢卡雷利、凯瑟琳·西蒙·马里奥、纳乌·米纳米达、罗珊娜·佩德雷蒂、让·佩尼考特、皮耶特罗·佩里克内、马西莫·里纳尔迪、约瑟芬·罗杰斯·马里奥蒂、爱德华·桑圭内蒂、马尔切罗·特斯戴依、洛伦佐·图尼奥里、伊利莎贝塔·乌里维。